St. Mary of The Lake School

Apprivoiser les différences

Guide sur la différenciation des apprentissages et la gestion des cycles

Jacqueline
Caron

Les Éditions de la Chenelière
MONTRÉAL

Apprivoiser les différences
Guide sur la différenciation des apprentissages
et la gestion des cycles

Jacqueline Caron
© 2003 Les Éditions de la Chenelière inc.

Coordination : Josée Beauchamp
Révision linguistique : Lucie Lefebvre
Correction d'épreuves : Caroline Bouffard, Pierre-Yves L'Heureux
Maquette intérieure : Tatou communication, Norman Lavoie
Infographie : Norman Lavoie, Karina Dupuis, Fenêtre sur cour
Illustrations : Yvon Roy, François Boutet
Lecture critique : Odile Lapointe et Liette Demanche
Toile de la couverture : Micheline Poirier-Paquette

Données de catalogage avant publication (Canada)

Caron, Jacqueline

Apprivoiser les différences : guide sur la différenciation des
apprentissages et la gestion des cycles

(Chenelière/Didactique)
Comprend des réf. bibliogr.

ISBN 2-89310-748-6

1. Classes (Éducation) – Conduite. 2. Salles de classe –
Environnement. 3. Cycles d'apprentissage. 4. Enseignement –
Méthodes actives. I. Titre. II. Collection.

LB3013.C37 2002   371.3   C2002-941021-5

Les Éditions de la Chenelière
7001, boul. Saint-Laurent
Montréal (Québec)
Canada H2S 3E3
Téléphone : (514) 273-1066
Télécopieur : (514) 276-0324
chene@dlcmcgrawhill.ca

ISBN 2-89310-748-6

Dépôt légal : 1er trimestre 2003
Bibliothèque nationale du Québec
Bibliothèque nationale du Canada

Imprimé et relié au Canada
2 3 4 5 ITIB 07 06 05 04 03

Dans cet ouvrage, afin d'alléger le texte, le masculin a été utilisé.
La lectrice ou le lecteur verront à interpréter selon le contexte.

Nous reconnaissons l'aide financière du gouvernement du Canada
par l'entremise du Programme d'aide au développement de l'in-
dustrie de l'édition (PADIÉ) pour nos activités d'édition.

L'Éditeur a fait tout ce qui était en son pouvoir pour retrouver les
copyrights. On peut lui signaler tout renseignement menant à la
correction d'erreurs ou d'omissions.

Présentation de l'artiste et du tableau

- *Traduire l'âme en images*

Nous ramener à l'essentiel de l'être par
les couleurs, les coloris.

Nous faire sentir la poésie de la vie au-delà
des paysages qu'elle peint.

La simplicité, le regard serein, la joie de
vivre : Voilà tout ce qu'on peut sentir et
découvrir en admirant les aquarelles de
Micheline Poirier-Paquette, artiste peintre,
enseignante à Buckingham.

- Toile *Mouton noir,* aquarelle,
  35 cm × 25 cm (collection privée).

Par la fenêtre de l'école du rang, on
entendait des leçons de français et de
mathématique. À l'écho des lettres et des
chiffres se joignait une rumeur qui répétait
inlassablement : «mouton noir, mouton
noir, mouton…» Elle provenait d'une clairière parsemée de marguerites blanches.
L'unique marguerite jaune se demandait
bien pourquoi on ne cessait de la regarder
effrontément et ce que signifiaient ces chuchotements «mouton noir, mouton noir,
mouton…» accompagnés de regards hau-
tains. Pourtant, elle n'avait jamais vu de
mouton dans cette clairière…

Avec les années, des marguerites jaunes
s'ajoutèrent et les murmures s'espacèrent
pour finalement disparaître. La nature
acceptait les différences qu'elle avait
appris à gérer dans l'harmonie.

Je dédie cet ouvrage à mes fils :
Stéphane, qui intervient en
formation continue professionnelle,
et Sébastien, qui suit une
formation initiale en éducation
au primaire.

Que les différences de leur
personnalité contribuent
à l'harmonisation des
différences qu'ils rencontreront
à l'intérieur de leur parcours
professionnel !

Je vous accompagne,

Jacqueline

TABLE DES MATIÈRES

IV

Table des matières

AVANT-PROPOS
Apprivoise-moi et apprivoisons-nous

Qui ne se souvient pas de la merveilleuse histoire du Petit Prince ? Et que dire du passage émouvant où le jeune voyageur rencontre un renard qui lui demande de l'apprivoiser ? À cet enfant qui pose de nombreuses questions, le renard répond : « On ne comprend que les choses que l'on a apprivoisées. » Et il explique qu'apprivoiser prend beaucoup de temps.

« Tu dois être très patient...

« Tu dois d'abord t'asseoir loin de moi...

« Je dois te regarder du coin de l'œil et tu ne dois rien dire. Les mots sont souvent source d'incompréhension. Chaque jour, tu te rapprocheras de moi. »

Le Petit Prince finit par comprendre qu'apprivoiser permet de découvrir les particularités de celui que l'on est en train d'apprendre à connaître.

« On ne voit bien qu'avec le cœur. L'essentiel est invisible... »

Si j'ai choisi cet extrait de Saint-Exupéry (1943) pour lancer ce voyage sur la route des différences, c'est qu'il met en relief toute la phase de l'apprivoisement. Et dans la perspective de la différenciation des apprentissages, cette étape est cruciale. Il s'agit d'un triple défi pour les enseignants : tout d'abord, se rapprocher des élèves et des collègues pour se laisser apprivoiser par eux ; les apprivoiser progressivement par la suite pour saisir chacun dans son essence, dans son identité et dans sa différence ; et enfin, apprivoiser aussi le processus de la différenciation pédagogique et de la gestion des cycles d'apprentissage sous tous leurs angles afin d'être capable de choisir, d'adapter, de nuancer, de concevoir et de faire évoluer des dispositifs conçus en fonction d'une différenciation authentique, porteuse de réussite pour chacun des élèves d'une classe.

Jacqueline Caron

Chère Jacqueline,

Je ne vous connais pas et sans doute que vous ne me connaissez pas non plus. Mais il fallait que je vous écrive. J'ai lu votre livre avant qu'il ne soit un livre. Je ne peux pas vous dire où et comment parce que j'étais, disons, dans un lieu où je n'avais pas affaire. Je suis vraiment trop curieuse!

J'ai lu votre livre et ça m'a touchée. Beaucoup. Même si je n'ai pas tout tout compris parce que je n'ai jamais fréquenté les universités – je l'avoue! –, j'ai quand même enseigné moi aussi. Et j'ai adoré ce métier. J'en garde des souvenirs qui m'émeuvent, me troublent, me questionnent et m'enchantent. Il y aurait tant à dire! J'aimerais bien vous rencontrer un jour...

Je voulais vous dire que ce qui me touche dans votre livre, c'est que vous allez à l'essentiel. C'est la meilleure façon que j'ai trouvée d'en rendre compte. Les enfants que j'ai eus devant moi pendant plusieurs mois quand j'ai enseigné étaient tous tellement formidablement différents. Et c'est vrai que ce n'est pas évident à gérer! Parfois, bien sincèrement, je ne savais vraiment pas trop quoi faire avec ces trente petites planètes, ces trente royaumes, ces trente galaxies. En même temps, c'est ce qui rend ce métier passionnant, non?

Je crois, comme vous, que les enfants ont le droit d'être eux-mêmes, complexes, imparfaits, étonnants, uniques, palpitants. Et un peu perdus parfois. Mais moi aussi je suis imparfaite sûrement, et étonnante sans doute, et unique, ça c'est sûr, et palpitante, très souvent, parce que la vie me questionne et m'appelle tellement. Il m'arrive même encore de me sentir aussi un peu perdue.

Je pense que le métier d'enseignant est le plus important mais peut-être aussi le plus difficile qui soit. Souvent, je pense aux élèves que j'ai eus et je me demande où ils sont maintenant. Quels autres enseignants ont-ils croisés? Ont-ils eu la chance d'être écoutés? Le droit d'apprendre à leur manière, à leur rythme? Ont-ils connu la joie de découvrir leurs forces, leurs talents, quels qu'ils soient?

Avant de quitter mes élèves, j'ai longtemps jonglé à ce que je pourrais leur écrire dans ma petite lettre d'adieu. Et puis soudain, ça m'est apparu. C'était limpide, flagrant. Je leur ai écrit: N'oubliez jamais que vous êtes des champions! J'espère qu'ils m'ont cru et qu'ils s'en souviendront.

Je sais que je ne me mêle pas de mes affaires, comme bien souvent, mais après avoir lu votre livre qui n'était pas encore un livre, en me souvenant de ce formidable métier que j'ai trop peu longtemps pratiqué, j'aurais envie d'y ajouter quelque chose. Dites aux enseignants qui vous liront, dites-le pour moi, s'il vous plaît, parce que je le pense vraiment, dites-leur qu'ils sont des champions. Et que les enfants ont terriblement besoin d'eux.

Merci et félicitations!

Mlle Charlotte

(et Gertrude qui pense beaucoup comme moi)

Note de la rédaction: Mlle Charlotte est un personnage du roman jeunesse *La nouvelle maîtresse d'école*, de Dominique Demers (Éditions Québec-Amérique Jeunesse).

Le rêve impossible de la classe homogène

J'ai déjà rêvé d'une classe où tous les élèves étaient très motivés par leur travail scolaire.

J'ai déjà rêvé d'une classe où tous les élèves étaient capables de se discipliner eux-mêmes.

J'ai déjà rêvé d'une classe où tous les élèves apprenaient sensiblement au même rythme.

J'ai déjà rêvé d'une classe où tous les élèves avaient de bonnes méthodes de travail.

J'ai déjà rêvé d'une classe où tous les élèves comprenaient de la même façon et au même instant.

J'ai déjà rêvé d'une classe où tous les élèves étaient épaulés par leurs parents dans leur métier d'élèves.

J'ai déjà rêvé d'une classe où tous les élèves étaient habités par des intérêts à peu près similaires.

J'ai déjà rêvé d'une classe où tous les élèves partageaient les mêmes valeurs.

J'ai déjà rêvé d'une classe où tous les élèves étaient capables de coopérer.

Enfin, j'ai déjà rêvé d'une classe où tous les élèves connaissaient les mêmes réussites.

Et pourtant...

X

Justine est assez lente dans son travail. Elle s'intéresse aux détails, elle prend le temps de relire plusieurs fois les énoncés et de faire de nombreux exercices pour être satisfaite d'elle-même. Vincent va tout de suite à l'essentiel. Quand on lui propose d'organiser ce qu'il sait en schémas ou en réseaux, il est tout à fait à l'aise et il se plaît à visualiser la réalisation qu'il vient de construire. Léa a besoin d'expliquer à un autre élève ce qu'elle a compris. Elle est alors plus sûre de vraiment maîtriser l'apprentissage et accepte par la suite de passer à autre chose.

Audrey est à l'aise dans des relations personnelles avec son enseignant ou avec des amitiés exclusives, ce qui l'amène à privilégier des séances de travail personnel sans interaction avec des groupes d'élèves, tandis que Luc a absolument besoin de la sécurité du groupe pour pouvoir prendre des risques dans ses apprentissages.

Chez Sandrine, on a l'habitude de lire et la télévision est uniquement allumée pour des émissions sélectionnées préalablement, tandis que chez Félix, aucun livre, aucune revue ni aucun journal ne traînent dans la maison. Il passe de grandes soirées assis devant la télévision ou devant le jeu vidéo.

Émilie rêve de devenir médecin et Stéphane rêve de devenir pilote d'avion. Mee-Ling ne vit que pour la musique et les arts; elle s'ennuie à mourir durant les cours de mathématique. Quant à Enrique, il se voit déjà fleuriste et se demande bien pourquoi il doit apprendre toutes ces notions de physique et de chimie.

Certains élèves ont déjà compris les notions étudiées jusqu'à maintenant en classe, d'autres auraient besoin que l'on consolide avec eux les leçons des dernières semaines, tandis qu'un petit groupe espère que l'on va lui proposer des pistes d'enrichissement ou encore la possibilité de travailler sur un projet personnel. Carlos et Hugo souhaitent ardemment que l'on utilise l'ordinateur, le matériel de manipulation ou les jeux éducatifs dans le centre de récupération, car ils sont conscients qu'ils doivent parfaire certaines connaissances afin d'être capables de suivre le groupe-classe.

Kim et Jacqueline ont perdu leur motivation pour le travail scolaire : elles ont un peu décroché, soit par manque d'intérêt, soit par manque de stimulation et de réussite, soit par manque de concentration au travail à cause de problèmes personnels ou familiaux. Certains élèves ont une estime de soi très fragile, alors que d'autres ont besoin d'être renforcés constamment par des rétroactions positives. Un petit groupe aimerait bien travailler sur des tâches adaptées et connaître aussi des réussites, mais il semble bien que ce ne soit pas pour tout de suite.

Enfin, douze élèves ont assimilé tout le contenu à maîtriser. Huit élèves auraient intérêt à consolider des acquis au sein de clinique de remédiation tandis que le reste du groupe attend impatiemment le jour où le menu s'ouvrira, leur permettant ainsi de compléter les tâches inachevées en compagnie de camarades capables de les aider à terminer leur projet.

Et pourtant... Ils sont tous là devant moi et près de moi à faire la même chose en même temps, dans la même classe et dans la même école.

Et pourtant... Je me souviens d'avoir déjà rêvé très souvent de la classe homogène.

Et si ce rêve était impossible ?

Pourquoi rédiger un guide sur la différenciation ?

Pendant mes quinze années de formation et d'accompagnement pédagogique, on m'a parlé très souvent de ce rêve de la classe homogène.

- *Comment puis-je alimenter mes élèves rapides ?*
- *Que fait-on avec les élèves qui sont en très grande difficulté ?*
- *Comment trouver du temps en classe pour venir en aide aux enfants plus lents ?*
- *Est-il possible de gérer une classe multiâges ou multiniveaux sans pénaliser les élèves dans leurs apprentissages ?*
- *Comment puis-je amener tous mes élèves à progresser ?*
- *Existe-t-il des moyens efficaces pour motiver tous les élèves de ma classe ?*
- *Comment expliquer le fait que les élèves d'aujourd'hui démontrent des écarts très grands dans leur capacité d'écoute ?*
- *Est-ce bénéfique de faire redoubler un élève ?*
- *Comment réduire l'écart de rythme qui existe, cette année, parmi les élèves de ma classe ?*
- *Quels sont les centres d'intérêt les plus susceptibles de rejoindre les attentes de ma classe ?*

À travers tout ce questionnement, certains faits et certaines croyances étaient constamment à l'arrière-plan de ce rêve impossible, à savoir :

- la difficulté à accepter qu'un certain nombre de différences soient inévitablement présentes dans une classe ;
- l'incapacité de développer un modèle pédagogique et organisationnel axé sur la gestion des différences plutôt que sur celle des ressemblances ;
- l'insécurité que pose le défi de faire les choses autrement plutôt que d'essayer d'en faire plus ;
- la certitude que les élèves apprennent plus dans un contexte collectif, où les écarts sont à peu près inexistants ;
- la mélancolie qu'amène l'abandon de certaines pratiques, bien ancrées dans la routine d'une journée, d'une semaine ou d'une année ;
- l'évidence même que les différences sont de plus en plus nombreuses dans les classes ;
- la croyance voulant que pour gérer les différences au sein d'une classe, il suffit de diminuer le ratio enseignant/élèves ;

- la recherche constante de nouvelles fiches, de nouveaux cahiers d'exercices ou de nouveaux manuels scolaires pouvant dévoiler la recette magique pour gérer ces éléments différenciés;

- la ferme conviction qu'un seul enseignant est incapable de relever le défi de faire connaître le maximum de réussites à chacun de ses élèves;

- le doute professionnel engendré par les différences quant au cheminement des élèves; pour certains, ce cheminement se poursuit à l'intérieur d'un cycle de deux, trois ou quatre ans; pour d'autres, certains cheminements sont marqués par des redoublements qui sont vécus dans une perspective de recommencement.

Pour toutes ces raisons, j'ai décidé, après quarante-deux années de pratique, d'apporter ma contribution au développement de la différenciation dans les apprentissages et de la gestion des cycles. Le contexte s'y prête bien, puisque l'arrivée des cycles d'apprentissage à l'intérieur des cursus scolaires vient accentuer ce besoin urgent de passer de la ressemblance à la différence. Il m'apparaît évident que cette réalité de la différenciation ne concerne pas seulement les enseignants plus novateurs, mais devient plutôt un élément incontournable pour quiconque désire actualiser l'organisation scolaire par cycles d'apprentissage.

Ce projet de rédaction a longtemps été mûri, réfléchi et préparé. Certains jours, j'étais emballée à l'idée de le réaliser, entendant les enseignants qui réclamaient un volume de cette teneur. D'autres jours, j'étais extrêmement prudente et réservée à l'idée de publier un tel ouvrage, puisqu'on me répétait de temps à autre, dans les coulisses de l'éducation, que tout avait été écrit sur le sujet de la différenciation et des cycles. «Tout a été écrit, mais tout n'a pas été fait», me suis-je risquée à répondre parfois.

C'est donc dans cet esprit que j'ai dressé mon plan d'écriture, que j'ai recueilli du matériel d'appui et que j'ai planifié la rédaction de cet ouvrage. Mon intention n'était pas de créer un nouveau paradigme ou de tenter de m'approprier un concept qui a été largement creusé par d'autres chercheurs ou auteurs. En tant que praticienne avertie, je désirais tout simplement tenter de vulgariser les différentes recherches qui avaient été faites sur le sujet jusqu'à maintenant. De plus, j'avais l'ambition de cerner l'essentiel des diverses expertises menées sur le terrain pour en dégager une synthèse susceptible de guider et d'alimenter les nombreux pédagogues désireux de s'engager sur la voie de la différenciation.

Ces intentions de vulgarisation et de synthèse m'ont guidée tout au long de ce projet d'écriture. Toutefois, je n'ai pu résister à la tentation d'y ajouter ma couleur personnelle, que les enseignants sauront reconnaître aisément. Mon franc-parler, mes affirmations provocatrices, mes propos teintés d'humour, mes exemples collés à la réalité, mes pistes d'expérimentation, mes suggestions de lecture, mes expressions pédagogiques colorées de poésie contribueront, j'espère, à vous donner le goût de me lire et de me relire, – et pourquoi pas ? – à vous placer en situation d'expérimentation.

Chaque chapitre est précédé d'une illustration destinée à aider le lecteur à se faire une représentation mentale de l'essentiel du sujet qui sera traité. À la fin de chaque chapitre, je suggère des pistes de lecture pour enrichir ses connaissances ainsi qu'une banque d'interventions possibles pour prolonger les apprentissages, actualisant ainsi la théorie présentée.

Tout en parcourant les pages de cet ouvrage, vous serez associés à la symbolique de la route et du voyage au pays de la différenciation. Vous avez deviné, bien sûr, que notre destination est la rive des cycles d'apprentissage.

 ## La structure du présent ouvrage

Après avoir parlé de la gestion de la classe depuis une quinzaine d'années, il nous faut maintenant aborder la gestion interclasses si nous désirons tenir compte de la réalité des cycles.

J'ai donc planifié, à votre intention, un itinéraire de voyage articulé en sept étapes :

1 La mise en branle d'un changement de pratique axé sur les différences qui nous entourent et qui nous appartiennent également (chapitres 1 et 2).

2 La mutation d'un métier en quête de professionnalisme (chapitre 3).

3 L'émergence de cadres théoriques sur lesquels repose la gestion de la différenciation et des cycles (chapitres 4, 5 et 10).

4 L'enrichissement d'un coffre à outils pour mieux différencier (chapitres 6, 7, 8 et 9).

5 L'utilisation d'un éventail de dispositifs pour soutenir tout enseignant désireux de tenir compte des différences à l'intérieur de sa propre classe (chapitre 11).

6 L'exploration des dispositifs susceptibles d'amener un plus grand nombre d'équipes-cycles à différencier, par le décloisonnement, à l'extérieur de leur groupe de base (chapitre 12).

7 L'encadrement d'un projet d'innovation en fonction des cycles et de la différenciation des apprentissages (chapitre 13).

Comme il existe des liens très étroits entre la participation des élèves à leurs apprentissages, leur responsabilisation et la différenciation au quotidien, je ferai un rappel de certains outils développés précédemment dans l'ouvrage *Quand revient septembre,* volumes 1 et 2. J'indiquerai donc par les pictogrammes ci-contre la référence (nom de l'outil, volume et numéro de page) que je vous suggère alors de consulter.

Dans ce guide, vous trouverez des figures, des tableaux, des référentiels et des outils-support. Les seuls documents reproductibles sont les outils-support et les référentiels dont vous trouverez la liste en fin de volume, à la suite de la bibliographie.

Enfin, un glossaire est également intégré au besoin, en marge du texte.

 ## *Perspective de la lecture*

Bien sûr, le développement de la différenciation dans les apprentissages n'est pas que le fruit de la mise en œuvre d'un nouveau coffre à outils. Au cœur même de ce processus à la fois complexe et vital s'inscrit la nécessité d'une pratique réflexive où l'on parviendra à identifier ses acquis et ses forces autant que ses besoins ou ses faiblesses en matière de différenciation. Travailler sur sa personne m'apparaît inévitable, puisque le véritable changement ne peut s'effectuer que de l'intérieur. Inutile alors de rechercher les solutions à l'extérieur de soi ; mieux vaut compter sur ses propres ressources et sur celles de ses collègues de travail.

Développer l'entraide, la coopération et la solidarité professionnelles est aussi un élément de grande importance. Il nous faudra travailler davantage dans ce sens plutôt que de vivre dans la solitude. Petit à petit, les murs de la classe s'écrouleront pour laisser celle-ci s'ouvrir aux autres classes, à l'école et à la communauté éducative.

Comme je désire vous accompagner véritablement sur le terrain dans la poursuite de ce nouveau défi, je me permettrai parfois de donner des exemples de gestion, de planification ou d'organisation. Cela vous donnera le goût, j'espère, de vous mettre en projet, de réorienter peut-être un projet existant ou encore d'élaborer votre propre projet de formation continue ou d'expérimentation en regard des cycles et de la différenciation.

Tous les exemples utilisés proviennent de classes qui sont actuellement en recherche et qui expérimentent l'approche différenciée. J'ai visité des enseignants du Québec, de la France, de la Suisse et de la Belgique ; bref, des milieux où les nouveaux programmes d'études ont été conçus en cycles d'apprentissage. Je tiens à faire remarquer que mes sources de référence en fonction de l'expérimentation des cycles et de la différenciation sont surtout européennes. Pourquoi, me direz-vous ? Au moment où j'ai amorcé la réalisation de cet ouvrage, le Québec commençait à peine à apprivoiser les éléments-clés du développement des compétences et de l'organisation par cycles. Les écoles ciblées par la réforme étaient préoccupées à articuler leurs propres modèles et ne se sentaient pas encore à l'aise pour le diffuser. Voilà pourquoi j'ai frappé aux portes de la France, de la Belgique et de la Suisse. Les endroits visités travaillaient selon cette optique depuis plusieurs années, certains depuis dix ans. Leur vécu était donc important et leurs expérimentations diversifiées.

Je demeure persuadée que de nombreux exemples québécois pourraient actuellement illustrer mes propos. J'aurais bien aimé pouvoir les mettre en valeur dans cet ouvrage. Toutefois, je suis convaincue que les enseignants du Québec ne m'en tiendront pas rigueur et qu'ils sauront adapter, modifier et transposer les exemples que je fournis à la lumière du programme de formation de l'école québécoise.

J'ai fait également des lectures d'ouvrages européens et américains traitant de différenciation. Un fil conducteur est toujours présent : il est possible de passer de la théorie à la pratique si nous acceptons de faire autrement et de prendre des risques calculés pour construire un modèle ouvert aux différences. Même si nous savons que la différenciation n'est pas une mode, mais plutôt une nécessité, nous arrivons difficilement à changer de modèle ; or, celui que nous connaissons est centré sur la gestion des ressemblances. De plus, le modèle nouveau que nous essayons de créer repose sur des incertitudes, des doutes, des peurs et des deuils. Pas facile, n'est-ce pas, de traverser de l'autre côté de la rivière...

Je vous offre donc, en toute modestie, ce guide décrivant les balises d'un cheminement qu'il est urgent d'entreprendre si l'on désire faire connaître un maximum de réussites à chacun de nos élèves.

À petits pas, vers une plus grande différenciation.
À petits pas, vers une réussite plus accessible.

Jacqueline Caron

REMERCIEMENTS

Lorsqu'une auteure décide de créer un guide sur la gestion des cycles et sur la différenciation des apprentissages avec l'intention de vulgariser ces deux concepts et d'en proposer une synthèse, elle se doit de s'ouvrir aux expertises des autres spécialistes du domaine. Et c'est exactement ce que j'ai fait au moment de la conception et de la réalisation de l'ouvrage *Apprivoiser les différences.*

Mes premiers remerciements s'adressent donc à Philippe Meirieu et à Philippe Perrenoud, mes mentors tout au long de ce projet d'écriture. Je désire leur rendre hommage pour leur rôle de pionniers de la différenciation pédagogique; ils ont fort bien défriché ce concept et préparé les sentiers pour les autres pédagogues que la thématique a par la suite intéressés. Ce qui fut mon cas...

Je remercie aussi des personnes comme Carol Ann Tomlinson, Monica Gather-Thurler et Halina Przesmycki qui ont nourri mes réflexions et m'ont aidée à faire des choix pour structurer mes propos.

Je suis également reconnaissante envers les milieux éducatifs qui m'ont ouvert tout grand les portes de leur établissement afin de m'imprégner de cette ambiance de différenciation. Ils ont accepté de discuter avec moi de cette réalité, de répondre à mes questions et de me faire part de leur cheminement. Je désire donc remercier chaleureusement :

- La directrice et le personnel du préscolaire et du premier cycle du primaire de l'école des Petits Cheminots, à Charny, au Québec;

- La directrice et le personnel de la Maison des Trois Espaces, à Saint-Fons dans la banlieue de Lyon, en France;

- Jacqueline Perrin et Thérèse Guerrier, du Canton de Genève, en Suisse, qui m'ont permis de visiter quatre établissements en rénovation pédagogique depuis cinq ans;

- Le Groupe de pilotage de Genève, qui a relaté et commenté son expérimentation d'accompagnement des enseignants lors de la rénovation pédagogique;

- Jacqueline Pellet, du canton de Vaud, en Suisse, qui m'a ouvert les portes de quatre écoles afin que j'observe des enseignants et leurs élèves en route vers la gestion des cycles et de la différenciation. Jacques Pilloud et son équipe d'animateurs pédagogiques, qui ont témoigné généreusement de leur expérience en formation continue. Un merci tout à fait spécial à Olivier Perrenoud et à Marianne Pilloud pour avoir partagé si intimement les résultats de leurs recherches expérimentales;

- Bernadette Mouvet, de l'Université de Liège, en Belgique, qui m'a permis de rencontrer des personnes engagées dans la formation initiale et continue des enseignants;

- La direction et le personnel de l'école Freinet, à Liège, qui étaient tout à fait à l'aise avec l'éclatement des murs pour une différenciation plus efficace;

- La direction et le personnel de l'école Decroly, à Bruxelles, en Belgique, qui accompagnaient de multiples façons des élèves en construction de leurs apprentissages à partir de leur propre environnement;

- Michèle Chaltin et les enseignants de la région de Huy, en Belgique, qui ont contribué à clarifier ma compréhension de l'approche constructiviste et des situations-problèmes dans un contexte de différenciation des apprentissages et d'organisation des cycles;

- Odile Lapointe, Liette Demanche et Christiane Gagnon, qui ont bien voulu me proposer des critiques constructives à la lecture de mon manuscrit.

À toutes ces personnes qui ont contribué à l'actualisation de ce projet d'écriture, je désire témoigner de ma gratitude. Leur ouverture et leur coopération m'ont aidée à construire mon savoir.

Jacqueline Caron

CHAPITRE 1

La gestion des différences : une route incontournable !

Rive des cycles   13 km ↑
- Accepter l'hétérogénéité
- Faire place à la différence
- Faire droit à la différence
- Voir et nommer les différences

◄ Différences
Ressemblances ►

Une destination à privilégier : la rive des cycles

Accepter d'abord l'hétérogénéité
pour engager la différenciation

« Quand les élèves
nous arrivent, ils sont
déjà différents.
Il est donc normal que
notre enseignement
soit différencié pour
s'adresser à eux. »
(Auteur inconnu)

Comme les différences sont de plus en plus présentes au sein de notre société, au sein de nos écoles et au sein des familles ;

Comme les différences peuvent devenir une source de richesse et de complémentarité, si l'on apprend à les gérer ;

Comme la présence des différences peut générer de profondes réflexions et susciter des changements féconds en regard de nos pratiques pédagogiques actuelles ;

Comme les nouvelles recherches en éducation offrent des avenues intéressantes pour la gestion de ces différences ;

Comme la plupart des nouveaux programmes encouragent, par leur contenu, leur approche et leur structure par cycles, la différenciation pédagogique ;

Comme la différenciation pose un défi mondial à chacune des communautés culturelles soucieuses d'offrir une éducation de qualité aux citoyens du troisième millénaire ;

Comme la gestion des différences n'est pas une mode, mais plutôt une réalité qui s'accentuera au fil des ans ;

Comme la gestion des différences peut être prometteuse de gains intéressants, tant pour les pédagogues que pour les élèves ;

Comme la différenciation de l'enseignement peut permettre à chaque apprenant de progresser au maximum et de vivre ainsi un succès personnalisé ;

Comme la gestion des différences se présente comme un défi de taille qu'on peut relever seulement dans un contexte de partenariat et de collaboration...

Ne vaut-il pas mieux accepter l'hétérogénéité pour engager la différenciation ? Pourquoi s'entêter, lutter et résister contre la présence des différences au sein de nos classes ? De toute façon, elles ne disparaîtront jamais. Au contraire, avec le temps, elles iront en s'amplifiant. Mieux vaut alors canaliser nos énergies et nos efforts pour en tirer le meilleur parti.

Comment y arriverons-nous ?

- Tout d'abord, en acceptant de faire place à la différence.

- Puis, en regardant autour de nous pour voir et nommer les différences qui composent notre environnement social et éducatif.

- En voulant en tenir compte dans nos interventions chaque fois que c'est humainement possible de le faire.

- En revoyant nos pratiques actuelles.

- En développant des dispositifs nouveaux.

- En nous mobilisant collectivement autour de cette réalité.

Apprendre à gérer les différences au quotidien deviendra alors une solution à la fois accessible, signifiante et rentable.

 ## *Faire place à la différence*

Après avoir reconnu la différence entre les enfants, notre défi consiste maintenant à en permettre l'expression dans des applications concrètes respectant l'égalité des chances pour tous. Un tel enjeu doit nécessairement avoir des répercussions sur les modèles de gestion, les pratiques pédagogiques et les projets institutionnels qui régissent l'activité éducative.

Le système scolaire a encore beaucoup à faire en ce qui concerne l'égalité des chances. Les solutions mises de l'avant pour tenir compte des besoins des élèves et des différences entre eux, tant sur le plan de l'organisation des services que sur le plan des pratiques pédagogiques, doivent être constamment remises à jour, voire repensées. Comme l'écrivait Marguerite Yourcenar, «notre grande erreur est d'essayer d'obtenir de chacun en particulier les vertus qu'il n'a pas, et de négliger de cultiver celles qu'il possède».

Il s'agit donc d'un objectif à long terme. Nous aurons, en effet, besoin de temps pour apprivoiser les différences, développer de nouveaux modèles, et passer de la gestion des ressemblances à la gestion des différences. Apprendre à faire autrement à partir de ce que l'on connaît déjà est sûrement une solution réaliste et sécurisante. Toutefois, ce changement de paradigme ne pourra s'effectuer sans passion de l'éducation, sans projets novateurs, sans prise de risques et sans persévérance. Il faut avouer bien honnêtement que nous n'avons pas été formés pour gérer les différences. De plus, les modèles pédagogiques et les dispositifs de gestion que nous côtoyons actuellement ont surtout été élaborés à partir d'une uniformité, d'une moyenne, d'une réalité où tout le monde doit passer dans le même moule.

Pour le Conseil supérieur de l'éducation du Québec, faire place à la différence, c'est d'abord reconnaître à chaque enfant le droit à un cheminement positif. Celui-ci ne se mesure pas exclusivement en termes de résultats préétablis, mais surtout en termes de petits pas réalisés et d'estime de soi qui grandit, grâce à chacun de ces pas. Il a nécessairement pour point de départ l'élève et non une quelconque norme. Surtout, il repose sur la conviction de l'«éducabilité» de chacun et de chacune.

Faire place à la différence, c'est aussi reconnaître et assumer les différences entre les élèves, autant du côté de ceux qui ont de la facilité que du côté de ceux qui sont en difficulté. Dans les deux cas, les élèves aspirent à s'épanouir à l'école et à réussir dans une voie ou un parcours respectueux de leur potentiel. Il s'agit donc de connaître le plus complètement possible les besoins d'apprentissage et les compétences de chacun et de prendre en considération ses motivations, non seulement à l'égard de son vécu en classe, mais aussi par rapport à toutes les dimensions de sa vie personnelle.

D'un autre côté, il s'agira d'aménager un environnement adéquat (des regroupements d'élèves selon les besoins, les intérêts, les projets, les niveaux ; une organisation du temps en fonction des stratégies d'apprentissage, des procédures de travail, des méthodes ou des approches utilisées, des formes d'accompagnement possibles) ; de mettre en place des équipes multidisciplinaires et multiâges ; d'optimiser l'horaire, la durée des périodes d'enseignement ; bref, de favoriser une tâche globale qui ne découpe pas l'apprentissage en segments cloisonnés.

Dans le cadre d'une conférence qu'il donnait à l'Association québécoise pour les troubles d'apprentissage (AQETA) il y a une dizaine d'années, Robert Bisaillon affirmait : « Faire droit à la différence, c'est finalement veiller à une reconnaissance des acquis de formation, et non seulement des résultats scolaires, tant au cours d'un cheminement qu'à son terme. Un tel défi met en cause la différenciation de l'évaluation elle-même, mais aussi la mentalité scolaire dominante en regard du diplôme comme seul étalon crédible de formation. L'important, c'est que l'élève éprouvant des difficultés se voie offrir des défis à sa mesure, qu'il chemine à travers ces défis et qu'on reconnaisse les acquis de ce cheminement qui pourront être de l'ordre des connaissances acquises, des compétences développées, mais aussi, plus modestement, de l'ordre d'une socialisation mieux réussie, d'une motricité améliorée, d'une capacité d'initiative accrue, par exemple.

« Enfin, faire droit à la différence, si l'on veut dépasser l'expression, suppose de l'engagement réciproque et du partenariat authentique entre l'élève, ses parents, le personnel de l'établissement scolaire et les ressources de la communauté culturelle. »

Voir et nommer les différences

La gestion des différences suppose une connaissance des élèves qui nous rend apte non seulement à cerner le profil de chaque élève, mais aussi celui du groupe ou des groupes, aussi souvent que l'on en ressent le besoin, avant d'effectuer une intervention réfléchie et planifiée.

Certes, les occasions pour observer les élèves peuvent être très variées et très nombreuses. À nous de choisir! De là l'importance de posséder un répertoire d'outils de collecte de données, de traitement de données et de consignation de renseignements obtenus. Dans le chapitre 9, nous aurons l'occasion d'explorer de plus près ces outils.

Même si les différences existent tout bonnement autour de nous, il se peut que nous ne les voyons pas encore ou que nous ne soyons pas prêts à les voir. Pour remédier à ce genre de situation, il faudrait peut-être penser à nous donner des points de repère sur l'hétérogénéité des apprenants dont nous sommes responsables. Cela nous aiderait à observer nos élèves de façon plus méthodique et plus rationnelle. Ainsi, il serait plus facile par la suite de concevoir ou de faire évoluer des dispositifs de différenciation; différencier les apprentissages des élèves en intervenant toujours de façon improvisée, gratuite et surtout sans cadre de référence est impossible. Comprendre le fonctionnement cognitif des élèves permet d'adapter plus étroitement nos démarches pédagogiques à ce qu'ils sont.

Si nous prêtions la parole à nos élèves, pour quelques instants, dans l'intention de connaître leurs opinions à ce sujet, ceux-ci voudraient probablement nous transmettre le message suivant: «Oui, nous sommes différents... Donnez-nous un cadre quotidien qui tiendra compte de notre niveau de développement socio-affectif, de notre rythme de travail et d'apprentissage, de nos attitudes, de nos intérêts, de notre façon d'apprendre et de nos acquis en regard de nos milieux de vie respectifs. »

Dans la revue de documentation effectuée pour préparer la rédaction du présent ouvrage, le nom de deux auteurs a été retenu: Halina Przesmycki (1991) et Robert Burns (1971). Nous nous référerons donc à leurs travaux pour présenter les référentiels des pages 6 à 8.

POSTULATS DE ROBERT BURNS
SUR LES PROFILS D'APPRENTISSAGE

Il n'y a pas deux apprenants qui progressent
à la même vitesse.

Il n'y a pas deux apprenants qui soient prêts
à apprendre en même temps.

Il n'y a pas deux apprenants qui utilisent
les mêmes techniques d'étude.

Il n'y a pas deux apprenants qui résolvent les problèmes
exactement de la même manière.

Il n'y a pas deux apprenants qui possèdent
le même répertoire de comportements.

Il n'y a pas deux apprenants qui possèdent
le même profil d'intérêts.

Il n'y a pas deux apprenants qui soient motivés
pour atteindre les mêmes buts.

Source : Adapté de Robert BURNS, « Methods for Individualizing Instruction », *Educational Technology,* n° 11, 1971, p. 55-56.

La gestion des différences...

6

L'HÉTÉROGÉNÉITÉ DES APPRENANTS, SELON HALINA PRZESMYCKI

1. **L'hétérogénéité du cadre de vie des élèves**
   - L'hétérogénéité de l'appartenance socio-économique
   - L'hétérogénéité de l'origine socioculturelle :
     - le langage
     - les valeurs
   - L'hétérogénéité des cadres psycho-familiaux :
     - le cadre souple
     - le cadre rigide
     - le cadre incohérent
   - L'hétérogénéité des stratégies familiales
   - La diversité des cadres scolaires :
     - l'emplacement de l'établissement (rural, semi-rural, urbain)
     - les caractéristiques de l'établissement (taille, effectifs, conditions matérielles)
     - le cadre de formation utilisé par les enseignants
     - les comportements des enseignants à l'égard des élèves

2. **La diversité des processus d'apprentissage des élèves**
   - La diversité de la motivation des élèves à travailler et à apprendre
   - Le sens de l'apprentissage
   - L'orientation des intérêts des élèves
   - Le besoin que les élèves éprouvent d'effectuer l'apprentissage
   - Le plaisir que procure l'apprentissage
   - Le degré d'énergie dont les élèves disposent pour entreprendre un apprentissage
   - L'image de soi et des autres
   - L'hétérogénéité des âges
   - La diversité des rythmes :
     - la vigilance
     - l'effort et les échanges sociaux
   - La diversité des stades de développement opératoire :
     - le stade concret
     - le stade formel
     - le stade intermédiaire
   - La diversité de la gestion des images mentales :
     - quant aux enseignants
     - quant aux élèves

- La diversité des modes de pensée et des stratégies d'appropriation:
  - les modes de pensée: inductive, déductive, créatrice, dialectique, convergente, divergente, analogique
  - les stratégies d'appropriation globale: synthétique, analytique, en série ou par regroupements partiels
- La diversité des modes de communication et d'expression chez les élèves:
  - leur réseau de relations préféré
  - leur mode d'expression préféré
  - leur degré d'acceptation de la guidance
  - leur rapidité de réaction
- L'hétérogénéité des préalables:
  - la mémoire à court terme ou primaire
  - la mémoire à long terme ou secondaire

PENSÉE INDUCTIVE: pensée qui part de plusieurs faits afin de dégager, d'inférer une loi qui permet ensuite d'ordonner et de comprendre ces faits.

PENSÉE DÉDUCTIVE: pensée qui part d'une loi, d'un fait ou d'un événement afin d'inférer, de dégager plusieurs conséquences et une conclusion.

PENSÉE CRÉATRICE: pensée qui est capable de créer, selon des itinéraires et des agencements inattendus, un élément nouveau par la mise en relation d'éléments appartenant à des domaines différents.

PENSÉE DIALECTIQUE: pensée qui conçoit des rapports entre différentes réalités abstraites par comparaison, élaborant ainsi des systèmes.

PENSÉE CONVERGENTE: pensée qui se concentre sur la découverte d'une seule bonne réponse.

PENSÉE DIVERGENTE: pensée qui produit plusieurs manières de résoudre un problème et plusieurs réponses.

PENSÉE ANALOGIQUE: pensée qui établit des rapports de ressemblance entre des objets différents.

STRATÉGIE GLOBALE SYNTHÉTIQUE: stratégie qui consiste à émettre une hypothèse initiale à partir de la somme de tous les attributs montrés dans un premier exemple.

STRATÉGIE ANALYTIQUE: stratégie qui consiste à se fixer sur un attribut et à passer à un autre lorsqu'on a vérifié que le précédent revient.

STRATÉGIE EN SÉRIE: stratégie qui consiste à ajouter à chaque fois un nouvel élément aux acquis antérieurs.

STRATÉGIE DE REGROUPEMENTS PARTIELS: stratégie qui consiste à réorganiser les données et à les restituer sous une nouvelle forme.

Source: Adapté de Halina PRZESMYCKI, *Pédagogie différenciée,* Paris, Hachette Éducation, 1991, p. 72-96.

La gestion des différences...

Comme on peut s'en douter, la mise en œuvre de la différenciation des apprentissages exige de la rigueur, du temps, de la disponibilité, des structures souples ainsi qu'un changement de cadres de référence.

Maintenant que nous avons pris le temps de scruter les différences, nous sommes prêts à passer au stade plus engageant de la gestion de ces dernières au quotidien.

Pour enrichir ses connaissances

- Pour approfondir l'hétérogénéité du cadre de vie des élèves et la diversité de leurs processus d'apprentissage, consultez le volume d'Halina Przesmycki, *Pédagogie différenciée,* aux pages 72 à 96.

- Pour explorer l'un des volets d'une réforme en sept tableaux, lisez les pages 83 à 94 de l'ouvrage de Georges Kuppens, *Émile ou l'école retrouvée,* qui traite du droit à la différence.

- Pour apprivoiser davantage le défi de l'hétérogénéité, référez-vous à l'ouvrage de Philippe Meirieu, *L'école, mode d'emploi,* aux pages 101 à 128.

- Pour opérer la transition menant de l'indifférence aux différences, puis aux pédagogies différenciées, empruntez l'itinéraire de lecture proposé par Philippe Perrenoud, aux pages 17 à 37 du livre *Pédagogie différenciée : des intentions à l'action.*

Pour prolonger les apprentissages

- Vous pouvez vous familiariser avec les caractéristiques des divers modes de pensée des élèves. Utilisez le glossaire de la page 8 à cette fin.

- Tentez d'observer chez vos élèves ces divers modes de pensée. Inscrivez vos informations sur un tableau de compilation qui deviendra l'une des premières feuilles de route de votre journal de bord.

- Comme deuxième piste d'observation, orientez-vous vers les divers modes de communication et d'expression de vos élèves.

Concentrez-vous sur deux aspects : leur mode d'expression préféré (l'oral, l'écrit, le geste, l'art) et leur degré d'acceptation de la guidance : les élèves qui sollicitent toujours la présence de l'enseignant et ceux qui sont capables de travailler seuls. Consignez ces données dans votre journal de bord également.

- Cernez vos attitudes en regard des différences pour vous situer personnellement. Utilisez le parcours 1 du chapitre 13 pour déterminer l'étape où vous vous trouvez actuellement.

Quand le changement s'installe !

un voyage à entreprendre au
pays de la différenciation

12

 Tenir compte des différences et apprendre à les gérer

« Différencier,
c'est possible et ça
peut rapporter gros. »
(Philippe Meirieu)

Très souvent, nous entendons des enseignants dire : *Moi, je respecte les différences chez mes élèves.* Assurément, il s'agit là d'une intention louable qui risque fort de demeurer un vœu pieux, si l'on se contente de demeurer sur le plan de l'attitude sans se rendre sur celui du savoir-faire pédagogique et organisationnel. Il est parfois facile de se donner bonne conscience en se complaisant dans les beaux principes sans intervenir sur la situation. Il ne s'agit pas de nous contenter de respecter les différences, mais plutôt de vouloir en tenir compte dans nos interventions de tous les jours. Meirieu nous rappelle que « différencier, ce n'est pas respecter le rythme de l'élève, mais vraiment en tenir compte le plus souvent possible ». Au début de l'expérimentation, l'enseignant n'essaiera pas de tout différencier tous les jours pour chacun.

Pour faire ce passage de la parole à l'action en regard de la différenciation, nous avons intérêt au point de départ à identifier des conditions gagnantes :

- Cerner l'enjeu qui motive le changement souhaité.

  Quels sont les gains, les avantages que je vais retirer de ce changement à ma pratique ? Le jeu en vaut-il la chandelle ?

- Saisir toute la dynamique qui entoure l'innovation pédagogique pour être capable d'entrer dans un processus de changement nous impliquant professionnellement.

  Quelle est ma porte d'entrée ? D'où est-ce que je pars actuellement ? Quelle pourrait être ma situation à l'arrivée ?

- Avoir le courage et la détermination de travailler sur sa personne.

  Suis-je prêt à faire des deuils, à vaincre certaines peurs ? Est-ce que je suis capable de prendre ma place en tant que professionnel dans mon milieu ?

- Développer sa compétence pour le travail dans un contexte de partenariat avec ses élèves, ses collègues de travail et les parents de son milieu.

  Suis-je capable actuellement de partager le pouvoir avec mes partenaires à l'intérieur de structures établies conjointement ? Ai-je développé une approche participative comme modèle de gestion ? Ai-je créé et utilisé des stratégies de responsabilisation à l'égard de mes partenaires ?

- Examiner le contenu actuel de son coffre à outils afin de l'objectiver, de le réajuster et de l'enrichir. Le passage d'une approche « singulier » à une approche « pluriel » nécessite la mise en œuvre de dispositifs d'observation, de planification, de **régulation**, d'évaluation et de **remédiation**.

RÉGULATION :
procédé, lié à
l'évaluation, qui
consiste pour l'élève ou
pour l'enseignant à
ajuster les actions de
manière à faire
progresser
l'apprentissage.

REMÉDIATION :
ensemble des
dispositifs
pédagogiques élaborés
par l'enseignant pour
aider les élèves à
s'améliorer à la suite
d'une évaluation
formative.

Quels sont les outils que je possède actuellement pour différencier ? Ai-je le goût d'en connaître d'autres ? Quel est l'outillage nouveau que je peux intégrer facilement à ma pratique ?

- Saisir les avantages d'une approche différenciée.

Quelles différences sont lourdes à porter au quotidien ? Pourquoi est-ce que je veux différencier davantage ? Quels en sont les bénéfices pour les élèves et pour moi ?

Quand nous regardons de plus près le processus de la différenciation des méthodes pédagogiques, nous découvrons facilement les nombreux effets bénéfiques que nous pouvons en retirer. Et cela est d'autant plus vrai pour les élèves que pour l'enseignant concerné. Le climat de la classe sera plus propice à l'apprentissage, la motivation des élèves face au travail scolaire sera plus profonde, l'organisation de la classe sera plus adaptée aux rythmes, aux styles et aux nombreux parcours des élèves et les apprentissages risquent d'être plus signifiants, plus durables et plus transférables. Donc, la différenciation une fois bien intégrée :

« Si je diffère de toi, loin de te léser, je t'enrichis. » (Saint-Exupéry, *Lettre à un otage*)

- transforme notre façon de voir les différences, en faisant de cette réalité une source de richesse par opposition à une source de dérangement ;
- diminue les risques d'échec scolaire et de décrochage de l'école ;
- facilite la gestion des cycles d'apprentissage et des groupes multiâges ;
- soutient les interventions directes sur le plan des facteurs de motivation face au travail scolaire ;
- suscite la création de différentes structures de travail en classe pour placer l'élève en action et lui permettre ainsi de développer son autonomie et sa confiance en lui-même ;
- devient une façon réaliste de respecter la théorie des intelligences multiples ;
- permet aux élèves en difficulté de travailler à des tâches adaptées qui les conduiront peut-être à des réussites personnelles, augmentant ainsi leur estime d'eux-mêmes ;
- ouvre la porte à la diversité des interventions pour gérer la **douance** ;
- optimise les interventions directes de l'orthopédagogue ou de l'enseignant-ressource en classe ;
- favorise l'intégration de personnes-ressources au vécu de la classe, comme l'utilisation des compétences des parents ou des bénévoles du milieu ;
- réduit les troubles de comportement ;
- simplifie la gestion des tâches simultanées, ouvrant ainsi la porte à l'intégration des technologies de l'information et des communications en classe, etc.

DOUANCE : caractéristique que l'on peut attribuer aux élèves favorisés intellectuellement ou maîtrisant plusieurs formes d'intelligence.

Les gains sont là, à notre portée... Avons-nous le goût de nous placer en processus de changement ? Nous savons que nous devrons apporter des modifications à notre pratique actuelle ; autrement dit, que nous devrons accepter de faire autrement au quotidien.

 ## Comprendre la dynamique du processus innovation-changement

Innover, c'est surtout mettre du *nouveau* à l'intérieur de soi, c'est s'inscrire dans un processus de changement, c'est aussi accepter d'entrer dans un long cheminement parsemé de doutes, de deuils, de découvertes, de joies et de plaisirs pour pouvoir continuer de se construire. Innover, c'est une dynamique d'évolution qui s'enrichit de nos expériences passées pour nous permettre de tendre vers nos propres limites, vers nos rêves.

Aujourd'hui, l'innovation se trouve au cœur des enjeux professionnels des enseignants, au cœur des enjeux politiques des responsables du système éducatif. Cependant, à force de trop en parler, de trop la souhaiter, on banalise l'innovation. Elle est devenue un concept de plus en plus flou et de plus en plus complexe à définir. Elle est au cœur même du professionnalisme de l'enseignant, qui exerce un métier dans lequel il est responsable de ses choix et des réponses qu'il apporte aux situations professionnelles vécues quotidiennement.

L'innovation semble caractériser une certaine conception de la pratique de l'enseignement, dont un des piliers serait la créativité. Un des autres piliers est sans aucun doute l'attitude face à l'innovation-changement. Ce sont les capacités et les manières de vivre les bouleversements et d'appréhender le *nouveau* qui entrent en jeu dans les composantes de l'attitude. Gérard de Vecchi écrit à ce sujet : « Changer, c'est modifier quelques habitudes ; perdre une habitude, c'est perdre une partie de soi. C'est un choix tout à fait insécurisant ! Et pourtant apprendre, c'est changer... »

Caractérisée par une vision systémique de l'école, l'innovation qu'implique la présence des cycles d'apprentissage sème le doute et suscite des craintes ; elle déclenche des mouvements de refus et de résistance, elle suscite au sein de l'école des débats passionnés et passionnants, elle interpelle à tous les niveaux de la pratique.

Il apparaît opportun, à ce stade, de proposer une grille d'analyse décrivant les phases de la transition vers le changement (figure 2.1). Les innovations ou les changements vécus dans une école vont faire traverser à l'équipe éducative les quatre phases du processus de transition illustré à la figure 2.1. Il faut envisager ce processus comme la descente dans une vallée suivie de la remontée de l'autre versant. La transition est le passage entre la manière dont les choses étaient faites par le passé et la manière dont elles seront faites dans le futur.

Pendant le changement, les personnes se concentrent sur le passé et *refusent* le changement. Ensuite, chacun passe par une période de préoccupation, se demandant où il se trouve et comment il va être affecté. C'est normalement là que la *résistance* se manifeste. En entrant dans les phases d'exploration et d'engagement, les individus commencent à *regarder vers l'avenir* et vers les opportunités qu'ils peuvent espérer (Jean-Michel Lawaree, mars 2000).

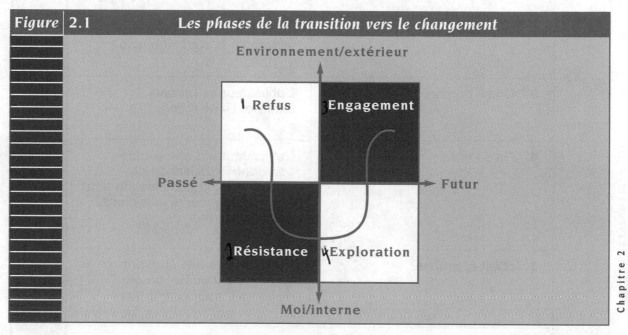

Figure 2.1 — Les phases de la transition vers le changement

Environnement/extérieur

1 Refus
3 Engagement

Passé ← → Futur

2 Résistance
4 Exploration

Moi/interne

Source : Inspiré de Cynthia SCOTT et Dennis JAFFE, *Maîtriser les changements dans l'entreprise*, Belgique, Presses du Management, 1992.

Le référentiel 3 de la page suivante propose donc une liste des différents stades par lesquels passe toute personne qui travaille à la mise en application d'une innovation. Ce cadre de référence permet à l'enseignant de mieux comprendre son niveau de compétence et d'aisance depuis le moment où il se lance dans une nouvelle manière de faire jusqu'à ce qu'il soit devenu maître et expert dans cette nouvelle façon de faire. L'avantage de cette taxonomie des différents stades est qu'elle aide les praticiens à percevoir que, malgré un début difficile où ils vont s'écorcher les genoux, ils finiront par maîtriser le nouvel apprentissage. Et le cycle du parcours se répétera chaque fois qu'on désirera développer une nouvelle compétence.

APPRIVOISER LE CHANGEMENT :
UN PROCESSUS GRADUEL

1. On ignore.	L'utilisateur ne prend aucune initiative en ce qui concerne l'innovation.
2. On se renseigne.	L'utilisateur recherche des informations sur l'innovation.
3. On se prépare.	L'utilisateur se prépare à utiliser l'innovation.
4. On se rode.	L'utilisateur n'a pas encore coordonné l'utilisation de l'innovation ; la planification tend à se faire au jour le jour plutôt qu'à long terme.
5. C'est la routine.	L'utilisateur a mis au point un modèle d'utilisation qui n'évolue pratiquement pas.
6. On améliore.	L'utilisateur apporte des changements pour améliorer les résultats.
7. On intègre.	L'utilisateur fait des efforts notoires pour se mettre au diapason des collègues qui travaillent sur la même innovation que lui afin de rendre l'apprentissage plus efficace pour ses élèves.
8. On se renouvelle.	L'utilisateur recherche des voies plus efficaces par rapport à l'innovation.

Source : Adapté de G.E. HALL et S. HORD, *Change in Schools : Facilitating the Process*, Albany State, University of New York Press, 1987.

Regarder sa pratique actuelle

Quand nous entreprenons une démarche d'analyse réflexive, nous n'avons pas le choix de cerner, au point de départ, les forces et les faiblesses qui caractérisent nos interventions pédagogiques. Comme la différenciation dans les apprentissages est notre cible actuelle, nous allons tenter d'identifier les gestes que nous posons souvent quotidiennement en regard de cette dernière. Ces adaptations sont souvent guidées par notre gros bon sens, par notre intuition face à l'enseignement et par notre souci de rejoindre le plus possible nos élèves.

À l'aide de l'outil-support 1 des pages suivantes, nous vous invitons à prendre conscience de chaque intervention et à indiquer par un *Oui* ou par un *Non* ce qui correspond le plus à votre réalité quotidienne. Autrement dit : *Actuellement, dans ma classe, qu'est-ce que je fais déjà pour différencier ?*

BILAN INTUITIF

Sur le plan du climat   Oui   Non

1. Je suggère deux ou trois choix de réparations à la transgression d'une règle de vie par certains élèves. ☐ ☐

2. Je suggère deux choix de récompenses pour un comportement que je désire promouvoir. ☐ ☐

3. J'élabore des règles de vie adaptées à la maturité de quelques élèves, donc différentes de celles que l'on retrouve sur le référentiel disciplinaire s'adressant à l'ensemble des élèves de la classe. ☐ ☐

4.* _____ ☐ ☐

5. _____ ☐ ☐

6. _____ ☐ ☐

Sur le plan du contenu

1. Je propose deux choix de travaux personnels. ☐ ☐

2. Je propose deux choix de thèmes en production orale ou écrite. ☐ ☐

3. Je permets un choix entre deux types d'exercices. ☐ ☐

4. Je propose deux ou trois défis différents à l'intérieur d'un atelier proposé. ☐ ☐

5. J'élabore avec les élèves des banques différentes de mots d'orthographe à mémoriser. ☐ ☐

6. J'élabore avec les élèves des banques de stratégies d'apprentissage variées : pour les auditifs, pour les visuels, pour les kinesthésiques et pour les digitaux. ☐ ☐

7.* _____ ☐ ☐

8. _____ ☐ ☐

9. _____ ☐ ☐

Sur le plan de l'organisation

1. Je suggère deux tâches différentes qui peuvent être accomplies selon une séquence. ☐ ☐

2. Je gère les différences sur le plan de l'échéancier. ☐ ☐

3. J'utilise différents types de groupes de travail en classe : dyades d'entraide, équipes de travail, tutorat et équipes coopératives. ☐ ☐

4. J'accompagne les élèves dans leur travail en leur laissant un degré d'autonomie différent. ☐ ☐

5. J'adopte le mode de guidance au profil d'apprentissage de l'élève. ☐ ☐

6. Je gère le temps réservé à la manipulation de matériel de manière flexible. ☐ ☐

---

* Ajouter des critères personnels ou des critères plus adaptés à la fonction exercée.

18

Oui Non

7. J'organise des sous-groupes pour l'apprentissage de la lecture : compréhension de lecture, lecture intégrale et expressive, décodage en lecture et consolidation des structures de base. ☐ ☐

8.* _____ ☐ ☐

9. _____ ☐ ☐

10. _____ ☐ ☐

Sur le plan des apprentissages

1. J'adapte la longueur d'un travail en regard des capacités de l'élève. ☐ ☐

2. J'adapte la complexité d'une tâche en regard des capacités de l'élève. ☐ ☐

3. J'adapte le seuil de réussite en regard des capacités de l'élève. ☐ ☐

4. J'adapte les critères d'évaluation retenus en regard des capacités de l'élève. ☐ ☐

5. Je planifie une tâche en trois versions : tâche initiale, tâche enrichie et tâche allégée. ☐ ☐

6. Je propose des projets collectifs et des projets personnels. ☐ ☐

7. J'autorise des choix quant aux produits ou réalisations par lesquels les élèves démontrent ce qu'ils ont appris. ☐ ☐

8. Je propose aux élèves des tâches obligatoires, semi-obligatoires et facultatives. ☐ ☐

9. Je suis ouvert à la diversité en ce qui a trait à la présentation des réalisations. ☐ ☐

10.* _____ ☐ ☐

11. _____ ☐ ☐

12. _____ ☐ ☐

* Ajouter des critères personnels ou des critères plus adaptés à la fonction exercée.

Chapitre 2

19

« Au-delà des outils, ce qui fait véritablement la différence, c'est l'attitude du maître. » (Auteur inconnu)

PROFIL D'APPRENTISSAGE : ensemble des caractéristiques d'un apprenant se référant à son mode d'apprentissage. Il s'articule autour des formes d'intelligence, des styles d'apprentissage, des diverses formes de pensée, des stratégies d'appropriation de contenu, etc.

Le changement et l'innovation se vivent donc dans une perspective d'évolution et non de révolution. Ainsi, après un certain temps, nous sommes en mesure de constater que les petits pas accomplis avec assiduité, jour après jour, semaine après semaine, année après année, nous ont amenés à aller plus loin : nous avons amélioré un modèle pédagogique existant, nous avons défini clairement l'orientation que nous désirions prendre, nous avons modifié en cours de route le modèle initialement imaginé.

Tout voyage comporte à la fois un départ et une arrivée. Et le projet de formation continue personnalisée n'échappe pas à cette règle. Maintenant que nous avons tenté de cerner notre point de départ, ne serait-il pas pertinent et motivant de nous projeter dans le futur, en effectuant une visite imaginaire dans la classe d'un enseignant qui se laisse guider, dans ses interventions, par la différenciation ? Que se passe-t-il, au juste, dans cette classe ?

Visualiser la pratique souhaitée

Les deuils faits par cet enseignant ont donné vie à de nouvelles pratiques, qui sont résumées dans le tableau 2.1.

Toute cette mutation qui s'opère à partir de la mort de certaines pratiques pour donner naissance à une nouvelle VIE pédagogique ne peut avoir lieu que si l'on accepte de travailler sur sa personne.

Tableau 2.1	Vivre la différence... et la souplesse !
Hier	**Aujourd'hui**
• Les différences entre les élèves sont négligées ou on s'y intéresse seulement quand elles sont problématiques.	• Les différences entre les élèves sont étudiées et servent de base à la planification de l'apprentissage.
• Il n'existe qu'une seule définition de l'excellence.	• La définition de l'excellence est basée sur la progression d'un élève à partir d'un point déterminé.
• On ne recherche qu'une seule interprétation des idées ou des événements.	• On recherche tout le temps des idées et des événements qui ouvrent de multiples perspectives.
• L'enseignant résout lui-même les problèmes de la classe.	• Les élèves sont placés en situation de résolution de problèmes afin de développer de nouvelles attitudes ou de nouvelles démarches.
• L'enseignant est directif à l'égard du comportement des élèves.	• Les élèves doivent apprendre eux-mêmes les bons comportements en connaissant les limites à respecter et les réparations éventuelles.
• Une perception relativement étroite de l'intelligence est répandue.	• On accorde de l'attention aux différentes formes d'intelligence et l'on s'en sert comme référentiel lors de l'observation et de la planification.

| Tableau | 2.1 (suite) | *Vivre la différence... et la souplesse!* |

- On tient compte de relativement peu de **profils d'apprentissage** (voir p. 20).

- La norme à suivre est la seule option pour chaque exercice ou pour chaque tâche.

- L'enseignement magistral face à l'ensemble de la classe domine.

- La nécessité de parcourir tous les manuels et les cahiers d'exercices au complet influence constamment les interventions en enseignement.

- L'enseignement est centré sur la maîtrise, hors contexte, de faits et d'habiletés.

- L'évaluation est plus courante à la fin de l'apprentissage et sert à déterminer qui a réussi.

- Le plus souvent, on n'utilise qu'une seule façon d'évaluer: l'examen écrit.

- L'enseignant utilise les mêmes standards pour l'attribution des notes de tous les élèves.

- La rigidité et le manque de souplesse caractérisent la classe orientée vers la gestion des ressemblances.

- On répertorie de nombreux profils d'apprentissage dans un journal de bord.

- On a souvent recours à des exercices à options multiples ou à des tâches dont les exigences sont adaptées.

- L'enseignement magistral est considéré comme un des éléments à utiliser dans un contexte d'apprentissage. Comme l'apprentissage de l'élève est au cœur de l'action de la classe, on utilise donc divers regroupements de travail, et des outils pour gérer le temps sont proposés aux élèves.

- L'utilisation du temps est souple et adaptée aux besoins des élèves.

- De multiples moyens d'enseignement sont explorés et utilisés. L'enseignement est directement influencé par la préparation, l'intérêt et le profil d'apprentissage de l'élève.

- On vise surtout l'utilisation d'habiletés essentielles pour assurer la compréhension et l'intégration des concepts-clés et des principes. Pour ce faire, les élèves sont placés dans des contextes d'apprentissage différents pour développer leurs compétences disciplinaires et transversales.

- L'évaluation est continue et elle fait partie intégrante du processus d'apprentissage. Elle est vécue de façon à impliquer les élèves sous diverses formes. Elle permet de diagnostiquer les besoins de l'apprenant et d'ajuster, par la suite, les interventions nécessaires pour y répondre.

- L'enseignant a développé un répertoire varié d'instruments d'évaluation et de consignation.

- L'enseignant apporte des adaptations à l'évaluation qu'il est en train d'effectuer.

- La flexibilité est la marque de commerce de la classe différenciée.

Source: Adapté de Carol Ann TOMLINSON,
La classe différenciée: répondre aux besoins de tous les élèves,
Montréal, Chenelière/McGraw-Hill, 2003.

Travailler sur sa personne

Quand nous abordons la dimension du changement sous l'angle du savoir-être et des attitudes en vue de la différenciation, nous sommes obligés nécessairement de parler d'une rupture avec certains éléments de notre présent. Comme le dit si bien Philippe Perrenoud (1995) : « Différencier, c'est faire son deuil de représentations et de pratiques fort commodes. » Et Monica Gather-Thurler (2000) ajoute : « Différencier, c'est faire son deuil d'une pratique ancienne, et ce n'est jamais sans hésitations, sans ambivalences, sans retour du refoulé. Innover dans ce sens, c'est donner un statut au deuil, le verbaliser, le travailler et déclarer les résistances légitimes. »

Quant à Philippe Meirieu, il va jusqu'à énoncer un postulat d'éducabilité en regard de la différenciation. Il s'agit presque du fondement éthique de cette dernière. « Différencier, c'est rechercher un chemin de l'apprendre, possible, là où jusqu'ici, tout a échoué. Rien ne garantit jamais au pédagogue qu'il a épuisé toutes les ressources méthodologiques, rien ne l'assure qu'il ne reste pas un moyen inexploré, qui pourrait réussir. C'est le contraire du renoncement pédagogique. »

Toutes ces phases de métamorphose seront ponctuées non seulement de deuils, de peurs, de questionnements professionnels, mais aussi de nouvelles croyances, de nouvelles certitudes, de nouvelles découvertes et de nouvelles réussites. Heureusement, d'ailleurs ! C'est ce qui nous permettra de conserver la passion de notre profession, l'ardeur face à notre travail de tous les jours et l'équilibre nécessaire à une certaine forme de sérénité nous permettant d'affronter les soubresauts propres au changement.

Convertir ses peurs en certitudes

Pour poursuivre ce questionnement, nous allons nous attaquer aux peurs qui nous habitent afin de les convertir en certitudes.

PEUR DE NE PAS ÊTRE À LA HAUTEUR DE LA SITUATION

Se pourrait-il qu'une très grande majorité d'enseignants manquent d'estime de soi ? Comment expliquer les commentaires suivants ? *C'est trop compliqué. Je ne serai jamais capable. Le changement me fait peur. Et si je manquais mon coup ?*

PISTES DE TRANSFORMATION

Croire d'abord en son potentiel.

Prendre souvent conscience de ses forces et de ses faiblesses en tant que pédagogue.

Faire le bilan d'une étape avec les élèves. Quelles ont été les réussites ? Quelles ont été les insatisfactions ? Que pouvons-nous améliorer ? Que devons-nous changer ?

Insister auprès de son supérieur immédiat pour qu'il donne à son personnel, au moins deux fois par année, des forces et des défis professionnels.

Faire évaluer par les parents de ses élèves la qualité de l'éducation et de l'enseignement donnés. Utiliser alors un cadre de référence correspondant à une liste de comportements observables et mesurables.

PEUR QUE LES ÉLÈVES N'AIENT PAS LES RESSOURCES NÉCESSAIRES POUR AGIR DANS UN CONTEXTE DE RESPONSABILISATION ET DE DIFFÉRENCIATION

Très souvent, nous freinons l'expérimentation d'une innovation parce que nous croyons fermement que les élèves n'ont pas le potentiel ou la maturité nécessaires pour plonger dans l'inconnu, qu'ils ne sont pas suffisamment responsables ou autonomes.

PISTES DE TRANSFORMATION

Croire d'abord aux possibilités des élèves.

Commencer une expérimentation avec un seul geste concret susceptible d'être couronné de succès.

Entreprendre l'innovation avec les élèves qui nous apparaissent prêts à vivre l'expérience choisie.

Ne jamais cesser les essais à cause de quelques élèves qui ont du mal à satisfaire les exigences. Leur retirer plutôt ce privilège qu'est l'autonomie et continuer l'expérimentation avec le reste de la classe. Faire une autre tentative, plus tard, avec tous les élèves cette fois-ci.

PEUR QUE LES PARENTS N'APPROUVENT PAS ET N'ACCEPTENT PAS UNE AUTRE RÉALITÉ PÉDAGOGIQUE

Un autre obstacle au développement des méthodes pédagogiques est, bien sûr, la crainte à l'égard des perceptions et des réactions des parents. Que vont penser ces derniers ? Vont-ils remettre en doute nos compétences ? Notre crédibilité est-elle assez grande pour les convaincre du bien-fondé des nouveautés proposées ?

PISTES DE TRANSFORMATION

Croire à l'intelligence et à l'ouverture d'esprit des parents.

Réviser le contenu et le déroulement de sa soirée d'information aux parents du début de l'année scolaire. Avoir le souci de traiter, de façon vulgarisée, des orientations proposées par le ministère de l'Éducation dans le cadre de la réforme. Surtout annoncer, de façon concrète, les changements que l'on désire instaurer dans sa classe. Faire ressortir les gains que ces nouveautés représenteront quant au développement de leur enfant. Et surtout, ne pas oublier de laisser transparaître sa passion et ses convictions.

Volume 1
p. 159 à 175

Outil 3.7 Redécouvrir les soirées d'information aux parents

Déceler les compétences des parents à l'aide d'un questionnaire organisé en vue de se constituer une banque de ressources. Par la suite, faire appel à ces derniers pour enrichir l'environnement éducatif de la classe. Se faire un devoir de rencontrer le parent, au préalable, afin de préparer avec lui le contenu ou le déroulement d'une leçon, d'un atelier ou d'une sortie éducative. Résister à la tendance à l'improvisation dans ce domaine.

Volume 2
p. 124 à 132

Outil 4.10 Les parents, des atouts essentiels à la réussite éducative

Offrir aux parents, chaque année, la possibilité de vivre quelques journées « Portes ouvertes », au cours desquelles ils comprendront toute la portée éducative des changements proposés. Par une information de qualité, nous amenons, en douceur, les parents à changer leur vision de la mission de l'école.

Organiser, en fin d'année scolaire, une fête de la célébration des réussites en compagnie des parents et des élèves. Faire ressortir la liste des projets vécus et le bilan des apprentissages réalisés. Il est tout aussi important de venir fermer la boucle des apprentissages que de lancer, en début d'année, la parade des objectifs et des activités.

PEUR DES DIFFÉRENCES ET DE LEUR COMPLEXITÉ

Cette réalité touche particulièrement les enseignants de classe multiprogrammes et multiâges, de classes d'adaptation scolaire et de classes régulières où sont intégrés un certain nombre d'élèves en très grandes difficultés d'apprentissage ou de comportement.

PISTES DE TRANSFORMATION

Croire qu'il est possible de gérer ces différences.

Développer une attitude positive à l'égard des différences présentes, au moins pour l'année en cours.

Cibler une seule différence, qui fera l'objet d'un traitement particulier sur le plan pédagogique par la suite. Parfois, il est plus simple de s'intéresser d'abord aux élèves rapides afin de les alimenter. L'enseignant peut consacrer le temps ainsi récupéré aux élèves ayant un rythme plus lent.

Volume 1
p. 406 à 427

Outil 6.9 Des avenues différentes pour l'enrichissement

Commencer par établir la fréquence à laquelle nous ferons de la différenciation au sein de la classe. Nous augmenterons progressivement cette fréquence. D'une fois par semaine, nous pourrons passer, après un certain temps, à une fois par jour.

Fournir aux élèves différents matériaux pendant la phase de l'exploration ou de la formation de base. *Exemple :* pour la construction de solides géométriques, offrir différentes stations de travail aux élèves : pâte à modeler pour la construction de solides pleins, pailles et cure-pipes pour la construction de squelettes de solides, et carton et ciseaux pour la construction de solides vides.

Ne pas avoir peur d'utiliser les compétences des élèves lorsque nous gérons les différences. Des élèves rapides apprécient de jouer le rôle de tuteurs en classe, car ils en retirent autant d'avantages que les élèves qui reçoivent les explications ou les démonstrations. Sécuriser les parents de ces derniers en leur faisant remarquer que l'aide apportée à un élève par un compagnon lui permet de consolider son apprentissage. Il passe du stade de concept intuitif à celui de concept verbalisé, niveau où l'on sait si l'on comprend vraiment.

PEUR DE PERDRE LE CONTRÔLE OU LA MAÎTRISE DU SYSTÈME

Le changement amène avec lui, nécessairement, des pressions que nous devons apprendre à gérer. L'estime de soi et la sécurité personnelle peuvent atténuer la lourdeur de ces pressions. Il n'en reste pas moins que pour innover, nous avons des risques à prendre. À chacun de nous de prendre des risques calculés et, surtout, à sa mesure.

PISTES DE TRANSFORMATION

Croire en son projet d'innovation.

Prendre le temps, avant d'agir, d'identifier les gains apportés par la nouvelle façon de faire envisagée. Autrement dit, *pourquoi* voulons-nous apporter ce changement? Les raisons invoquées nous aideront à persévérer dans les moments plus difficiles de l'expérimentation.

Choisir une porte d'entrée où nous nous sentons plus à l'aise ou encore cibler une composante où nous aurons pris soin de garder un minimum de contrôle. *Qu'est-ce que je veux changer? À* **quoi** *est-ce que je m'attaque? Exemple:* si je désire introduire l'autocorrection dans ma classe, je peux me réserver le droit de regarder tous les cahiers corrigés par les élèves ou encore de choisir au hasard cinq cahiers que je vérifierai en

Volume 1
p. 381 à 385

Outil 6.6 Varier ses formes de correction

détail. Je peux aussi ajouter dans ma procédure d'autocorrection deux étapes de conscientisation importantes, telles que: *Après ma correction, je regarde les résultats obtenus et je me demande pourquoi j'ai réussi, pourquoi je n'ai pas réussi; comment suis-je arrivé à cette réponse, que devrais-je changer, la prochaine fois?* Et j'invite les élèves, par la suite, à indiquer leurs besoins en matière de soutien sur un tableau que j'aurai placé à leur disposition, à cet effet.

Planifier une démarche ou une procédure d'implantation. **Comment** *vais-je m'y prendre et* **quand** *ai-je l'intention de démarrer ce projet?* Trop souvent, nous improvisons en matière de changement, de renouveau. La planification sur les plans pédagogique et organisationnel est un point d'ancrage que nous ne devons jamais perdre de vue si nous ne voulons pas que le contrôle nous échappe. La rigueur intellectuelle accompagne souvent la personne qui a la sagesse de passer par l'écriture d'un plan de projet ou de cours avant de se projeter dans l'action.

PEUR QUE LES ÉLÈVES N'APPRENNENT PAS AUTANT SI NOUS LES ENCADRONS MOINS, ET QU'ILS NE SOIENT PAS SUFFISAMMENT PRÉPARÉS POUR RÉUSSIR AUX EXAMENS

Il existe un genre de mythe ou de croyance voulant que pour apprendre, les élèves doivent être encadrés beaucoup par l'enseignant, qu'ils doivent faire preuve d'écoute soutenue et qu'ils ont surtout intérêt à multiplier les exercices ou les pratiques. Toute dérogation à cette règle risquerait de compromettre notre succès. Et pourtant...

PISTES DE TRANSFORMATION

Croire que plusieurs élèves peuvent faire des apprentissages par eux-mêmes. Heureusement l'enseignant n'est pas toujours indispensable.

26

S'assurer, avant tout apprentissage, que nous avons expliqué aux élèves *pourquoi* nous faisons cela. Quelle est la compétence visée ? Qu'apprendrons-nous en faisant ce projet ou en travaillant sur ce problème ?

Veiller à discuter avec les élèves des applications concrètes de la compétence concernée. *Quand* aurons-nous l'occasion de réinvestir ce que nous sommes en train d'apprendre ? Existe-t-il des transferts possibles au sein de nos vies personnelles ? Pouvons-nous faire des liens entre la compétence développée actuellement et ce pourquoi nous travaillerons plus tard dans d'autres disciplines ou à l'intérieur même d'une discipline quelconque ?

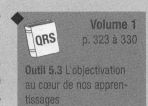

Volume 1
p. 323 à 330

Outil 5.3 L'objectivation au cœur de nos apprentissages

Prendre l'habitude de faire des bilans d'apprentissage avec les élèves, que ce soit à la fin d'une journée, d'un mois ou d'une étape. Cette pratique est bénéfique pour les apprenants, qui deviennent plus conscients de leurs acquis, et rassurante pour l'enseignant, qui entend ou voit les apprentissages réalisés. Parfois, nous avons des surprises intéressantes...

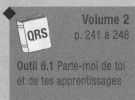

Volume 2
p. 241 à 248

Outil 6.1 Parle-moi de toi et de tes apprentissages

Amener les élèves à s'autoévaluer : *Suis-je à l'aise avec cette compétence ? Ai-je besoin de soutien supplémentaire ? Doit-on m'accompagner encore ? Puis-je assister d'autres camarades qui en auraient besoin ?*

PEUR DE NE PAS COUVRIR TOUT LE PROGRAMME D'ÉTUDES

Derrière cette peur se cache très souvent la hantise de ne pas passer à travers tout le manuel scolaire ou tout le cahier d'exercices. Dans plusieurs circonstances, nous avons relégué aux oubliettes le programme officiel. Madame Britt-Mari Barth (1993) nous fournit la réflexion suivante : « Doit-on couvrir le programme ou plutôt le découvrir avec les élèves ? »

PISTES DE TRANSFORMATION

Croire en la qualité des apprentissages plutôt qu'en la quantité.

Tenter de récupérer du temps en classe en améliorant certaines méthodes de travail. *Exemples :* manque de planification dans le déroulement d'un cours ou d'une journée, manque d'encadrement disciplinaire dans les travaux d'équipe, répétitions nombreuses d'explications pas toujours nécessaires à l'ensemble des élèves.

Volume 1
p. 360 à 363

Outil 6.3 Récupérer du temps en classe

Se rappeler qu'il existe des moyens d'enseignement différents et s'efforcer de les varier : sorties éducatives, utilisation de la bibliothèque scolaire et de ses diverses ressources, matériel de manipulation, compétences des parents à exploiter, technologies de l'information et des communications, etc. Certains de ces moyens apportent plus aux élèves que l'utilisation traditionnelle du manuel scolaire.

Prendre le temps de faire son nid. Que ce soit en début d'année, pendant l'organisation de la classe, lors d'une situation d'apprentissage ou de la construction avec les élèves d'un référentiel disciplinaire, rien ne sert d'escamoter le trajet ; accepter de « perdre du temps » pour le récupérer plus tard. À vouloir aller trop vite, nous sommes souvent contraints de tout recommencer. Bien sûr, nous avons couvert tout le programme, mais les élèves ont-ils véritablement appris ?

Se placer dans le contexte du cycle d'apprentissage, qui vient donner du temps aux élèves pour apprendre. Et ceux-ci en ont vraiment besoin... Dans cette perspective, les élèves devraient être plus souvent en situation d'apprentissage qu'en situation d'évaluation ou de contrôle.

PEUR DU POUVOIR ET DE L'IMPUTABILITÉ

L'exercice du pouvoir peut paraître très alléchant, vu de l'extérieur, mais lorsque quelqu'un nous offre de le partager, nous devenons parfois moins emballés, plus prudents et même réticents à l'égard de cette denrée recherchée. Mais pourquoi, me direz-vous ? Les responsabilités et l'imputabilité reliées au pouvoir risquent de créer de l'insécurité chez les gens qui auront à diriger, à donner des orientations, à prendre des décisions et surtout, à assumer les conséquences qui s'y rattachent.

Pourtant, toutes les réformes menées actuellement en éducation font appel au professionnalisme des enseignants, à leur implication, à leur engagement et à leur rayonnement. La philosophie préconisée donne une marge de manœuvre beaucoup plus grande aux pédagogues en regard de la gestion des apprentissages des élèves.

PISTES DE TRANSFORMATION

Croire au modèle de gestion participative.

Afin de valider les avantages reliés à ce modèle de gestion, commencer par le mettre en œuvre dans sa propre classe en partageant le pouvoir avec ses élèves, à l'intérieur de structures que nous aurons élaborées conjointement. *Exemples :* laisser plus de place aux élèves pour ce qui est de l'animation du conseil de coopération, définir, avec eux, les procédures et les règles de vie nécessaires au bon fonctionnement de la classe ; les consulter sur les activités d'enrichissement éventuelles, etc.

S'impliquer professionnellement dans des décisions importantes, comme le choix des manuels scolaires, le choix des instruments d'évaluation, la fréquence des évaluations, l'orientation à donner aux sorties éducatives, les formes d'implication en classe proposées aux parents, etc.

Prendre sa place en tant que partenaire, au sein de l'école, en prenant part aux décisions du conseil d'établissement ou du conseil d'orientation, en acceptant de défendre un point de vue intéressant auprès de sa direction d'école, en développant une argumentation solide afin de faire évoluer un projet au sein de son école.

Se porter volontaire pour siéger à des sous-comités de travail, à des commissions de recherche et de développement. S'impliquer auprès d'une association professionnelle ou syndicale pour défendre des idées novatrices.

Partager ses compétences avec ses collègues dans un contexte de ressourcement par les pairs.

PEUR DES CONFLITS

Si l'innovation en matière de pédagogie fait appel à l'émergence de nouvelles valeurs, de nouvelles croyances et de nouvelles pratiques, elle sollicite aussi l'implication des différents intervenants du système d'éducation. Par conséquent, nous aurons à partager davantage des idées, des ressources, des projets et des responsabilités. Tout cela ne se vivra certainement pas sans qu'il y ait discussion, confrontation, clarification et négociation. Ainsi, l'ère de l'isolement risque fort d'être ébranlée. Comment peut-on imaginer construire quelque chose de solide sans collaboration, sans concertation et sans partenariat ? Qui dit coopération dit aussi divergences, compromis et résolution de problèmes. Cet aspect fait très peur ; on s'y sent insécure et incompétent, d'autant plus qu'il se situe non seulement au niveau des élèves, mais aussi à celui des collègues de travail et des parents. Le prix à payer nous apparaît énorme en proportion des enjeux. En ce sens, mieux vaut peut-être vivre dans un présent bien contrôlé que de plonger dans un lendemain incertain, parsemé de conflits.

PISTES DE TRANSFORMATION

Croire à la richesse de la coopération.

Établir un cadre de référence en regard de la participation des différents partenaires : définition des rôles et des responsabilités à l'intérieur de chaque projet.

Connaître les attentes des partenaires avant de plonger dans l'action.

Définir une démarche de résolution des conflits avant même d'en avoir besoin.

Faire émerger les différentes compétences des personnes concernées par le projet en cours.

Établir le partage des tâches en fonction des divers talents présents au sein de l'équipe de travail.

Offrir des structures de participation et de coopération aux personnes que l'on désire impliquer.

- Exemples à l'intention des élèves : tableau de programmation, atelier de travail, centre d'apprentissage, travaux par sous-groupes, équipes coopératives.

- Exemples à l'intention des parents : formation d'un comité de classe en début d'année, mise en place de sous-comités de parents au sein d'un cycle d'apprentissage, élaboration d'une banque de ressources au sein d'une école.

- Exemples à l'intention des enseignants : dyades naturelles d'entraide, décloisonnement avec une autre classe pour la réalisation d'un projet commun, chantiers pédagogiques sur un sujet d'intérêt avec des collègues éprouvant les mêmes besoins que soi.

Prévoir des moments pour objectiver, pour évaluer le déroulement d'un projet ; en profiter pour partager les états d'âme, les gains obtenus, les difficultés éprouvées, les frustrations exprimées, les possibilités de relance.

Se donner des paramètres communs en vue d'une communication authentique. Comment laisser tomber graduellement les masques ? Comment donner son avis sans détruire la personne à laquelle on s'adresse ? Comment manifester son désaccord sans attaquer les valeurs ou les croyances ? Comment en arriver à faire des compromis ? Comment négocier sans qu'il y ait aucun perdant ? Comment parvenir à régler un conflit sans laisser de cicatrices douloureuses ? Comment rétablir le flux de la communication qui s'est brisé lors d'une discussion ou d'un débat ?

Ayant réussi à chasser nos peurs, à développer de nouvelles certitudes, à nous imprégner de convictions profondes qui nous suivront tout au long de la transformation, nous sommes maintenant capables de formuler le credo de l'innovation qui nous accompagnera dans la métamorphose que nous nous apprêtons à faire. Pourquoi ne pas nous l'approprier tout de suite ?

Source : Inspiré de Philippe PERRENOUD, *La pédagogie à l'école des différences*, Paris, ESF Éditeur, 1995, p. 140-155.

CREDO DE L'INNOVATION

Je crois d'abord en mes ressources personnelles, en tant qu'éducateur et pédagogue.

Je crois aussi au potentiel de chacun de mes élèves.

Je crois fermement que les parents de mes élèves sont intelligents et capables de faire preuve d'ouverture d'esprit.

Je crois que mon principal outil de travail en classe est ma personne.

Je crois de plus en plus que mes élèves doivent construire eux-mêmes leurs apprentissages avec ma complicité.

Je crois en la valeur de mon projet d'innovation et suis capable de le défendre.

Je crois que les différences observables chez mes élèves sont une source de richesse et qu'il est avantageux d'en tenir compte chaque fois qu'il m'est humainement possible de le faire.

Je crois surtout en la nécessité de faire évoluer ma pratique actuelle si je désire accompagner chacun de mes élèves dans l'actualisation de son potentiel.

Je crois principalement à l'efficacité des modèles participatif et coopératif pour favoriser l'apprentissage et la motivation.

Je crois, avant tout, en des apprentissages de qualité plutôt qu'en une grande quantité de notions effleurées.

Je crois que les essais, les erreurs et les réajustements font aussi partie de l'apprentissage.

Enfin, je crois que mes interventions auprès des élèves peuvent transformer l'échec en réussite.

Que mes partenaires me viennent en aide! Amen.

« Différencier, c'est parfois prendre des risques, s'écarter de la norme, sans aucune certitude d'avoir raison et d'arriver à des résultats visibles. »
(Philippe Perrenoud)

Métamorphoser ses deuils en pratiques nouvelles

Au fil des jours, des semaines, des mois et des années, il est facile, pour un enseignant, de développer des rituels pédagogiques, des habitudes éducatives, des horaires rassurants, des pratiques confortables. Cet état de choses nous procure un sentiment de sécurité, de stabilité et de bien-être personnel. Nous agissons ainsi parce que tout le monde le fait depuis longtemps et que c'est censé être efficace puisque ça fonctionne. Pourquoi se lancer dans le doute, l'inconnu, l'insécurité, l'angoisse même ? Ne serait-on pas porté à oublier de regarder la situation sous un angle différent : celui des apprenants ? Les interventions effectuées, les moyens privilégiés, les projets ciblés sont-ils vraiment gages de réussite pour les élèves ? Peut-être que oui, peut-être que non. Et s'il n'y avait qu'une seule façon de faire ? De toute façon, certains élèves ne réussiront jamais, peu importe ce que l'on fera pour eux... Et comment peut-on sortir des sentiers battus, alors que le modèle que l'on connaît a fait ses preuves, jusqu'à maintenant ? Toutes ces raisons justifient le maintien du *statu quo* et, très souvent, d'une pédagogie inefficace.

Il est bien évident que pour innover, nous devons tourner le dos à certaines pratiques, dire adieu à certains moyens, faire le deuil de certaines croyances ou convictions. Et si l'on s'essayait...

DEUIL DE ROUTINES SÉCURISANTES

Les deuils des trois pratiques décrites ci-dessous ont été traités à partir du vécu actuel dans les classes et non pas à partir d'un contexte authentique d'apprentissage tel que le souhaiterait la philosophie de la réforme en éducation. Il y a place ici à l'évolution des pistes de transformation.

Deuil 1 : série uniforme de mots d'orthographe donnés en dictée, chaque jour, à l'ensemble des élèves.

Deuil 2 : correction individuelle des travaux des élèves, à la queue leu leu, au bureau de l'enseignant.

Deuil 3 : leçons de la semaine demandées collectivement par écrit, chaque vendredi matin, et ainsi de suite.

PISTES DE TRANSFORMATION

Deuil 1 : les mots d'orthographe en dictée

- Permettre aux élèves, en dyades d'entraide, de se donner mutuellement les mots d'orthographe en dictée.

- Créer un répertoire de mots cachés dans lequel on intégrera les mots travaillés pendant le mois. Le mettre à la disposition des élèves dans la classe, comme piste d'activité de cinq minutes ou comme piste de consolidation.

- Concevoir un jeu Charivari fabriqué à partir de la liste des mots de la quinzaine ou du mois.

- Proposer aux élèves l'élaboration d'un dictionnaire personnel où chacun notera seulement les mots qu'il ne maîtrise pas encore.

- Faire rédiger cinq phrases dans lesquelles les élèves doivent insérer les cinq mots les plus difficiles de la liste qui a été étudiée.

Deuil 2 : la correction à la queue leu leu

- Introduire parfois une clé de correction dans la classe pour permettre à des élèves de se corriger personnellement.

- Confier à des élèves plus rapides le mandat de devenir Mini-prof.

- Utiliser la correction collective où chacun conserve son cahier ou échange son cahier avec un camarade. L'enseignant devient la clé de correction et se préoccupe non seulement de faire connaître les bonnes réponses, mais surtout de faire un retour sur les difficultés éprouvées, les démarches et les stratégies utilisées.

- Procéder par sous-groupes d'élèves pour la correction des travaux.

- Amener les élèves à se corriger eux-mêmes, au sein de leur équipe de travail.

Deuil 3 : le contrôle des leçons de la semaine

- Suggérer aux élèves de se demander oralement les leçons de la semaine, à l'intérieur de leur dyade d'entraide.

- Proposer aux élèves qu'ils mettent par écrit le résumé de ce qu'ils ont retenu des leçons de la semaine.

- Imaginer un jeu Génies en herbe, où les représentants de deux équipes doivent répondre correctement aux questions qui sont posées.

- Permettre tout simplement aux élèves d'étudier leurs leçons, s'ils ne l'ont pas fait à la maison. À ceux qui l'ont déjà fait, suggérer de travailler sur leur projet personnel pendant cette période.

- Composer des questions que les élèves pourraient poser à leurs camarades dans le but de vérifier leur maîtrise des notions étudiées.

- Concevoir ou faire concevoir par les élèves des mots croisés où l'on fait référence aux connaissances traitées dans la semaine. Les proposer aux élèves comme piste de travail. Prévoir une clé de correction.

DEUIL D'UN MODÈLE CONNU : L'ENSEIGNEMENT MAGISTRAL

L'enseignant a toujours occupé une place importante dans la classe. C'est autour de lui que gravitent toutes les décisions. Il est habitué à diriger, à enseigner, à suggérer, à organiser et à contrôler. D'ailleurs, c'est un rôle qu'il assume avec grand plaisir. Quoi de plus gratifiant que d'être la vedette, le point de mire ou le chef d'orchestre ! Rien ne peut nous échapper, car nous sommes en situation de contrôle.

Nous avons donc développé parallèlement une pédagogie axée sur le groupe-classe et sur les interventions en grand groupe. Tout est prévu et il suffit de canaliser les énergies et l'attention de chacun pour respecter la trajectoire prévue. Tous les élèves doivent suivre le même itinéraire, peu importe leur point de départ. C'est une forme de gestion qui est devenue, avec les années, de plus en plus difficile à assumer. Au sein du grand groupe, des problèmes de discipline et de motivation se manifestent de plus en plus, des écarts de rythme sont de plus en plus apparents et des formes différentes d'intelligence sont maintenant reconnues. Pour les enseignants, le prix à payer pour conserver le pouvoir magistral est en constante majoration. Et pourtant, nous persistons à sauvegarder des pratiques où nous devons investir beaucoup pour récolter peu.

Faire davantage de place aux élèves et aux différences est une solution à envisager. Faire *avec*, déléguer, partager le pouvoir et les responsabilités à l'intérieur de structures établies conjointement : voilà une avenue à explorer. Comment y arriver sans se brûler les ailes ?

PISTES DE TRANSFORMATION

Commencer par déléguer des responsabilités simples aux élèves.

Diminuer le nombre de périodes consacrées aux explications en grand groupe.

Permettre à des élèves performants de ne pas assister aux révisions collectives précédant les examens, aux explications longues et détaillées précédant le début d'une tâche à réaliser.

Introduire l'organisation de sous-groupes de travail à l'intérieur de la classe, chaque fois que la lourdeur ou la complexité de la gestion de tout le groupe-classe nous pèse.

Offrir des périodes d'explications supplémentaires aux élèves dans le cadre de périodes de rendez-vous ou de « cliniques ».

Utiliser les élèves comme personnes-ressources dans des contextes d'entraide, de consolidation ou de coopération.

Introduire un conseil de coopération dans la classe afin d'expérimenter graduellement la transition du pouvoir magistral à un pouvoir partagé, plus démocratique.

DEUIL DU CONFORTABLE ISOLEMENT

Actuellement, dans les écoles, sommes-nous solitaires ou solidaires? L'isolement et l'individualisme sautent aux yeux lorsque nous regardons de plus près le vécu du personnel enseignant. Pourtant, les raisons pour collaborer, coopérer, et construire ensemble sont de plus en plus nombreuses. Tout d'abord, la présence des cycles d'apprentissage exige la formation d'équipes pédagogiques de cycles. Le développement des compétences disciplinaires et transversales chez les élèves fait appel à de nombreuses compétences de la part des enseignants et à un partage des talents. La gestion de la différenciation des apprentissages chez les élèves est trop vaste et trop complexe pour relever d'une seule personne. De plus, le suivi à apporter au portfolio d'un élève et au passeport pédagogique d'un cycle exige la vision partagée de plusieurs adultes. Bref, la solidarité et la collégialité doivent s'installer d'abord dans le cœur et dans la tête des enseignants. Et si les murs de la classe pouvaient s'écrouler tranquillement?

PISTES DE TRANSFORMATION

Se donner une **dyade** naturelle d'entraide ou **d'intervision** en se jumelant avec un enseignant de son école qui partage les mêmes valeurs, les mêmes croyances et la même philosophie de l'éducation et de l'apprentissage. Il n'est pas nécessaire que cette personne enseigne au même niveau ni au même cycle. C'est avant tout une question d'affinité affective et de vision de l'enseignement compatible avec la nôtre.

DYADE D'INTERVISION : jumelage avec une autre personne pour partager des perceptions, des valeurs, des croyances, des visions et des façons de faire respectives afin d'échanger des rétroactions en regard d'une tâche professionnelle.

Permettre aux élèves de sa classe d'aller faire des présentations de projets ou de travaux dans la classe d'un collègue. Bien sûr, accepter également que des élèves d'autres classes se joignent à son groupe à l'occasion.

Favoriser le tutorat entre les élèves de sa classe et des élèves plus âgés ou plus compétents de l'école afin de favoriser le ressourcement par les pairs.

Échanger des élèves occasionnellement, avec un collègue, pour vivre plus en profondeur la récupération ou l'enrichissement dont les deux groupes d'élèves auraient besoin.

Se donner comme objectif de développer un projet commun à deux classes ou à un cycle au cours d'une étape. Ce projet pourrait être centré sur certaines compétences transversales à développer. Les élèves choisiraient parmi différentes tâches à réaliser et les enseignants mettraient à profit leurs ressources respectives pour l'animation des défis proposés aux élèves.

Avoir recours aux compétences des parents du milieu ou aux membres de la communauté pour animer une leçon, un projet ou une activité dans la classe.

DEUIL D'UNE CERTITUDE : L'ÉCHEC FATAL DE CERTAINS ÉLÈVES

Il est tentant de se dire qu'il y a une partie de la population étudiante qui est douée, et une autre qui ne l'est pas. Par le biais de cette affirmation, nous pouvons nous convaincre facilement qu'il n'y a vraiment rien à faire pour certains élèves et surtout, nous pouvons finir par nous accommoder de l'échec scolaire. Pourtant, certains auteurs croient fermement que 80 % des élèves peuvent maîtriser 80 % du programme si on les place dans des conditions adéquates d'apprentissage. Toute une responsabilité, n'est-ce pas, qui peut se doubler de culpabilité si nous ne réussissons pas à adopter une pédagogie différenciée pour ces élèves...

L'outillage habituel dont nous disposons – programme de formation, manuels scolaires, cahiers d'exercices, démarches méthodologiques – ne convient pas

nécessairement aux élèves qui éprouvent des difficultés. Que faire alors ? Que doit-on penser ?

La différenciation, pour ces élèves, n'est pas une affaire
de ratio enseignant/élèves, de matériel didactique, de
nombre de minutes consacrées à la récupération. Il n'y a
pas de recette miracle, de méthode sûre. Tout est à construire en fonction des difficultés de chacun. Parfois, il
s'agira même d'une démarche clinique personnalisée.

Volume 2
p. 249 à 257

Outil 6.2 Les habiletés
des richesses à observer
et à exploiter

PISTES DE TRANSFORMATION

Prioritairement, découvrir les talents, les habiletés mentales des élèves éprouvant des difficultés. Utiliser un outil, un cadre de référence à cet effet. La grille
de Taylor est à la fois simple et efficace. Consigner ces renseignements dans
un journal de bord.

Permettre aux élèves d'identifier eux-mêmes leur style
d'apprentissage ou leur forme d'intelligence. La pizza
des intelligences multiples de Gardner ou le répertoire
utilisé en programmation neurolinguistique peuvent être
des outils intéressants à utiliser auprès des élèves.
Conserver les informations obtenues.

Volume 2
p. 258 à 270

Outil 6.3 Savoir décoder
et gérer les styles d'ap-
prentissage

Introduire l'arbre de connaissances dans la classe. Il
s'agit d'un précieux outil pour favoriser la coopération entre les élèves et pour
développer l'estime de soi chez ceux qui ont une image plus fragile d'eux-
mêmes. Nous en traiterons dans le chapitre 9, qui porte sur l'évaluation des
apprentissages des élèves.

Adapter les tâches d'apprentissage en jouant sur leur longueur, leur complexité,
l'échéancier, les critères d'évaluation et la forme d'accompagnement.

Sélectionner des moyens d'enseignement plus respectueux du profil d'apprentissage de certains élèves :
matériel de manipulation, jeux éducatifs, utilisation de
l'ordinateur, sorties éducatives, ressources de la bibliothèque, etc.

Volume 1
p. 64 à 76

Outil 2.4 Qu'est-ce qui
t'intéresse ?

Déceler les intérêts personnels des élèves à risque et voir
avec eux la pertinence d'entreprendre un projet personnel ou une recherche autonome sur un sujet signifiant.

DEUIL DU CONTRÔLE DE L'ÉVALUATION

L'évaluation a toujours tenu une place importante dans le quotidien d'une
classe, si bien que les élèves sont plus souvent en situation d'évaluation que
d'apprentissage. Que de temps consacré à l'évaluation sommative, alors que

l'on croyait fermement faire du formatif ! Ce sera, sans doute, le deuil le plus difficile à faire : changer nos croyances, nos habitudes et nos pratiques en matière d'évaluation.

Pourtant, c'est une des clés pouvant ouvrir la porte à la différenciation des apprentissages et à la réussite des élèves. Ceux-ci ont besoin de temps pour apprendre et l'arrivée des cycles vient répondre doublement à ce besoin important. Pourquoi vouloir évaluer un apprentissage qui n'en est qu'à ses premiers pas ou à ses premiers balbutiements ? Sans doute pour se sécuriser, se rassurer quant au fait que tout va bien et que l'on est en situation de contrôle. Très souvent, nous aurions intérêt à faire objectiver et à réguler davantage les élèves plutôt que de consacrer du temps à l'évaluation et au contrôle. Le dialogue pédagogique ne fait pas encore partie de nos mœurs pédagogiques. Et pourtant, la recherche des dernières décennies est venue consolider les interventions les plus payantes à privilégier. Contrairement à ce que l'on peut penser, ce n'est pas en évaluant souvent les élèves que l'on va accélérer leur processus d'apprentissage.

La médiation soutenue, le retour sur les apprentissages, la préparation au transfert et l'évaluation intégrée au processus d'apprentissage font partie des fondements du renouveau pédagogique actuel. Comment changer notre vision de l'évaluation ?

PISTES DE TRANSFORMATION

Établir des nuances entre les évaluations diagnostique, formative, sommative, de fin de cycle et en cours de cycle. Se dire que l'évaluation authentique prend une grande place à l'intérieur du processus d'apprentissage et de l'accompagnement pédagogique de l'apprenant.

Donner davantage de place à l'objectivation, à la régulation des apprentissages et de l'action éducative. Varier le questionnement, les temps de l'apprentissage ciblés, les outils d'expression utilisés et les groupes de discussion.

Volume 1
p. 296 à 301

L'objectivation du vécu des apprentissages

Proposer aux élèves l'utilisation d'un journal de bord, qui servira principalement à objectiver les apprentissages par le dessin ou l'écriture.

Se donner un outil structuré de consignation, comme le journal de bord de l'enseignant. On pourra y noter toutes les informations pertinentes nous permettant de mieux connaître et de mieux accompagner non seulement le groupe-classe, mais aussi chacun des élèves qui nous sont confiés.

Volume 2
p. 229 et 230

Des apprentissages à consigner

Mettre en branle l'utilisation d'un portfolio ou d'un dossier d'apprentissage par l'élève. Distinguer le recueil de réalisations fréquemment utilisé dans les milieux scolaires et le véritable portfolio, conçu pour impliquer l'élève, pour le conscientiser et pour évaluer ses apprentissages de façon plus différenciée. Penser à établir des critères de sélection et un outil de justification que l'utilisateur devra employer lorsqu'il désire verser une pièce à son portfolio.

Réviser la liste des instruments utilisés pour recueillir les informations préalables à un jugement d'ordre pédagogique. Outre l'examen écrit, qu'utilisons-nous le plus souvent ? La grille d'observation, le questionnaire oral, l'autoévaluation par l'élève et le portfolio font-ils vraiment partie de notre instrumentation ?

DEUIL DE CERTAINES PRATIQUES DU MÉTIER

La tâche de l'enseignant comprend des pratiques différentes, qui vont des plus importantes et rentables aux plus inutiles. En effet, nous pouvons dépenser temps et énergie pour intervenir sur des dimensions d'importance très secondaire : production de matériel consommé rapidement par les élèves dans un contexte où leurs capacités sont très peu sollicitées, abus de correction de travaux ou de contrôle, sans objectivation ou sans remédiation par la suite, discussion libre sur des sujets qui ne passionnent que l'enseignant, animation d'activités plaisantes pour les élèves mais dépourvues de toute finalité pédagogique. Pourtant, le *manque de temps* figure parmi les plaintes les plus courantes chez les enseignants. Comment récupérer du temps ? Comment apprendre à intervenir davantage sur des aspects de première importance ? En acceptant de renoncer à certaines habitudes qui n'ont comme objectif principal que de faire plaisir à l'enseignant. Il est possible de découvrir d'autres plaisirs à travers une pratique plus rigoureuse, plus étudiée, plus planifiée. D'ailleurs, la différenciation exige que nous posions constamment des actes professionnels teintés de justesse et de clairvoyance.

PISTES DE TRANSFORMATION

Avant de planifier une activité d'apprentissage, toujours avoir en tête les interrogations suivantes : *Pourquoi est-ce que je fais cela ? Qu'est-ce que les enfants vont apprendre en exécutant cette tâche ? Que vont-ils en retirer ? Quand pourront-ils réutiliser les compétences sollicitées ?*

Se donner un référentiel, au moment de la planification, faisant état d'une taxonomie des habiletés mentales, que ce soit celle de Bloom, d'Hugues et Miller ou de tout autre chercheur. Ce cadre nous permettra d'identifier les compétences ciblées : s'agit-il d'une habileté supérieure, comme la synthèse, ou d'une habileté inférieure, comme la mémoire ? Ce faisant, nous sommes en train d'apprendre à enrichir la teneur de ce que nous proposons aux enfants. Nous délaissons progressivement l'impulsivité et l'intuition pour nous diriger davantage vers une pratique réflexive.

Chaque fois que la tentation se pointe de consacrer beaucoup de temps à préparer ou à fabriquer du matériel pour les enfants, se demander si ces tâches pourraient être réalisées par les élèves eux-mêmes. *Exemples :* cartons-étiquettes, pictogrammes pour illustrer une procédure, un rituel ou une règle de vie, préparation de matériel de manipulation, matériel de démonstration pour alimenter un atelier, conception d'activités de consolidation ou d'enrichissement, etc.

Avoir constamment son programme de formation près de soi, sur son bureau, afin de pouvoir s'y référer souvent. Avant une intervention, il convient de se demander : s'agit-il d'un **objectif-noyau** ou d'un savoir essentiel, élément mobilisateur pour l'ensemble des élèves, ou d'un contenu notionnel, rattaché à une discipline quelconque ? La marge est grande entre les deux et le bon choix s'avère un atout précieux si nous voulons mieux gérer notre temps et celui des élèves.

OBJECTIF-NOYAU : élément-clé ou concept organisateur dans un ensemble de contenus disciplinaires.

Les intérêts des élèves pourraient-ils être servis par la mise en œuvre d'un projet collectif, à saveur pédagogique ? Sommes-nous partagés entre la phase de la *vraie école* pendant certaines périodes de la journée et celle des moments agréables, plutôt à caractère divertissant, où nous faisons des ateliers, de la correspondance scolaire, des discussions libres, des sorties parascolaires sans intention pédagogique et sans évaluation rigoureuse ? Bien sûr, les élèves apprennent quelque chose, mais le tout se déroule sans qu'il y ait prise de conscience réciproque de la part de l'enseignant ni des élèves. Voilà de belles occasions à saisir pour varier nos moyens d'enseignement et pour nous apprendre à travailler avec plus de signifiance et de participation. Nous ne pouvons plus nous permettre de tolérer les activités simplement divertissantes en classe. Par un souci plus accru de planification, d'objectivation, de régulation et d'évaluation, nous pourrions faire des gains intéressants quant à la qualité des apprentissages et à la reconnaissance professionnelle de la part des parents. À nous de miser sur les bonnes cartes !

DEUIL DE LA RECHERCHE DU COUPABLE

Lorsque vient le temps d'identifier les causes principales du taux d'échec actuel des élèves dans le système scolaire, on trouve toujours « un bouc émissaire ». C'est surtout la faute des autres et l'on entend alors les raisons suivantes : le ratio enseignant/élèves, le contenu des programmes, le mauvais classement des élèves par la direction, le manque de ressources humaines ou matérielles, le manque de collaboration entre les collègues d'un niveau ou d'un ordre supérieur, la démission des parents en matière d'éducation, le potentiel intellectuel des enfants, la lourdeur de la tâche. Tous ces facteurs influencent assurément la réussite scolaire. Mais ne pourrait-on pas apprendre à tirer le meilleur parti possible de la réalité qui nous entoure ? Le fait de miser sur les facteurs de réussite sur lesquels nous avons vraiment de l'emprise pourrait nous faciliter la tâche, sans pour autant nous empêcher de vouloir améliorer notre sort. Mais en attendant d'avoir les conditions idéales, que faisons-nous ?

PISTES DE TRANSFORMATION

Face à un élève en situation de démotivation scolaire, de difficultés d'apprentissage ou de décrochage, prendre le temps d'analyser les raisons qui pourraient justifier le problème. S'agit-il de démotivation existentielle ? Les facteurs affectifs sont-ils en cause ? Peut-on intervenir sur certains facteurs cognitifs ?

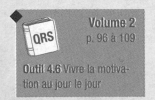

Volume 2
p. 96 à 109

Outil 4.6 Vivre la motivation au jour le jour

Se donner des points de repère pour avoir une vision plus générale de la problématique de la démotivation scolaire. Les recherches et les travaux de Jacques Tardif et de Roland Viau sur ce sujet sont vraiment éclairants. Éviter de porter des jugements gratuits, qui ne mènent nulle part, si ce n'est sur le terrain de la déculpabilisation.

Avoir un entretien privé avec l'élève concerné, en dehors des heures de classe, est une possibilité trop sous-estimée ou négligée. Pourtant, c'est souvent à ce moment que nous pouvons entrer en véritable relation avec lui. C'est parfois là que le dialogue intime peut aboutir au dévoilement de réalités insoupçonnées. Prendre trente minutes de son temps pour poser ce geste peut rapporter gros... Beaucoup plus qu'une visite au local de réflexion ou au bureau du directeur, parfois.

Volume 1
p. 46 à 48

Comment développer une approche centrée sur l'élève ?

Devant des élèves qui réussissent moins bien, scruter à la loupe le vécu de la classe. Ces élèves en difficulté sont-ils en position de dépendance face à l'enseignant ou se retrouvent-ils dans un contexte de responsabilisation, tant pour ce qui est de leurs comportements que de leurs apprentissages ? Quels sont les **dispositifs** qu'ils peuvent utiliser présentement pour participer activement à la construction de leurs connaissances ?

DISPOSITIF : construction didactique mettant en œuvre des matériaux, des structures et des consignes que l'on élabore à partir d'une opération mentale que l'on veut faire effectuer à un apprenant pour l'amener à une acquisition donnée. Habituellement, dans le langage populaire, on l'associe à moyens ou à stratégies d'enseignement.

Lorsque je me suis adressé aux parents, lors des soirées d'information, me suis-je contenté de dire qu'il était primordial qu'ils collaborent avec moi ou ai-je trouvé pertinent, en plus, de leur suggérer des manières de contribuer à la réussite scolaire de leur enfant ? Ai-je tenu pour acquis qu'ils les connaissaient déjà ? Ce n'est peut-être pas le cas.

Volume 1
p. 170 et 171

• Attentes de l'enseignante à l'égard des parents

• Comment aider son enfant à réussir ?

Lors de mes interventions en classe, ai-je essayé de faire passer tout le monde dans le même moule ? Renée Fuller nous rappelle ceci : « Si nous nous entêtons à regarder l'arc-en-ciel de l'intelligence à travers un seul filtre, bien des esprits nous paraîtront dépourvus de lumière. » *Suis-je prêt à passer sur le terrain de la différenciation ? Quels dispositifs puis-je mettre en œuvre pour respecter les rythmes ou les styles de ces élèves ? Par quoi est-ce que je commence ? Quand vais-je le faire ?*

DEUIL DU FAVORITISME

Quand nous nous trouvons devant un groupe d'élèves, il est humain de nous ranger plus souvent du côté des élèves rapides, performants, disciplinés et aimables. Comment pouvons-nous faire autrement ? Pourtant, l'autre masse, plus négligée, a souvent des besoins plus urgents ou plus profonds. Ces élèves ne viendront pas spontanément vers nous et ne nous donneront pas nécessairement les messages les plus gratifiants. Comment nous conditionner à aller vers eux ? C'est là que la dimension professionnelle intervient. Au même titre qu'un médecin accepte de soigner un patient agressif ou désagréable, l'enseignant ne doit pas perdre de vue le fait qu'il est en relation d'aide et de service. Il se doit donc d'offrir des interventions de qualité à des élèves qui résistent à l'apprentissage, qui ne jouent pas le jeu dans le déroulement d'une séquence d'apprentissage, qui abusent de la confiance qu'on leur témoigne et qui lèvent le nez sur toutes les formes d'aide qu'on désire leur apporter. C'est tout un contrat, me direz-vous...

PISTES DE TRANSFORMATION

À partir d'une liste d'élèves, relever les noms de ceux qui sont les plus oubliés dans la classe, de ceux qui ne vous demandent jamais rien, de ceux que les autres rejettent facilement. Choisir un élève dans cette liste et penser à des façons d'entrer en relation d'aide avec lui pour la semaine qui vient. En privilégier un autre pour la semaine suivante.

Revoir la reconnaissance des talents qui a été faite dans la classe précédemment et faire émerger les forces de chacun des élèves qui nous sont le plus antipathiques.

Volume 2
p. 65 et 66

Propositions de messages (forces et défis)

Prendre la peine d'écrire sur chacune des copies que l'on corrige une force et un défi à l'intention de chacun des élèves.

Dans la section «commentaires» que l'on trouve habituellement dans les bulletins ou les livrets d'évaluation, accorder une place d'honneur au volet *forces et défis*. Les dimensions humaine, affective et intellectuelle peuvent être filtrées. Le cadre de référence sur les intelligences multiples aide à identifier des aspects positifs que l'on peut trouver chez un élève.

Accepter de travailler sur soi, sur ses préjugés et sur les perceptions que nous pouvons avoir d'une personne sans la connaître véritablement en profondeur. Ne pas accorder trop d'importance aux commentaires négatifs à propos d'un élève, que nous pouvons entendre au salon du personnel, à la salle de réunion ou dans les corridors de l'école. Savoir donner la chance au coureur, car les comportements d'un être humain peuvent être influencés considérablement par la qualité des relations que nous entretenons avec cette même personne. Philippe Perrenoud (1995, p. 123) mentionne d'ailleurs que: «Différencier, c'est affronter la différence sous ses dehors les moins abstraits, distances culturelles et personnelles, conflits, rejets. C'est aussi accepter de se confronter plus souvent, plus intensivement, plus méthodiquement aux élèves les moins gratifiants.» Cela exige une grandeur d'âme se manifestant par l'oubli de soi, de la générosité et de la tolérance. On peut presque parler alors de professionnalisme et de vocation aussi.

Source: Inspiré de Philippe PERRENOUD, *La pédagogie à l'école des différences*, Paris, ESF Éditeur, 1995, p. 120-125.

Maintenant que nous sommes en processus de changement, réussissant à vaincre nos peurs face à l'innovation et à nous libérer de certains deuils afin d'arriver à acquérir d'autres maîtrises, nous pouvons aspirer à prendre davantage notre place en tant que professionnels, non seulement au sein de notre classe, mais aussi au sein de l'école, de la communauté culturelle à laquelle nous appartenons, de notre association syndicale et professionnelle et de la société en général. *Prendre sa place en tant que professionnel,* c'est une nécessité et une urgence.

Pour enrichir ses connaissances

- Poursuivez votre réflexion sur les peurs en consultant l'ouvrage de Philippe Perrenoud, *La pédagogie à l'école des différences*. Les pages 134 à 155 vous permettent de comprendre où se situent davantage vos peurs : sur le plan du système d'enseignement ? sur celui de votre école ? ou encore sur celui de vos interactions didactiques ?

- À l'aide des pistes des pages 23 à 30 du présent volume, prenez connaissance des maîtrises nou-velles à acquérir pour vaincre vos peurs. Quelle est la maîtrise nouvelle qui vous interpelle le plus ? Quelle est la peur qui pourrait s'estomper ?

- Toujours dans cette perspective de réflexion sur votre personne, prenez connaissance de la perception de l'auteure des deuils à vivre en vue du développement de la différenciation pédagogique. Lisez les pages 33 à 43 du présent volume à cette fin. Quel est le premier deuil que vous vous sentez capable de faire ?

Pour prolonger les apprentissages

- Prenez le temps de regarder votre pratique actuelle en matière de dif-férenciation. À l'aide des balises fournies par le bilan intuitif des pages 18 et 19, indiquez vos acquis sur le plan du climat, du contenu, de l'organisation et de la gestion des apprentissages. Conservez des traces de ce bilan. Vous en aurez besoin pour votre mise en action officielle, dont il est question au chapitre 13.

- Choisissez une peur qui vous habite et tentez de la transformer en certi-tude. À cet effet, identifiez des inter-ventions que vous pourriez faire pour vaincre cette peur et pour faire émerger de nouvelles croyances. Référez-vous aux pages 23 à 30 du présent ouvrage.

- Regardez maintenant du côté des deuils et cernez une réalité qui vous agace en classe, qui vous exaspère même ou qui vous fait perdre des énergies et du temps. Les pages 33 à 43 du présent ouvrage sauront vous guider dans cette démarche. Derrière ce deuil à faire se cache l'acquisition de pratiques ou de maîtrises nouvelles. Que comptez-vous faire pour remplacer cette pra-tique stérile ou insatisfaisante ? Êtes-vous capable de nommer le deuil que vous vous apprêtez à faire ?

CHAPITRE 3

Professionnaliser son métier

- Évolution de la profession
- Formation continue
- Engagement au sein de l'école
- Autonomie dans la classe
- Partenariat avec les parents

Un costume à revêtir: son leadership confiant

« Pratique réflexive, *professionnalisme*, travail en équipe et par projets, autonomie et responsabilités accrues, pédagogies différenciées, concentration sur les dispositifs et les situations d'apprentissage, sensibilité au rapport avec le savoir et la loi : tout cela dessine un "scénario pour un métier nouveau". » (Philippe Meirieu).

SOCLE DE COMPÉTENCES : référentiel de la Belgique présentant de manière structurée les compétences de base à exercer jusqu'au terme des huit premières années de l'enseignement obligatoire et celles qui sont à maîtriser à la fin de chacune des étapes de celles-ci parce qu'elles sont considérées comme nécessaires à l'insertion sociale et à la poursuite des études.

Le terme « professionnalisation » hérisse bien des enseignants, puisqu'il sous-entend que les praticiens auraient jusqu'à présent œuvré en amateurs. Tel n'est pas le cas. Cette expression cache plutôt une nécessité et une urgence de revaloriser le métier d'enseignant et la mutation de ce métier en fonction des exigences plus nombreuses du système scolaire et de la société. Il s'agit d'une tendance que l'on retrouve dans tous les pays du monde. Le corps enseignant traverse une crise importante. Où qu'il soit, l'enseignant d'aujourd'hui gagne de moins en moins d'argent alors que les conditions de travail se sont plus que jamais dégradées.

D'autre part, l'enseignant est actuellement aux prises avec des problèmes pour lesquels il n'est pas nécessairement préparé ou outillé : la délinquance, les sureffectifs, la pluriculturalité, l'échec scolaire. Face à ces difficultés et à une opinion publique de plus en plus intransigeante, sa motivation s'affaiblit, ce qui a pour conséquence une augmentation des problèmes de santé relatifs au stress. Pour toutes ces raisons, la profession a perdu de son prestige.

De plus, toutes les réformes pédagogiques mettent l'accent sur un nouveau paradigme à développer ; il nous faut passer du paradigme d'enseignement à celui d'apprentissage. Au Québec, comme en Suisse ou en Belgique, il faut apprendre à jongler avec les compétences transversales, les domaines généraux de formation, les compétences disciplinaires et l'organisation par cycles d'apprentissage. Tantôt nous parlerons de savoirs essentiels, d'objectifs-noyaux ou de **socle de compétences.**

L'apparition des cycles d'apprentissage et la promotion de la différenciation des méthodes pédagogiques causent bien des tensions à plusieurs d'entre nous. Les défis à relever sont nombreux : naissance d'équipes de cycles, décloisonnement pour la gestion de sous-groupes de travail, planification de projets, de séquences d'apprentissage, de tâches intégratrices, gestion de portfolios, de passeports pédagogiques ou de nouveaux livrets d'évaluation. La table est tellement garnie que l'on ne sait plus si l'on doit commencer par l'entrée ou par le dessert. Il faut être très fort, très équilibré, très mûr pour passer à travers sans trop s'y brûler les ailes. Toutes ces dimensions créent des pressions pour que l'on fasse évoluer rapidement le métier. Il y a tout un scénario nouveau à planifier, à vivre et à gérer pour que la mutation de ce métier vers une plus grande professionnalisation se fasse avec cohérence, progressivement, dans le respect des rythmes respectifs, sans briser pour autant le moral des troupes.

Les formations initiale et continue doivent nécessairement tenir compte de ces nouvelles orientations si nous voulons que, par la suite, les pédagogues livrent la marchandise attendue. L'accompagnement des enseignants doit partir des besoins des praticiens et se vivre, sur le terrain, à travers une démarche d'analyse réflexive.

S'il réussit à vivre ce changement d'accompagnement et d'amélioration continue harmonieusement, l'enseignant de demain en sortira grandi. Il sera plus heureux, car grâce à la professionnalisation de son métier, il aura les moyens de faire face aux nouvelles exigences d'une société en pleine mutation. Il pourra participer plus activement à la mise en œuvre des projets et des stratégies pédagogiques. Et il pourra peut-être exercer d'autres professions, en dehors d'un circuit scolaire qu'il n'a peut-être jamais quitté pour faire augmenter son capital d'expérience. Ainsi, l'éducation aura des chances de redevenir l'élément principal de la cohésion sociale et redonnera sûrement de l'assurance et de la fierté à ceux qui exercent cette merveilleuse profession.

Pour vivre ce changement de cap, nous avons besoin de nous mobiliser nous-mêmes à l'aide d'un certain nombre de gestes concrets susceptibles d'augmenter nos compétences et notre crédibilité. Nous pouvons interagir en vue de la mise en valeur de notre profession, de notre formation continue, de notre engagement au sein de l'école, de la planification et de l'évaluation des apprentissages de nos élèves et de notre partenariat avec les parents. Si l'on se mettait au boulot!

 ## Croire en sa profession

La valorisation d'une profession commence d'abord par l'implication de ceux et celles qui l'exercent. Même si nous partageons la même opinion, nous nous demandons comment nous pouvons y arriver.

Tout d'abord, en étant fiers d'afficher nos compétences dans notre lieu de travail. Généralement, toutes les personnes exerçant une profession ou un métier se soucient d'exposer aux yeux du public leur permis d'exercer ou leur diplôme. Très peu d'enseignants osent poser ce geste de peur de paraître arrogants, prétentieux ou suffisants. Mais pourtant... Ce serait si normal et si naturel pour les élèves ou pour les parents de notre entourage.

Il est sûr que l'affichage d'un document officiel dans un endroit public requiert une attitude cohérente avec ledit document de la part de la personne qui en est la détentrice. La façon de s'exprimer, la tenue vestimentaire, la capacité à entrer en relation avec les autres, la préparation de son cours ou de ses interventions sont des aspects qui ne sauraient passer inaperçus auprès des personnes qui nous observent ou qui nous écoutent. En résumé, toute notre personnalité révèle un peu ou beaucoup ce que nous sommes et la manière dont nous percevons ou exerçons notre travail. Noblesse oblige!

De plus, il serait de bon aloi d'exercer des pressions pour faire avancer les démarches visant à établir un ordre professionnel d'enseignants. L'élaboration d'un code d'éthique serait une suite logique au premier geste posé. Ainsi, nous serions reconnus plus officiellement par la société et il serait plus facile d'établir ce qui est admissible et ce qui ne l'est pas dans cette profession.

La discrétion professionnelle ferait sûrement partie de ce code d'éthique. Ce point d'honneur serait nécessaire pour certains enseignants qui ne se gênent pas, sur la place publique, pour décrier le système d'éducation, pour rabaisser certains collègues, leur direction d'école parfois, ou pire encore, pour dévoiler les travers, les faiblesses ou les handicaps affectifs de certains élèves. Il est facile de ternir l'image d'un élève auprès de collègues, de faire naître des préjugés au sein d'une école et de se défouler au détriment de la réputation d'une autre personne. Encore faut-il se rappeler que la discrétion est de mise au sein de toute profession...

Pour nous persuader davantage que notre profession est importante, pensons seulement que sans elle, nous ne retrouverions aucune autre profession autour de nous, puisque c'est nous qui assurons le développement des autres. Pour nous convaincre nous-mêmes de nos compétences et pour convaincre notre entourage, au besoin, pourquoi ne pas développer notre portfolio professionnel ? Et si nous saisissions cette occasion...

 ### Développer son portfolio professionnel

Au cours des dernières années, la notion de pratique réflexive a gagné en popularité, particulièrement dans les programmes de formation des enseignants. Et cette voie correspond aussi à l'une des compétences à acquérir pour quiconque désire développer un plus grand professionnalisme.

Certains chercheurs affirment que le concept de pratique réflexive fait désormais partie intégrante de l'enseignement parce que les enseignants doivent constamment évaluer l'effet de leurs actions sur les élèves, sans compter que leurs valeurs et leurs croyances influencent directement leur façon de gérer les apprentissages et la classe.

Cependant, ce processus peut s'avérer à la fois complexe et difficile à développer pour différentes raisons : manque d'aisance en regard des données cognitives, manque de temps pour réfléchir avec rigueur et cohérence sur sa pratique, et manque d'occasions structurées et planifiées pour échanger sur sa pédagogie.

Pour pallier ces manquements et pour favoriser davantage la réflexion, différents moyens nous sont suggérés : le journal de bord, le portfolio, l'autoévaluation, la rétroaction, la participation à des groupes d'analyse des pratiques pédagogiques ou à des équipes de résolution de problèmes, le jumelage avec un pair dans la perspective de la dyade d'entraide ou d'intervision et la guidance assurée par un **mentor** que l'on choisit.

Parmi ces moyens, le portfolio connaît une popularité de plus en plus grande. Nous prendrons donc le temps d'approfondir la démarche d'élaboration de ce dernier. Nous scruterons sa définition, ses caractéristiques, son contenu, les avantages qu'on peut en tirer et les facteurs facilitant son implantation.

MENTOR : personne qui inspire, qui guide et qui accompagne une autre personne en développement, même à distance et parfois, sans qu'elle le sache vraiment. Généralement expérimentée, celle-ci joue le rôle de conseiller qui aide l'autre à évoluer et à se surpasser.

Sa définition

Wolf (1991, page 6) définit le dossier d'enseignement ainsi : « Un portfolio est une collection structurée illustrant le meilleur travail d'un enseignant. Cette collection démontre les choix effectués, la réflexion et la collaboration. Le portfolio témoigne des réalisations de l'enseignant dans le temps et dans une variété de contextes. Il représente plus que la liste des réalisations de l'enseignant ; il contient des exemples de ses réalisations, mais aussi des réflexions de l'enseignant sur la signification de ces productions. De plus, le portfolio est organisé autour de compétences-clés de la profession. »

En réalité, le portfolio est une chemise, une boîte, une pochette-classeur contenant des pièces variées et pertinentes qui témoignent des compétences professionnelles de l'enseignant, telles que des travaux d'élèves décrivant les différentes étapes d'une sortie culturelle ou d'une classe de neige, des lettres aux parents, des vidéos illustrant l'animation d'un conseil de coopération ou le déroulement d'un projet collectif, des réflexions personnelles, etc.

Ses caractéristiques

Cette collection de différents échantillons ou travaux permet d'étayer, pendant une certaine période, le cheminement effectué dans un domaine donné. On devra donc s'assurer que le portfolio correspond aux caractéristiques suivantes :

- Être signifiant et avoir une fonction précise, ce qui suppose que la personne doit savoir exactement pourquoi elle l'élabore ;
- Être sélectif, c'est-à-dire guidé par des critères de sélection pour traduire le plus fidèlement possible la réalité du travail de l'enseignant ;
- Être un élément intégrateur, permettant l'appropriation des expériences. Il devrait alors comprendre des pièces témoignant de l'établissement de liens entre la théorie et la pratique ;
- Être réfléchissant, exactement comme un miroir, et témoigner des prises de conscience effectuées et des pistes d'amélioration pressenties ;
- Être axé sur la coopération, indiquant les interactions vécues, aussi bien lors de la planification et la réalisation que lors de l'évaluation des gestes éducatifs ou pédagogiques posés ;
- Être dynamique, reflétant la croissance professionnelle au fil des années ;
- Être propice à l'accomplissement, contribuant simultanément au développement professionnel de la personne et à l'appropriation de la démarche d'élaboration et d'évaluation d'un portfolio ;
- Être propice à l'évaluation des acquis en termes d'expérience reliée à des activités réelles de la classe ;

- Être interactif, c'est-à-dire conçu pour être présenté à une autre personne, si l'on désire renforcer son utilisation. Les possibilités sont variées : un pair, sa direction d'école, un mentor, un enseignant-ressource, un conseiller pédagogique, son superviseur de stage, de maîtrise ou de doctorat, etc.

Les avantages que l'on peut en tirer

Ainsi structuré, le portfolio présente de nombreux avantages.

- Grâce à la pratique réflexive suscitée par sa réalisation, le portfolio facilite les prises de conscience qui aideront à s'améliorer, à se perfectionner. Par le fait même, la qualité de l'enseignement-apprentissage sera accrue.

- Toujours grâce à la pratique réflexive, il favorisera l'autoévaluation, qui conduit nécessairement à une meilleure connaissance et à une meilleure estime de soi.

- Il facilite l'émergence d'un portrait global du travail de l'enseignant, pour peu que le canevas d'élaboration utilisé pour sa construction soit axé sur l'ensemble des compétences jugées essentielles à l'exercice de la profession.

- L'un de ses avantages les plus précieux est qu'il nous permet d'obtenir de l'information sur les compétences développées et sur celles qui sont en voie de développement afin de nous approprier la gestion de notre formation continue. De plus, cet outil amène l'enseignant concerné à devenir l'évaluateur de son propre développement professionnel.

- Il fournit un excellent prétexte aux échanges entre collègues. Sa structure et son contenu motivent l'utilisateur à en faire la présentation à une autre personne intéressée, sans digressions ni jugements de valeur.

- Il peut devenir un outil novateur de supervision ou d'accompagnement pédagogique, si le climat de confiance et de complicité est préalablement établi.

- Il nous amène à accéder à une meilleure compréhension de nos idées et de nos pratiques. Le fait de cerner notre image de pédagogue permet de savoir qui nous sommes véritablement et de préciser, grâce à un plan d'action, les dispositifs nécessaires à la relance de nos interventions.

- Il peut s'avérer un atout important pour une personne qui pose sa candidature pour un nouvel emploi ou une promotion, au moment de l'entrevue ou d'une discussion avec les supérieurs immédiats.

Son contenu

Le portfolio d'un professionnel de l'enseignement devrait contenir des traces de ses champs d'action. Pour Wolf (1991), ils sont au nombre de cinq :

- l'enseignement dans la classe ;
- la planification et la préparation d'activités d'apprentissage ;
- l'évaluation des élèves et des programmes ;
- les interventions entre collègues ;
- les interactions avec les parents et les membres de la communauté.

Pour sa part, Wheeler (1993) propose de sélectionner les pièces illustrant les cinq aspects suivants :

- la connaissance de la matière enseignée ;
- les habiletés pour l'enseignement ;
- les habiletés en matière d'évaluation ;
- les activités professionnelles ;
- la participation aux activités de l'école.

Pour ce qui est des enseignants qui débutent, Riggs (1997) suggère d'inclure au portfolio au moins les documents suivants :

- un plan d'action relatif à la discipline et à la gestion de la classe ;
- une lettre aux parents des élèves ;
- le plan d'une leçon qui a été donnée ;
- les travaux d'un élève ayant fait l'objet d'une évaluation ;
- un document attestant des interactions avec des collègues.

Voici trois propositions pour aider à structurer le contenu d'un portfolio.

■ PROPOSITION 1

On pourrait étoffer son contenu en sélectionnant les dimensions suivantes :

- Le **savoir d'expérience** : par exemple, un plan de cours dont on est fier, des réflexions personnelles à la suite d'un projet vécu avec les élèves, des photographies d'élèves travaillant avec aisance sur des tâches de coopération, un scénario d'apprentissage particulièrement original qui a été proposé aux élèves, etc.

- Le **savoir théorique** : par exemple, des cadres de référence utilisés fréquemment dans nos interventions, des articles de revue qui nous ont intéressés ou interpellés grandement, une bibliographie pertinente sur la différenciation ou sur les cycles d'apprentissage, une liste d'objectifs poursuivis, etc.

- Le **savoir intégré** : par exemple, un bilan des apprentissages effectués à la suite d'une formation reçue sur les intelligences multiples, une liste de gestes à poser auprès des élèves pour les préparer au transfert des apprentissages, des grilles d'objectivation signifiantes et utilisées fréquemment, etc.

- Le **savoir réinvesti** : par exemple, des petits pas que l'on désire faire dans le cadre du projet de perfectionnement en technologies de l'information et des communications, des pistes d'amélioration en gestion des devoirs et des leçons, des activités de développement professionnel, etc.

▨ PROPOSITION 2

On pourrait élaborer une grille de critères de sélection pour monter son portfolio professionnel. L'outil-support 3 de la page suivante est un bon exemple.

Cet outil illustre les critères de sélection pour élaborer un portfolio. Il faudra prévoir des détails organisationnels pour articuler la forme qu'on veut bien lui donner : table des matières, points de repère de classification, fiche de sélection pour laisser des traces des dates des réalisations.

Remarque : De façon générale, l'enseignant est plutôt porté à placer dans un portfolio des pièces qui témoignent de ses réussites. Toutefois, s'il veut utiliser cet outil dans une optique de développement professionnel, il doit s'assurer que le portfolio présente une image fidèle de sa pratique, plutôt que de mettre l'accent uniquement sur ses forces. Les difficultés, les peurs et les deuils contribuent aussi à tisser le fil de l'expérience.

▨ PROPOSITION 3

On pourrait travailler à partir d'un référentiel de compétences professionnelles rattachées à la formation, à l'enseignement ainsi que des critères de sélection des pièces témoins.

Il est sans doute possible d'utiliser le cadre globalisant des douze compétences qui figurent dans le nouveau programme d'études des enseignants élaboré par le MEQ (2001). Aussi, un cadre globalisant de la tâche éducative rédigé par votre commission scolaire ou par les intervenants de votre école peut vous donner une orientation dans l'élaboration de votre portfolio. À défaut, servez-vous d'un cadre de référence bâti par une personne possédant une expertise dans le domaine de la formation. À titre d'exemples, voici la liste des douze compétences professionnelles (page 54) définies par le MEQ ainsi que la liste de dix nouvelles compétences pour enseigner (page 55), de Philippe Perrenoud, que l'on trouve plus détaillée dans son volume portant le même nom. Chaque compétence y est développée de façon spécifique.

CRITÈRES DE SÉLECTION POUR ÉLABORER UN PORTFOLIO PROFESSIONNEL

1. Une page originale qui me permet de me faire connaître comme être humain ou comme pédagogue ; autrement dit, de présenter mon savoir-être, mon projet éducatif de classe.

2. Une réalisation dont je suis particulièrement fier et qui a accru mon sentiment d'estime et de compétence.

3. Une réalisation pour laquelle j'ai dû fournir beaucoup d'efforts, de recherches et de persévérance. J'y suis parvenu, j'ai réussi à relever ce défi, mais j'ai dû y travailler très fort.

4. Un apprentissage signifiant que j'ai réalisé en faisant un projet avec mes élèves ou en suivant une formation qui collait à mon vécu.

5. Une question qui m'interpelle, qui me fait m'interroger souvent, me dérange et me place constamment en situation de réflexion. J'aimerais bien, un jour, arriver à trouver des réponses afin de faire disparaître ce gros point d'interrogation.

6. Un extrait commenté d'un livre, d'une revue ou d'une conférence qui m'apporte des éclairages nouveaux sur une dimension de ma pratique.

7. Une analyse constructive d'une photographie ou d'un extrait de vidéo ouvrant les horizons de ma pratique. En regardant cela, j'ai eu tout de suite le goût de modifier quelque chose ou d'introduire une nouveauté dans ma classe.

8. Un exemple de moment rentable, où l'entraide et la coopération ont été vécues avec des collègues, au sein de mon cycle ou de mon école.

9. Une grille d'objectivation qui m'aide beaucoup à découvrir mes forces, mes défis en regard des quatre composantes de la gestion de classe participative.

10. Un cadre de référence que j'utilise très souvent pour ne pas m'égarer ni perdre mon temps lorsque je travaille de façon plus ouverte, tels les trois temps de la démarche d'apprentissage ou les trois composantes d'une activité ouverte : contexte, pistes d'utilisation et réalisation.

11. Un canevas de plan d'action qui m'a aidé à agir par rapport à une dimension qui m'apparaissait plutôt faible dans ma classe.

12. Les résultats d'une intervention effectuée afin de développer un plus grand partenariat avec les parents de mes élèves.

13. Une liste de gestes concrets posés en fonction de l'actualisation du projet éducatif de mon école.

14. Un bilan intuitif de ma pratique faisant état des interventions que j'effectue déjà dans ma classe pour différencier les rythmes ou les styles d'apprentissage.

15. Une description de mes états d'âme après que j'ai participé à une réunion de mon équipe de cycle.

16. Une liste des peurs que j'éprouve quand je pense aux changements que suggère le nouveau programme d'études dans le cadre de la réforme en éducation.

17. * _____

18. _____

* Ajouter des critères personnels ou des critères plus adaptés à la fonction exercée.

LISTE DES COMPÉTENCES
PROFESSIONNELLES ÉLABORÉE PAR LE MEQ

Compétence 1 : Agir en tant que professionnelle ou professionnel héritier, critique et interprète d'objets de savoirs ou de culture dans l'exercice de ses fonctions.

Compétence 2 : Communiquer clairement et correctement dans la langue d'enseignement, à l'oral et à l'écrit, dans les divers contextes liés à la profession enseignante.

Compétence 3 : Concevoir des situations d'enseignement-apprentissage pour les contenus à faire apprendre, et ce, en fonction des élèves concernés et du développement des compétences visées par les programmes de formation.

Compétence 4 : Piloter des situations d'enseignement-apprentissage pour les contenus à faire apprendre, et ce, en fonction des élèves concernés et du développement des compétences visées par le programme de formation.

Compétence 5 : Évaluer la progression des apprentissages et le degré d'acquisition des compétences des élèves pour les contenus à faire apprendre.

Compétence 6 : Planifier, organiser et superviser le mode de fonctionnement du groupe-classe en vue de favoriser l'apprentissage et la socialisation des élèves.

Compétence 7 : Adapter ses interventions aux besoins et aux caractéristiques des élèves présentant des difficultés d'apprentissage, d'adaptation ou un handicap.

Compétence 8 : Intégrer les technologies de l'information et des communications aux fins de préparation et de pilotage d'activités d'enseignement-apprentissage, de gestion de l'enseignement et de développement professionnel.

Compétence 9 : Coopérer avec l'équipe-école, les parents, les différents partenaires sociaux et les élèves en vue de l'atteinte des objectifs éducatifs de l'école.

Compétence 10 : Travailler de concert avec les membres de l'équipe pédagogique à la réalisation des tâches permettant le développement et l'évaluation des compétences visées dans le programme de formation, et ce, en fonction des élèves concernés.

Compétence 11 : S'engager dans une démarche individuelle et collective de développement professionnel.

Compétence 12 : Agir de façon éthique et responsable dans l'exercice de ses fonctions.

Source : Ministère de l'Éducation du Québec, *La formation à l'enseignement : les orientations, les compétences professionnelles,* 2001.

DIX NOUVELLES COMPÉTENCES POUR ENSEIGNER

1. Organiser et animer des situations d'apprentissage.

2. Gérer la progression des apprentissages.

3. Concevoir et faire évoluer des dispositifs de différenciation.

4. Impliquer les élèves dans leurs apprentissages et dans leur travail.

5. Travailler en équipe avec ses collègues.

6. Participer à la gestion de l'école.

7. Informer et impliquer les parents.

8. Se servir des technologies nouvelles.

9. Affronter les devoirs et les dilemmes éthiques de la profession.

10. Gérer sa propre formation continue.

Source : Adapté de Philippe PERRENOUD, *Dix nouvelles compétences pour enseigner,* Paris, ESF Éditeur, 1999.

FICHE DE SÉLECTION :
feuille de papier comportant des renseignements concis sur la réalisation portée au portfolio professionnel. Cette fiche accompagne chaque pièce-témoin et fournit la date, le titre, le critère expliquant son choix et des commentaires, s'il y a lieu.

Peu importe la proposition retenue pour structurer le contenu, il faudra planifier une **fiche de sélection** qui sera remplie et jointe à chaque pièce versée au portfolio. Cet outil est témoin de la phase d'analyse réflexive qui a été faite précédemment, puisqu'il est conçu en fonction de la banque de critères d'évaluation de la pratique. Un exemple est proposé à la page 57.

Les facteurs facilitant son implantation

Alors que le portfolio professionnel trouve de plus en plus d'adeptes, il est essentiel de se pencher sur les difficultés que pose son implantation et sur les conditions gagnantes à respecter pour qu'il joue pleinement son rôle.

- Il est recommandé de commencer graduellement, en s'assurant que la démarche en cause est souhaitée par les enseignants et qu'elle est vécue uniquement par les pédagogues qui manifestent de la *motivation* pour s'y engager. Il est toujours tentant de déclarer non négociable l'expérimentation d'un dispositif nouveau qui semble voué à des performances fracassantes. Aux dirigeants, alors, de contrôler leur fougue !

- La *présentation de modèles* pour organiser le contenu et la démonstration de critères de sélection sont des exemples de stratégies pouvant jouer sur l'inspiration et sur la mobilisation du personnel. Autrement, le portfolio risque d'être seulement un dossier de rangement dont les enseignants pourraient se lasser facilement.

- Comme le portfolio est plus axé sur un processus que sur un résultat, ses instigateurs doivent faire ressortir l'importance de l'approche qui sous-tend son élaboration et son utilisation. Au lieu d'une approche mécanique, ils doivent favoriser une approche constructiviste, ponctuée d'actions, de prises de conscience, de régulation et de réinvestissements.

- Le *temps* est aussi un précieux allié, autant pendant la période de l'élaboration du portfolio que pendant la gestion quotidienne de ce dernier. La réflexion et l'analyse critique ne sauraient être fécondes dans une ambiance de stress, de peur, de pression ou de bousculade. On doit prévoir des moments pour signaler les succès, relever les dérives, clarifier les raisons des réussites ou d'écueils, élaborer des pistes de solution, planifier les expérimentations, réajuster ses stratégies. Il ne sert à rien d'investir temps, énergies et efforts pour développer cet outil de réflexion s'il ne débouche pas sur une amélioration continue de la pratique professionnelle.

- Le processus de *sélection* est l'une des clés du succès du portfolio. Puisque celui-ci favorise une approche qualitative de l'évaluation et s'inscrit dans le courant de l'évaluation des compétences professionnelles, on n'insistera jamais assez sur le fait qu'il doit être structuré en fonction des compétences jugées essentielles et que des critères de sélection doivent être définis si l'on veut s'assurer que la sélection des pièces soit riche, judicieuse et efficace.

FICHE DE SÉLECTION POUR LE PORTFOLIO PROFESSIONNEL

1. Élément choisi :

_____

_____

2. Date :

_____

Réflexion et justification

3. J'ai choisi cette pièce pour illustrer mon travail parce que :

_____

_____

_____

4. Je voudrais surtout faire ressortir l'aspect suivant au moment de la présentation de mon portfolio :

_____

_____

_____

5. Une chose que je voudrais intégrer à mon vécu ou à ma pratique, à partir de ce que je viens de sélectionner :

_____

_____

_____

6. Commentaires :

_____

_____

_____

_____

Chapitre 3

57

Élaborer un portfolio est une démarche relativement nouvelle dans le monde de l'éducation. Les milieux intéressés à l'explorer devront donc s'assurer que les objectifs qui sous-tendent son implantation correspondent à ceux des enseignants engagés dans un processus de développement professionnel. On peut viser haut, mais il faut accepter le cheminement à petits pas ; sans cela, on n'arrive nulle part. Par conséquent, nous ne pouvons vraiment pas dissocier *portfolio* et *formation continue*.

 ## Investir dans sa formation continue

Un autre facteur qui contribue à accentuer le professionnalisme des enseignants est que ceux-ci investissent davantage dans leur formation continue. On compte encore beaucoup trop sur le ministère de l'Éducation, sur sa commission scolaire ou sur son école. On oublie facilement qu'une part de responsabilité incombe à chaque professionnel désireux d'évoluer au même rythme que la société.

Les solutions sont nombreuses : des lectures à teneur pédagogique plus nombreuses, plus variées, plus assidues ; des approches nouvelles, que l'on pourrait explorer progressivement et volontairement, au fil des mois et des années ; un scénario de formation continue émergeant des besoins de chacun plutôt que des priorités des autorités ; un passeport de formation, qui permettrait de suivre plus fidèlement le profil de son perfectionnement ; un projet d'observation ou de visite d'une autre classe, etc. L'autonomie et la responsabilisation sont à cultiver dans ce domaine.

Lire davantage

Les recherches en éducation, l'évolution des sciences cognitives et la parution de nombreux ouvrages ont sans doute contribué à l'avancement et au développement de l'acte apprentissage-enseignement. Mais nous qui sommes sur le terrain, avons-nous cheminé ? Sommes-nous à jour dans les lectures concernant notre profession ?

En lorgnant du côté des médecins ou des coiffeurs, on constate rapidement que ceux-ci se font un devoir de s'abonner à des revues spécialisées, de feuilleter religieusement toutes les pages, de lire et relire un article traitant d'un sujet qui les intéresse particulièrement. Peut-on en dire autant des professionnels de l'éducation ? Nous manquons de temps pour travailler sur cette dimension que sont les lectures professionnelles. Si nous acceptons de faire des deuils pour développer de nouvelles compétences en classe en regard de la correction de certains travaux ou de la construction de certains matériels, nous allons récupérer du temps que nous pourrons affecter à la lecture de revues ou de livres traitant d'éducation et de pédagogie. Nous pouvons gagner gros en investissant dans ce domaine.

Nous ne pouvons ignorer également le rôle de «passeur culturel» de l'enseignant dans les réformes proposées en éducation. Pour jouer ce rôle, l'enseignant doit non seulement lire des ouvrages pédagogiques, mais aussi se plonger dans la littérature de jeunesse et dans les activités culturelles en fréquentant ces lieux de diffusion.

Connaître les approches nouvelles

Les nouveaux programmes ne peuvent à eux seuls amener une rénovation pédagogique. Celle-ci ne sera visible et effective que par les changements de pratique qu'elle suscitera et par les approches pédagogiques qui seront mises à profit dans les classes.

La connaissance et l'apprivoisement de ces nouvelles approches nous permettent de nous les approprier tout en nous situant personnellement par rapport à elles. *Qu'est-ce que j'en connais ? Qu'est-ce que j'applique déjà ? Qu'est-ce qu'il serait profitable de modifier dans ma pratique ? Quelle approche favoriserait le transfert des apprentissages ? Quelles approches m'aideraient le plus à différencier ? Par quoi vais-je commencer ?*

Pour faciliter ce bilan général des nouvelles approches, l'outil-support 7 des pages suivantes propose une synthèse inspirée du document d'accompagnement du Programme de formation de l'école québécoise.

Se donner un scénario de formation continue

Après avoir pris connaissance de l'ensemble de ces approches, il est peut-être temps de nous positionner par rapport à chacune d'elles. Si nous voulons continuer de développer une approche professionnelle personnalisée, vers quelles approches devons-nous nous tourner prioritairement ? Quelles sont celles qui nous aideront à mieux communiquer avec les élèves ? à construire davantage les savoirs et à favoriser les transferts ? à modifier le contexte de la classe pour promouvoir soit la responsabilisation, soit la coopération, soit la différenciation ?

À l'aide des pages 60 et 61, appropriez-vous la démarche suivante.

1 J'évalue mon degré d'appropriation de chacune des approches mentionnées. Je peux même en ajouter, car cette liste n'a pas la prétention d'être exhaustive. J'utilise l'échelle d'appréciation proposée.

2 J'identifie les approches les plus pertinentes pour l'actualisation de mon projet de développement axé sur la différenciation des apprentissages. Quelles sont les approches les plus pertinentes pour m'aider à implanter et à articuler la gestion des cycles d'apprentissage ?

APPROCHES PÉDAGOGIQUES COMPATIBLES
AVEC LE NOUVEAU PROGRAMME DE FORMATION

Approches	Caractéristiques	1*	2	3	4
Apprentissage par projets	• Construction graduelle des savoirs • Exploitation de projets touchant à une ou plusieurs disciplines • Importance des interactions avec ses pairs • Respect des intérêts, du rythme et du style d'apprentissage				
Apprentissage par problèmes	• Construction graduelle des savoirs • Problèmes touchant à une ou plusieurs disciplines • Importance de l'interaction des élèves avec leurs pairs • Développement d'habiletés intellectuelles diverses				
Enseignement stratégique ou construction des savoirs ou recréation des savoirs	• Construction graduelle des savoirs • Recours aux acquis antérieurs • Enseignement explicite de stratégies diverses • Utilisation de stratégies cognitives et métacognitives • Évaluation formative fréquente				
Intelligences multiples	• Construction des savoirs à l'aide de divers centres d'apprentissage qui développent les huit formes d'intelligence • Participation des élèves favorisée par la prise en considération des différentes formes d'intelligence • Compétence à résoudre des problèmes • Respect des intérêts, du rythme et du style d'apprentissage				
Enseignement par médiation	• Croyance au potentiel illimité des élèves • Importance des acquis antérieurs • Importance des interactions sociales • Activités métacognitives et évaluation formative				
Gestion de classe participative	• Construction des savoirs • Apprentissage des élèves par l'action et la participation • Gestion des apprentissages et des comportements facilitée par l'implication de l'élève dans les décisions • Développement de stratégies d'apprentissage				
Apprentissage coopératif	• Gestion par les élèves de leur processus d'apprentissage • Développement d'habiletés psychosociales • Motivation par la responsabilisation individuelle et collective				

Note: Ces approches ne sont pas mutuellement exclusives, mais plutôt interdépendantes et complémentaires.
* Voir la légende, page 61.

Professionnaliser son métier

60

Approches	Caractéristiques	1	2	3	4
Gestion mentale	• Respect des intérêts, du rythme et du style d'apprentissage • Efficacité pour l'application des autres approches				
Actualisation du potentiel intellectuel	• Introspection : regard à l'intérieur de soi • Découverte par les élèves de leur fonctionnement mental • Évocation, projet de travail mental et habitudes évocatrices • Découverte et maîtrise de moyens d'apprendre par les élèves				
Programmation neurolinguistique	• Caractère modifiable de la structure mentale • Enseignement de stratégies de résolution de problèmes • Intégration de principes de vie				
Thérapie de la réalité	• Ouverture à varier les formes d'enseignement afin de rejoindre tous les élèves • Découverte et utilisation de la porte d'entrée des élèves • Découverte par les élèves des meilleures stratégies pour eux • Respect des styles d'apprentissage • Qualité accrue de la communication élève/enseignant • Insistance sur l'affirmation du leadership de l'enseignant en classe • Responsabilisation des élèves • Création d'un lien signifiant entre l'enseignant et les élèves • Effet positif sur la qualité du climat en classe : confiance et sécurité				

Légende :

1. Je ne connais rien de cette approche.
2. J'ai été sensibilisé à l'existence de cette dernière.
3. J'ai tenté quelques expérimentations en fonction de celle-ci.
4. J'ai intégré sa philosophie et j'y ai recours aussi souvent que je peux.

Chapitre 3

61

Source : Adapté de MEQ, DFPG, *Programme de formation de l'école québécoise (version approuvée),* 2001.

3 Je commence à faire le canevas d'un scénario de formation continue en fonction de la différenciation. Je pense à diverses ressources : livres, revues, visites de classes, jumelage avec un collègue, perfectionnement au sein de mon école ou de ma commission scolaire, formation supplémentaire à acquérir lors d'un congrès ou auprès d'une entreprise privée, etc.

4 Je retourne voir les pages 18 à 21 du chapitre 2. Cet exercice m'aidera à visualiser non seulement mon point de départ, en matière de différenciation, mais aussi ma situation à l'arrivée.

5 Je finalise le contenu et le déroulement de mon scénario de formation continue. Même si l'on me recommande de planifier un scénario triennal, je n'oublie pas que celui-ci devra se décortiquer en plan de développement annuel. Ainsi, mon action oscillera entre la vision du lendemain et le réalisme du quotidien.

Créer son passeport de formation

L'utilisation d'un passeport de formation par les enseignants est chose courante en certains endroits et semble répondre à un besoin chez les pédagogues désireux de suivre de près leur formation continue. Ainsi, l'enseignant sélectionne ses activités de perfectionnement lui-même, selon ses besoins et les possibilités de formation de son milieu. Parfois, il choisit de s'inscrire à un cours de perfectionnement obligatoire sur la mise à jour d'un programme d'études. Il peut aussi prévoir une journée de consolidation sur un sujet précis, parfois dans le cadre d'une formation semi-obligatoire, puisque ce perfectionnement est limité à un sous-groupe d'individus éprouvant le même besoin que lui. Enfin, il peut se réserver des moments d'enrichissement personnel pour planifier des projets adaptés à sa classe ou pour préparer des activités éducatives en lien avec ses passions, ses intérêts ou ses préoccupations.

Si le passeport de formation n'est pas présent dans notre milieu de travail, il pourrait être facile de le promouvoir. Après tout, il s'agit simplement d'un livret cartonné où l'on consigne certaines informations concernant les formations suivies : dates, titres des ateliers, des séminaires, des conférences et des cours, endroits, signatures des formateurs. L'outil-support 8 peut servir de point de départ.

On pourrait même enrichir son contenu en ajoutant une appréciation de chaque formation, et en nommant deux apprentissages significatifs que l'on y a faits, de même que trois gestes que l'on désire réinvestir dans sa pratique. Cet outil pourrait être inséré sous la rubrique «développement professionnel» ou «gestion de sa formation continue» que l'on trouve normalement dans un portfolio professionnel.

Professionnaliser le métier est non seulement nécessaire, voire urgent, mais aussi possible. À nous de nous impliquer d'abord! Le reste suivra.

PASSEPORT DE FORMATION

TITRE DE LA FORMATION	DATE	DURÉE	SIGNATURE OU NOM DE LA PERSONNE-RESSOURCE	APPRÉCIATION GLOBALE	PISTES DE RÉINVESTISSEMENT OU DE DÉVELOPPEMENT PROFESSIONNEL

Faire preuve d'engagement au sein de son école

Si l'appartenance à sa classe est développée au sein des écoles, l'appartenance à son école ne l'est pas pour autant. Ne dit-on pas que l'union fait la force ?

Pour relever ce défi de taille, prenons le temps d'examiner quelques structures possibles : implication dans le projet éducatif de l'école, participation à des sous-comités de travail, appartenance à une équipe-cycle et ressourcement par les pairs.

Vivre vraiment le projet éducatif

Pour plusieurs enseignants, la réalité du projet éducatif de l'école est avant tout l'affaire de la direction de l'école. Pourtant, ce n'était pas l'intention de base de l'orienter ainsi. Comment en sommes-nous arrivés là ? Différentes raisons expliquent cet état de choses.

Tout d'abord, l'étape des analyses de situations et celle des consensus véritables ont parfois été escamotées. Des priorités ont été ciblées alors que le cœur n'y était pas.

Le projet éducatif a souvent été conçu sans que les élèves, les parents et le personnel de l'école aient toujours voix au chapitre. Le trio de l'appartenance au projet éducatif a été très souvent en déséquilibre.

Très souvent, les priorités retenues visaient les domaines affectif, social et humain ; on touchait très rarement aux dimensions intellectuelles et pédagogiques, soit celles où l'on peut amener les enseignants à s'investir. Nous devons ajouter ici qu'avec l'avènement des plans de réussite, bien des choses ont changé… Des moyens d'intervention doivent être nommés en fonction des cibles identifiées. Un lien s'établit alors presque inévitablement avec le projet éducatif de l'école.

De plus, nous manquions assez souvent de rigueur dans la gestion des projets éducatifs. L'absence de cadres d'intervention et de plan d'action nous empêchait d'appliquer ces projets au quotidien.

Il était facile d'en rester à des vœux pieux. Comment arriver à objectiver, à évaluer, à réguler si, au point de départ, on a manqué de rigueur et de méthode dans la planification ? *Exemple* : Il ne suffit pas de dire : « Nous développons l'autonomie » pour que cela se fasse. Il faut se positionner comme équipe et se demander : « Que pouvons-nous faire concrètement, chaque jour, pour développer l'autonomie ? » Des listes de gestes concrets sont alors élaborées par les différents partenaires. Par la suite, des plans d'action respectifs émergeront de ces différents cadres de référence.

Enfin, pour différentes raisons, nous ne nous sommes pas rendus à l'étape de la supervision dans ce domaine. Il aurait été tout à fait normal de poser à chaque enseignant de notre école les deux questions suivantes : « Qu'allons-nous faire, comme équipe, pour développer l'autonomie au sein de l'école ? » et « Qu'allez-vous faire, dans votre classe, comme éducateur, pour développer l'autonomie de vos élèves ? » Par cette démarche d'imputabilité, chaque enseignant se sent impliqué et responsable.

Dans ce volet de la professionnalisation, on s'aperçoit que les responsabilités sont partagées et que ce n'est pas seulement l'intérêt ou la volonté de la part des enseignants qui ont fait défaut. Les directions d'écoles n'ont peut-être pas joué le rôle qui leur revenait. Il est possible de se reprendre, n'est-ce pas ?

Participer à des sous-comités de travail

La gestion des projets d'école nécessite, bien sûr, des rencontres : pour s'informer mutuellement, explorer des avenues nouvelles, analyser des situations, résoudre des problèmes, établir des consensus et faire émerger des priorités d'action.

Par contre, pour trouver des moyens de mettre en pratique les cibles retenues, rédiger des politiques ou des procédures communes, élaborer un dispositif quelconque ou effectuer la planification immédiate d'un projet commun, il peut être très rentable d'avoir recours à des sous-comités de travail. Mais voilà, la difficulté suprême, c'est d'arriver à mobiliser le personnel nécessaire, à recruter des enseignants volontaires. Tout de suite, on fait face à deux problèmes majeurs : la surcharge de travail occasionnée par la participation à ce sous-comité et la réalité du recrutement de personnel, qui gravite toujours autour des mêmes enseignants. Comment, alors, pourrions-nous faire les choses autrement ?

Tout d'abord, il est impensable de régler toute la gestion d'une école uniquement avec des conseils d'école ou des assemblées consultatives d'enseignants, à moins qu'il ne s'agisse d'une très petite école. La durée des rencontres pourrait parfois diminuer, ce qui permettrait de récupérer du temps que l'on consacrerait à l'actualisation des décisions prises par la mise en place de sous-comités de travail. Très souvent, on perd un temps fou à vouloir tenir des débats qui n'en finissent plus et qui demeurent lettre morte. Un peu plus de rigueur dans la tenue de nos réunions contribuerait à maintenir notre intérêt à y participer. Un peu plus de discrimination dans la planification de nos journées pédagogiques s'impose. Sommes-nous obligés de meubler toutes ces périodes par de la formation en grand groupe, par la tenue de réunions jugées essentielles ? Quand prendra-t-on le temps de digérer, d'intégrer toute cette théorie explorée ? Tout comme les élèves, les enseignants ont besoin de temps pour construire leurs apprentissages. Et les journées, les semaines et les mois ne seront pas plus longs de manière à ce que nous disposions de période de travaux en sous-groupes. Il faut donc récupérer du temps quelque part et apprendre à travailler autrement.

Avec tout le renouveau qui est proposé, il va nous falloir apprendre à nous serrer les coudes pour construire ensemble. Il va nous falloir adopter de nouvelles façons de travailler. La participation à des sous-comités de travail aiderait à développer une compétence essentielle au sein des équipes-cycles : celle de travailler en équipe avec des collègues. Il nous faut d'abord en créer le besoin, en donner le goût. C'est alors que la solitude habituelle fera place à la solidarité professionnelle. *Exemples* : travailler ensemble à rédiger une politique sur les devoirs et les leçons, effectuer un bilan de l'enseignement de la méthodologie du travail intellectuel, développer des pistes d'enrichissement en regard des intelligences multiples. Dès que l'on se sent rejoint, la motivation est au rendez-vous. On s'aperçoit alors qu'il ne s'agit pas d'une corvée supplémentaire, mais plutôt d'un gain intéressant, puisque ce qui sera produit sera bénéfique pour tout le monde.

Qu'en est-il des enseignants performants et généreux de leur temps qui sont sollicités constamment et qui n'arrivent pas à dire non ? Qu'il s'agisse d'un sous-comité de travail articulé au sein de la commission scolaire ou au sein de l'école, ce sont toujours les mêmes personnes qu'on aborde en premier. Comment briser ce cercle vicieux ? Comment sauvegarder la motivation et l'énergie de ces enseignants passionnés à l'esprit missionnaire ? Comment arriver à faire prendre le train à plusieurs personnes qui préfèrent le regarder passer ? Nous ne pouvons plus tolérer l'apathie d'une partie de nos effectifs. Tout le monde doit être dans le coup.

La réussite du renouveau proposé sera proportionnelle au degré d'engagement du personnel en cause. Le développement des compétences et la gestion des cycles d'apprentissage ne peuvent pas se vivre en vase clos, dans l'individualisme et la compétition. Le dépistage des talents multiples au sein d'une équipe-école et celui des besoins ou intérêts des enseignants devraient se faire systématiquement, chaque année. Comment peut-on penser mobiliser des personnes qui manquent d'estime de soi, qui ne connaissent vraiment pas les richesses de leurs collègues et qui ne voient pas du tout les enjeux de la **collégialité** ?

Aussi ne serait-il pas exagéré pour une direction d'école de demander à son personnel de s'investir, au moins une fois par année, au sein d'un sous-comité de travail. On tient souvent pour acquis que la personne ne voudra pas et on saute son tour pour aller vers quelqu'un qui dit oui habituellement. Pourquoi ne pas provoquer des occasions où les gens auront à assumer leur décision ? Voilà une autre stratégie qui aidera à professionnaliser le métier.

COLLÉGIALITÉ : expression utilisée pour désigner le caractère de ce qui est exercé collectivement par un groupe. Associé au travail d'équipe, ce mot représente la réalité d'un vécu coopératif entre collègues, ou professionnels, marqué par la poursuite de buts communs.

Être autonome dans sa classe

Le professionnalisme des enseignants se traduit aussi dans l'autonomie qu'ils exerceront à l'intérieur de leur classe. La gestion des apprentissages des élèves en sera d'ailleurs plus facile et plus efficace si ceux-ci se préoccupent davantage des aspects suivants :

• Sélectionner son matériel pédagogique ;

• Planifier avec rigueur ;

• Évaluer autrement ;

• Développer un partenariat avec les parents.

On ne peut pas prôner le développement professionnel sans parler de l'importance du leadership pédagogique dans la classe, du degré d'autonomie laissé aux praticiens et de l'utilisation de la marge de manœuvre qui nous est offerte. Tous les milieux qui se sont engagés dans des réformes se sont préoccupés des aspects que nous venons de citer. Et maintenant, nous avons un cadre de vie qui nous permet d'exercer notre leadership et notre créativité, de faire des choix, de prendre des décisions et d'oser pour innover. La marge de manœuvre tant souhaitée est là... À nous de composer avec le pouvoir et avec l'imputabilité qui vient avec. Par quoi pouvons-nous commencer ?

Sélectionner son matériel pédagogique

La gestion du matériel pédagogique est sans doute une priorité à revoir. Alors que nous avons eu à composer avec des manuels scolaires très «encadrants», qui nécessitaient des choix éclairés en regard de l'utilisation que nous voulions en faire, alors que la promotion des autres moyens d'enseignement se veut plus intense et plus présente, nous aurons donc à nous positionner face au matériel pédagogique quand viendra le temps d'organiser des situations d'apprentissages. Le manuel scolaire ou le cahier d'exercices n'étant plus la panacée ultime, nous devrons nous demander : «Quel est le dispositif qui convient le mieux au vécu et au développement de nos élèves ?» Après avoir été relégués au second plan et écartés de la «véritable» école assez souvent, les sorties éducatives, les compétences des parents, les jeux éducatifs, les livres de bibliothèque, les activités culturelles, le matériel de manipulation et l'ordinateur reprennent une place de choix dans la classe, et tiennent lieu de véritables situations d'apprentissage. Ainsi, en les utilisant auparavant, l'école offrait des moments sérieux d'apprentissage, d'un côté, et de l'autre, des projets ou des activités agréables à vivre, mais souvent dépourvus de toute finalité pédagogique... Se pourrait-il que la croyance selon laquelle «on apprend beaucoup mieux dans les manuels scolaires» tend à disparaître peu à peu de nos mœurs pédagogiques ? Oui, nous serons dorénavant encore plus critiques dans les choix que nous ferons.

Apprendre à mieux travailler ensemble

Nous ne relèverons cet immense défi qui nous concerne tous qu'en faisant preuve de collégialité et d'entraide. La présence des cycles d'apprentissage à l'intérieur des nouveaux programmes d'études et la tendance au ressourcement par les pairs sont des avenues à explorer.

L'organisation en cycles d'apprentissage suppose un vrai travail d'équipe, puisqu'un groupe d'enseignants est collectivement responsable de la progression de l'ensemble des élèves du même cycle dans une école. Pour travailler à plusieurs avec les mêmes élèves, pour assurer la continuité des apprentissages et la progression de chaque élève, pour recomposer de façon souple des groupes basés sur l'âge, les besoins, les projets, etc., pour expliquer aux parents ces nouveaux fonctionnements et les associer à notre démarche, il faut entendre, c'est-à-dire s'écouter, se parler, intégrer les points de vue des collègues, prendre des décisions ensemble et les assumer collectivement.

Des équipes-cycles voient le jour un peu partout. Elles apprennent progressivement à travailler ensemble, à utiliser les ressources internes, à exprimer des opinions divergentes, à tenir compte des différences qui les entourent, à résoudre des problèmes ou des conflits, à développer une communication authentique. Voilà l'occasion par excellence d'aller vers une plus grande maturité professionnelle.

La coopération s'étend également aux rapports entre parents et enseignants. Lutter contre l'échec scolaire, aller vers une évaluation formative, faire fonctionner l'école de façon plus souple avec de nouvelles règles de jeu: tout cela n'est possible que si les parents sont informés et associés, collectivement et individuellement, à la scolarité de leurs enfants et à la réforme des programmes scolaires. Nous approfondirons ce sujet au chapitre 11.

Il existe d'autres façons de mettre en valeur la richesse de la complémentarité qui devrait exister entre les personnes œuvrant à une cause commune: le développement du ressourcement par les pairs, la formation d'équipes d'entraide et la promotion du mentorat. À l'heure où l'on déplore des coupures budgétaires sur le plan des ressources humaines des différents organismes, où des centaines de personnes prennent leur retraite, où, parallèlement, des centaines de jeunes font face au processus de l'insertion au marché du travail avec tout ce qu'il comporte, il est urgent de se tourner vers les *ressources du milieu*. Nous avons ignoré cette richesse beaucoup trop longtemps. Nous aurons donc à créer, au sein des divers milieux, des infrastructures qui faciliteront les partages et les échanges professionnels entre ceux qui partent et ceux qui arrivent.

Planifier avec rigueur

La planification des apprentissages reprend du «poil de la bête», pour se projeter, elle aussi, au même diapason que l'évaluation. Comment peut-on arriver à évaluer des dimensions qui, au point de départ, n'ont pas fait l'objet d'une réflexion suffisante, n'ont pas été planifiées sous plusieurs aspects ni articulées en fonction de la différenciation? Les mauvaises surprises risquent fort de nous attendre en cours de route.

Nous aurons à investir énormément dans la planification des apprentissages. Allons-nous fonctionner par projets, par problèmes, par **modules d'apprentissage,** par situations ouvertes mobilisatrices? Le chapitre 6 nous alimentera sur ces possibilités de planification.

Allons-nous utiliser les ateliers, les centres d'apprentissage, les interventions en sous-groupes? Si nous voulons effectuer de la différenciation dans notre classe, quels dispositifs allons-nous proposer à nos élèves : le contrat d'apprentissage, le tableau de programmation, le plan de travail ouvert, le tableau d'enrichissement? En nous référant au chapitre 7, qui traite de l'organisation de la classe dans une perspective de différenciation, nous trouverons des réponses aux questions qui peuvent se dessiner en ce moment.

Si nous voulons différencier à l'externe par le décloisonnement, allons-nous former des sous-groupes homogènes ou hétérogènes? Quelle proportion de notre activité allons-nous réserver aux groupes de base et aux groupes reconstitués? Voilà quelques facettes de la planification avec lesquelles nous aurons à jongler ensemble, au sein de notre équipe-cycle. Dans ce contexte, planifier veut dire plus que lire le guide pédagogique rattaché au matériel de base utilisé, conçu par les maisons d'édition, préparer le matériel requis pour telle leçon et reproduire les feuilles nécessaires à la réalisation de telle activité. Le nouveau programme de formation demande aux enseignants d'être rigoureux dans la planification mais flexibles dans la réalisation. Ainsi disposés, nous sommes mieux outillés pour affronter l'évaluation.

Évaluer autrement

Comme on parle de plus en plus d'**évaluation authentique,** intégrée au processus d'apprentissage, vécue dans une perspective formative et marquée par une préoccupation constante d'impliquer le plus possible l'apprenant, nous n'aurons pas le choix de faire du grand ménage dans ce domaine. Nous devrons accepter d'éliminer les gels d'horaires et les périodes d'examens collectifs que nous établissons à la fin de chaque étape. Nous devrons aussi revoir nos pratiques d'évaluation en cours de cycle, et spécialement en ce qui a trait à nos instruments d'évaluation et de consignation, sans oublier de nous donner des instruments qui nous aideront à vivre la phase de

MODULES D'APPRENTISSAGE : espaces-temps de formation caractérisés chacun par une unité thématique et des objectifs de formation définis, proposés aux élèves de façon intensive sur une période déterminée. Conçus en fonction des objectifs-noyaux, ils se situent dans la perspective de l'interdisciplinarité et de la transversalité.

ÉVALUATION AUTHENTIQUE : évaluation au cours de laquelle on demande à l'élève de réaliser une tâche complexe et contextualisée, c'est-à-dire une tâche qui est intégrée au processus des apprentissages.

l'interprétation. Et que dire de nos instruments de communication ? Mis à part le bulletin, quels dispositifs utilisons-nous présentement ?

Il est faux de prétendre que les changements proposés supposent que nous allons moins évaluer. Nous devons être rigoureux dans l'évaluation, tout autant que nous le sommes en planification. Nous devons être constants dans ce domaine, et surtout, nous devons évaluer autrement. Voilà une nuance de taille ! D'ailleurs, le chapitre 9 ouvrira la porte à d'autres façons de faire en matière d'évaluation.

Nous pouvons donc conclure que l'école renouvelée ou rénovée fait énormément appel aux compétences professionnelles des enseignants ; ceux-ci auront, de plus en plus, à utiliser la marge de manœuvre qui leur est offerte présentement. L'autonomie, la responsabilisation, la prise en charge et le leadership seront de rigueur. Autrement, nous risquons fort de manquer le bateau.

Développer un partenariat avec les parents

L'association étroite des parents à la vie de l'école et leur implication dans les apprentissages de leurs enfants constituent un enjeu majeur de la réussite éducative. Cette affirmation s'appuie sur les multiples recherches qui ont montré à quel point le soutien et l'encadrement éducatif des familles jouent un rôle déterminant dans le cheminement des élèves. Elle s'appuie également sur l'idée que l'école ne peut agir efficacement que si les familles adhèrent au même idéal d'équité et se mobilisent pour son actualisation, qui consiste à amener tous les élèves à la maîtrise des compétences de base.

Il n'en demeure pas moins que la relation parents-enseignants n'est pas si simple que cela. Nous nous sentons parfois loin du véritable partenariat, de la complicité souhaitée et de la confiance réciproque. Des peurs, de la méfiance, des jugements sévères et des paroles agressives viennent souvent assombrir le tableau de la collaboration et de la coopération. Pourtant, nous semblons bien disposés à communiquer, nous croyons fermement en l'importance de cette complémentarité entre l'école et la famille, mais nous arrivons difficilement dans les faits à atteindre ces objectifs, à tel point que nous serions tentés de les qualifier d'inaccessibles ou d'irréalistes.

Dans le chapitre 11, nous regarderons de plus près quatre interventions qui pourraient contribuer à tisser un partenariat entre la famille et l'école : le déroulement et le contenu de nos soirées d'information, l'utilisation des compétences des parents au sein de l'école ou de la classe, la gestion des travaux personnels à la maison et la remise du bulletin ou du carnet d'évaluation aux parents.

Tout d'abord, commençons par reconnaître les parents si nous voulons être reconnus par eux. Cela suppose que, de part et d'autre, nous partons avec des attitudes positives. D'un côté, nous croyons au potentiel des parents et nous croyons également qu'il est possible de renforcer notre partenariat avec eux. De l'autre, nous croyons que les enseignants sont des professionnels de l'éducation.

Cela étant dit, qu'est-ce que le partenariat? C'est accepter de se donner un projet commun, partager le pouvoir et les responsabilités à l'intérieur de structures que nous aurons élaborées conjointement. C'est aussi construire quelque chose ensemble dans une relation d'égalité. Pas facile, n'est-ce pas? Nous avons du chemin à parcourir avant d'en arriver là. Ce partenariat s'opérera mieux et plus rapidement si l'école accepte d'en prendre l'initiative sans pour autant monopoliser la parole, si elle est capable de composer avec une certaine dose d'incertitude, parfois même de conflit, et si elle reconnaît la nécessité de s'adapter, de se réajuster aux besoins et aux attentes des parents.

Après avoir réfléchi sur la présence incontestée des différences dans nos classes, sur le processus changement-innovation qui nous attend, sur la professionnalisation du métier que nous souhaitons, nous sommes maintenant prêts à entreprendre l'étape de l'apprivoisement de la différenciation.

Pour enrichir ses connaissances

- Vous pouvez exercer votre professionnalisme de diverses façons. La gestion de votre formation continue en est une. En compagnie de Philippe Perrenoud, explorez les pages 149 à 162 de son volume *Dix nouvelles compétences pour enseigner* ; elles vous fourniront des orientations pouvant influencer vos futures actions.

- La nature et la qualité de nos relations et de nos interventions avec les parents teintent notre statut d'enseignant. Faites une visite à la Maison des Trois Espaces, à Saint-Fons, près de Lyon, pour prendre connaissance des attitudes et des stratégies que le personnel de cette école a privilégiées afin de stimuler la reconnaissance mutuelle des deux parties (enseignants et parents). Les pages 152 à 165 du livre *Apprendre ensemble, apprendre en cycles* peuvent vous inspirer dans ce sens.

- L'élaboration d'un portfolio professionnel est un autre élément qui témoigne du professionnalisme d'un enseignant. À l'aide de l'ouvrage de Richard Desjardins, *Le portfolio de développement professionnel continu,* tentez de vous approprier la philosophie qui sous-tend l'utilisation de cet outil d'analyse réflexive.

Pour prolonger les apprentissages

- Pour relancer votre formation continue, faites un bilan des nouvelles approches éducatives. Indiquez vos acquis. Identifiez l'approche que vous désirez vous approprier dans l'immédiat. Le tableau des pages 60 et 61 du présent ouvrage peut vous servir de grille d'analyse.

- Planifiez la structure de votre futur portfolio professionnel. Choisissez-vous une façon de l'organiser. Donnez-vous des critères qui vous aideront à sélectionner vos pièces-témoins et imaginez une fiche de justification. Les pages 48 à 58 du présent ouvrage sont des supports intéressants.

- Donnez-vous un passeport de lecture pour vous inciter à devenir un lecteur d'ouvrages plus actif. Orientez vos choix de lecture vers des approches nouvelles que vous désirez explorer ou vers des changements que vous désirez apporter à votre pratique. Vous pouvez vous inspirer du modèle de passeport de formation fourni à la page 63 du présent guide.

- Ciblez deux domaines d'intervention à l'intérieur de votre classe où vous désirez exercer une plus grande autonomie, profitant ainsi de la marge de manœuvre dont vous disposez en tant que professionnel de l'éducation et de l'enseignement.

CHAPITRE 4

Et si l'on se donnait des cadres de référence...

Une première halte routière à
explorer: la différenciation

La différenciation

Histoire

Définitions

Mythes

Adversaires

Victoires

Atouts

Antennes

Leadership
PRO
Confiant

74

La différenciation a toute une histoire derrière elle. On en a parlé de différentes façons : on l'a examinée en pensant à différentes populations étudiantes, à divers contextes, on l'a expérimentée en s'appuyant sur des cadres de référence différents. Depuis une centaine d'années, ce concept n'a cessé d'évoluer.

À l'heure actuelle, la différenciation continue d'intéresser des milliers d'enseignants, qui se posent de nombreuses questions à son sujet. Ils veulent cerner ce concept de plus près et tenter ainsi de s'approprier en douceur la rigueur que réclame la différenciation pour exister et pour produire des effets bénéfiques.

Parmi les interrogations qu'elle soulève, voici une liste des plus courantes :

- Qu'est-ce que la différenciation ?

- Comment la différenciation est-elle née ?

- Quelles différences pouvons-nous faire entre enseignement individualisé et différenciation des apprentissages ?

- Quelles sont les conditions de base qui nous permettent de planifier un travail ou une activité ouverte à la différenciation ?

- Quels en sont les avantages et les limites ?

- Comment concilier différenciation des apprentissages et exigences de l'école, dans notre société de productivité ?

- Comment se traduit-elle concrètement dans la classe ?

- Différencier, oui... Mais différencier quoi ? Quand ? Comment ?

- Comment pouvons-nous envisager la différenciation dans le cadre d'un enseignement au secondaire prodigué à l'intérieur d'une grille-horaire morcelée et cloisonnée ? Est-ce possible ? Quels pourraient en être les principes ? les modalités ? les limites ?

- Comment pouvons-nous organiser la différenciation pour les élèves en difficulté ? Ne s'accommode-t-elle pas de leurs faiblesses au lieu de les tirer en avant, de les stimuler davantage ?

- La différenciation n'est-elle pas une dangereuse présélection ?

- Quelles modalités de différenciation teintée d'initiative pouvons-nous appliquer pour soutenir l'attention d'élèves éveillés et curieux qui courent plus vite que le vent ?

- La différenciation des apprentissages concerne aussi les parents. Comment pouvons-nous les rassurer ?

- Quel genre de formation pouvons-nous donner aux enseignants pour qu'ils puissent appliquer la différenciation au quotidien ? Quels moyens devons-nous mettre en œuvre pour les soutenir dans leur action ?

Pour apprivoiser cette réalité, pour vous permettre de découvrir l'histoire de la différenciation, de percevoir ce qu'elle est et ce qu'elle n'est pas, pour la visualiser dans ses aspects concrets, nous avons opté pour le cheminement suivant : nous nous penchons sur son historique, ses différentes définitions, les mythes qui l'entourent et ses principaux adversaires, ses victoires et ses atouts, ses différentes antennes et finalement, ses rapports très étroits avec la gestion des cycles d'apprentissage.

Comme il est important pour l'enseignant de se situer personnellement par rapport à la différenciation pédagogique, un **Q-sort** (page 78) servira à l'activation des connaissances antérieures, permettant ainsi au pédagogue d'élaborer une définition personnelle et de participer à la construction de son propre concept.

Cette technique du Q-sort peut être utilisée avantageusement au cours d'un chantier de discussion portant sur la clarification du concept de « différenciation des apprentissages ».

La différenciation : son histoire

En 1905, madame Parkhurst est directrice de l'école de Dalton, ville du Massachussetts, aux États-Unis. Elle élabore une méthode d'enseignement originale qui sera mise en œuvre dans son école dès 1920.

Pour chaque niveau d'enseignement de l'école et pour chaque matière, le programme officiel est divisé en dix contrats mensuels. L'élève connaît à l'avance la tâche qui lui est assignée. Le travail mensuel est lui-même décomposé en portions hebdomadaires subdivisées ensuite en unités de temps par les éducateurs.

Ceux-ci ne donnent pas d'enseignement collectif proprement dit, mais se tiennent à la disposition des élèves dans des laboratoires correspondant à chacune des disciplines, pourvus de toute la documentation nécessaire.

Le travail scolaire se fait au moyen de brochures ou de fiches détaillées dans lesquelles les élèves trouvent toutes les indications sur le travail qu'ils ont à accomplir. Un contrôle est fait à tous les niveaux du travail.

Un tel système a suscité l'enthousiasme par la brèche qu'il ouvrait dans la prédominance de l'enseignement collectif, mais a recueilli également de nombreuses critiques dues essentiellement à sa trop grande rigidité.

En 1922, en Angleterre, Washburne a repris les principes du plan Dalton, c'est-à-dire la programmation par fiches individualisées. Il a tenté d'y inclure un plus grand respect des droits de l'élève. Pour Washburne, « le programme à parcourir dépend des possibilités de chacun ». Il s'est donc attaché à déterminer ce que les enfants d'un

Q-SORT : technique qui consiste à effectuer des choix positifs et négatifs parmi une série de propositions ; c'est une façon de trier des énoncés de manière qualitative.

FICHIER : meuble, boîte ou classeur contenant un ensemble structuré de fiches de travail numérotées, placées selon un certain ordre, permettant ainsi à des élèves de travailler individuellement sur des activités différentes en vue d'un cheminement personnalisé.

âge donné peuvent réellement assimiler et a réalisé sur ce sujet une vaste enquête en 1930.

Freinet, qui était au courant des travaux de Parkurst et de Washburne, a instauré dans sa classe un système de fiches réparties dans trois **fichiers** : des fiches documentaires ou informatives, des fiches mères portant des indications sur les notions à acquérir en relation avec le programme officiel et des fiches graduées autocorrectives.

En 1927, à Genève, Dottrens est parti avec l'idée d'adapter l'approche développée précédemment par Parkurst et Washburne. Il a constaté rapidement que l'élève éprouve de la difficulté à comprendre seul ce qu'on lui explique par écrit, au moyen des fiches documentaires ou informatives. Il en a déduit qu'il faut juxtaposer travail individuel et travail collectif. C'est ce qui donnera naissance au travail individualisé sur mesure, à l'enseignement programmé. La pédagogie de Dottrens vise à libérer l'élève de la tutelle de l'enseignant. La gestion des fichiers comporte trois étapes : le choix des fiches, le travail individuel sur les fiches et l'évaluation. Le choix des fiches implique, pour l'enseignant, d'en expliquer le classement, donc de décrire aux élèves le programme à parcourir et, par là même, de fixer les objectifs à atteindre. Un tableau synthèse des programmes et des objectifs est affiché dans la classe au-dessus des fichiers, de façon lisible pour les élèves, et il leur est présenté et expliqué (Astolfi et Castincaud, 1992).

On peut donc affirmer, sans contredit, que l'individualisation de l'enseignement est l'ancêtre de la différenciation pédagogique. En 1973, Louis Legrand a introduit le terme « pédagogie différenciée » pour désigner cette réalité. Par la suite, Philippe Meirieu (1985) et Louis Legrand (1986) ont développé des cadres théoriques plus élaborés. Philippe Perrenoud, Jean-Pierre Astolfi, Michel Develay et André de Peretti sont d'autres auteurs qui ont contribué à l'évolution de ce concept. Leurs recherches et leurs réflexions ont aidé à cerner cette dimension de la pédagogie ouverte aux différences de plus près, afin de réduire l'écart qui sépare la théorie de la pratique. Tour à tour, on a parlé de pédagogie différenciée, de différenciation pédagogique, de différenciation de l'enseignement, de différenciation des apprentissages et même, de différenciation de la différenciation.

 ## Définir la différenciation

Se situer avant de partir...

Avant d'examiner les différentes définitions formulées par des chercheurs qui ont exploré l'univers des différences, pourquoi ne pas tenter une formulation personnelle ? Le référentiel 4 de la page 78 propose 20 énoncés faisant état de différentes conceptions de la différenciation pédagogique. Après avoir lu chacun d'eux, nous pouvons sélectionner :

- deux propositions avec lesquelles nous sommes tout à fait d'accord ;

- deux propositions avec lesquelles nous sommes tout à fait en désaccord.

Le but n'est pas de rechercher une bonne réponse ni d'établir une norme de groupe, mais au contraire d'«afficher» des points de vue et de pouvoir en discuter librement. Le nombre limité de choix d'énoncés oblige à se centrer sur des points essentiels.

À la toute fin, il est possible d'ajouter un 21e énoncé qui traduirait une conception personnelle de la différenciation pédagogique.

LA DIFFÉRENCIATION PÉDAGOGIQUE, C'EST...

1. La différenciation pédagogique suppose des groupes de niveaux homogènes.

2. La différenciation pédagogique nécessite une équipe de professeurs déterminés.

3. La différenciation pédagogique commence par la précision des objectifs poursuivis.

4. La différenciation pédagogique correspond à des activités s'appuyant sur des profils d'apprentissage variés.

5. C'est par l'interdisciplinarité que l'on fait avancer la différenciation.

6. Différencier la pédagogie, c'est penser à différentes façons possibles de présenter un même contenu.

7. La différenciation pédagogique, c'est amener les élèves à repérer les différences de méthodes de leurs enseignants.

8. Pour différencier les apprentissages, il faut identifier les différences de connaissances, de styles cognitifs, de milieux socioculturels, etc., chez les élèves.

9. La différenciation requiert un emploi du temps souple.

10. Différencier les apprentissages, c'est prévoir simultanément plusieurs progressions possibles pour une notion.

11. En différenciation, c'est le suivi individuel des élèves qui est important.

12. Pour pouvoir différencier les apprentissages, il faut avoir une vue claire du noyau des connaissances à faire acquérir.

13. La différenciation pédagogique se soucie davantage des capacités à développer que des contenus à acquérir.

14. Différencier les apprentissages, c'est prendre conscience qu'il existe d'autres méthodes pour apprendre que celles qui nous sont familières.

15. Différencier les apprentissages, c'est viser des objectifs différents, selon les possibilités des élèves, avec un minimum commun.

16. La différenciation pédagogique s'appuie sur des méthodes de travail et sur des techniques que l'on fait varier très souvent.

17. Différencier les apprentissages, c'est faire varier les groupements des élèves, selon le type d'apprentissage visé.

18. La différenciation pédagogique permet à tous les élèves d'atteindre des objectifs de valeur égale, par des voies différentes.

19. Différencier les apprentissages, c'est rechercher pour chaque élève la méthode d'apprentissage qui lui convient le mieux.

20. La différenciation pédagogique consiste à faire essayer successivement un grand nombre de méthodes par tous les élèves.

21. Différencier les apprentissages, c'est : _____

Source : Inspiré de Jean-Pierre ASTOLFI et Florence CASTINCAUD, « Différencier la pédagogie. Des objectifs à l'aide individualisée », *Cahiers pédagogiques*, 1992, p. 165-166.

Et si l'on se donnait des cadres de référence...

78

Comme cet ouvrage porte sur la différenciation, n'est-il pas cohérent de nous référer à différents auteurs qui maîtrisent très bien le concept et qui le définissent différemment ?

Commençons avec la définition de Philippe Perrenoud (1997) : « Différencier, c'est rompre avec la pédagogie frontale, la même leçon, les mêmes exercices pour tous ; c'est surtout mettre en place une organisation du travail et des dispositifs didactiques qui placent régulièrement chacun, chacune dans une situation optimale. Cette organisation consiste à utiliser toutes les ressources disponibles, à jouer sur tous les paramètres, pour organiser les activités de telle sorte que chaque élève soit constamment ou du moins très souvent confronté aux situations didactiques les plus fécondes pour lui. La pédagogie différenciée pose donc le problème d'amener les élèves non pas à un point déterminé (comme nous le faisons en fonction de nos programmes actuels) mais chacun à son plus haut niveau de compétence. »

Pour Philippe Meirieu (1992), « différencier, c'est alors multiplier les projets possibles pour que les sujets les plus divers puissent s'en saisir, repérer les objectifs différents qui peuvent être considérés afin de proposer à chacun celui qui constituera un progrès décisif pour lui et diversifier les itinéraires permettant son appropriation ».

Selon Carol Ann Tomlinson (2003), « la différenciation est une approche organisée, souple et proactive qui permet d'ajuster l'enseignement et l'apprentissage pour atteindre tous les élèves et surtout pour leur permettre comme apprenants de progresser au maximum ».

Perraudeau (1997) la définit ainsi : « La différenciation est la diversification des supports et des modes d'apprentissage pour un groupe d'apprenants aux besoins hétérogènes, mais aux objectifs communs. »

André de Peretti (1992) affirme que « la pédagogie différenciée est une méthodologie de l'enseignement que l'on doit développer, en regard d'élèves très hétérogènes. Il est indispensable de mettre en œuvre une pédagogie à la fois variée, diversifiée, concertée et compréhensive. Il n'y a pas de méthode unique, il doit y avoir une variété de réponses au moins égale à la variété des attentes. »

Halina Przesmycki (1991) écrit que « la pédagogie différenciée est une pédagogie des processus : elle met en œuvre un cadre souple où les apprentissages sont suffisamment explicités et diversifiés pour que les élèves apprennent selon leurs propres itinéraires d'appropriation de savoirs ou de savoir-faire. Elle renouvelle donc les conditions de la formation par l'ouverture d'un maximum de portes d'accès au maximum d'élèves. »

Pour le Conseil supérieur de l'éducation du Québec, la pédagogie différenciée est une démarche qui consiste à mettre en œuvre un ensemble diversifié de moyens et de procédures d'enseignement et d'apprentissage afin de permettre à des élèves d'âges, d'aptitudes, de compétences et de savoir-faire hétérogènes d'atteindre par des voies différentes des objectifs communs et ultimement, la réussite éducative.

À des enseignantes inscrites à une formation sur la différenciation des apprentissages, on a posé la question suivante : « Qu'est-ce que différencier, pour vous[1] ? »

« C'est poser les interventions nécessaires pour permettre à chaque enfant de progresser, selon son rythme et son style. C'est aussi diversifier les tâches pour rejoindre tous les élèves et les encourager dans l'atteinte du fondamentum. »

« C'est mettre en place des situations d'apprentissage adaptées à la portée de chaque enfant afin de permettre à chacun d'atteindre les objectifs visés et de progresser au maximum. »

« C'est être capable de dire à chaque enfant de sa classe : "Équipé de tes chaussures, de ton sac..., avance à ton rythme, sur ton propre chemin, qui te conduira au sommet de l'apprentissage". »

Pour conclure cet inventaire des définitions relatives à la différenciation, voici mon point de vue : La différenciation est une façon d'appréhender les différences, de vivre avec elles, de les exploiter et d'en tirer parti.

D'une part, différencier, c'est accepter de prendre des moyens différents pour des élèves différents, afin de permettre à ces derniers de se développer de façon optimale à partir des ressources internes que chacun possède.

D'autre part, c'est acquérir des savoir-faire pédagogiques nouveaux, jusque-là inédits, parfois même marginaux, pour permettre la réalisation de parcours d'apprentissage différents à l'intérieur d'un même laps de temps.

Finalement, c'est conduire chaque élève aussi loin et aussi haut qu'il peut aller ou accéder.

Des perceptions erronées

À la lumière des éléments théoriques, nous pouvons déjà éliminer des perceptions erronées :

- La différenciation n'est donc pas une finalité, mais plutôt un moyen.

- La différenciation n'est pas une mode non plus ; c'est le fruit de l'histoire.

---

1. Propos recueillis à Sion, Canton du Valais, Suisse, octobre 2001.

- La pédagogie différenciée n'est pas une pédagogie de plus à ajouter au catalogue des approches didactiques disponibles. «C'est une dimension de toute pédagogie, soutient Philippe Perrenoud (1997), une alternative à l'indifférence aux différences, l'expression d'une volonté de maîtriser la diversité des expériences éducatives pour fabriquer moins d'inégalités.»

- La pédagogie différenciée n'est pas une doctrine, car elle échappe aux caractérisations habituelles; elle ne fournit ni méthode ni solutions pédagogiques toutes faites.

- La pédagogie différenciée ne s'adresse pas seulement à des élèves idéaux, dont rêvent les pédagogues. Sa force est précisément d'être pragmatique et de viser des ajustements ici et maintenant par rapport aux élèves tels qu'ils sont.

- Différencier, ce n'est pas vivre le «différencialisme» qui aboutit à un enseignement individualisé.

- Différencier, ce n'est pas articuler seulement une différenciation structurelle axée sur l'aménagement du temps (plan de travail, tableau de programmation, atelier) et sur l'aménagement de l'espace.

- Différencier, ce n'est pas une mesure préventive qui se réduit aux seules périodes de soutien, de rattrapage, de compensation. Très souvent, ces mesures d'appui ont pour but de placer les élèves dans le moule requis par l'école. Veut-on faire jouer ce rôle à la différenciation pédagogique?

- Différencier, ce n'est pas respecter les rythmes ou les styles d'apprentissage à chaque instant, comme on se plaît à dire, mais plutôt en tenir compte dans la pratique chaque fois que cela est possible.

 Ses principaux adversaires

Articuler une différenciation pédagogique n'est pas nécessairement facile, il faut le dire. Voilà pourquoi il est important d'identifier, au point de départ, les obstacles, les adversaires que nous rencontrons sur le chemin de sa mise en place.

- La notion de *besoin d'apprentissage* est probablement celle que l'on maîtrise le moins. Dans le domaine des apprentissages, le besoin est souvent interprété comme l'équivalent d'une lacune ou d'un écart constaté entre ce que l'élève devrait savoir et ce qu'il sait réellement. Étant donné que différencier, c'est se préoccuper surtout de la norme personnelle de l'élève, il faut que l'enseignant accepte de se départir de la norme externe (celle de la classe, celle de l'examen). Et pire encore, qu'il renonce à la croyance voulant que lui seul procède à l'évaluation du savoir.

- Un deuxième adversaire est intimement lié au premier: *l'évaluation traditionnelle,* qui n'accepte pas facilement de céder sa place à l'évaluation formative. La multiplicité des formes que peuvent revêtir les évaluations formatives cause des difficultés, puisqu'elle suppose que l'on s'ajuste constamment à la discipline en cause, au stade de l'apprentissage et à la population étudiante concernée.

- Le troisième adversaire est *l'organisation de la communication* dans la classe entre l'enseignant et les élèves. C'est tout le modèle magistral qui est en cause, avec ses composantes de détention du savoir, de maîtrise de la parole et de possession du pouvoir. Le passage de la communication centrée sur l'enseignant à celle qui est centrée sur les élèves est très ardu. Il suppose plusieurs deuils…

- La forte *croyance à l'efficacité de l'homogénéité* est l'adversaire le plus redoutable. La croyance populaire veut que nous n'apprenions vite et bien qu'en compagnie des gens qui nous ressemblent. Tout se passe encore comme si la population, les parents et les enseignants restaient persuadés que l'homogénéité des classes garantit la réussite scolaire. Comme le droit à la différence n'est pas une valeur dominante dans nos sociétés, il est plus facile de s'expliquer les nombreux efforts à faire afin de différencier à l'intérieur de notre système éducatif. Les résistances les plus fortes s'expliquent par le fait que la différenciation exige que le professionnel pense en termes de pluralité, donc de *complexité,* puisqu'il s'attaque à la gestion du *pluriel,* délaissant ainsi le monde du *singulier*. De plus, les avantages, tout comme les enjeux rattachés à l'hétérogénéité, ne sont pas nécessairement débattus et étalés sur la place publique. On craint même de souligner les bénéfices que l'on pourrait en retirer, de peur de subir des pressions pour s'engager dans un processus de changement-innovation orienté vers la différenciation. On cultive donc la tranquillité d'esprit. On achète la paix sociale (Clerc, 1997).

 Ses victoires

Si l'on désire traiter de ce sujet avec objectivité, on est sans doute obligé de s'arrêter un instant pour souligner les pas qui ont été faits dans le domaine de la différenciation au cours des vingt dernières années. Qui de mieux placé que Philippe Meirieu, ce bâtisseur de la pédagogie, pour en parler? Vers la fin des années 1990, on avait soumis à ce dernier les questions suivantes: «Finalement, aujourd'hui, est-ce que la pédagogie différenciée est d'actualité à l'école? Qu'est-ce qui reste de la pédagogie différenciée, au-delà des slogans, des dérives ou des déformations? Qu'est-ce qui a bougé, qu'est-ce qui a évolué positivement, grâce à la pédagogie différenciée?»

Et voici l'essentiel des réponses qu'il avait alors données (Meirieu, 1997) :

« Ce qui me semble être maintenant bien compris, c'est que tous les élèves sont différents et qu'ils ne sont pas tous adaptés naturellement à la méthode traditionnellement dominante du cours magistral. Ceci étant dit, il nous reste à construire une autre posture et à inventer les méthodes correspondantes. »

« Ce qui a bougé, c'est, me semble-t-il, l'idée que l'on peut faire classe sans faire cours et que c'est en mettant les élèves au travail que l'on favorise vraiment leurs apprentissages. La pédagogie différenciée est parvenue à propager cette idée au-delà de l'école maternelle et de quelques classes expérimentales. Les travaux sur les situations d'apprentissage et l'analyse de leurs variables, la recherche systémique des occasions d'apprendre ouvrent la voie à une pédagogie davantage ouverte au vécu des apprenants, laissant derrière elle ce qui est convenu d'appeler une pédagogie des conditions. »

À la lumière des gains qui semblent avoir été faits sur le plan des idées et de leur compréhension, sur le plan des attitudes et du désir de changer, on peut se demander, en fin de compte, ce qui ralentit tant le processus d'innovation. Pour creuser davantage cette problématique, retournons voir ce que vivent les enseignants après avoir suivi une journée de perfectionnement, après avoir lu sur la différenciation des apprentissages. On les entend dire ceci : « La pédagogie différenciée, c'est quoi ? Une fois revenus dans nos classes, on ne sait pas plus comment faire pour passer à l'action. De la théorie à la pratique, ça vous dit quelque chose ? Nous avons des habitudes, des façons de faire que nous n'arrivons pas à modifier. Bien sûr que nous voyons les choses différemment, mais à quoi ça sert ? Nous procédons toujours de la même manière dans nos classes. Quand quelqu'un nous donne des exemples, on les transpose, on les épuise et ensuite, on revient toujours à nos modèles connus. Actuellement, la théorie ne nous permet pas de valider les interventions que nous faisons, de rectifier nos trajectoires. Que pouvons-nous faire d'autre ? Comment avancer davantage ? »

Quand on œuvre dans le domaine de la formation continue depuis quinze ans, on ne peut pas rester insensible à de tels commentaires. Bien que l'on sache que le plus long des voyages commence par un premier pas, par un premier geste, on se pose, comme intervenante en éducation, la question suivante : « Comment pourrais-je faciliter la mise en application de la théorie par les praticiens et comment les accompagner dans la construction de leurs nouvelles pratiques pédagogiques ? » Ce guide pédagogique se veut une tentative dans ce sens, un support au développement de la différenciation dans les classes.

L'émergence d'un *cadre de référence* théorique s'inscrit obligatoirement à l'intérieur de la démarche d'appropriation de la différenciation. C'est ce qui nous permet de ne pas nous égarer en cours de route. C'est aussi ce que je tente d'élaborer présentement, en espérant que les pages qui habillent ce cadre seront bien comprises, bien interprétées.

Auparavant, j'ai consacré du temps à la remise en question des attitudes pour démontrer qu'il fallait d'abord travailler sur sa personne avant d'arriver à modifier son coffre à outils. *Vouloir changer* est le moteur de tout ce processus. Si les dispositifs semblent alléchants de l'extérieur, ils peuvent perturber grandement tout le reste si le changement visé ne part pas de l'intérieur.

Je continue donc l'articulation de ce cadre de référence en traitant des préalables, des antennes de la différenciation, de même que des rapports très étroits qu'elle entretient avec les cycles d'apprentissage.

 ## Ses atouts

Forts de notre volonté de favoriser la différenciation, attardons-nous quelques instants à la prise de conscience des éléments de réussite qui pourraient devenir pour nous des alliés précieux et des complices de tous les jours.

1 « L'essentiel, pour l'enseignant qui veut différencier sa didactique, est d'apprendre à observer. Une règle devrait guider tout éducateur, dit J.-M. de Ketele (1983) : parler moins, faire agir plus et observer pendant ce temps. »

2 La connaissance véritable des élèves et de leurs profils d'apprentissage s'avère également une condition gagnante quand on veut différencier. Pour l'analyse des besoins des élèves, l'outil-support 9 de la page suivante présente des dimensions qui peuvent être considérées.

3 L'articulation des programmes d'études en cycles plutôt qu'en niveaux favorise la planification des projets ou des modules d'apprentissage et l'utilisation de dispositifs permettant une réelle individualisation des parcours de formation, sans creuser trop d'écarts entre ces derniers.

4 La conception de l'apprentissage sur laquelle repose le développement des compétences dont s'inspire la philosophie du programme de formation de l'école québécoise est un atout de plus. Cette conception s'appuie sur les didactiques des disciplines plutôt que de construire à côté d'elles.

5 La capacité à jongler avec les savoirs essentiels ou les objectifs-noyaux permet de déterminer jusqu'où l'on peut pousser une notion tout en maintenant un cadre de signifiance, d'aisance et de communication pour l'ensemble des élèves de la classe. Grâce à cette qualité de communication, on évite de laisser sur le carreau une bonne partie des élèves, comme c'est souvent le cas lorsqu'on accorde une importance exagérée à des énoncés très généraux et très formalisés.

POUR UNE CONNAISSANCE VÉRITABLE
DES ÉLÈVES

- Quels sont les intérêts, les goûts, les préoccupations des élèves à la maison? En classe?

- Quels sont leurs acquis en termes de méthodes d'apprentissage?

- Quel est le rythme d'apprentissage de chacun des élèves en lecture? en écriture? en mathématique?

- Quel est le style d'apprentissage ou quelles sont les formes d'intelligence privilégiées par chacun des élèves?

- Quelle perception les élèves ont-ils d'eux-mêmes? de leur enseignant? de l'école?

- Quels sont le degré et la source de la motivation de chacun des élèves?

- Quelles sont les attentes des élèves par rapport à l'école? par rapport à leur enseignant?

- Quelles sont les forces et les faiblesses des élèves en termes d'habiletés (physiques, sociales, intellectuelles, artistiques)?

- De quelle forme de supervision les élèves ont-ils besoin (aucune guidance, guidance sporadique, guidance légère mais continuelle, guidance importante et continuelle)?

- Quel est le vécu des élèves à la maison?, etc.

6 La mise en œuvre de la différenciation est inséparable d'une pédagogie de l'autonomie. C'est presque un préalable que de développer une gestion de classe favorisant la participation de l'élève et sa responsabilisation sur le plan des comportements, des apprentissages et de l'évaluation de ses acquis.

7 La différenciation pédagogique prend davantage de sens lorsqu'elle s'insère dans un projet d'établissement. Il ne s'agit plus seulement d'expériences isolées au sein de la classe, initiées et gérées par quelques enseignants novateurs. Chaque école doit donc se donner un projet d'établissement orienté vers les véritables enjeux de l'éducation et de la pédagogie contemporaine ou réviser le sien.

8 La présence d'équipes de travail parmi les enseignants et d'équipes-cycles rend possible le développement de la véritable différenciation. Malheureusement ou heureusement, on ne peut pas gérer les différences en continuant de vivre en vase clos, dans la solitude de la classe. Il s'agit là d'un des facteurs les plus importants à considérer. D'ailleurs, nous consacrerons le chapitre 10 à l'émergence, à la naissance et au développement des équipes-cycles.

9 L'acquisition d'un coffre à outils permettant de mieux gérer les différences fera nécessairement partie de nos priorités si l'on ne veut pas sombrer dans le découragement, l'abandon ou l'égarement. Ces outils nous permettront de mieux observer, réguler, consigner, communiquer et négocier. Ils serviront également à planifier et à évaluer autrement. Ils seront au service de la gestion de la classe, de celle des projets et des groupes de travail. Finalement, certains seront utiles à la gestion interclasses. Nous consacrerons les chapitres 6 à 9 au développement du coffre à outils.

10 La présence des parents nécessite que l'on se préoccupe de leur adhésion à notre projet d'évolution, de leur support moral et de leur partenariat au quotidien. Comment penser innover avec les élèves si les parents ne voient pas le bien-fondé de ce que nous proposons ? Pour plusieurs enseignants, ce sera une pression si forte que l'expérience d'innovation se transformera rapidement en décrochage. Au chapitre 11, qui porte sur la différenciation de nos stratégies pour mieux informer et impliquer les parents, nous exploiterons des pistes concrètes d'alliance avec les parents.

En guise de conclusion sur les conditions gagnantes pour l'implantation de la différenciation, nous nous référerons à Halina Przesmycki (1991), qui écrit que « la mise en œuvre d'une pédagogie différenciée exige de la rigueur, du temps, de la disponibilité, des structures souples ainsi qu'un changement de cadres de référence habituels ».

Ses antennes

Comme nous parlons de différenciation, il faut bien s'attendre à rencontrer cette dernière sous différentes formes que j'ai baptisées « les antennes de la différenciation ». C'est ainsi que nous parlons de différenciation authentique, régulatrice, planifiée, intuitive, successive, simultanée, mécanique, à l'intérieur et à l'extérieur du groupe de base. Cet aspect divergent nous fournit par la même occasion différentes portes d'entrée pour entreprendre notre innovation (référentiel 5, page suivante).

Allons-y par dyades structurées... C'est un terme qui vous est familier, sans doute.

Il est peut-être réconfortant, à ce stade-ci, de ressentir que nous avons du pouvoir sur ce que nous voulons développer. Cela contribue sûrement à accroître notre assurance et notre sentiment de sécurité dans la poursuite de ce que nous avons entrepris.

La différenciation intuitive et la différenciation planifiée

La *différenciation intuitive* est celle que l'on pratique sans en prendre conscience, celle que l'on n'a pas nécessairement planifiée, celle que l'on pourrait qualifier d'informelle, celle qui est spontanée, guidée très souvent par notre gros bon sens et par notre expérience. Mais le seul fait qu'elle existe nous semble être un atout pour l'élève parce qu'elle ouvre une brèche dans le champ de la différenciation pédagogique.

Exemples :

- Réduire spontanément la longueur ou la complexité d'une tâche d'apprentissage pour un élève motivé qui éprouve des difficultés à réaliser ce qui a été demandé.

- Proposer un autre thème de production écrite à deux élèves qui n'arrivent pas à démarrer le travail de rédaction sur le sujet qui leur a été proposé précédemment.

- Suggérer à un élève non motivé par une tâche de changer l'ordre d'exécution de son contrat d'apprentissage pour l'orienter en premier lieu vers un travail qui rejoint davantage ses intérêts.

- Prolonger la période de manipulation de matériel didactique pour un sous-groupe d'élèves qui sont encore au stade du concret, alors que les autres équipes de travail n'en ont plus besoin.

- Suggérer un outil d'expression différent de celui qui a été proposé au début du projet à une équipe coopérative qui désire communiquer ses apprentissages aux autres élèves de la classe.

LES ANTENNES DE LA DIFFÉRENCIATION

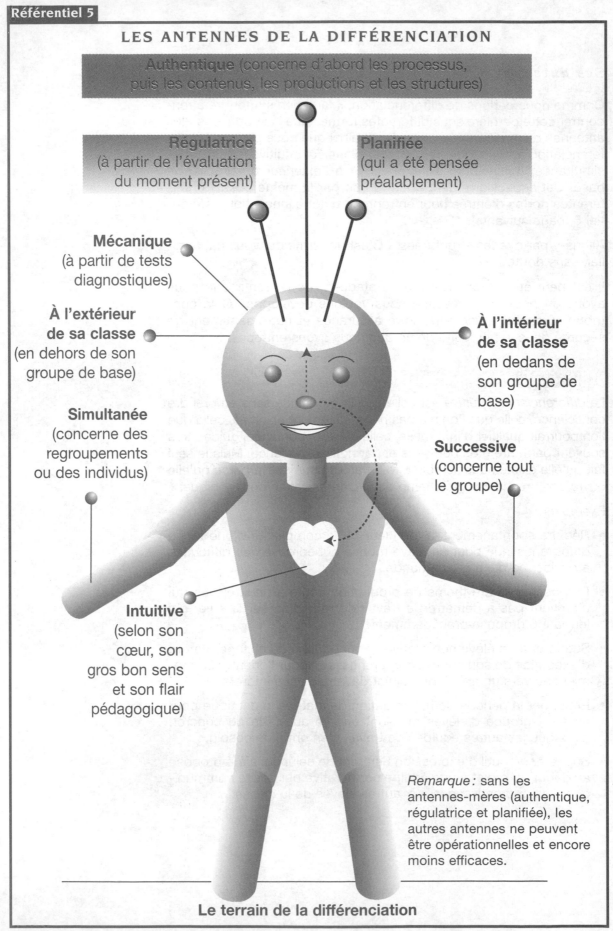

Authentique (concerne d'abord les processus, puis les contenus, les productions et les structures)

Régulatrice
(à partir de l'évaluation du moment présent)

Planifiée
(qui a été pensée préalablement)

Mécanique
(à partir de tests diagnostiques)

À l'extérieur de sa classe
(en dehors de son groupe de base)

À l'intérieur de sa classe
(en dedans de son groupe de base)

Simultanée
(concerne des regroupements ou des individus)

Successive
(concerne tout le groupe)

Intuitive
(selon son cœur, son gros bon sens et son flair pédagogique)

Remarque : sans les antennes-mères (authentique, régulatrice et planifiée), les autres antennes ne peuvent être opérationnelles et encore moins efficaces.

Le terrain de la différenciation

Et si l'on se donnait des cadres de référence...

88

Quant à la *différenciation planifiée,* elle s'inscrit vraiment dans une démarche de rigueur, d'écoute et de sensibilité aux difficultés que les élèves peuvent éprouver. Il peut y avoir eu précédemment observation des rythmes des élèves au travail, découverte des styles d'apprentissage, test diagnostique, objectivation avec les élèves, régulation des activités éducatives, etc. Elle prend sa place au moment même où la régulation se retire. Les interventions que cette dernière suscite sont toujours effectuées de façon très consciente.

Exemples :

- Prendre la décision de proposer au groupe-classe trois tempêtes d'idées différentes sur un même sujet en fonction des rythmes d'apprentissage en écriture.

- Faire travailler ses élèves sur des exercices écrits différents, nécessitant différents niveaux d'aide de la part de l'enseignant.

- Pour un même contenu, planifier trois tâches d'apprentissage différentes, en lien avec les intelligences linguistique, artistique et mathématique.

- Insérer, au sein d'un centre d'apprentissage, des défis différents du point de vue de la taxonomie de Bloom, qui classifie les habiletés intellectuelles par ordre de complexité.

- Concevoir avec trois sous-groupes d'élèves des banques de stratégies différentes pour appliquer la démarche de résolution de problèmes en tenant compte des profils visuel, auditif, kinesthésique et digital.

La différenciation successive et la différenciation simultanée

Dans la *différenciation successive,* l'enseignant maintient une progression collective autour d'un même objectif, mais ordonne différents outils, différentes situations, alternant ainsi les méthodes utilisées. Ainsi, chaque élève a le maximum de chances de trouver une méthode lui convenant. On pourra varier les outils et les supports, utiliser l'écriture, la parole, l'image, le geste, l'informatique, etc. On pourra également varier les situations : exposé collectif, travail individualisé, monitorat, travaux de groupe. André de Peretti nomme ce type de différenciation «pédagogie variée».

Exemple : l'élève invente une histoire en ordonnant les idées choisies de manière logique ou chronologique.

- L'enseignant du préscolaire peut utiliser successivement, pour l'ensemble des élèves, diverses situations et divers outils. Par exemple, il peut présenter collectivement un album d'histoires géant et faire visualiser la séquence logique d'actions qui sont représentées par des dessins ; par la suite, replacer en ordre des images, des dessins correspondant à une séquence ; ensuite, reconstituer un jeu de blocs en respectant l'ordre logique ; enfin, inviter les élèves à écouter un livre-cassette et observer l'ordre des événements.

Quand les différences sont davantage marquées, il peut être plus rentable d'avoir recours à la différenciation simultanée.

Dans la *différenciation simultanée,* on distribue à chaque élève un travail correspondant précisément, à l'intérieur de son parcours, à ses besoins et à ses possibilités : exercices d'entraînement sur une question mal comprise, reprise d'une notion, activités d'enrichissement, etc. Il est essentiel, dans cette forme de différenciation, de disposer d'outils rigoureux d'encadrement pour éviter la dispersion. On établit à cette fin des plans de travail individuels, des contrats d'apprentissage ou des tableaux de programmation qui font l'objet d'évaluations et de régulations régulières.

L'aspect organisationnel nous demande toujours de résoudre la question de la répartition des élèves entre les différentes activités, puisque celles-ci sont faites simultanément, c'est-à-dire que tous les élèves ne font pas la même chose en même temps. Des mécanismes d'inscription aux tâches peuvent alors permettre à l'enseignant de visualiser rapidement « Qui fait quoi, pendant cette période de trente minutes ? » Il est à noter que cette forme de différenciation est particulièrement intéressante dans l'apprentissage des langues, où les compétences à acquérir sont multiples et les niveaux des élèves sont très différents face à chacune d'entre elles.

Exemple : sensibiliser les élèves à la poésie par différents dispositifs.

- L'enseignant divise le grand groupe et propose aux élèves les cinq activités suivantes : création d'une roue de rimes à partir du dictionnaire personnel ou de la banque de mots d'épellation ; illustration d'un poème déjà lu et apprécié avec justification du dessin réalisé ; enregistrement sur magnétophone ou ordinateur et écoute d'un poème déjà connu ; rédaction d'un poème de deux strophes sur un sujet personnel ; lecture d'un poème et expression de ce qui a été compris au moyen de la rédaction de cinq phrases sur traitement de texte.

On peut même complexifier la situation de gestion en décidant de travailler sur différentes disciplines simultanément. C'est ainsi que, dans une classe d'élèves de huit et neuf ans, au moment d'une période planifiée de différenciation simultanée, on peut voir quatre élèves qui écrivent à leur correspondant scolaire, six élèves qui finalisent un projet personnel, huit élèves qui travaillent sur la correction d'une dictée avec l'enseignant, trois élèves qui compilent à l'ordinateur les résultats d'une recherche sur les moyens de transport et cinq élèves qui tentent de résoudre une situation-problème sur la construction d'un pont.

Les enseignants déjà familiers avec le fonctionnement par ateliers, par centres d'apprentissage, par tableaux de programmation, par plans de travail ouverts ou par contrats d'apprentissage reconnaîtront facilement ce mode de fonctionnement, dans lequel ils se sentent déjà à l'aise. Pour les autres, qui ne jurent que par le travail magistral en collectif suivi de périodes de travaux personnels, le choc culturel sera plus grand et les efforts à faire pour différencier seront plus énormes et plus nombreux également.

L'alternance entre ces deux formes de différenciation représente une richesse, une certaine forme de différenciation de la différenciation qui ne peut que bénéficier aux élèves[2].

La différenciation mécanique et la différenciation régulatrice

On peut reconnaître la *différenciation mécanique* à l'orientation « applicationniste » qu'elle véhicule. Cette différenciation est conçue à la manière d'un grand ordinateur dans lequel on dispose toutes les informations préalables sur les élèves et qui nous permet d'obtenir, en fonction des objectifs définis à l'avance, tout ce que nous devons faire faire aux élèves, le type d'exercices qu'ils doivent faire, le temps à y consacrer et les méthodes à utiliser. La différenciation envisagée de cette manière suppose la prise en compte d'un maximum d'informations pertinentes relatives aux apprenants et dégagées à la suite d'un processus systématique de connaissance des élèves. On préconise donc d'abord un test diagnostique, et ensuite, un choix de dispositifs. C'est un peu une conception qui s'apparente à celle de la pédagogie de la maîtrise. Accompagnée de toute une batterie de tests, elle demeure lourde à gérer, sans parler des dangers rattachés à l'exagération quant à l'évaluation, du temps qu'elle gruge et du risque d'en arriver à fonctionner uniquement avec des regroupements hermétiques d'élèves.

Exemple :

• Après avoir administré un test diagnostique pour déterminer les compétences des élèves en lecture, on structure des groupes d'apprentissage en fonction des rythmes pour travailler sur les stratégies de reconnaissance et d'identification des mots d'un texte ainsi que sur les stratégies de gestion de la compréhension. Et le processus continue en écriture... On cible alors les stratégies de planification, de mise en texte, de révision, de correction et d'évaluation de sa démarche. Toutes les disciplines pourraient y passer.

2. Inspiré de Philippe MEIRIEU, *L'école, mode d'emploi, des méthodes actives à la pédagogie différenciée,* Paris, ESF Éditeur, 1992, p. 134 à 140.

Il n'est pas mauvais en soi d'utiliser le test diagnostique pour mieux structurer les mesures de différenciation par la suite. Mais, en utilisant exclusivement cette méthode, on risque de sombrer dans l'enseignement programmé et de devenir très mécanique dans notre façon de faire. D'ailleurs, ce ne sont pas les seules mesures d'observation et de régulation qui existent.

Si l'on compare la différenciation planifiée avec la différenciation mécanique, on peut dire que celle-ci est toujours planifiée. Par contre, la différenciation planifiée n'est pas nécessairement mécanique. Elle peut être tantôt successive, simultanée, régulatrice, à l'intérieur ou à l'extérieur de son groupe de base.

La *différenciation régulatrice* est plus ouverte, plus intéressante, car elle laisse aux praticiens plus d'initiative. Elle s'inscrit vraiment dans l'approche constructiviste des apprentissages. On peut dire qu'elle est basée sur le principe suivant : « On apprend et on connaît à partir de l'action », car c'est une manière d'explorer les possibilités des élèves avec eux et de répercuter dans la régulation de l'action les approximations de la prise de décision. Meirieu (1995) dit même, dans ce contexte : « Une bonne pédagogie n'est pas une pédagogie parfaite, mais plutôt celle qui maîtrise ses imperfections. » Et il ajoute : « Quand le maître n'est pas hétérogène dans sa façon d'intervenir, il ne forme qu'une partie de sa classe, c'est-à-dire seulement les élèves qui ressemblent au maître. » Tout en étant à propos pour la différenciation régulatrice, cette remarque s'applique également dans d'autres sphères d'intervention.

Exemple :

- Quand les élèves sont en train d'exécuter une tâche d'apprentissage et que l'enseignant circule parmi eux, les observant et les interrogeant, il peut très bien décider d'offrir les régulations interactives suivantes : proposer un exercice intermédiaire à certains, demander à d'autres d'utiliser plus longtemps le matériel de manipulation, suggérer une démarche de tutorat à quelques-uns et orienter des élèves qui ont de la facilité vers des pistes d'enrichissement. Tout cela se fait dans la même période, sans qu'il y ait eu nécessairement une étape systématique de dépistage des besoins.

À d'autres occasions, l'enseignant utilise la régulation dynamique ou rétroaction, selon qu'il s'agit du début ou de la fin d'une séquence d'apprentissage.

Cela suppose un minimum d'aisance avec certaines compétences professionnelles chez l'enseignant, qui lui permettent d'observer avec justesse, de travailler à partir des représentations des élèves, de construire à partir des erreurs ou des obstacles à l'apprentissage, de réagir rapidement et de prévoir des ressources didactiques susceptibles d'être utilisées au cours de la séquence planifiée. Tantôt il régule les apprentissages que les élèves sont en train de faire, tantôt il régule les actions éducatives qui ont été planifiées à leur intention.

Pour des enseignants qui interviennent plutôt de façon linéaire ou séquentielle, il vaut mieux accepter d'avoir recours à la différenciation mécanique, planifiée, quand on fait ses premiers pas vers la différenciation. C'est une question de sécurité, d'expérience et de valorisation qui peut nous conduire par la suite vers la différenciation régulatrice. Mieux vaut ne pas être indifférent aux différences, même si l'on n'atteint pas tout de suite l'excellence, même si l'on n'articule pas, pour le moment, le modèle jugé le plus efficace. Nous avons vu précédemment que la différenciation exige de la rigueur (différenciation planifiée). J'ajoute ici qu'elle requiert aussi de la souplesse (différenciation régulatrice). Pas facile à gérer, ces deux antipodes !

La différenciation à l'intérieur et à l'extérieur de sa classe

La *différenciation à l'intérieur de la classe* est vraiment celle qui se vit avec le groupe de base, qui nous a été affecté pour une année ou plus. C'est vraiment le titulaire qui décide de solliciter les antennes de la différenciation. *Sera-t-elle successive, simultanée, mécanique ou régulatrice ? Quelles sont les raisons qui justifient ce choix : la préparation des élèves, leur intérêt ou leur profil ? À quel moment de la séquence d'apprentissage vais-je la mettre en œuvre ? Vais-je différencier au début, pendant ou après l'apprentissage ? Portera-t-elle sur le contenu, les structures, les processus ou les productions ? Quels dispositifs de différenciation seront utilisés dans chaque cas ?*

Exemple :

• Dans une perspective de remédiation, après un examen, l'enseignant planifie les activités et les regroupements d'élèves suivants : neuf élèves seront en clinique animée par l'enseignant, six élèves travailleront sur des fiches adaptées, quatre visiteront le centre d'apprentissage sur les solides géométriques et six créeront des pistes d'enrichissement pour les autres élèves, sur des notions vues et intégrées.

Les pédagogues qui ont déjà revu leur modèle de gestion de classe pour l'orienter davantage vers l'autonomie, la participation et la responsabilisation des apprenants sont assez familiers avec cette forme d'organisation. Non seulement se sont-ils donné des cadres de référence nouveaux, mais ils ont aussi développé un coffre à outils pour gérer le temps, les groupes de travail et l'aménagement de l'espace. Ils ont déjà appris à rompre avec l'enseignement magistral. Faire éclater le groupe, de temps à autre, n'est pas un cauchemar pour eux. Et il est très payant d'investir sur ce plan; n'est-ce pas à partir de leur propre maîtrise de la classe que les enseignants en place développeront la maîtrise d'espaces-temps plus vastes, essentiels à la gestion des cycles?

Que ce soit à l'intérieur ou à l'extérieur de leur classe, les enseignants ont commencé à développer un regard « pluriel » quand ils différencient. Ils sont surtout portés à différencier à la fin d'un apprentissage ou après une évaluation. Les premiers temps de l'apprentissage sont encore orientés vers la gestion des ressemblances. De plus, ils sont plus préoccupés de différencier les structures et les productions que les contenus et les processus. Ils devront investir des efforts pour apprendre à intervenir de façon différenciée sur les autres aspects.

La *différenciation à l'extérieur de la classe* ouvre la porte à la gestion interclasses, à la composition de groupes à partir des besoins, des projets, des intérêts, des niveaux, des approches, et à la gestion coopérative dans un contexte d'échanges de compétences entre enseignants d'un cycle. La collégialité professionnelle est requise ici, car c'est maintenant une équipe d'enseignants qui est à la gouverne de quelques groupes.

À toutes ces formes de différenciation, nous pouvons ajouter la *différenciation structurelle*. Jean-Marie Gillig (1999), dans son volume *Les pédagogies différenciées*, définit cette dernière comme étant celle d'une institution où l'on répartit les élèves selon leurs aptitudes, leurs niveaux, en classes différenciées ou **filières.**

Dans cette organisation scolaire, on trouve quatre ou cinq filières différentes : générale, classique, scientifique, technique ou professionnelle.

Celles-ci sont organisées de manière souple afin de permettre des changements d'orientation, en cas de besoin. Chacune d'elles conduit également à la remise d'un certificat ou d'un diplôme.

Enfin, la *différenciation authentique* (selon Przesmycki) demeure l'antenne la plus fondamentale et la plus intégratrice de toutes celles que nous venons de présenter. Nous la définissons davantage à la page 106 (chapitre 5).

FILIÈRE : différentes séries de programmes susceptibles d'être offertes par l'enseignement secondaire ; séries vers lesquelles sont orientés les élèves en fonction de leurs intérêts et de leurs aptitudes.

Ses rapports étroits avec les cycles

Le cycle ne fait pas disparaître la classe, mais il n'en fait plus l'unique cadre de travail. Il amène avec lui l'idée de décloisonnement et le fait qu'élèves et enseignants ont de nouveaux espaces-temps de formation à planifier, à utiliser et à gérer. C'est à l'équipe-cycle que reviendra la décision de différencier à l'externe afin de favoriser les interactions entre élèves, de créer des dynamiques variées et mieux adaptées au développement de telle compétence par l'utilisation créative des expériences et des savoir-faire des pédagogues composant l'équipe de travail. Ces pédagogues disposeront ainsi de différentes options de différenciation : utiliserons-nous le décloisonnement à l'intérieur de nos groupes de base respectifs ? le décloisonnement à l'externe par la formation de groupes reconstitués ? Dans quelle proportion utiliserons-nous une formule mixte ? Quels contextes d'apprentissage seront alors privilégiés au sein des groupes de base ? au sein des divers regroupements ?

Philippe Meirieu (1992) illustre bien le décloisonnement à l'intérieur d'un cycle. Le référentiel 6 de la page suivante reprend les trois étapes du décloisonnement.

DÉCLOISONNEMENT À L'INTÉRIEUR
D'UN CYCLE D'APPRENTISSAGE

1 **CLASSES HÉTÉROGÈNES**

(sous la responsabilité d'un enseignant chargé d'assurer le suivi scolaire de sa classe)

2 **CONCERTATION DES ENSEIGNANTS**

- Inventaire des besoins
- Inventaire des ressources
- Élaboration de propositions pédagogiques

3 **GROUPES FORMÉS À PARTIR DES BESOINS**

Cours en parallèle où les élèves sont répartis selon les besoins identifiés

- Reprise d'acquis antérieurs préalables
- Formation à des capacités méthodologiques
- Remédiations différenciées
- Enrichissements proposés aux élèves ayant développé la compétence ciblée, etc.

Source : Adapté de Philippe MEIRIEU, *L'école, mode d'emploi,* Paris, ESF Éditeur, 1992, p. 154.

Exemple :

- Une équipe de quatre enseignants du premier cycle pourrait décider, pour quatre semaines, de constituer des groupes axés sur les besoins en fonction de la compétence qui consiste à lire un texte, et ce, en construisant du sens à l'aide de stratégies appropriées. Quatre groupes homogènes de travail sont alors créés pour travailler sur la stratégie mal maîtrisée. Donc, l'enseignant 1 travaillera sur l'identification des mots d'un texte, l'enseignant 2 creusera les stratégies de compréhension, l'enseignant 3 s'attaquera à celles de la régulation pendant que la dernière enseignante explorera avec les élèves les stratégies d'évaluation de la démarche de lecture.

Nous pouvons donc constater que la différenciation passe d'abord par une régulation et qu'une fois que le processus est enclenché, il continue d'évoluer selon la logique *régulation-différenciation*. Ce qui veut dire que nous pourrions assister, au sein de cette équipe, à une nouvelle régulation débouchant, cette fois-ci, sur une nouvelle forme de différenciation. Des groupes hétérogènes de compréhension de lecture pourraient être formés autour de groupes basés sur l'intérêt. On propose quatre avenues différentes de recherche ; les élèves s'inscrivent selon leurs intérêts, les enseignants font des choix pour l'animation et la supervision de la recherche à partir de leurs propres compétences. Chacun accompagne le groupe reconstitué dans la recherche et la collecte d'informations. Ainsi, ils pourront observer si les stratégies de lecture étudiées précédemment portent fruit. Si oui, tant mieux... Sinon, il faudra réguler de nouveau et différencier, soit successivement ou simultanément, en fonction des apprentissages réalisés par les élèves.

Comme nous pouvons le remarquer, la différenciation n'a rien de magique en soi et elle est en perpétuelle construction. Son organisation et sa mise en œuvre peuvent nous sembler exigeantes. Il faut donc mettre toutes les chances de notre côté, en commençant notre expérimentation de façon plutôt réaliste qu'idéaliste. Même si nous nous donnions pour mandat de tenir compte des acquis de chaque élève, de son style d'apprentissage, de ses intérêts et de ses possibilités dans toute situation d'apprentissage, et même si nous voulions déterminer, à l'occasion de nos planifications, toutes les cibles d'apprentissage nécessitant de la différenciation, nous n'y arriverions pas, et cela, avec la meilleure volonté du monde. Penser ainsi, c'est être habité par une perspective de différenciation presque inaccessible. Il est impossible d'offrir constamment à chaque élève une éducation sur mesure.

Comme il doit y avoir un commencement à chaque chose, en matière de différenciation, **il faut avoir le courage des commencements,** dirait Jankélévitch. Nous avons beau assister à des conférences sur le sujet, lire de nombreux volumes, suivre de multiples formations, ça n'enlève rien à l'angoisse du moment où nous plongeons dans l'inconnu. Au début, il est très réaliste de cibler des moments précis où nous voulons différencier à partir d'un cadre planifié. Il n'est pas nécessaire de s'acharner à vouloir différencier tous les jours pour chacun.

La différenciation confirmée par l'arrivée des cycles d'apprentissage

Même si la différenciation est le fruit d'une longue histoire, c'est l'arrivée des cycles à l'intérieur des nouveaux programmes d'études qui vient officialiser en quelque sorte la nécessité d'implanter des pratiques de différenciation auprès des élèves. Au fond, l'articulation des cycles ne fait qu'institutionnaliser une réalité bien connue des enseignants : toute classe est hétérogène. L'apprentissage scolaire n'est-il pas un cheminement propre à chacun, modulé par des rythmes et des formes d'intelligence qui varient énormément d'un individu à l'autre ? Vérifier chaque année si un élève a atteint un niveau de compétence fixé à l'avance, c'est ne pas tenir compte de cette diversité des parcours individuels.

Cet obstacle des niveaux étant disparu grâce à l'arrivée des cycles, il est plus facile de défendre l'aspect bénéfique et réalisable de la différenciation. La conséquence logique de l'application des cycles, c'est que chaque élève est, dans chaque discipline, à un instant donné, parvenu à un point du cursus qui lui est propre et qui peut différer de celui qui est atteint par chacun des autres élèves.

Comme nous aurons à passer du modèle organisationnel de « classement par niveaux, par degrés » à celui de l'« organisation par cycles », nous nous donnerons tout de suite une définition de cette nouvelle façon de faire. Au chapitre 10, le fonctionnement par cycles et la formation des équipes professionnelles seront approfondis.

Référons-nous en premier lieu à Jacques Tardif (2000), qui nous propose la définition suivante : « Un cycle d'apprentissage est une étape pluriannuelle dans le parcours scolaire d'un élève, dont la durée est déterminée à partir des objectifs d'apprentissage que ce dernier doit maîtriser à la fin du cycle en question. »

Philippe Perrenoud (2000), quant à lui, souligne que « les cycles d'apprentissage ne sont pas une fin en soi, mais un mode d'organisation scolaire pour mieux faire apprendre les élèves, leur but étant que tous les élèves atteignent les objectifs en fin de cursus, dans le même temps, mais par des chemins différents ».

Et Monica Gather-Thurler (2000), forte de l'expérience de réforme de l'école genevoise, nous rappelle que « la mise en œuvre des cycles d'apprentissage repose sur la coopération des membres de l'équipe-école. Les compétences nécessaires pour planifier ensemble, négocier, construire des activités complexes, gérer des parcours différenciés sont différentes de celles qu'exige un enseignement magistral donné à un groupe d'élèves qui font tous la même chose en même temps. »

« Découvrir (comme dans *Cendrillon*) pour chaque "pied" la pantoufle de vair (de variété et de souplesse réunies), c'est fournir symboliquement à chacun, dans un environnement variable démesurément, l'évolution qui transforma une servante en princesse. »
(André de Peretti, *Pour une école plurielle*)

Nous n'avons plus à faire la démonstration que cycles d'apprentissage et différenciation sont intimement interreliés. Nous avons plutôt à continuer de nous approprier le processus de la différenciation pédagogique, puisque celle-ci est tributaire de la réussite des élèves, qu'elle soit vécue à l'intérieur de nos groupes de base respectifs ou au sein de groupes reconstitués.

Nous avons cerné le concept de la différenciation dans ce chapitre. Maintenant, tentons de nous approprier le processus de cette dernière dans le chapitre suivant.

Pour enrichir ses connaissances

- Comme premier pas décisif en vue de la différenciation à l'intérieur de son groupe de base, consultez l'ouvrage de Philippe Meirieu, *L'école, mode d'emploi*. Il traite de la différenciation successive et de la différenciation simultanée aux pages 134 à 155.

- Pour consolider vos connaissances sur l'historique de la différenciation, laissez-vous guider par Philippe Perrenoud et par son volume *Pédagogie différenciée: des intentions à l'action*. Les pages 37 à 53 vous rappelleront les débuts laborieux des pédagogies différenciées.

- Un autre auteur, Michel Perraudeau, présente un cadre de référence sur la différenciation dans son livre *Les cycles et la différenciation pédagogique*. Les pages 3 à 37 contribueront à renforcer votre appropriation de ce concept.

- Consultez le site Internet de LIFE (Laboratoire Innovation Formation Éducation) de l'Université de Genève pour des informations supplémentaires sur la différenciation régulatrice ou sur tout autre sujet connexe: *http://www.unige.ch/fapse/SSE/groups/life*

Pour prolonger les apprentissages

- À l'aide de la technique du Q-sort de la page 78 du présent ouvrage, essayez de vous faire une opinion sur la différenciation pédagogique. Vos choix positifs d'énoncés vous amèneront à définir personnellement cette réalité pédagogique.

- Faites une tentative de différenciation successive dans votre classe au moment où le contexte d'apprentissage s'y prêtera.

- À un autre moment, ouvrez votre menu de la journée ou du cours pour expérimenter la différenciation simultanée.

- Identifiez des situations d'enseignement-apprentissage où il serait judicieux pour vos élèves et vous de différencier à l'externe avec un autre enseignant et son groupe d'élèves du même cycle.

- Retournez explorer les dix atouts facilitant l'implantation de la différenciation. Les pages 84 à 86 du présent guide les décrivent assez bien. Ciblez un ou deux atouts dont vous avez l'intention de tirer profit afin de devenir plus à l'aise avec la différenciation.

CHAPITRE 5

À l'écoute de l'horloge pédagogique

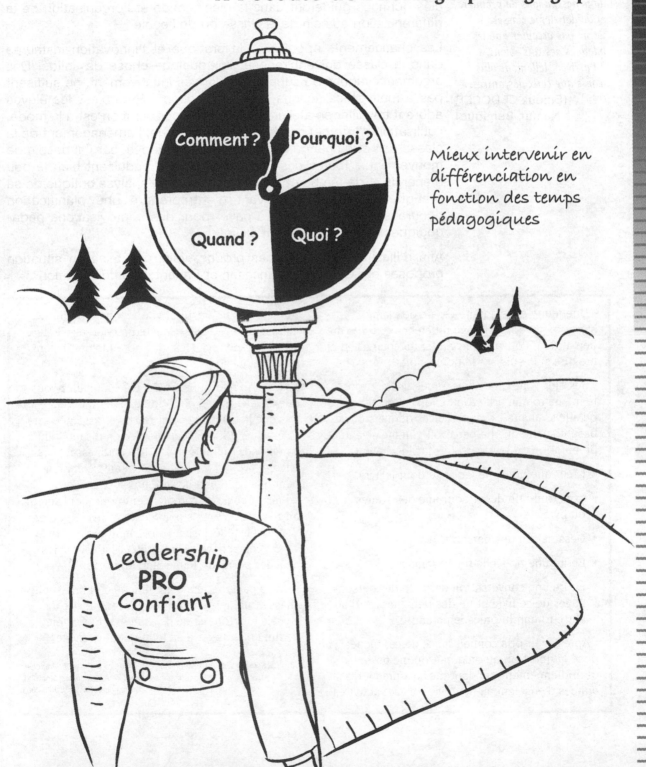

Mieux intervenir en différenciation en fonction des temps pédagogiques

« Différencier les itinéraires ?
Oui, mais non le but du
voyage. Les passagers ?
Oui, mais sans les cloisonner
dans des wagons de première
et de deuxième classes.
Et ne pas accepter que les
bagages des uns soient,
à l'arrivée, tellement plus
légers que ceux des autres. »
(Enjeux CEDOCEF,
Namur, Belgique)

La mise en œuvre de la différenciation exige que l'on soit constamment à l'écoute de l'horloge pédagogique, qui sonne tantôt l'heure du « pourquoi ? », tantôt l'heure du « quoi ? », tantôt l'heure du « quand ? » et tantôt l'heure du « comment ? ». Ce sont ces éléments-clés qui nous guideront dans la planification et l'organisation de la différenciation au sein de la classe ou de l'école.

Les changements apportés à la pratique et l'innovation instaurée dans la classe doivent reposer sur quelque chose de solide. Des arguments vagues ou superficiels, lancés intuitivement, ne suffisent pas à motiver les actions que nous posons. *Exemples :* les élèves adorent travailler en ateliers, le travail de coopération est à la mode, l'utilisation d'Internet en classe me passionne, l'aménagement de la classe doit être changé à toutes les fins d'étapes, car j'ai besoin de mouvement... Toutes ces raisons invoquées traduisent bien le peu d'énergie et de temps que l'on a consacré à l'analyse critique de sa pratique professionnelle avant d'entreprendre une planification rigoureuse. Parfois, le prix à payer pour des improvisations pédagogiques est excessivement élevé.

Afin d'illustrer davantage ces propos, voici une mise en situation proposée par Carol Ann Tomlinson et traitant de différenciation.

« Une jeune enseignante essaie de planifier une situation d'apprentissage différenciée et elle me demande : "Pouvez-vous y jeter un coup d'œil et me dire si je suis sur la bonne voie ?"

« Ses élèves de quatrième année lisaient tous le même roman. Elle avait choisi cinq tâches qu'elle souhaitait assigner à ces derniers en se basant sur ce qu'elle percevait comme niveau de préparation de leur part. Les tâches étaient :

• Créer une nouvelle jaquette pour le livre.

• Construire un décor pour une des scènes du livre.

• Dessiner un des personnages.

• Écrire une nouvelle fin au roman.

• Écrire une conversation entre un des personnages de ce livre et un des personnages d'un autre roman lu précédemment.

« Après avoir pris connaissance de ces tâches, j'ai posé la question qu'on aurait dû me poser quotidiennement pendant mes dix premières années d'enseignement : "Une fois ces activités terminées, quel résultat voulez-vous obtenir de chaque élève ?" Elle m'a jeté un coup d'œil et elle m'a répondu : "Je ne comprends pas le sens de votre question."

« Alors, j'ai reformulé ainsi : "Que souhaitez-vous que les élèves perçoivent ou comprennent, une fois que la tâche que vous leur avez assignée sera terminée ?" Elle a secoué la tête en disant : "Je ne comprends toujours pas." "D'accord, essayons encore... Voulez-vous que les enfants comprennent que l'auteur a inventé un personnage ? Voulez-vous qu'ils comprennent pourquoi l'auteur a consacré du temps pour écrire ce livre ? Voulez-vous qu'ils réfléchissent aux similitudes entre la vie du personnage et la leur ? Qu'est-ce que les activités devraient faire comprendre aux élèves ?"

« Elle a pâli et elle a agité la main comme si elle chassait un moustique. "Oh ! mon Dieu, je croyais que tout ce qu'ils avaient à faire était de lire l'histoire et d'en faire quelque chose !" »

Source : Adapté de Carol Ann TOMLINSON, *La classe différenciée : répondre aux besoins de tous les élèves*, Montréal, Chenelière/McGraw-Hill, 2003

En visualisant ce dialogue entre l'enseignante et l'accompagnatrice pédagogique, nous nous sommes sans doute reconnus, à un moment précis de notre carrière. La motivation à vouloir différencier et la créativité requise pour développer des tâches intéressantes pour les élèves étaient vraiment au rendez-vous. Peut-on en dire autant de la planification des tâches en fonction d'une finalité pédagogique, d'une intention d'apprentissage ? *Pourquoi* veut-on que les élèves exécutent telle tâche ? C'est la question fondamentale, puisque c'est elle qui mobilise par la suite le *quoi ?*, le *quand ?* et le *comment ?* Pour planifier rigoureusement tout en sauvegardant l'ouverture nécessaire pour différencier, on pourrait se référer à des concepts-clés, à des idées essentielles, à des objectifs-obstacles ou à des contenus-noyaux.

Cerner le « pourquoi ? »

Nous allons entreprendre l'ajustement de nos pendules en mettant notre horloge à l'heure du *pourquoi ?*. Le pourquoi repose sur le fait qu'il n'y a vraiment apprentissage que si l'apprentisage est accessible à l'élève, si l'élève est motivé à apprendre et si l'élève est efficace dans l'appropriation de son apprentissage. Par conséquent :

- l'apprenant a besoin de donner du sens à toute information à retenir (sa perception des retombées de l'apprentissage) ;

- l'apprenant doit avoir le goût d'apprendre ce qui lui est proposé (sa motivation à apprendre) ;

- l'apprenant doit se sentir rejoint dans sa façon d'apprendre (son profil d'apprentissage) ;

- l'apprenant s'engage dans l'apprentissage à partir de ses acquis et de la maturité qui l'habite.

Les quatre principes directeurs qui viennent d'être énoncés s'appliquent au développement personnel des élèves, lui-même lié très étroitement à l'individualisation de leurs parcours d'apprentissage. Nul besoin d'ajouter que nous devons nous donner des cadres d'observation élaborés à partir de comportements observables et mesurables. Nous nous attarderons quelques instants sur ces derniers.

La prédisposition des élèves pour l'apprentissage repose sur l'ensemble de leurs besoins, de leurs capacités et de leurs connaissances. Que savent-ils ? Que savent-ils faire par rapport à tel ou tel concept ? Il s'agit de la mise à jour des connaissances et des habiletés acquises, qui constituent le point de départ du nouvel apprentissage. Le fait de se préoccuper de l'activation des connaissances antérieures avant un nouvel apprentissage vient rejoindre ce principe important.

Quant à leur motivation à apprendre, elle se présente comme une affinité, une curiosité, une passion pour un sujet, pour une compétence ou pour une expérience de vie donnée. Rappelons-nous donc

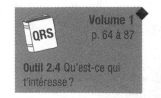

À l'écoute de l'horloge pédagogique

Volume 1
p. 64 à 87

Outil 2.4 Qu'est-ce qui t'intéresse ?

que certains intérêts sont permanents tandis que d'autres changent avec le temps. On parle alors d'intérêts temporaires. Souvenons-nous que des élèves se livrent facilement tandis que d'autres sont plus discrets, effacés et repliés sur eux-mêmes. Nous devons, pour cette raison, développer des outils de collecte et de consignation de données.

Le profil d'apprentissage réfère au mode d'apprentissage. Il s'articule autour des formes d'intelligence, du sexe, de la culture, du style d'apprentissage, des modes de pensée, des stades du développement, des stratégies affectives, cognitives et métacognitives de l'apprenant.

La connaissance des apprenants est un facteur de réussite à ne pas négliger lorsque nous voulons différencier. Sans tomber dans l'excès de tests diagnostiques ni verser à corps perdu dans la différenciation mécanique, nous pouvons les utiliser occasionnellement en nous rappelant que la collecte de données peut se faire autrement que par un questionnaire écrit (utiliser aussi les grilles d'observation, le portfolio, l'autoévaluation, le questionnement pédagogique, l'analyse des réponses ou des productions). L'important, c'est de consigner et de conserver ces données à l'intérieur d'un journal de bord élaboré progressivement par une équipe, pour un groupe donné, tout au long du cycle d'apprentissage. Imaginons un peu la richesse de cette mémoire collective qui serait accessible à chacun des enseignants pratiquant avec nous la différenciation par le décloisonnement.

Cerner le « quoi ? »

Maintenant que nous nous sommes penchés sur la première composante de la planification, celle de l'intention pédagogique en regard des besoins des apprenants, intéressons-nous à la seconde, qui nous conduit, cette fois, vers les éléments du programme d'études : les contenus, les processus, les productions et les structures. En faisant ce second pas, nous nous dirigeons vers le deuxième cadran de notre horloge pédagogique, celui du *quoi ?*

■ LA DIFFÉRENCIATION DES CONTENUS

Le contenu, c'est le matériau brut des programmes d'études ainsi que le matériel didactique qui soutient l'apprentissage visé. Le programme décrit ce que les élèves doivent développer (*compétences*), ce qu'ils doivent apprendre (*notions*), ce qu'ils doivent connaître (*faits*), ce qu'ils doivent comprendre (*concepts et principes*) et ce qu'ils doivent savoir faire (*habiletés*). Si le contenu est notre cible de différenciation, il faut alors distinguer lors de notre planification le contenu que certains élèves apprendront, le contenu que la plupart des élèves apprendront et le contenu que tous les élèves devront apprendre. Ici, la référence aux objectifs-noyaux ou aux concepts essentiels est absolument nécessaire, car la différenciation doit porter sur ces éléments de base.

Dans le programme de formation de l'école québécoise, nous trouvons une section qui porte sur des savoirs essentiels comprenant les connaissances, les stratégies et les techniques qui serviront à développer les compétences.

Concrètement, cela veut dire que, lors d'une expérience de différenciation de contenus, les élèves ont la possibilité de travailler simultanément sur des contenus différents définis en termes d'activités cognitives et/ou méthodologiques et/ou comportementales.

Cela suppose, bien sûr, que l'enseignant a différencié préalablement les structures pour permettre l'éclatement du groupe en sous-groupes d'élèves qui se verront soumettre des contenus différents.

■ LA DIFFÉRENCIATION DES PROCESSUS

Différencier le processus, c'est varier les façons dont va se faire l'apprentissage des élèves. C'est donc mettre en œuvre un cadre à la fois souple et organisé pour que les élèves s'approprient le contenu et y donnent du sens selon leurs propres itinéraires de construction de savoirs ou de savoir-faire. Nous pouvons dire que le processus correspond à la possibilité qu'ont les élèves de comprendre ce contenu au moyen de cheminements différents.

Pour ce faire, l'enseignant a recours à différents dispositifs de différenciation, à diverses activités, à différentes stratégies d'enseignement. Encore une fois, il doit différencier les structures afin de supporter la différenciation des processus.

Ces stratégies de différenciation, ces dispositifs ne sont pas intrinsèquement bons ni mauvais; ce sont des « seaux », des « contenants » qui permettent de mieux transporter le contenu, la procédure et le produit.

Certains enseignants utilisent ces stratégies avec adresse, d'autres, avec maladresse. Par une mauvaise utilisation, on peut même les dénaturer, c'est-à-dire les faire dévier de leur nature ou de leur fonction. *Exemple :* le fait d'imposer neuf ateliers de consolidation ou d'enrichissement comportant un seul défi à l'ensemble des élèves de sa classe peut réduire la différenciation des processus et des contenus à la différenciation des structures. Pourtant, le fonctionnement par ateliers est une stratégie pour gérer les différences, et non les ressemblances.

■ LA DIFFÉRENCIATION DES PRODUCTIONS

Différencier les productions, les réalisations, c'est offrir aux élèves la possibilité de choisir un véhicule de communication qui leur convient et qui leur permet de démontrer ce qu'ils ont appris. Ici, le regard au pluriel que l'on accepterait de poser sur les outils d'expression offerts aux élèves rejoindrait grandement la théorie des intelligences multiples. *Exemple :* un élève possédant une intelligence linguistique appréciera le fait de prononcer une petite conférence sur le sujet de sa recherche autonome, tandis qu'un autre élève doté d'une intelligence musicale traduira l'essentiel de sa recherche par une chanson qu'il adaptera à un air connu.

On peut également différencier l'évaluation en variant les modalités d'évaluation. Cela permet aux élèves de nous démontrer mieux ce qu'ils savent ou ce qu'ils ont développé. Un regard au pluriel sur l'évaluation favorise la découverte des forces, des faiblesses et des pistes d'amélioration chez les élèves. On peut aussi jouer sur les objets et sur les critères d'évaluation ainsi que sur les seuils de réussite.

■ LA DIFFÉRENCIATION DES STRUCTURES

Enfin, on peut différencier les structures; il s'agit d'un dispositif nécessaire, mais non suffisant, à la différenciation de la pédagogie. Cette différenciation commence dès que la classe hétérogène éclate afin de donner naissance au décloisonnement et à des groupes d'élèves répartis selon des critères définis par les professionnels de l'enseignement, qui ont pris soin d'évaluer et de réguler auparavant. Elle se vit autant à l'intérieur qu'à l'extérieur de la classe.

Cette différenciation s'organise autour de quatre paramètres à gérer : les élèves, les enseignants-animateurs, les lieux et le temps. C'est ici que l'on se préoccupe du genre de décloisonnement en vue de la formation des groupes (qui peuvent être orientés en fonction des besoins, des projets, des intérêts, des niveaux, des disciplines, des méthodes, etc.). C'est aussi ici que l'on discute des modes de répartition des élèves, du partage des tâches entre les enseignants, de l'affectation des locaux, de l'aménagement des lieux et de la gestion du temps.

Comme il s'agit d'une différenciation qui s'applique partiellement à l'intérieur d'une classe, mais plus globalement et plus fréquemment à l'extérieur de la classe, nous la décortiquerons dans le chapitre 12, qui porte sur la gestion des cycles d'apprentissage par des équipes collégiales.

■ LA DIFFÉRENCIATION AUTHENTIQUE

Nous venons de voir que nous pouvons différencier les contenus, les processus, les productions ainsi que les structures. Nous pouvons aussi combiner ces différents dispositifs pour permettre aux élèves d'exploiter au maximum leurs capacités, les accompagnant ainsi vers une réussite optimale.

«Nous parlons de différenciation authentique quand celle-ci est fondée sur la différenciation des processus d'apprentissage des élèves et qu'elle passe, pour atteindre ce but, par l'organisation plus ou moins diversifiée et variée des processus d'enseignement.

«C'est ainsi que les élèves peuvent être répartis dans des structures différentes, travaillant selon des processus différents à élaborer des productions différentes en regard de contenus différents également» (Przesmycki, 1991, p. 16-17).

Harmoniser le « quoi ? » et le « pourquoi ? »

Dans la planification de la différenciation, les cadrans du *pourquoi ?* et du *quoi ?* doivent être en interaction constante. La nature du *pourquoi ?* influence la cible du *quoi ?*. Si plusieurs élèves de ma classe ne possèdent pas la maturité nécessaire pour aborder l'apprentissage de l'accord du verbe avec le sujet, j'aurai intérêt à différencier le contenu de la façon suivante : tous les élèves devront apprendre à accorder correctement le verbe avec un sujet quand celui-ci est un nom ; parmi les élèves, certains apprendront à travailler avec un verbe ayant deux sujets de la même personne tandis que je proposerai à certains élèves qui ont de la facilité de jouer avec des sujets de différentes personnes.

Par contre, si je me heurte à un problème d'intérêt ou de motivation chez plusieurs de mes élèves, je m'orienterai peut-être vers la différenciation du processus afin de privilégier des stratégies d'enseignement susceptibles de rejoindre davantage les élèves et de les mobiliser. *Exemple :* toujours à propos de la même règle de grammaire, soit l'accord du verbe avec son sujet, la proposition d'une tâche orientée vers un exercice écrit décontextualisé ne semble pas pertinente. Par contre, les tâches d'écriture suivantes, orientées vers un contexte réel de communication, pourraient trouver preneurs : dialogue à composer entre deux personnes dans le cadre d'une entrevue ; description d'une affiche par la rédaction d'un petit texte ; conception d'une dictée trouée avec clé de correction ; lettre à son correspondant.

L'outil-support 10 de la page suivante regroupant nos deux composantes de la planification peut nous aider dans l'implantation de la différenciation.

CADRE DE PLANIFICATION POUR DIFFÉRENCIER

Axe 2 : le programme d'études (Quoi ?)

	Le contenu	Le processus	La production	La ou les structures
À cause de l'apprenant				
À cause de son profil d'apprentissage				
À cause de ses intérêts et de sa motivation à apprendre				
À cause de sa maturité et de ses acquis				
À cause de sa perception de la signifiance de l'apprentissage ciblé				

Axe 1 : l'apprenant (Pourquoi ?)

À la rencontre du « quand ? »

Il est temps maintenant de nous intéresser au troisième cadran de la planification de la différenciation et d'aller à la rencontre du *quand ?*. Comme il a été dit précédemment, nous ne pouvons pas différencier constamment. Nous devons donc être à l'écoute de l'horloge pédagogique pour qu'elle nous indique les moments les plus propices à la différenciation. Et voilà qu'elle nous indique quatre temps importants à surveiller et à utiliser...

■ PREMIER TEMPS : AU DÉBUT DE L'APPRENTISSAGE

Si l'on se propose de tenir compte des différences individuelles, il importe de les déterminer au point de départ ou de les déceler en cours de route. Dans le premier cas, cela prend forme autour d'un prétest, qui nous permet d'aiguiller les différents apprenants vers des itinéraires adaptés à leurs connaissances et à leur rythme d'apprentissage. Parfois, certains itinéraires peuvent être proposés, certains objectifs peuvent être ajoutés ou retirés. Parfois, l'élève aura à choisir entre différents moyens d'apprentissage. Dans le second cas, c'est vraiment par l'observation de l'apprenant en action que l'on peut évaluer et réguler au besoin afin de tenir compte de différences pressenties.

C'est un terrain habituellement peu fréquenté par les pédagogues, car on attend souvent la fin de l'apprentissage ou le résultat de l'évaluation pour intervenir sur les obstacles rencontrés ou sur les difficultés observées. La différenciation faite à partir d'un diagnostic initial s'inscrit dans une perspective préventive : elle offre un contexte de réussite à l'élève. C'est donc un domaine à surveiller de près.

■ DEUXIÈME TEMPS : PENDANT L'APPRENTISSAGE

Pendant cette période, il y a toute une série de différences individuelles à respecter : différences quant au rythme d'apprentissage, à l'endurance au travail, aux formes de soutien à accorder, différences cognitives. Toutes influencent grandement les stratégies d'apprentissage à privilégier. Dans ces domaines que sont l'appropriation et la réalisation des apprentissages, l'autorégulation par l'élève, l'évaluation formative et la régulation externe revêtent une grande importance.

Pour établir des nuances entre ces grands gestes pédagogiques, attardons-nous d'abord à l'évaluation et à la régulation. Dans l'ancien schéma de pensée de l'évaluation, l'enseignant est détenteur de la « bonne réponse », tandis que dans la régulation, il ne connaît pas la « solution ». Il ne sait pas si l'élève a vu juste, ni quelle méthode il doit utiliser pour faire mieux. Il doit chercher avec l'élève en s'appuyant, certes, sur le résultat des évaluations, mais surtout en inventant des solutions avec lui, qu'il négocie par la suite à l'intérieur d'un plan de travail ou, à la limite, d'un contrat d'apprentissage.

Parlons maintenant d'évaluation continue à la fois du côté de l'élève et du côté de l'enseignant pour conduire à :

- une régulation des apprentissages par l'élève ;
- une régulation des apprentissages par l'enseignant ;
- une régulation des actions éducatives par l'enseignant.

Comme les erreurs commises par les apprenants varient, comme les difficultés qu'ils éprouvent diffèrent, à l'intérieur des divers itinéraires parcourus, l'enseignant doit prévoir une forme d'autoévaluation continue afin de détecter le plus rapidement possible ces difficultés ou ces erreurs et de permettre un rattrapage immédiat. Qui de mieux placé que l'élève pour nous décrire réellement la situation ! Place à l'élève ! Droit de parole !

Quant à la régulation externe, référons-nous aux recherches de Philippe Perrenoud (2000). « La différenciation passe par la régulation externe. Elle peut être induite par le matériel, un logiciel ou des partenaires. Elle appartient aussi aux enseignants, dont la tâche est de piloter non seulement des activités, mais dans la mesure du possible, le rapport de chaque élève aux tâches, à son mode de participation, à son rôle spécifique. »

Intervenir dans une optique de différenciation pendant cette phase de l'apprentissage n'est pas nécessairement très répandu dans nos milieux scolaires. On trouve cette forme de gestion dans certaines classes du préscolaire et d'adaptation scolaire à effectifs réduits. Il est certain que la plupart des écoles alternatives travaillent dans ce sens depuis un certain temps. Il y a même des passionnés de l'enseignement qui ont osé introduire ces modèles de différenciation au sein de leur classe, au risque de passer pour des délinquants et d'être pointés du doigt par leurs collègues ou par les parents.

■ TROISIÈME TEMPS : APRÈS L'APPRENTISSAGE

Quand nous arrivons à la fin de l'apprentissage, nous devons faire des choix judicieux en vue de l'évaluation des apprentissages. Nous parlons donc avec les élèves du mode d'évaluation et du moment de sa tenue. Dans un contexte de répartition d'objectifs par niveaux où l'on contrôle non seulement à la fin de chaque année, mais aussi à chaque étape de l'année, l'idée de différencier dans le domaine de l'évaluation est rarement envisagée, et encore moins mise à exécution.

Par contre, dans un contexte d'approche constructiviste, de développement de compétences et de différenciation de parcours d'élèves, le secteur de l'évaluation doit subir des transformations majeures, surtout en ce qui à trait à l'implication de l'apprenant à l'intérieur de la démarche. Puisque nous fonctionnons maintenant par cycles, nous avons du temps pour tenir ce dialogue avec les élèves. L'évaluation sommative se pointera le nez seulement à la fin du cycle, nous donnant ainsi une marge de manœuvre dans la gestion de l'évaluation authentique.

Nous pouvons modifier des pratiques et des habitudes quant au moment et au mode d'évaluation. Le moment de l'évaluation doit être davantage personnalisé, car certains élèves sont déjà prêts alors que d'autres ont encore besoin d'un temps de pratique ou de préparation plus long. L'élève doit pouvoir choisir avec son enseignant le moment de l'évaluation ou, à tout le moins, lui fournir des éléments qui lui révèlent où il en est rendu dans la construction de son savoir. Encore faut-il accepter de regarder et d'écouter !

Quant au mode d'évaluation, nous devons le reconsidérer, puisque nous sommes d'accord pour reconnaître l'existence des divers styles d'apprentissage ou des différentes formes d'intelligence. En effet, le mode d'évaluation privilégié peut constituer une variable qui parasite l'évaluation. Certains élèves sont dérangés par un examen oral qui défavorise leur rendement, d'autres se perdent devant des questions à choix multiple. Dans la mesure du possible, pourquoi ne pas donner le choix du moyen d'évaluation aux élèves ? S'il s'agit d'un pas trop grand à faire, pourquoi ne pas discuter avec eux des divers moyens d'évaluation que l'on désire utiliser ?

D'agréables surprises nous attendent…

■ QUATRIÈME TEMPS : APRÈS UNE ÉVALUATION FORMATIVE

Toute évaluation formative inclut nécessairement une étape de retour sur l'enseignement donné ou sur les apprentissages réalisés. Comment se vit-elle, au juste, cette étape ? Est-elle centrée sur la révision collective avec les élèves et sur la collecte de résultats enregistrés dans un cahier de notes ou dans un journal de bord ? C'est vraiment à cette étape que l'enseignant fait face directement aux différences marquées dans les résultats obtenus par les élèves. Fermerons-nous les yeux encore une fois ou aurons-nous le courage de faire un pas de plus dans la voie de la différenciation ?

D'ailleurs, c'est à cette étape que le processus de différenciation est le plus facile à gérer, car l'enseignant peut planifier à partir des données qu'il possède et il a une bonne vision de ce qui s'en vient. Il se heurte moins à de l'imprévu, comme c'est le cas dans la phase de la réalisation de l'apprentissage. Une différenciation simultanée pourrait alors être privilégiée. Il suffit d'avoir la volonté de rompre avec le grand groupe pendant quelques heures et d'avoir la créativité de concevoir ou d'adapter quelques dispositifs de différenciation.

La plupart des premières expériences de différenciation tentées par les praticiens ont été tenues à l'intérieur de ce dernier temps de l'apprentissage. Il faut dire que, dès 1980, des concepteurs québécois de matériel pédagogique ont influencé chez nous cette ouverture, car ils avaient créé des manuels scolaires axés sur le scénario d'apprentissage. Après l'étape de l'évaluation formative, qu'ils avaient baptisée «Es-tu capable?» ou «Je fais le point», ils proposaient aux élèves et aux enseignants deux voies différentes: celle de la consolidation et celle de l'enrichissement, nécessitant, par le fait même, la création de deux sous-groupes de travail. Pendant que certains élèves travaillaient sur «Essaie à nouveau», d'autres s'attaquaient à «Va plus loin». Et voilà que l'on venait d'ouvrir la porte à la différenciation... Porte qui a été refermée dans certains milieux, puisqu'on a préféré changer de matériel scolaire au lieu de s'habituer progressivement à gérer différemment la classe et les apprentissages.

Toutefois, nous avons vu, à la même époque, des enseignants qui ont saisi cette merveilleuse occasion pour ouvrir davantage leur pédagogie et leur mode de gestion de classe afin de tenir compte de plus en plus des différences qui se manifestaient à eux. Ce sont ces mêmes enseignants qui ont introduit facilement l'ordinateur dans la classe, qui ont accepté de gérer des classes multiprogrammes et multiniveaux et, finalement, qui ont accueilli avec joie le contenu des renouveaux proposés. (Nous pourrions même dire avec soulagement, car la philosophie véhiculée dans les réformes pédagogiques venait, en quelque sorte, confirmer leurs croyances et leurs pratiques, les libérant ainsi de l'étiquette «enseignants zélés» ou «enseignants délinquants».)

Si nous revenons à la case des actions à poser après une évaluation formative, nous avons donc la responsabilité, comme pédagogues, de gérer la remédiation qui s'adresse aux élèves éprouvant des difficultés et aussi l'enrichissement qui alimente nos élèves performants. Il ne faut pas oublier que la différenciation concerne aussi les élèves qui ont de la facilité. Nous avons des responsabilités à assumer à l'égard de cette population scolaire.

Quand nous planifions la remédiation que nous désirons effectuer dans la classe, nous avons surtout à tenir compte de deux éléments: le contenu sur lequel portera cette remédiation et les dispositifs que nous mettrons en œuvre en fonction de cette dernière.

Exemple: à 12 élèves qui ne maîtrisent pas le concept de la symétrie, nous pourrions offrir 4 supports différents: appropriation du concept à l'aide d'un logiciel adapté; construction d'une courtepointe à l'aide de morceaux de papier peint, en alternant les formes et les couleurs, au sein d'un atelier; travaux pratiques à l'aide de miroirs et de fiches adaptées, au coin de manipulation; mini-clinique animée par l'enseignant et par un élève maîtrisant cette notion.

Une attention particulière doit être apportée à la *variété* et à la *richesse* des dispositifs offerts aux élèves en difficulté. Souvent, ils sont pénalisés par le fait que nous utilisons fréquemment avec eux des explications et des fiches supplémentaires. Ce n'est pas seulement une question de quantité de pratiques, mais plutôt de qualité et d'adaptation des moyens et des interventions. Et que dire des moments de récupération offerts pendant les récréations, à l'heure du dîner ou après les heures de classe? C'est comme si la différenciation, pour eux, devait se vivre uniquement en dehors de l'horaire scolaire.

Quant aux élèves qui ont de la facilité, il est tentant de les orienter vers des pages supplémentaires, vers de l'aide continuelle à apporter à leurs camarades en difficulté ou encore vers des activités de consolidation ou des activités purement récréatives. La différenciation que l'on met en œuvre pour ces élèves qui progressent plus rapidement n'a pas pour but de leur faire gagner des années en accélérant leur vitesse de croisière pour qu'ils passent plus rapidement à travers les années et les cycles. La conservation de leur motivation scolaire et de l'intérêt qu'ils portent à l'école de même que le développement global de leur personnalité sont des raisons valables pour que nous investissions en eux également. Le développement des compétences transversales et des habiletés supérieures demeurent d'excellents points de repère pour nous. Nous avons, à leur intention, à être créatifs dans la gestion de matériels diversifiés, de tâches complexifiées, de projets personnels et de recherches autonomes. D'ailleurs, dans le chapitre 11, qui traite de la différenciation à l'interne, nous établirons plus en détail les caractéristiques de la remédiation et de l'enrichissement.

Pour consolider l'appropriation des temps de l'apprentissage en fonction de la différenciation, référez-vous à l'outil-support 11 de la page suivante.

Volume 1
p. 406 à 427

Outil 6.9 Des avenues différentes pour l'enrichissement

Volume 2
p. 338

Le respect des rythmes d'apprentissage

À l'écoute de l'horloge pédagogique

CADRE DE PLANIFICATION POUR DIFFÉRENCIER À PARTIR DE LA DÉMARCHE D'APPRENTISSAGE

Axe 2 : les antennes de la différenciation (Comment ?)

Compétence ciblée : _____ _____ _____ _____	Par la différenciation successive	Par la différenciation simultanée	Par la différenciation à l'intérieur de la classe	Par la différenciation à l'extérieur de la classe
Au début de l'apprentissage				
Pendant l'apprentissage				
Après l'apprentissage				
Après une évaluation formative				

Axe 1 : les temps de l'apprentissage (Quand ?)

Illustration de la différenciation dans une séquence d'apprentissage

Le grand pédagogue Philippe Meirieu nous fait une proposition de séquence d'apprentissage à laquelle nous pouvons greffer nos dispositifs de différenciation. Il la définit ainsi: «Une séquence d'apprentissage est un ensemble d'activités pédagogiques, pouvant s'étendre sur plusieurs heures de cours, ordonnées à un objectif défini. Une fois cet objectif explicité et annoncé, on peut concevoir la démarche en quatre temps: *découverte, intégration, évaluation, remédiation*.»

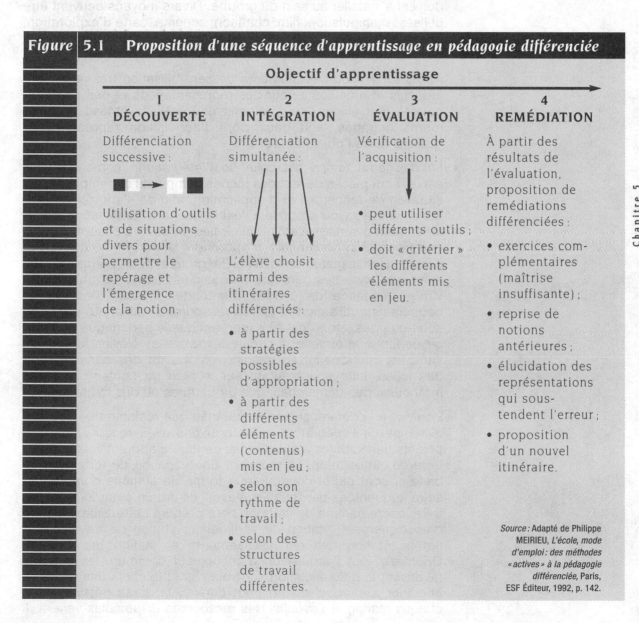

| **Figure** | **5.1** | **Proposition d'une séquence d'apprentissage en pédagogie différenciée** |

Objectif d'apprentissage

1 DÉCOUVERTE	2 INTÉGRATION	3 ÉVALUATION	4 REMÉDIATION
Différenciation successive:	Différenciation simultanée:	Vérification de l'acquisition:	À partir des résultats de l'évaluation, proposition de remédiations différenciées:
Utilisation d'outils et de situations divers pour permettre le repérage et l'émergence de la notion.	L'élève choisit parmi des itinéraires différenciés: • à partir des stratégies possibles d'appropriation; • à partir des différents éléments (contenus) mis en jeu; • selon son rythme de travail; • selon des structures de travail différentes.	• peut utiliser différents outils; • doit «critérier» les différents éléments mis en jeu.	• exercices complémentaires (maîtrise insuffisante); • reprise de notions antérieures; • élucidation des représentations qui sous-tendent l'erreur; • proposition d'un nouvel itinéraire.

Source: Adapté de Philippe MEIRIEU, *L'école, mode d'emploi: des méthodes «actives» à la pédagogie différenciée*, Paris, ESF Éditeur, 1992, p. 142.

Tout au long du déroulement de la séquence d'apprentissage, on peut voir la combinaison et l'interaction de divers types de différenciation, définis et décrits aux pages 104 et 106.

• Le premier temps, celui de la *découverte,* impose une différenciation importante sur le plan des outils et des situations, qui sont employés *successivement*. L'enseignant conserve le gouvernail du groupe pour éveiller l'intérêt des apprenants, centrer leur attention sur l'objet de l'étude, faire appel à leurs connaissances antérieures et les placer en situation de problème ou de projet. C'est l'étape où la pédagogie doit s'ouvrir au maximum, le moment où la souplesse de l'animation et la diversité des outils doivent s'installer au sein du groupe. Divers moyens peuvent être utilisés : manipulation, film, chanson, schéma, carte d'exploration, diapositives, jeu éducatif, phrases à compléter, discussion, dessin à interpréter, etc.

Après avoir vécu ces moments de sensibilisation très largement inductifs et articulés autour des représentations et des préoccupations des élèves, nous faisons une brève synthèse des éléments dégagés, soit ceux dont l'acquisition représente en quelque sorte l'objectif initial.

• Le deuxième temps est celui de l'*intégration,* moment où les élèves sont placés devant des tâches complètes et complexes, en situation de recherche et d'application, afin de s'approprier véritablement le savoir proposé. C'est là que la différenciation *simultanée* peut avantageusement avoir lieu parce que chaque élève a une façon bien personnelle d'apprendre et un rythme qui lui est propre. L'enseignant brise ainsi le groupe pour permettre aux élèves de vivre des parcours différenciés : fiches de travail individuel, présence de dyades d'entraide, travaux d'équipe ou coopératifs, utilisation d'élèves-ressources, mise au point en sous-groupes, etc. C'est à ce moment que le pédagogue doit réagir de façon informelle : il circule à travers les élèves, les observant, les interrogeant au besoin, reformulant des consignes ou des idées, intervenant autant sur le plan du contenu que des méthodes, des démarches, des procédures ou des stratégies.

Pour vivre la différenciation simultanée que réclame très souvent le temps de l'intégration, nous pouvons avoir recours aux dispositifs que sont les ateliers et les centres d'apprentissage. À l'étape de l'intégration, ils prennent une vocation de formation de base et sont plutôt conçus sous forme de stations d'apprentissage fréquentées par tous les élèves. Ils ont un caractère obligatoire, car la gamme de stations peut prendre cette allure : station d'enseignement, station de vérification, station de travaux pratiques, station des réinvestissements et station des projets. Orientées vers l'acquisition d'un objectif commun, les stations favorisent la différenciation sur trois plans : le choix des tâches à effectuer à chaque station peut différer, la durée de la visite à chaque station et l'éventail des ressources disponibles varient. Il n'est pas nécessaire que tous les élèves travaillent dans la même station en même temps. On pourrait aussi dispenser certains élèves de la visite d'une station jugée inutile pour eux (Tomlinson, 2003).

Même si l'évaluation fait partie intégrante du processus d'apprentissage, même si l'apprenant est fortement engagé dans le processus d'autorégalution de ses apprentissages, il peut arriver, pour une raison ou pour une autre, que les pédagogues ressentent le besoin de vivre un moment d'arrêt pour faire le point, avec certains élèves, faute d'informations pertinentes sur le cheminement vécu.

- À ce moment-là, le troisième temps, celui de l'*évaluation,* serait celui où les élèves sont mis à l'épreuve et où l'on vérifie leurs acquisitions, peu importe l'itinéraire choisi. Évidemment, nous ne différencierons pas à ce stade, puisque c'est un arrêt que nous faisons pour évaluer et pour réguler les actions pédagogiques qui composeront le quatrième temps pour eux. Comme les élèves sont encore en plein processus d'apprentissage, nous allons gérer cette étape de façon vraiment formatrice, c'est-à-dire que les élèves auront l'occasion d'évaluer eux-mêmes si les choix faits, au deuxième temps, se sont avérés judicieux pour les apprentissages qu'ils désiraient faire. Même si l'enseignant n'a pas tout contrôlé au cours de la période de l'intégration, il retrouve ici des éléments qui auraient pu lui échapper auparavant. Non, il n'est pas si dangereux que cela d'ouvrir sa pédagogie pendant que les élèves sont en train d'apprendre.

- Nous arrivons maintenant au quatrième temps, celui de la *remédiation*. Nous pensons qu'à cette étape, le choix des élèves n'a plus à intervenir. C'est l'enseignant qui fait la proposition de remédiations différenciées, en n'oubliant toutefois pas de faire des suggestions d'enrichissement aux élèves qui ne sont pas concernés par ces dernières. Le type de remédiations suggérées peut prendre différentes formes : exercices complémentaires allégés ou adaptés, reprise de notions antérieures avec support de matériel concret et semi-concret, dialogue pédagogique élève-enseignant pour construire à partir des fausses représentations ou des erreurs dites logiques et proposition de pistes de réinvestissement possibles en fonction de l'objectif poursuivi.

Voilà que la différenciation *simultanée* pourrait refaire surface une autre fois. Et pour les gens fonctionnant par ateliers ou par centres d'apprentissage, il serait cohérent d'y avoir recours autant aux étapes 2 et 4.

À l'étape de la remédiation, les ateliers visent plutôt la consolidation et l'enrichissement. Les premiers sont semi-obligatoires et fréquentés seulement par les élèves éprouvant certaines difficultés, tandis que les seconds sont facultatifs et proposés aux élèves qui ont besoin de défis supplémentaires. Ce fonctionnement peut être orienté vers l'atteinte d'un même objectif ou d'objectifs différents. À chacun de choisir selon son degré de compétence ou d'assurance! Référez-vous aux pages 208 à 232 pour consolider vos acquis en matière de gestion des ateliers.

La gestion efficace des ateliers, des stations de travail et des centres d'apprentissage sera clarifiée dans les chapitres 7 et 11, qui traitent respectivement de l'organisation de la classe et de différenciation à l'intérieur de la classe.

Les outils-support 12 à 14 des pages suivantes vous replongent dans les quatre étapes d'une séquence didactique et dans la différenciation en fonction des rythmes et des styles d'apprentissage.

CADRE DE PLANIFICATION POUR DIFFÉRENCIER À PARTIR D'UNE SÉQUENCE DIDACTIQUE

Axe 2: les antennes de la différenciation (Comment?)

Compétence ciblée : ___ ___ ___	Par la différenciation successive	Par la différenciation simultanée	Par la différenciation à l'intérieur de la classe	Par la différenciation à l'extérieur de la classe
Étape de la découverte				
Étape de l'intégration				
Étape de l'évaluation				
Étape de la remédiation et de l'enrichissement				

Axe 1 : les étapes d'une séquence d'apprentissage (Quand ?)

120

CADRE DE PLANIFICATION POUR DIFFÉRENCIER EN FONCTION DES RYTHMES D'APPRENTISSAGE

Axe 2: le respect des rythmes d'apprentissage (Pour qui?)

Compétence ciblée : _____	Pour les élèves de rythme rapide	Pour les élèves de rythme moyen	Pour les élèves de rythme lent
Situation d'apprentissage planifiée			
Stratégies d'enseignement			
Mode de guidance privilégié			

Axe 1 : l'accompagnement de l'apprenant (Comment?)

CADRE DE PLANIFICATION POUR DIFFÉRENCIER EN FONCTION DES STYLES D'APPRENTISSAGE

Axe 2: le respect des styles d'apprentissage (Pour qui ?)

	Pour les élèves auditifs	Pour les élèves visuels	Pour les élèves kinesthésiques ou digitaux
Compétence ciblée :			
Situation d'apprentissage planifiée			
Stratégies d'enseignement			
Mode de guidance privilégié			

Axe 1 : l'accompagnement de l'apprenant (Comment ?)

Note : Les styles d'apprentissage peuvent nous renvoyer à d'autres caractéristiques des élèves: séquentiel/simultané ; convergent/divergent, etc.

Décider du « comment ? »

À l'interne ou à l'externe ?

« Quelqu'un peut nous révéler un coin de la compréhension, mais nous devons trouver les trois autres nous-mêmes. »
(Confucius)

Maintenant que nous nous sommes donné un cadre théorique pouvant supporter notre pratique, nous allons nous pencher sur le *comment ?,* qui nous permettra d'actualiser la différenciation au quotidien.

Chaque fois que nous jugeons à propos de différencier, nous avons différentes options qui s'offrent à nous. En effet, nous pouvons opter pour :

1 différencier nous-mêmes dans une discipline, à l'intérieur de notre classe ;

2 différencier nous-mêmes dans l'ensemble des disciplines, en fonction des compétences transversales, des domaines généraux de formation ou des capacités transdisciplinaires, toujours à l'intérieur de notre classe ;

3 différencier avec une autre classe de même niveau ou de niveau différent dans une ou plusieurs disciplines, par le décloisonnement, l'échange d'élèves et le partage des responsabilités et des tâches ;

4 différencier avec une autre classe de même niveau ou de niveau différent, en fonction des compétences transversales, des domaines généraux de formation ou des capacités transdisciplinaires, selon la procédure décrite à l'option 3 ;

5 différencier avec les classes qui composent un cycle dans une ou plusieurs disciplines, par l'étude des besoins, le décloisonnement, la formation de groupes d'élèves et le partage des responsabilités et des tâches ;

6 différencier avec les classes qui composent un cycle en fonction des compétences transversales, des domaines généraux de formation ou des capacités transdisciplinaires, selon la procédure décrite à l'option 5 ;

7 différencier à l'échelon de tout l'établissement scolaire en fonction des compétences disciplinaires, des capacités transdisciplinaires, des compétences transversales ou des domaines généraux de formation. La formule de tutorat prévaut dans un tel cas, puisqu'elle permet d'utiliser les compétences d'élèves plus âgés, plus performants pour soutenir le cheminement d'élèves plus jeunes ou ayant besoin de plus de soutien dans la construction de leurs apprentissages.

Cette forme de coopération est également utilisée quand l'école met en branle un projet commun d'apprentissage sollicitant les diverses compétences des élèves de tout âge, ce qui débouche très souvent sur une présentation aux parents de l'école ou une manifestation artistique ou sportive offerte à la communauté scolaire.

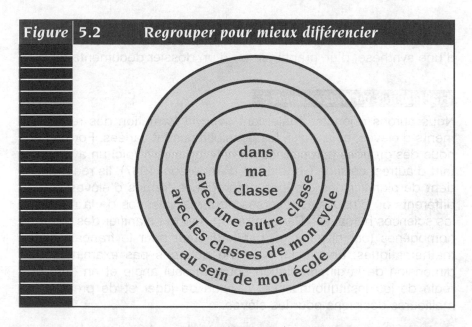

Figure 5.2 — *Regrouper pour mieux différencier*

dans
ma
classe

avec une autre classe

avec les classes de mon cycle

au sein de mon école

Comme nous devons faire des choix parmi ces options, il est bon de réviser le vocabulaire qui sert à préciser les différentes cibles de nos interventions en différenciation.

Je pourrais dire que le nouveau programme de formation de l'école québécoise (2001) décrit les compétences disciplinaires ainsi : « Ce sont les éléments constituants des programmes d'études. Elles sont propres à des domaines du savoir et visent l'appropriation du contenu particulier d'une ou de plusieurs disciplines. » Ainsi, nous parlons de compétences linguistiques, artistiques, mathématiques, scientifiques, etc.

Dans la réforme genevoise et dans la réforme scolaire du Québec (2001), nous parlons des compétences transversales de la façon suivante : « Le programme de formation reconnaît la nécessité de développer chez tous les élèves des compétences intellectuelles, méthodologiques, personnelles et sociales, ainsi que la capacité à communiquer. Ces compétences sont dites tranversales en raison de leur caractère générique et du fait qu'elles se déploient à travers les divers domaines d'apprentissage. Elles ont, par définition, une portée plus large que les compétences disciplinaires puisqu'elles débordent les frontières de chacune des disciplines. Elles s'activent dans les disciplines, autant que dans les domaines généraux de formation, mais elles les transcendent tous deux dans la mesure où elles résultent de la convergence, de l'intégration et de la synthèse de l'ensemble des acquis au fil des jours. »

Si l'on envisage d'utiliser la diversité même des disciplines comme un outil de différenciation, les enseignants d'un cycle donné peuvent s'entendre sur un référentiel commun de **capacités transdisciplinaires** à développer et à faire acquérir par les élèves pour une période de temps donnée (par exemple l'écoute, la compréhension

CAPACITÉS TRANSDISCIPLINAIRES : « savoir faire » que l'on peut reconnaître et appliquer d'une discipline à une autre, à partir des savoirs habituels utilisés dans la pratique quotidienne, comme savoir construire un graphique, une carte sémantique, etc.

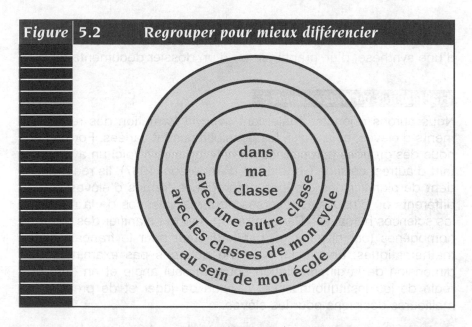

Chapitre 5

123

et l'application de consignes, la rédaction d'un exposé, la création d'une affiche ou d'une fiche de lecture, la réalisation d'une analyse, d'une synthèse, d'un graphique ou d'un dossier documentaire).

Homogènes ou hétérogènes?

Nous aurons à jongler également avec la formation des regroupements d'élèves, et là aussi, les possibilités sont variées. Formerons-nous des groupes homogènes ou hétérogènes? Voici un avis parmi tant d'autres, celui de Goodlad et d'Anderson (1987). Ils recommandent de planifier des groupes hétérogènes formés d'élèves d'âges différents ou d'habiletés diverses pour les sciences de la nature et les sciences humaines. Par contre, on pourrait planifier des groupes homogènes (par niveaux ou par habiletés) pour le français et les mathématiques. Encore là, nous ne pouvons pas examiner cette dimension de la différenciation sous un seul angle et en faire une règle de jeu institutionnalisée. À nous de juger et de prendre les meilleures décisions pour les élèves.

De toute façon, tous les regroupements doivent être souples, c'est-à-dire qu'ils doivent varier selon les tâches et les disciplines. On ne peut pas enfermer des élèves dans des structures déterminées à tout jamais en posant un jugement global sur leurs compétences : voici les bons, les moyens et les faibles. Attention aux regroupements homogènes de longue durée ! On aurait intérêt à changer de groupes des élèves qui ont progressé. Sinon, à quoi sert la différenciation ? Les élèves peuvent réussir différemment selon les connaissances à acquérir, selon les contextes d'apprentissage, selon les interventions effectuées et selon les compétences à développer. Heureusement d'ailleurs !

Groupes de niveaux ou groupes de besoins?

Les regroupements devraient constituer, même pour de courtes périodes, de véritables groupes favorables aux échanges entre les élèves, à la coopération entre eux et à la présence de **conflits sociocognitifs**.

Les objectifs communs d'apprentissage devraient guider les regroupements d'élèves, après avoir été fixés au préalable, plutôt que d'être adaptés à des formes de regroupements déjà établies.

Il est préférable de varier les modes de regroupements, aucun ne constituant un modèle idéal, et de garder une souplesse dans leur organisation et dans leur fonctionnement.

Les regroupements d'élèves peuvent être axés sur les besoins, les intérêts, les projets, les niveaux, les méthodes, etc.

Étant donné que les groupes formés à partir des besoins sont susceptibles d'être utilisés plus fréquemment que les autres modes de regroupements, nous nous attarderons à leur articulation. Ce qu'on appelle un groupe basé sur les besoins est un groupe constitué non pas à partir du fait que les élèves qui en font partie ont le même âge ou sont capables de passer à la classe supérieure, mais plutôt sur le fait qu'ils ont un même besoin à un moment donné de leur parcours. *Exemples:* besoin d'approfondir la notion de proportion et les fractions; besoin d'apprendre à structurer des paragraphes, besoin de pratiquer l'élaboration d'hypothèses sur un fait scientifique, besoin de clarifier et de consolider la démarche de résolution de problèmes, besoin de développer l'habileté à créer des réseaux sémantiques, etc.

Remarquons ici que malgré l'importance d'un diagnostic clair et rigoureux, il peut arriver que la détection de ce besoin soit parfois artificielle et approximative car dans le groupe formé, on peut trouver des élèves qui ressentent partiellement ou différemment ce besoin. Et voilà que nous revenons à la case départ, c'est-à-dire que tout groupe contient de l'hétérogénéité. L'imperfection rattachée à la formation des groupes peut aussi déboucher sur des découvertes. On ne doit pas partir avec l'idée que tous les groupes doivent être constitués d'une manière définitive. Parfois, ils seront constitués de façon impeccable et c'est tant mieux. D'autres fois, des regroupements nous sembleront boiteux; il s'agira de rectifier à l'avenir. Et peut-être que justement parce qu'un groupe n'est pas constitué comme il devrait l'être, certains élèves apprendront ou découvriront des choses que nous n'avions pas soupçonnées.

Nous ferons une halte à la cité des groupes de niveaux. Pourquoi? Ils représentent un danger d'appauvrissement de la différenciation. Il est tentant de réduire dangereusement la différenciation des apprentissages à l'emploi exclusif ou abusif de groupes basés sur les niveaux pour certaines matières. Pour quelles disciplines, par exemple? Mais pour les matières dites instrumentales, comme le français, la mathématique et les langues secondes. Cette réduction est dangereuse, car le phénomène de la conformité à la norme du groupe incitera des enseignants à suivre la route déjà tracée de la structure actuelle des classes au lieu de chercher les nombreux chemins de traverse de la différenciation pédagogique. Dans les groupes de niveaux, les élèves sont répartis généralement en trois sous-groupes: les rapides, les moyens et les lents. Le père de la pédagogie différenciée, Louis Legrand (1986), nous fait remarquer «que les groupes de niveaux ne doivent jamais représenter la totalité du temps scolaire dans une discipline; ils doivent être souples et ménager des passerelles vers d'autres modes de regroupement, chaque fois que cela est jugé nécessaire. Leur gestion doit être régulée par la concertation des enseignants appartenant à une même équipe-cycle.»

Ce détour n'avait pas pour but de nous faire abandonner l'utilisation des groupes basés sur les niveaux, les rythmes. Ce mode de regroupement comporte des avantages quand il est combiné à d'autres formes de sous-groupes. Ainsi, des élèves classés parmi les faibles dans le regroupement en mathématique peuvent avoir l'occasion de connaître des réussites quand ils se trouvent à l'intérieur d'un groupe basé sur les intérêts en train de travailler au sein

À l'écoute de l'horloge pédagogique

d'une équipe coopérative sur les mammifères marins. Nous avons un double défi, n'est-ce pas ? Apprendre à gérer la différenciation, mais de façon différenciée.

Successive ou simultanée ?

Finalement, nous avons à prendre des décisions en ce qui a trait aux types de différenciation les plus efficaces dans tel ou tel contexte d'apprentissage. Qu'allons-nous mettre en pratique : la différenciation *simultanée* ? *successive* ? *mécanique* ? *régulatrice* ?

Ces formes de différenciation ont été définies et illustrées dans le chapitre précédent, aux pages 89 à 93.

 ### Visualiser des petits pas

En guise de conclusion de ce chapitre, nous examinerons des expériences de différenciation. Nous allons donc effectuer des visites de classes au pays de la *prise de risques.*

Des élèves de dix ans de deux classes sont répartis en trois sous-groupes après une évaluation formative qui portait sur une lecture au sujet de l'organisation d'une société sur son territoire.

Visite 1				
Quoi ?		**Quand ?**	
Différenciation du processus		Avant l'apprentissage	
Différenciation du contenu	✔	Pendant l'apprentissage	
Différenciation des structures	✔	Après l'apprentissage	
Différenciation des productions		Après une évaluation formative	✔

Volume 2 ◆
p. 341 à 355

Outil 7.1 La gestion des sous-groupes de travail

Le premier groupe est constitué des élèves qui sont à l'aise avec la compétence ciblée selon les critères d'évaluation retenus. Il s'en va travailler au centre de documentation de l'école, sous la surveillance discrète de la bibliothécaire. Ce groupe travaillera de façon autonome à l'exécution de la tâche d'enrichissement parallèle qui lui a été proposée comme prolongement des apprentissages. Ces élèves doivent concevoir des tableaux de référence visuelle qui aideront leurs camarades à mieux utiliser les repères spatiaux, à mieux s'orienter sur un plan et à mieux localiser des lieux sur une carte. Un responsable d'équipe a été nommé et l'on a travaillé avec eux sur l'outillage organisationnel permettant à un sous-groupe de s'autogérer.

Le deuxième groupe, constitué des élèves qui éprouvent des difficultés avec certaines composantes de la compétence, sera accompagné par une enseignante-titulaire, Valérie, qui reprendra avec les élèves les contenus non acquis, mais à l'aide de stratégies différentes.

Quant au troisième groupe, il est constitué de ceux qui n'arrivent toujours pas à lire le texte sur l'organisation d'une société sur son territoire. Ces élèves s'en vont chez l'autre enseignante, Justine, qui reprend avec eux seulement les éléments essentiels, les idées-clés identifiées en fonction de l'objectif poursuivi.

Visite 2			
Quoi ?		**Quand ?**	
Différenciation du processus	✔	Avant l'apprentissage	
Différenciation du contenu		Pendant l'apprentissage	✔
Différenciation des structures	✔	Après l'apprentissage	
Différenciation des productions		Après une évaluation formative	

Près du tiers d'une classe d'élèves de onze ans ne maîtrise pas la technique de la division. L'enseignant propose aux élèves de construire l'apprentissage de cette technique chacun à son rythme, en utilisant une démarche personnelle. Il suggère trois étapes à franchir en vue de maîtriser la division de 54 par 3 :

- être capable de réaliser un schéma lisible illustrant la division ;
- être capable de réaliser le schéma et l'opération correspondante ;
- être capable de faire l'opération sans schéma.

On va alors diviser la classe en deux groupes, dont un sera guidé par l'enseignant et l'autre travaillera de façon autonome, à l'arrière de la salle de classe. Ce dernier groupe comprend les élèves qui maîtrisent déjà la technique de la division et ceux qui, d'eux-mêmes, auront réalisé la troisième étape de la démarche suggérée. La formule des dyades d'entraide sera utilisée dans ce sous-groupe, car les élèves experts devront prendre en charge progressivement les nouveaux venus qui se pointeront. Leur temps sera partagé entre leur projet personnel et les exercices de division qu'ils effectueront avec leurs protégés. Une calculatrice sera mise à leur disposition afin qu'ils puissent vérifier la justesse des calculs.

Le groupe autonome grossira peu à peu tandis que le groupe dirigé pourra bénéficier d'un accompagnement plus personnalisé, plus soutenu et plus sécurisant. Les élèves pourront ainsi faire leurs calculs au tableau, réaliser des corrections en commun, discuter en toute liberté avec l'enseignant, verbaliser leurs difficultés à partir

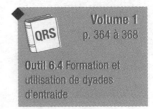

Volume 1
p. 364 à 368

Outil 6.4 Formation et utilisation de dyades d'entraide

d'un protocole d'intervention sans craindre de se voir couper la parole par d'autres élèves qui aiment bien intervenir à tout propos. Bravo ! Ils auront droit de parole, eux aussi.

Il est bien évident que des mutations s'effectueront parmi les deux groupes. Certains élèves fonceurs ou ayant une confiance excessive en eux-mêmes rejoindront vite le groupe autonome. Mais par la suite, ils reviendront au groupe dirigé d'eux-mêmes ou après avoir été fortement incités en ce sens par les mini-profs. Par contre, d'autres désireront demeurer dans le groupe dirigé, même s'ils ont atteint le but fixé, simplement pour se sécuriser.

Visite 3			
Quoi ?		**Quand ?**	
Différenciation du processus	✔	Avant l'apprentissage	✔
Différenciation du contenu		Pendant l'apprentissage	
Différenciation des structures	✔	Après l'apprentissage	
Différenciation des productions		Après une évaluation formative	

Dans un groupe de premier cycle du secondaire qui se prépare à aborder le phénomène de l'érosion, l'enseignant planifie une démarche de différenciation simultanée.

On active d'abord les connaissances antérieures. Ainsi, on demande par exemple : « Que savez-vous de l'érosion ? » ou l'on donne un questionnaire sur la notion. Puis une synthèse des apprentissages est faite à partir du savoir d'expérience des élèves. Si les différences d'acquis sont limitées, on propose les mêmes activités d'apprentissage sur les objectifs fixés, en utilisant en cours de route la différenciation successive. Si les écarts sont marqués, on organise des groupes basés sur les besoins ressemblant à ceci :

- Sous-groupe 1 : Menu obligatoire et menu facultatif, sans guidance.

- Sous-groupe 2 : Menu obligatoire seul, sans guidance.

- Sous-groupe 3 : Menu obligatoire et menu facultatif, avec guidance soutenue.

- Sous-groupe 4 : Menu obligatoire seul, avec guidance soutenue.

Les élèves travaillent sur les mêmes objectifs, mais à partir d'entrées différentes. Les groupes 1 et 2 ont déjà pratiquement atteint les objectifs visés ou sont capables de développer des stratégies personnelles leur permettant de cheminer tout seuls. L'enseignante qui accompagne les groupes 3 et 4 se soucie d'introduire une différenciation selon les profils d'apprentissage : supports écrits, manipula-

Volume 2
p. 341 à 356

Outil 7.1 La gestion des sous-groupes de travail

À l'écoute de l'horloge pédagogique

tions de données, résultats d'enquêtes, utilisation de diapositives, exemples tirés des revues scientifiques, etc.

La synthèse des travaux se fait au sein de chaque sous-groupe ou en grand groupe. On dégage des énoncés, on tente d'établir des règles, on pointe les concepts essentiels. On fait émerger le savoir-faire qui a été mis en œuvre dans la démarche vécue par les élèves en les renvoyant constamment aux activités qu'ils ont réalisées.

Visite 4			
Quoi?		**Quand?**	
Différenciation du processus		Avant l'apprentissage	
Différenciation du contenu		Pendant l'apprentissage	
Différenciation des structures	✔	Après l'apprentissage	✔
Différenciation des productions	✔	Après une évaluation formative	

Dans une classe où des élèves de huit et neuf ans ont travaillé sur une recherche collective traitant de la classification des animaux vertébrés, l'enseignante décide d'offrir différents choix aux élèves quant au produit final. Elle base les choix offerts sur leurs intérêts ou sur leurs différentes formes d'intelligence. Elle trouve important de leur permettre de faire le lien entre ce qu'ils ont appris et ce qui est important pour eux comme individus. Elle leur fait les cinq propositions suivantes : une affiche, une maquette, une conférence, un album, un interview réalisé sur bande sonore.

De plus, elle pousse la différenciation jusqu'à leur suggérer trois types de publics à qui la production pourrait être présentée : au groupe-classe, à l'enseignante, à une équipe d'élèves. Cette stratégie permettra à des élèves plus timides, plus insécures ou moins à l'aise en communication orale devant un grand groupe de connaître des réussites et des satisfactions personnelles.

QRS **Volume 1** p. 376 et 377

• Outils et moyens pour présenter un projet
• Liste de clientèles pour la présentation d'un projet

Visite 5			
Quoi ?		**Quand ?**	
Différenciation du processus	✔	Avant l'apprentissage	
Différenciation du contenu		Pendant l'apprentissage	✔
Différenciation des structures	✔	Après l'apprentissage	
Différenciation des productions	✔	Après une évaluation formative	

Une enseignante-titulaire d'un groupe d'élèves de sept ans a installé un centre d'apprentissage de lecture et d'écriture, et elle désire que celui-ci soit fréquenté par tous les élèves de sa classe.

Son objectif est le suivant : sensibiliser les élèves à l'existence des mots composés dans la langue française. Elle a appliqué une différenciation simultanée : quatre couleurs différentes ont été utilisées pour que les élèves puissent se repérer facilement dans le choix des tâches. La liste des élèves est affichée à l'entrée du centre avec un indice de couleur placé à côté de chaque prénom. Chaque élève doit donc travailler avec le dossier correspondant à la couleur indiquée pour lui.

Par exemple, Amélie, en utilisant le support matériel du dossier rouge, doit classer correctement deux noms pour en faire des mots composés courants. William, avec le contenu de son dossier bleu, regardera tout autour de la classe et dans des livres pour trouver des exemples de mots composés. Quant à Geneviève, orientée vers le matériel du dossier violet, elle écrira une petite histoire en utilisant des mots composés de son choix. Enfin, Justin trouvera dans son dossier vert une histoire écrite par l'enseignante et dans laquelle celle-ci a inséré des mots composés écrits correctement et incorrectement. Il devra jouer au détective et identifier les « bons » et les « mauvais ».

Ici, la différenciation du processus d'apprentissage pourrait être combinée à la différenciation des productions : affiche pour illustrer chaque mot et chaque mot composé, écriture et illustration de chaque mot composé trouvé à l'intérieur du dictionnaire personnel de l'élève, illustration des mots composés extraits de l'histoire rédigée par l'élève, tableau comparatif des mots composés écrits sans erreur ou avec erreur.

Le lendemain, ces élèves partageront leur travail sur les mots composés et l'enseignante les incitera à verbaliser ce qu'ils préfèrent et ce qu'ils apprennent de chaque présentation.

Et voilà que ce voyage s'achève! La visite de classes a permis d'utiliser la théorie explorée précédemment pour encadrer la pratique. Nous avons aussi voulu démontrer les liens très étroits qui existent entre la théorie et la pratique. «La théorie nourrit la pratique, tandis que la pratique vient corriger, actualiser ou nuancer la théorie. » Enfin, nous tenons à faire ressortir l'importance de nourrir sa pratique par de la théorie. C'est une des conditions essentielles pour faire évoluer nos interventions en tant que pédagogues et notre statut de professionnels de l'éducation, bref, pour une pratique vraiment réflexive...

Au cours des prochains chapitres, nous aurons encore recours à cette stratégie de visites de classes, où la théorie servira à cadrer la pratique.

Depuis le début de ce guide pédagogique, nous avons tenté de construire l'infrastructure nécessaire pour appliquer la différenciation dans nos classes. Maintenant, nous consacrerons quatre chapitres à la mise en œuvre des dispositifs de différenciation. Autrement dit, nous tenterons d'aider les praticiens à travailler sur la construction ou sur l'enrichissement de leur coffre à outils : objectivation des pratiques actuelles, amélioration des outils existants, conception de nouveaux moyens. En route vers l'enrichissement du coffre à outils !

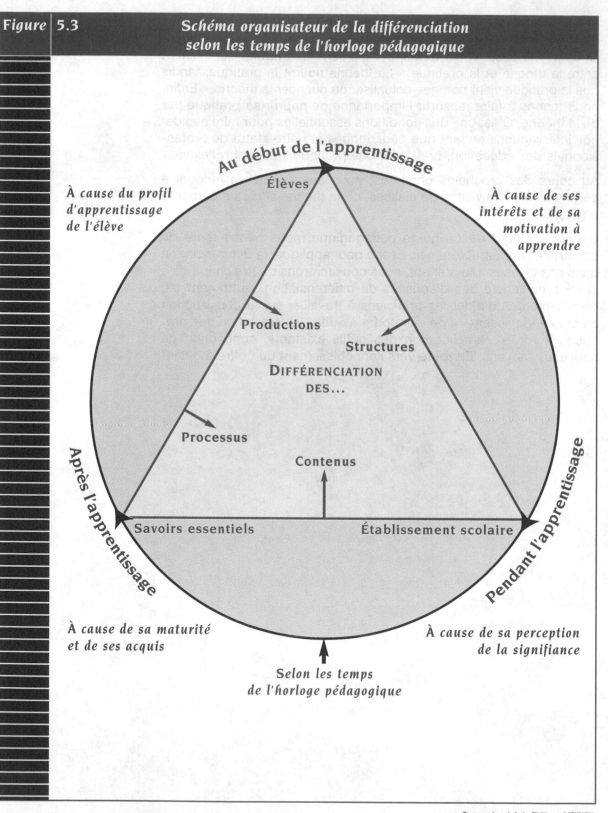

Figure 5.3 — *Schéma organisateur de la différenciation selon les temps de l'horloge pédagogique*

Au début de l'apprentissage

Élèves

À *cause du profil d'apprentissage de l'élève*

À *cause de ses intérêts et de sa motivation à apprendre*

Productions

Structures

DIFFÉRENCIATION DES...

Processus

Contenus

Après l'apprentissage

Savoirs essentiels

Établissement scolaire

Pendant l'apprentissage

À *cause de sa maturité et de ses acquis*

À *cause de sa perception de la signifiance*

Selon les temps de l'horloge pédagogique

Source: Inspiré de Philippe MEIRIEU, *Différencier la pédagogie*, Lyon, 1986.

Tableau 5.1

Quoi et comment différencier?

Comment différencier les contenus?	Comment différencier les processus?	Comment différencier les productions?	Comment différencier les structures?
• En proposant pour une même tâche des textes variés • En proposant pour une même tâche des logiciels différents • En établissant pour certains élèves des contrats d'apprentissage • En utilisant des manuels scolaire de diverses collections pour un cycle • En adaptant les travaux personnels à la maison (choix entre tâches et exigences) • En utilisant des ressources audiovisuelles variées • En exploitant les ressources imprimées de la vie courante • En proposant des recherches autonomes • En valorisant les projets personnels • En développant à l'intention des élèves un plan de travail à éléments ouverts • En proposant aux élèves des problématiques reliées aux domaines généraux de formation	• En prévoyant des formes différentes de guidance • En utilisant des centres d'apprentissage • En proposant des ateliers à vocations différentes : exploration, formation de base, remédiation, enrichissement • En offrant à des élèves la formule stage au sein d'une autre classe • En présentant le travail assigné par étapes • En accompagnant certains élèves dans l'approbation des contenus par des organisateurs graphiques, des schémas, des diagrammes • En proposant, pour un même objet d'apprentissage, une tâche qui sollicite la lecture et une autre qui demande d'interagir oralement • En proposant pour un même objet d'apprentissage une tâche qui fait appel à une compétence transversale différente (par exemple : mettre en œuvre sa pensée créatrice et utiliser son jugement critique) • En utilisant le monitorat et le tutorat avec certains élèves • En développant avec les élèves un coffre à outils-support : dépanneur, aide-mémoire, recueil de concepts, liste de vérification corrective, grille d'objectivation de la démarche et des stratégies d'apprentissage • En planifiant des tâches d'enrichissement comme prolongement à la situation initiale • En mettant en place dans la classe un atelier de traitement d'erreurs à l'intention d'élèves en arrêt dans leur processus • En utilisant les modules d'apprentissage de remédiation dans un contexte de décloisonnement entre des groupes de base	• En différenciant les contenus • En élaborant avec les élèves une banque d'outils d'expression • En variant les productions en regard des intelligences multiples • En jouant avec un échéancier mobile pour la présentation des productions • En négociant des critères de production quant à la longueur ou à la complexité • En favorisant les projets d'équipe pour réaliser des productions • En variant les productions en regard des repères culturels • En variant les clientèles à qui les productions seront présentées	• En variant les regroupements d'élèves (besoins, niveaux, intérêts, approches, démarches, projets, etc.) • En alternant les activités individuelles, les activités de sous-groupes et les activités collectives • En formant des groupes de besoins à partir d'élèves provenant de différentes classes • En modifiant l'aménagement de la classe • En utilisant tantôt un horaire souple, tantôt un horaire centré, etc. • En ouvrant le menu de la journée ou du cours • En proposant aux élèves des outils pour gérer le temps : plan de travail à éléments ouverts, tableau de programmation, contrat de travail, grille de planification • En utilisant diverses ressources de l'école et du milieu • En mettant en place dans la classe des structures d'entraide et de coopération • En offrant aux élèves à risque des cliniques obligatoires ou avec inscription • En variant les formules de correction : autocorrection, correction par un pair ou en sous-groupe.

Pour enrichir ses connaissances

- Consultez l'ouvrage d'Halina Przesmycki, *Pédagogie différenciée*, pour prendre connaissance d'un exemple de séquence de pédagogie différenciée. Les pages 97 à 100, de même que les pages 145 à 155, illustrent bien le schéma organisateur que l'auteure présente en ce début de chapitre.

- Dans le volume *L'école, mode d'emploi,* Philippe Meirieu fait aussi une proposition de séquence d'apprentissage en pédagogie différenciée. Les pages 134 à 143 décortiquent les quatre temps de cette séquence vécue en différenciation.

- Prenez connaissance des différentes programmations que nous pouvons faire pour ce qui est du temps. Halina Przesmycki suggère et illustre cinq types d'horaires aux pages 154 et 155 de son livre *Pédagogie différenciée*.

- Travaillez à partir de l'ouvrage de Lise Saint-Laurent, *Enseigner aux élèves à risque et en difficulté au primaire*. Vous y trouverez quatre chapitres pour orienter vos interventions et vos stratégies de différenciation en lecture, en écriture et en mathématique. Les pages 163 à 304 décrivent abondamment les possibilités de différenciation de contenus, de processus, de productions et de structures.

Pour prolonger les apprentissages

- À l'aide du parcours 4 du chapitre 13 du présent ouvrage, ciblez les éléments essentiels qui vous permettront de vous mobiliser pour entreprendre une séquence d'apprentissage différenciée avec vos élèves.

- Avec quelle porte d'entrée de différenciation vous sentez-vous le plus à l'aise : le contenu ? le processus ? la production ? la structure ? Choisissez une cible de différenciation et planifiez en conséquence. Les grilles de planification du présent chapitre peuvent vous aider à cerner l'essentiel de votre future expérimentation.

- Êtes-vous capable de différencier les structures afin d'offrir une différenciation simultanée pour une période de travail où vous ouvrirez le menu à l'intention de vos élèves ? Pensez-vous avoir déjà expérimenté cette façon de faire ? Si oui, quand ?

- Explorez le tableau 5.1 de la page 133 du présent chapitre. Faites le bilan de vos acquis en identifiant les dispositifs que vous utilisez en fait de contenus, de processus, de productions et de structures. Qu'est-ce que vous appliquez déjà ? Retrouvez-vous des éléments nouveaux ? Lesquels ? Qu'avez-vous l'intention d'introduire à votre prochaine tentative de différenciation ?

CHAPITRE 6

Enrichir son coffre à outils, partie 1 : la planification

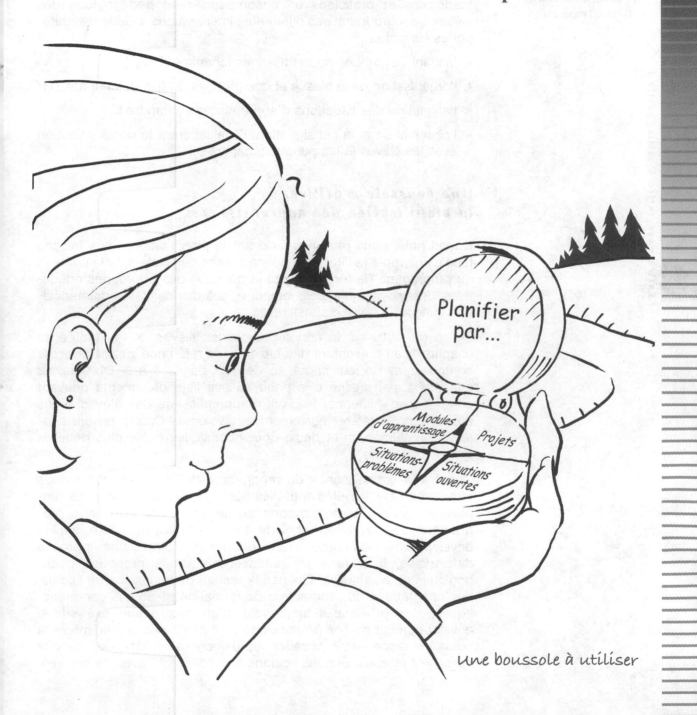

Une boussole à utiliser

« Nous devrions nous féliciter d'avoir fait du chemin, mais nous devrions aussi être très heureux, même exulter de constater que nous avons encore tout ce chemin à parcourir. » (Lewis Thomas)

Toute classe ou tout groupe d'élèves suppose que l'enseignant intervienne de différentes façons pour mobiliser et accompagner les apprenants dans la construction des savoirs. Avec ou sans objectif de différenciation, le pédagogue devra observer, déceler, planifier, organiser, animer, objectiver, évaluer, réguler et réinvestir. Dans un contexte de gestion des cycles et de gestion de la différenciation, alors que la situation est plus complexe à cerner, il va de soi que l'on réexamine en profondeur l'héritage que nous ont laissé plusieurs théoriciens et praticiens en accompagnement pédagogique des élèves. Je regrouperai ces différentes interventions à l'aide des catégories suivantes :

- la planification des apprentissages (chapitre 6) ;
- l'organisation de la classe et des groupes de travail (chapitre 7) ;
- l'animation des situations d'apprentissage (chapitre 8) ;
- l'observation et la consignation, l'évaluation et la communication avec les élèves et les parents (chapitre 9).

 Une boussole à utiliser : la planification des apprentissages

Quand nous nous retrouvons devant la planification, nous faisons face à une triple réalité : a) la connaissance des élèves, b) le contenu du programme de formation ; c) la panoplie des approches éducatives, des moyens d'enseignement et des dispositifs de différenciation qui sont à notre disposition.

En ce qui a trait à la connaissance des élèves, je l'ai traitée au chapitre 1, en présentant des tableaux de référence sur les diverses composantes de leur cadre de vie, aux pages 6 à 8. De plus, au chapitre 4, j'ai dressé à la page 85 une liste d'éléments pouvant composer et influencer le profil d'apprentissage des élèves. Nous pouvons nous référer également aux volumes *Quand revient septembre,* volumes un et deux, pour obtenir des outils plus détaillés dans ce domaine.

Quant à la connaissance du programme de formation, nous nous attarderons sur les éléments-clés suivants. D'abord, nous ne rappellerons jamais assez l'importance de lire et de relire notre programme de formation afin de nous l'approprier. Axé sur le développement de compétences et sur l'utilisation d'une approche différenciée, il invite à un renouvellement des pratiques pédagogiques et évaluatives. Les pages traitant de la mission de l'école, des orientations du programme de formation et de ses caractéristiques, des principales incidences d'un programme axé sur le développement de compétences ne sont pas à escamoter, même si notre tendance est d'accéder rapidement à la liste des savoirs essentiels retenus. Si nous voulons être cohérents avec ce qui vient d'être énoncé, nous ne pouvons plus planifier en nous référant uniquement aux guides pédagogiques rattachés aux volumes de base, aux manuels scolaires et aux cahiers d'exercices.

En plus de cerner le profil de nos élèves et la compétence à développer, nous devons nous positionner par rapport aux approches éducatives à privilégier. Le tableau des pages 60 et 61, qui nous fournit une brève description de différentes approches, pourra nous aider à faire des choix plus judicieux.

À ce stade-ci, le rappel des ressources internes et externes s'impose aussi, car la tentation d'être esclaves des manuels scolaires nous guette toujours. Cette donnée n'a rien de scientifique ou de nouveau en soi, mais la réalité des écoles québécoises au cours des quinze dernières années nous a démontré qu'il était facile de porter un regard au singulier sur la gestion des apprentissages des élèves au moyen de manuels scolaires. Le matériel de manipulation, les livres de bibliothèque, les ressources culturelles, les jeux éducatifs, l'ordinateur et les compétences des parents constituent des moyens à privilégier au même titre que les manuels scolaires. Nous avons donc à différencier les ressources dont nous pouvons disposer.

Sur le plan de la planification, nous avons à jongler avec les quatre composantes de notre boussole : celle de la compétence ciblée, celle des éléments du profil de notre groupe, celle des ressources disponibles à privilégier et, enfin, celle de la situation d'apprentissage à créer. Notre interrogation pourrait s'articuler ainsi : « Pour le développement de telle compétence dans tel contexte, quel dispositif serait le plus propre à soutenir la situation d'apprentissage, compte tenu du profil d'apprentissage de mes élèves ? »

Un des aspects qui méritent d'être creusés davantage est bien sûr l'appropriation du contenu du programme. Comment arriver à dégager les idées essentielles, les concepts-clés, les objectifs-noyaux du curriculum sans pour autant procéder à l'élaboration d'un second programme ? Ces éléments sont d'excellents guides lors de la planification de la différenciation, qui nécessite autant de rigueur que de souplesse. Pour les cerner, nous allons profiter des travaux de Meirieu et de Perrenoud dans le domaine des objectifs-noyaux, concept organisateur alliant rigueur et souplesse.

Comme l'a expliqué Jean-Pierre Astolfi (1992), la différenciation introduit dans les pratiques didactiques un surcroît de complexité et celle-ci n'est tolérable que si elle s'appuie sur un travail de « simplification » préalable. Un référentiel commun d'objectifs-noyaux gravitant autour des disciplines, élaboré pour un cycle donné, contribue à simplifier la tâche de la planification et ouvre grandement la porte à la différenciation des contenus, des processus et des productions.

Pour Meirieu (1995), un « objectif-noyau, c'est un objectif fort dont on se dit qu'il faut que tous les élèves l'acquièrent. L'objectif-noyau n'est pas un programme en plus petit. Ce que nous appelons un objectif-noyau dans nos travaux, ce sont des éléments dont l'intelligence et la compréhension constituent des points essentiels d'accès à un niveau supérieur d'étude. C'est comme si on se disait : voilà des choses si importantes que le reste, d'une certaine manière, va s'ordonner autour, que c'est cela qui va constituer les points centraux, autour desquels on va organiser notre travail. On pourrait dire qu'en français, la phrase est un objectif-noyau, que la respiration en est un de biologie tandis qu'en histoire, le concept d'État ou de révolution en constitue un. En réalité, ceux-ci ne devraient pas être si nombreux que cela. Une équipe d'enseignants pourrait dire, à la fin de tel cycle, que les élèves devraient être en totale situation de maîtrise de sept concepts forts qui seront, en quelque sorte, les éléments organisateurs de notre enseignement. »

Quant au Groupe de pilotage de Genève (1999), qui a été guidé par Philippe Perrenoud et Monica Gather-Thurler, il le définit ainsi : « L'objectif-noyau est une compétence essentielle de haut niveau privilégiée dans le cadre d'un cycle d'apprentissage et d'une discipline donnée, capable d'organiser un réseau d'objectifs plus spécifiques en leur donnant structure et cohérence. »

Un référentiel commun d'objectifs-noyaux, disponible à une équipe de cycle, permet :

- d'organiser des situations d'apprentissage riches et diversifiées, de sorte que tous les élèves maîtrisent les apprentissages fondamentaux ;

- de centrer l'intervention de l'enseignant sur l'observation, la différenciation pédagogique, en donnant un statut positif à l'erreur ;

- de planifier les apprentissages de manière rigoureuse et harmonieuse tout au long du curriculum ;

- de fournir une information aux familles et à l'ensemble des partenaires par l'élaboration de bilans clairs, précis et utiles. »

Dans son volume sur la différenciation, l'auteure américaine Carol Ann Tomlinson (2003) y fait allusion également, même si elle utilise un vocabulaire différent pour en parler. « Dans une classe différenciée, l'enseignant doit adapter son enseignement avec soin et précision pour se concentrer d'abord sur les CONCEPTS ESSENTIELS, sur les PRINCIPES qui doivent être compris par les élèves. Puis, il doit se pencher sur les HABILETÉS nécessaires à chaque sujet traité, ce qui permettra aux élèves de développer leur savoir-faire. Enfin, il s'assure de décoder la liste des FAITS que les élèves devraient savoir. »

Et si nous faisions, à l'aide du tableau 6.1 de la page suivante, un léger survol du vocabulaire que nous venons d'utiliser pour établir des nuances, des distinctions ?

| **Tableau** | **6.1** | *Des nuances pour mieux planifier* |

Un fait	Un concept	Un principe
• Un fait est rattaché à l'information et il a une véracité établie que nous n'avons pas intérêt à remettre en doute. Il s'agit d'une connaissance bien précise ayant un caractère qui lui est propre, la distinguant ainsi des autres faits. *Exemples*: Champlain a fondé Québec; il y a quatre points cardinaux; le mercure est un métal à densité lourde; le verbe s'accorde avec son sujet, une fraction ordinaire possède un numérateur et un dénominateur.	• Renald Legendre (1993) définit le concept comme une «représentation mentale et générale des traits stables et communs à une classe d'objets directement observables, et qui sont généralisables à tous les objets présentant les mêmes caractéristiques». Ce qui veut dire que le concept nous permet de catégoriser des objets et d'ordonner des séries de faits. *Exemples*: la classification des animaux vertébrés et invertébrés; les cinq continents et leurs particularités, la peinture impressionniste; les étapes de la digestion; les stades de l'évaporation.	• Quant au principe, toujours selon Renald Legendre (1993), c'est l'«énoncé d'une proposition première qui constitue un fondement ou une cause initiale et qui permet de normaliser toute action, comportement ou jugement». Autrement dit, nous sommes devant une généralisation, devant l'énoncé d'une règle qui régit des concepts de même nature mais non semblables. *Exemples*: le principe de l'égalité entre les personnes doit nous empêcher de discriminer; les histoires que nous racontons reflètent notre culture; dans la nature, tout est transférable d'énergie; le héros qu'une personne choisit révèle beaucoup de choses sur cette dernière; comprendre le point de vue de quelqu'un sur le monde nous permet de clarifier nous-mêmes notre propre point de vue.

À la suite de ces définitions, le pédagogue doit créer un noyau d'activités intéressantes offrant diverses occasions d'apprendre les choses essentielles qu'il a déterminées. Celles-ci devraient permettre aux élèves de comprendre les concepts et les principes-clés ou de leur donner un sens en utilisant des habiletés-clés. L'objectif poursuivi est que les élèves quittent la classe en ayant saisi les principes essentiels et tenté de développer les habiletés ciblées à mettre au service des compétences. L'objectif ultime n'est pas qu'ils quittent la classe en ayant l'impression qu'ils ont acquis toutes les connaissances.

« La vision claire et l'esprit de synthèse de l'enseignant garantissent que les apprenants qui éprouvent des difficultés se concentrent plus sur les connaissances et les habiletés essentielles, plutôt que de se noyer dans une mer d'informations sans lien entre elles. Par contre, les apprenants avancés sont orientés vers des concepts plus complexes et essentiels, plutôt que de passer leur temps à répéter des choses qu'ils connaissent déjà. » (Tomlinson, 2003)

Cette dimension des objectifs-noyaux, des concepts ou principes essentiels ne représente-t-elle pas un prétexte alléchant pour regrouper une équipe d'enseignants à une même table de travail ? Nous serions alors en face d'un triple gain : l'appropriation du contenu du curriculum, l'établissement d'un référentiel de planification facilitant la différenciation et le développement de notre compétence à coopérer. La structure des **chantiers pédagogiques** s'avère alors un dispositif pertinent à utiliser.

 ## *Se préoccuper de la signifiance*

Avant de plonger directement dans la planification, il est important de rappeler les diverses composantes dont nous devons tenir compte dans la gestion des apprentissages. Le profil des élèves, la compétence visée, l'objectif-noyau ciblé, l'approche pressentie, le moyen d'enseignement envisagé, aucun de ces éléments n'est à négliger et c'est la synergie entre eux qui influera sur la qualité et la durabilité des savoirs appelés à se construire.

Les facteurs influant sur la motivation scolaire des élèves seront les derniers éléments de révision abordés. La réflexion présentée dans cette section est nourrie des travaux qu'ont menés Jacques Tardif et Rolland Viau (1994). Le cadre de référence fourni par ces chercheurs ne doit pas servir uniquement dans une perspective curative, au moment où nous nous retrouvons face à des élèves non motivés. Au contraire, nous avons intérêt à nous y référer avant même que ne débute le scénario d'apprentissage. Nous y sommes gagnants, car nous travaillons alors à partir d'un cadre préventif.

La perception de la valeur de la tâche par les élèves, qui se dessine à partir de la signifiance, du but et de l'utilité de ce que nous leur proposons, est, en quelque sorte, le moteur qui actionnera tout le reste. Voici quelques conditions à respecter si l'on veut s'assurer que la signifiance soit vraiment au rendez-vous de l'apprentissage.

Tout ce qui est enseigné et appris :

- est pertinent pour les élèves et leur apparaît, dans la mesure du possible, comme personnel, familier et relié au monde qu'ils connaissent déjà ;

- est authentique, c'est-à-dire que cela permet de faire de la vraie histoire, de la vraie mathématique, de l'art véritable, dans la vraie vie, par opposition à de simples exercices répétitifs dans ces domaines ;

- peut être utilisé dans un avenir proche et s'applique aux choses qui concernent directement les élèves, contribuant ainsi à donner plus de force au vécu d'aujourd'hui et de demain ;

- aide les élèves à mieux se connaître comme personnes et comme apprenants, et ultimement, à mieux se comprendre et à poursuivre leur évolution personnelle.

La perception des exigences rattachées à l'accomplissement de la tâche entre en ligne de compte également. Est-elle trop facile ? Trop difficile ? Représente-t-elle un défi pour l'élève ? Est-elle à sa mesure ? On pourrait dire qu'une tâche représente un défi approprié quand les apprenants doivent faire face à l'inconnu tout en sachant assez de choses pour pouvoir s'engager dans l'apprentissage. Le défi doit grandir en même temps que les élèves progressent dans leur apprentissage. Ici, on fait allusion à la **zone proximale de développement** dont parle Vygotsky.

Volume 1
p. 96 à 110

Outil 4.6 Vivre la motivation au jour le jour

La perception du contrôle sur la tâche est à considérer également. Il n'est pas suffisant pour un élève de vouloir s'attaquer au défi, encore faut-il qu'il se sente capable de l'atteindre. Ce sentiment de compétence découlera essentiellement de son outillage cognitif et des exigences de la tâche. Généralement, s'il sent qu'il a un certain pouvoir sur la tâche, l'élève acceptera de persévérer. En outre, démarches, procédures et stratégies jalonneront l'accompagnement pédagogique nécessaire à l'actualisation d'un nouveau savoir.

Adopter un regard au pluriel

Forts de cette base théorique qui nous aidera à prendre certaines orientations en matière de planification, nous allons faire une randonnée à travers le monde des divers modèles pédagogiques et organisationnels. Nous ferons davantage connaissance avec les familles suivantes : approche par projets, approche par modules, approche par problèmes, utilisation de situations ouvertes.

Le choix est vaste : il permet tout d'abord aux professionnels de l'enseignement de créer un modèle pédagogique personnalisé, à l'image de leur style et de leurs croyances, et, en second lieu, de différencier les dispositifs selon les divers profils d'apprentissage des élèves, selon les contextes qui se présentent dans la classe et selon les cibles de développement retenues (compétence disciplinaire, compétence transversale, composante de la compétence, objectif-noyau, concept, principe ou fait).

« Si la constance est destructrice quand elle ne contient aucune différenciation, la différenciation est destructrice quand elle ne repose sur aucune constance. »
(J. Guillaumin)

Cette diversité qui s'offre à nous aura des impacts sur le respect de la vitesse de croisière des pédagogues engagés sur la rivière de la réforme pédagogique. Si les rythmes d'apprentissage existent chez les élèves, ils existent aussi chez les enseignants. Il est utopique de penser que demain matin, tous les enseignants d'une commission scolaire seront capables de délaisser la sécurité de leurs manuels scolaires pour plonger dans les vagues obscures d'un nouveau curriculum et s'engager dans des pratiques qui paraissent, à première vue, tellement plus exigeantes. Il est difficile d'imaginer que l'on puisse parler de différenciation à cœur ouvert et imposer parallèlement une seule façon de faire, à savoir l'approche par projets. C'est d'une incohérence à vous faire frémir! Comment un seul moule peut-il convenir à tous les élèves et à tous les enseignants? Comment une seule approche pourrait-elle être garante de la réussite de tous? La prudence s'impose quand arrive le temps d'articuler le «COMMENT FAIRE». Il est normal pour une organisation dirigeante d'être convergente dans les orientations, les objectifs, mais encore faut-il qu'elle accepte la divergence dans le choix des moyens ou des dispositifs.

De plus, il faut reconnaître avec honnêteté que certains enseignants ne seront jamais à l'aise avec telle ou telle façon de faire, non seulement de planifier, mais aussi de vivre avec les élèves en classe. Cela nous renvoie aux croyances de chacun, mais aussi à son bagage professionnel et aux mesures d'accompagnement dont il peut bénéficier.

Nous devrions miser sur la combinaison des moyens pour développer chez le pédagogue une approche personnalisée et professionnelle qui saura s'ajuster aux différences que le quotidien mettra sur sa route. Madame Étiennette Vellas, de l'Université de Genève, accompagnatrice d'équipes d'enseignants engagés dans la réforme pédagogique, a beaucoup réfléchi à ce pluralisme possible quand arrive le temps de la planification. En décembre 2001, dans le cadre d'un colloque qui se tenait à Québec, elle tenait les propos suivants: «Les enseignants savent animer des démarches de projets avec leurs élèves. Et nous savons que ces démarches favorisent la construction du sens des savoirs établis à l'école. C'est alors la réalité qui évalue les acquis et révèle le chemin qui reste à parcourir pour que les savoirs construits en classe deviennent de véritables compétences sociales. Mais nous savons aussi que la démarche de projet, malgré sa richesse, ne suffit pas à donner tout leur sens aux objets culturels parce qu'elle privilégie une visée de production.

«Les enseignants doivent par conséquent pouvoir inviter les élèves à rencontrer le sens plus intrinsèque des objets culturels (*exemples:* le sens de leur origine, de leur histoire, de leur composition, de leur code) à d'autres moments, dans d'autres types de situations d'apprentissage, telles les *situations-problèmes*, très en vogue actuellement.»

Personnellement, je partage son point de vue et c'est dans cette optique que sont décrits chacun des modèles proposés. Commençons ce tour d'horizon par le travail en projets.

L'approche par projets

«On ne peut pas vivre sans projets», a écrit Martin Gray. Cette nécessité a été reconnue aussi par des chefs de file de l'éducation, aussi bien Carl Rogers, Freinet, Decroly et Dewey que Jean Piaget. En fait, toute pédagogie qui entend échapper au préfabriqué et à l'instantané pour susciter les motivations des élèves ne peut que recourir au projet, à une idée organisatrice de l'action, surtout si elle est commune à plusieurs.

Ce travail en projets se distingue nettement de l'approche thématique et de l'utilisation qu'on peut faire du centre d'intérêt. Le projet fait appel à des habiletés supérieures, il est plus ouvert à la contribution et à l'investissement des élèves, et plus garant des liens existant entre les divers savoirs.

En cette période d'innovation, il serait bénéfique pour plusieurs enseignants d'objectiver leur pratique de travail en projets et d'établir des nuances entre ces approches cousines à la lumière des caractéristiques de chacune d'entre elles.

Volume 2
p. 301

Tableau-synthèse des trois approches

On pourrait décrire ainsi le processus de l'approche par thèmes : à partir des intérêts, des goûts ou des préoccupations des élèves, un thème est choisi pour devenir le FIL CONDUCTEUR qui sera présent dans différentes disciplines, mais de façon cloisonnée. Ce thème est exploité pendant un certain temps, puis remplacé par un autre. La motivation des élèves se construit autour du thème choisi avec l'ensemble du groupe, sans que l'on cherche pour autant à intégrer des disciplines ou des apprentissages.

Le centre d'intérêt est une technique pédagogique qui fait converger toutes les activités d'apprentissage vers un sujet ou un thème susceptible d'intéresser les élèves. Ici, nous allons plus loin puisque nous décloisonnons les disciplines afin de favoriser l'**intradisciplinarité** ou l'**interdisciplinarité.**

INTRADISCIPLINARITÉ : mode d'organisation de l'enseignement où l'on intègre les volets d'une discipline.

Très souvent, la démarche de résolution de problèmes réalistes ou fantaisistes est présente à l'intérieur du centre d'intérêt. Comme tout est structuré à l'avance par des adultes, les élèves sont peu sollicités dans la planification et le déroulement du centre d'intérêt.

INTERDISCIPLINARITÉ : mode d'organisation de l'enseignement où l'on intègre deux ou plusieurs disciplines, mis en évidence par une démarche pédagogique particulière.

Quant à l'apprentissage par projets, je laisse d'abord la parole à Louise Capra et à Lucie Arpin (2001) pour qu'elles nous en donnent la définition : «C'est une approche pédagogique qui permet à l'élève de s'engager pleinement dans la construction de ses savoirs en interaction avec ses pairs et son environnement. Cette approche invite l'enseignant à agir en tant que médiateur pédagogique privilégié entre l'élève et les objets de connaissance que sont les savoirs à acquérir. »

Demandons maintenant à Suzanne Francœur-Bellavance (1997) de nous présenter sa version du travail en projets : «C'est se projeter dans le temps, avancer vers un but qu'on s'est fixé, prévoir un certain nombre de moyens et d'opérations pour l'atteindre, anticiper la démarche à utiliser et, finalement, aboutir à une production à présenter ou une action à mener. Le travail en projet requiert une méthodologie qui, agissant simultanément sur des contenus, des démarches et des attitudes, amène l'élève à fonctionner de façon créatrice et réfléchie dans un contexte où il y a interactions et régulations. »

Ce qui vient d'être dit justifie la poursuite de notre démarche de classification de l'approche thématique, du centre d'intérêt et de l'approche par projets. Les deux premiers dispositifs peuvent déboucher sur des projets en cours de route, mais leur utilisation ne garantit aucunement la présence du projet en leur enceinte. Par contre, une pédagogie par projets assure nécessairement la présence d'un thème, d'un centre d'intérêt qui se métamorphose quelquefois en projet, puisque celui-ci en est le cœur même.

Toutefois, le travail par projets sans objectifs d'apprentissage, sans finalités pédagogiques, n'est que du bricolage pédagogique. Le projet appartient nécessairement à la pédagogie de l'apprentissage tandis que les deux autres façons de faire sont rattachées à une pédagogie de l'enseignement.

Ses caractéristiques

En guise de conclusion à cet aperçu de l'approche par projets, nous allons nous rappeler les sept caractéristiques énoncées par Louis Legrand (1997) à propos de cette pédagogie :

1 Le sujet d'étude ou de production et l'activité qui le met en œuvre ont une valeur affective pour l'apprenant.

2 Dans le projet, le sujet d'étude ou d'activité est assumé par plusieurs élèves, ce qui entraîne une division du travail préalablement discutée par les partenaires du projet.

3 La mise en œuvre d'un projet donne lieu à une anticipation collective et formelle des phases de son développement et de l'objectif à atteindre.

4 Tout projet doit aboutir à une production attendue par une collectivité plus vaste qui en est informée et qui, à la fin, l'appréciera.

5 La mise en œuvre du projet doit être de nature tâtonnée. Une stricte programmation prévue dès le début et imposée par le professeur est à l'opposé d'une pédagogie de projet. C'est vraiment la confrontation permanente de l'objectif posé et des conditions de sa réalisation qui constitue l'essentiel du travail, où s'exercent l'autonomie de l'élève, sa créativité et sa socialisation.

6 La mise en œuvre du projet donne lieu à une alternance du travail individuel et de concertation collective.

7 Le rôle de l'enseignant, dans le projet, est celui d'un régulateur et d'un guide intervenant à la demande ou de sa propre initiative au fur et à mesure que le projet avance.

À la lumière des éléments théoriques que nous venons de réviser, examinons nos réalités quotidiennes sur la base du questionnement de l'outil-support 15 de la page suivante.

Voilà autant d'interrogations qui préoccupent les enseignants qui font face aux défis d'articuler non seulement des projets significatifs et motivants pour les élèves, mais aussi de s'assurer de leur rentabilité sur le plan des apprentissages et de la différenciation. Les élèves éprouvent un plaisir fou à travailler sur un projet sans pour autant réaliser des apprentissages à la fois durables et transférables.

J'ai choisi de parler de l'apprentissage par projets dans un volume traitant de la différenciation pour faire ressortir les liens très étroits qui existent entre les deux. À travers le vécu d'un projet, les élèves n'ont pas le même rapport avec le savoir que celui à partir duquel fonctionne habituellement l'école. L'intérêt de la pédagogie ouverte à l'interdisciplinarité ou à la **transdisciplinarité,** c'est qu'elle écoute cette différence et y répond.

TRANSDISCIPLINARITÉ : mode d'organisation se situant au-delà de l'ensemble des disciplines puisqu'il préconise des principes et des concepts généraux applicables dans toute situation pédagogique.

Des indices de différenciation

Étant convaincus de la richesse de l'approche par projets et de son ouverture aux différences, nous tenterons de déceler des indices, des traces de différenciation qu'elle laisse sur son passage, au fur et à mesure que le projet se déroule. Mais où se cache donc cette différenciation ?

« Ce sont les choses familières qui nous rapprochent et la diversité qui nous fait grandir. »
(Virginia Satir)

1 Dans la variété quant à la **nature des types de projets :**

- Projets *réalistes,* axés sur les élèves, naissant des intérêts ou des questions mais ne nécessitant pas d'interventions directes sur le réel.
  Exemple : projet sur le cirque. Nous en parlons, nous travaillons sur cette réalité sans pour autant aller au cirque ni organiser un spectacle sur le cirque.

- Projets *réels,* authentiques, portant sur de vrais problèmes qui se vivent dans notre environnement. Nous intervenons directement sur la réalité.
  Exemple : projet de visite à la ferme incluant la venue d'un fermier dans la classe ou la visite préparée et exploitée d'une ferme.

- Projets *holistiques,* permettant aux élèves d'œuvrer dans le domaine riche et complexe des idées globales, mettant l'accent surtout sur la manipulation des principes et des concepts.
  Exemples : projet sur la culture québécoise, sur le phénomène de l'adolescence ou sur le transfert d'énergie dans la nature.

- Projets *cognitifs* se prêtant au développement des concepts et des habiletés cognitives d'ordre supérieur telles que l'investigation, la résolution de problèmes et l'autogestion.
  Exemples : projet sur les causes du cancer, sur les changements de saisons, sur le phénomène des marées.

SOMMES-NOUS SUR LA ROUTE DU PROJET ?

- **Respectons-nous les fondements de cette approche ?**   Oui ❑ Non ❑

- **Sommes-nous en train de dénaturer l'essence
  même du projet ?**   Oui ❑ Non ❑

- **Respectons-nous véritablement les conditions nécessaires**   Oui ❑ Non ❑
  pour qu'un projet véritable prenne naissance ?

- **Sommes-nous tentés de minimiser ou de réduire**   Oui ❑ Non ❑
  **l'envergure réelle du travail qu'un projet génère
  sur le plan de la gestion ?**

- **Avons-nous un cadre de référence pour guider nos**   Oui ❑ Non ❑
  interventions à travers les différentes étapes d'un projet ?

- **Le travail en projets nous permet-il actuellement**   Oui ❑ Non ❑
  de gérer les différences présentes chez nos élèves ?

- **Quelles sont ces différences ?**

  _____

  _____

  _____

  _____

  _____

- **Accordons-nous assez de temps et d'importance à la**   Oui ❑ Non ❑
  phase de l'évaluation et du réinvestissement du projet ?

- **Vivons-nous l'approche par projets avec**   Oui ❑ Non ❑
  des intentions de différenciation ?

- **Quelles sont ces intentions ?**

  _____

  _____

  _____

  _____

- **Quels dispositifs avons-nous mis en œuvre pour développer ces intentions ?**

  _____

  _____

  _____

  _____

  _____

- Projets *créatifs,* permettant aux élèves d'utiliser leurs connaissances pour créer et inventer.
  Exemples : projet sur un hiver sans neige, sur une Terre qui décide de devenir carrée, sur un vieil objet qui projette de recommencer une nouvelle vie.

2 Dans la variété quant aux **participants aux projets :**

- Projets *collectifs* planifiés, vécus et évalués avec l'ensemble des élèves de la classe. Projets intégrateurs ayant des ramifications collectives, individuelles, sans négliger les ramifications entourant le travail d'équipe.
  Exemples : projet sur l'album des finissants de l'école, sur les olympiades scolaires, etc.

Volume 2
p. 299 à 317

Outil 6.7 Intégrer des matières pour mieux intégrer les apprentissages

- Projets *d'équipe* circonscrits, délimités autour d'un petit groupe d'élèves qui est mobilisé par une préoccupation commune, mais différente de celle qui alimente le projet intégrateur de la classe.
  Exemples : projet sur l'électricité, sur le patinage de vitesse, sur la correspondance scolaire avec des camarades anglophones, etc.

- Projets *personnels,* élaborés uniquement à partir des intérêts et du vécu d'un seul élève et développés parallèlement aux projets d'apprentissage privilégiés par le groupe-classe.
  Exemples : projets personnels de création d'un conte pour un filleul de lecture, de fabrication d'un thermomètre, d'élaboration d'une maquette représentative du relief de la région, etc.

Cet aspect de la diversité dans les projets est associé très étroitement à la différenciation des structures, tout comme il peut ouvrir la porte à la différenciation simultanée.

La littérature actuelle sur le travail en projets éclaire les pédagogues et les élèves sur la gestion de leurs projets collectifs et de leurs projets d'équipe. On ne peut pas en dire autant des projets personnels réalisés dans un contexte de travail autonome. Ceux-ci ne sont pas assez valorisés. Ils ressemblent trop souvent à de simples passe-temps dans lesquels l'élève est laissé à lui-même. Plusieurs de ces projets demeurent inachevés ou il en découle des processus et des produits manquant de rigueur et de constance à cause de l'absence d'un cadre organisationnel de travail.

3 Dans la variété quant aux **interventions de l'enseignant :**

Le projet, par sa nature, par l'ampleur et l'envergure que l'on peut lui donner, permet certes l'utilisation de pistes de travail variées et diversifiées, nous permettant de différencier les contenus, les processus, les productions et les structures. Néanmoins, il est facile pour un intervenant de le détourner de sa vocation, de le rétrécir en cours de route et même de canaliser le cheminement des élèves vers un modèle uniforme, détruisant ainsi sa fonction première. La nature et la qualité des *interventions* feront toute la différence. L'évaluation, la régulation et la différenciation demeurent des interventions judicieuses à poser pour l'enseignant qui désire conduire à bon port non seulement le navire qu'il pilote, mais aussi chacun des passagers à son bord.

4 Dans la variété quant aux **productions des élèves:**

À l'intérieur du projet, il est facile de différencier les *productions* en proposant aux élèves une banque de divers outils d'expression et de communication. C'est sans doute l'occasion idéale de faire référence à la théorie des intelligences multiples de Gardner.

5 Dans la variété quant au **mode d'évaluation:**

Malgré le fait que la différenciation de l'évaluation n'ait pas encore été abordée de façon formelle, il est opportun de mentionner les ouvertures que le projet apporte en ce sens. La différenciation sur le plan de l'*évaluation* formative peut revêtir différentes formes également. Les moyens d'évaluer toutes les facettes du cheminement des élèves en action à l'intérieur d'un projet sont peut-être trop méconnus et sous-estimés. Discussions en petits groupes, observations en cours d'apprentissage à l'aide de grilles, analyse des productions avec la complicité de l'élève, coévaluation avec les pairs à partir d'une grille descriptive des critères retenus, discussion avec toute la classe, autoévaluation des apprentissages par l'élève, entrevue individuelle ou d'équipe avec l'enseignant, utilisation formelle du portfolio: tous ces dispositifs permettent de différencier sur le plan de l'évaluation, d'autant plus que le pédagogue peut, par surcroît, jongler différemment avec les critères d'évaluation, le contexte de réalisation, l'aménagement du temps, etc.

■ LE PROJET PERSONNEL: UNE AVENUE INTÉRESSANTE

J'ouvre une parenthèse sur le projet personnel, puisqu'il s'agit d'une avenue intéressante où nous avons à intervenir avec plus de cohérence et de rigueur. Définissons d'abord ce concept: « C'est un dispositif permettant à chaque élève d'élaborer et de mener individuellement un projet où les connaissances et les compétences construites dans les projets ou les modules sont mises en œuvre. Les élèves planifient leur projet selon un canevas défini au préalable et négocient ce dernier avec l'enseignant. Le temps consacré à un sujet varie entre deux et huit semaines. Arrivé au terme d'un projet, l'élève valorise son travail à travers une présentation à une clientèle ciblée. » (John Dewey, 1930)

Volume 1
p. 424 à 427

QRS

Le projet personnel

Étant donné l'efficacité du projet personnel pour différencier, il me semble que chaque élève de la classe devrait toujours en avoir un en marche. Ce n'est pas incompatible avec le projet collectif ou le module d'apprentissage de la classe, qui occuperont toujours la première place à la grille-horaire. Quelquefois, le choix d'un thème intégrateur pour le projet collectif ne se fait pas sans brimer les intérêts particuliers de certains élèves. Autrement dit, il est illusoire de penser que chaque élève est emballé face au projet qui a été retenu par consensus à l'échelle de la classe. De plus, le projet personnel s'avère une mesure propre à nourrir des élèves qui ont de la facilité, sans parler des pistes intéressantes qu'il fournit comme devoir développemental à la maison.

AIDE-MÉMOIRE À L'INTENTION DE L'ENSEIGNANT
Les étapes d'un projet personnel

Avant le projet

1. Présentation d'une démarche de travail structurée en trois temps : avant le projet, pendant le projet et après le projet.

2. Familiarisation avec la technique de la carte d'exploration, de la tempête d'idées (remue-méninges) pour faire ressortir un thème ou un sujet d'étude.

3. Développement de l'habileté à établir des liens entre les éléments énumérés, à regrouper ces derniers à l'aide de réseaux sémantiques ou de chaînes d'idées, de schémas, de graphiques, de diagrammes, de tableaux comparatifs, d'ensembles et de sous-ensembles, d'his-togrammes, de lignes du temps et de synthèses visuelles en deux colonnes (présentant d'un côté les idées principales et de l'autre, des idées moins importantes).

4. Émergence d'un sous-ensemble d'idées qui intéresse, qui intrigue ou qui soulève des interrogations.

5. Utilisation d'une grille de planification personnelle pour encadrer le projet et le soumettre à l'enseignant pour fin d'approbation. Cibler le *quoi*, le *pourquoi*, le *comment* et le *quand*.

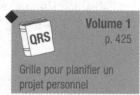

Volume 1
p. 425

Grille pour planifier un projet personnel

Pendant le projet

6. Bilan expérientiel de l'élève à l'égard du projet retenu : ce qu'il en sait ou pense en savoir, ce qu'il a déjà vécu, lu ou vu.

7. Identification des questions essentielles ou des pistes de recherche : ce que l'élève veut savoir, ce qu'il aimerait vérifier ou dégager comme résultat.

8. Énumération des ressources disponibles que l'on désire utiliser ou exploiter : le savoir des camarades de l'élève ou de sa famille, les livres de bibliothèque ou les revues spécialisées, les documentaires de la télévision ou Internet.

9. Collecte d'informations à l'aide de différentes techniques : l'oral (entrevue directe, message enregistré ou filmé), l'écrit (prise de notes, résumé), le graphisme (schéma, tableau ou image dessinée).

10. Classification des données recueillies par le traitement de l'information : en fonction des préoccupations initiales, on fait du ménage en décidant de ce que l'on conserve et de ce que l'on élimine ; après, on met de l'ordre dans ce qui reste : ce qui est pareil, ce qui est différent, ce qui correspond vraiment au sujet de recherche, ce que l'on n'avait pas prévu d'apprendre ou de découvrir.

11. Choix de l'outil privilégié par l'élève pour communiquer aux autres camarades le résultat de ses apprentissages.

12. Identification par l'élève du public à qui l'on désire présenter sa réalisation.

Volume 1
p. 376 et 377

La présentation du projet

Chapitre 6

149

13. Pour le choix de la technique d'expression retenue, de l'auditoire visé par la présentation et de l'échéancier de travail, l'apprenant s'attaque à l'organisation des idées à l'aide de résumés ou de synthèses : l'élève reconnaît le contenu qu'il a le goût de partager et il pressent aussi ce qui pourrait bien intéresser ses auditeurs. Bref, il tient compte de son public et il adapte son mode de communication à ses récepteurs.

Après le projet

14. En plus de s'intéresser au produit final, l'élève est invité à regarder tout le chemin qu'il a parcouru pour en arriver à cet endroit. Tout le processus est revu à l'aide de pistes d'objectivation avec lesquelles il est déjà familier.

> **Volume 1**
> p. 426
> QRS
> Pistes d'objectivation d'un projet personnel

15. Préparation finale de la présentation de la communication : informations à transmettre, construction du produit fini (outil d'expression), relevé de questions possibles de la part des spectateurs et pistes d'évaluation possibles à offrir aux personnes concernées par la présentation.

16. Détermination de critères d'évaluation par l'élève, qui désire partager ses découvertes avec d'autres personnes : en premier lieu, autoévaluation nécessaire pour identifier réussites, apprentissages et difficultés, et en second lieu, précision de points sur lesquels l'apprenant a investi beaucoup et nécessitant par le fait même des rétroactions positives.

17. Préparation à l'évaluation des apprentissages rattachés au déroulement du projet, autant par celui qui en est l'auteur que par les élèves qui assistent à la communication des résultats de ce projet : identification de forces et de défis à l'intention de l'élève qui présente, utilisation d'une grille descriptive retraçant les critères identifiés par l'élève précédemment (voir étape 16), éclaircissements sur des apprentissages nouveaux et des éléments ambigus, proposition de pistes à creuser éventuellement.

18. Réinvestissement du projet à l'aide des commentaires recueillis au moment de la présentation et à l'aide d'une fiche rédigée à cette intention.

> **Volume 1**
> p. 427
> QRS
> Fiche de réinvestissement d'un projet personnel

19. Prise de décision par l'élève : insérer son projet personnel dans son portfolio ou le laisser tout simplement dans son recueil de projets personnels.

20. Création ou utilisation d'un répertoire de projets personnels afin que l'apprenant soit en mesure de constater rapidement s'il se soucie de la variété des sujets explorés dans ses projets, de la diversité des outils d'expression utilisés dans chaque cas. Cette liste peut très bien figurer au début du recueil de projets personnels ou d'équipe.

MA BOUSSOLE DE TRAVAIL

Mon projet personnel

Pourquoi?
- Mon intention
- Mon intérêt à...

Quoi?
- Mon sujet d'étude
- Ma piste de travail ou de recherche

Quand est-ce que j'agis?
- Le début de mon projet
- La fin de mon projet
- Hypothèse de la date de ma présentation (par approximation)

Jusqu'où suis-je allé?
- Mes forces
- Mes faiblesses
- Mes défis
- Mon nouveau projet

Comment est-ce que je cherche?
Les ressources à ma disposition:
- mon expérience
- l'expérience des autres
- livres, revues, documentaires
- Internet

Comment est-ce que je présente?
- Mes traces écrites
- Mon vocabulaire
- Mes sources d'information
- mes supports visuels
- mes contenus essentiels
- mes stratégies d'animation

Comment est-ce que je construis?
Le matériel dont j'ai besoin

À qui est-ce que je présente mon projet?
- Les destinataires du projet
- Mon outil de communication
- Mes stratégies pour stimuler l'intérêt et la compréhension

RÉPERTOIRE DE PROJETS PERSONNELS

Nom du projet	Durée	Outil d'expression utilisé	Destinataires du projet	Apprentissages réalisés (défi relevé ou compétence développée)	Appréciation globale

Cadre organisationnel d'un projet personnel

Pour que le projet personnel puisse se vivre dans un contexte développemental et fécond, révisons les éléments dont nous pourrions tenir compte dans l'accompagnement pédagogique de chaque élève désireux de se lancer dans cette aventure :

- l'aide-mémoire décrivant les étapes d'un projet personnel à l'intention de l'enseignant (p. 149-150);
- la boussole de travail à l'intention de l'élève (p. 151);
- la grille de compilation des projets personnels à l'intention de l'élève (p. 152).

Nul besoin de nous étendre davantage sur le sujet pour nous convaincre de la pertinence de l'approche par projets, puisque sa richesse et sa complexité nous sautent aux yeux. Richesse véritable pour les apprenants d'une part, et d'autre part, complexité de la gestion de toutes ses composantes pour un enseignant novice en la matière. Heureusement, des praticiens ont validé sur le terrain le cadre théorique du travail en projets pour le décortiquer, l'articuler, l'organiser et l'actualiser au quotidien tout en respectant sa philosophie, sa nature et sa fonction.

Comme nous nous intéressons à la différenciation de la différenciation, nous nous dirigeons maintenant vers l'approche par modules, conçue également dans cette optique.

Comme j'ai découvert l'approche par modules lors d'un stage d'observation en Europe, plus précisément en Suisse, je décrirai et illustrerai cette dernière à partir d'exemples vécus dans des écoles des cantons de Genève et de Vaud.

Peut-être avons-nous l'équivalent au Québec… Je n'ai toutefois pas encore eu le privilège de visualiser cette approche chez nous. Les modules ont été planifiés à partir du programme par compétences de la Suisse romande. Par conséquent, je désire faire ressortir la structure et la gestion de ces dispositifs plutôt que la liste de compétences qui les compose. Il ne saurait être question d'appliquer systématiquement ces exemples dans des classes du Québec, puisque le référentiel de compétences n'est pas le même.

L'approche par modules

Si je lance cette boutade pour introduire la pratique pédagogique des modules, c'est pour faire ressortir le fait que le cloisonnement des disciplines engendre un éparpillement terrible, des travaux inachevés, une baisse de la motivation et de l'attention, un gaspillage d'énergie et des difficultés majeures à suivre le fil conducteur des apprentissages, et cela, autant pour les élèves que pour l'enseignant. L'idée d'une organisation modulaire dans un cycle d'apprentissage s'inspire de l'article de Philippe Perrenoud intitulé « Structurer les cycles d'apprentissage sans réinventer les degrés annuels ».

« Posologie scolaire : Nous disions donc : une dose de français deux fois par jour en prenant soin de séparer les prises, celle de mathématique, quatre fois avec un peu de remédiations comprises, une pilule d'éducation physique, trois fois par semaine mais rapidement et pour l'expression, une pilule trois fois par semaine, mais rapidement à cause du risque d'accoutumance » (Olivier Perrenoud, 1996)

Leur définition

Pour quiconque entend le mot « modules » actuellement au Québec, compte tenu des expériences passées dans le monde de l'éducation et des représentations mentales que nous en avons gardées, il est tentant d'associer les modules à une collection de fascicules hiérarchisés que les élèves doivent remplir individuellement, l'un après l'autre, dans un but d'individualisation de l'enseignement. Ce que nous présentons ici diffère grandement de cette réalité.

Selon Philippe Perrenoud (1997), les « modules sont définis comme des espaces-temps de formation caractérisés chacun par une unité thématique et des objectifs de formation définis ». Un apprentissage par modules permet en effet de concevoir des espaces-temps plus longs et de construire des situations d'apprentissage plus larges, donnant du sens aux objectifs poursuivis par leur insertion dans la finalité du module, évitant ainsi les nombreux « zappings » entre les disciplines.

Et Philippe Perrenoud de renchérir : « L'idée de module répond d'abord au souci de créer des espaces-temps de formation suffisamment centrés sur des acquis déterminés pour que quelque chose s'y passe pour tous les élèves. Le fonctionnement actuel de l'école, fondé sur un perpétuel coq-à-l'âne, s'il permet une salutaire variété des activités, empêche une véritable construction des apprentissages chez les élèves qui n'ont pas tous les moyens d'apprendre de façon aussi décousue. »

Pour deux enseignants du canton de Vaud (Lausanne) qui ont cherché à s'approprier ce concept pour l'introduire dans leur pratique, voici la visée de l'approche pédagogique en modules : « L'idée est de repenser l'ensemble du curriculum couvrant un cycle pluriannuel de façon à le structurer en une série de modules. Plutôt que d'être inscrits dans une classe où durant l'année scolaire, on touche à tous les domaines chaque semaine, par bribes, au gré de la grille-horaire, les élèves participent durant plusieurs semaines à un module explorant de façon intensive cette portion du programme d'étude » (Olivier Perrenoud, 2000).

Comme tout concept large, le module est susceptible d'être compris, interprété et appliqué différemment dans les salles de classe. Comme il s'agit également d'un concept en pleine évolution, je l'ai vu et reconnu dans différentes utilisations :

- Dans un cadre d'apprentissage de formation de base où les élèves côtoyaient les objectifs pour une première fois au sein de leur classe multiâges. Les modules étaient alors construits dans plusieurs domaines d'enseignement et portaient sur des compétences transversales ambitieuses et délimitées.

- Dans un contexte d'apprentissage d'une seule discipline, en l'occurrence le français, où des élèves de différents âges et de différentes classes appartenant à un cycle donné travaillaient en vue d'acquérir les mêmes compétences, les mêmes savoirs essentiels.

- Dans une perspective de remédiation, où des élèves de différentes classes composant un même cycle étaient placés en situation de différenciation de la remédiation pour une ou deux disciplines (faiblesses en français et en mathématiques).

- Dans une optique de stage à dominante mathématique, par exemple, où l'on offre à un ou à des élèves un moment fort, dense, d'une durée d'une semaine ou deux, pour qu'ils complètent une progression, intègrent des notions ou construisent au fil du temps la maîtrise d'une compétence. Cette forme de travail sera reprise dans le chapitre 12, qui porte sur les cycles et la gestion interclasse.

Peu importe l'utilisation qui en est faite, les modules sont des dispositifs de qualité qui favorisent le développement des compétences et de la différenciation. Et si l'on se rappelait brièvement les principes à respecter pour que le fonctionnement par modules porte ses fruits (Groupe de recherche et d'innovation, 1999) ?

1 Un module est un temps de travail intensif.

2 Un module est construit autour d'objectifs d'apprentissage précis à atteindre par la majorité des élèves.

3 Les situations d'apprentissage proposées dans ces modules sont autres que celles pratiquées en classe.

4 Les élèves ne choisissent pas le module auquel ils participent; ce sont les enseignants qui placent les élèves dans des groupes adéquats. Cela implique une culture et un vocabulaire communs à tous les enseignants d'un même cycle.

5 Cette différenciation externe permet de travailler avec des groupes plus homogènes que dans les classes multiâges; cela aide à mieux différencier lors du travail en situation large.

6 Cette organisation du travail procure la sensation de travailler de façon plus unifiée, autant du côté des élèves que des enseignants. Les élèves savent vraiment ce qu'ils viennent apprendre dans ces modules.

En partant du cadre théorique proposé par Philippe Perrenoud (1997), allons voir maintenant comment des praticiens ont réussi à s'approprier ce concept, à en développer une conception personnalisée et à faire une gestion quotidienne ou hebdomadaire de l'organisation modulaire. Nous donnerons d'abord la parole à Étiennette Vellas, accompagnatrice d'équipes-écoles dans le projet de la réforme genevoise et personne-ressource auprès des groupes désireux de fonctionner par modules. Nous irons ensuite rencontrer Olivier Perrenoud et Marianne Pilloud de l'école de Derrière-Corsy, à Lutry, dans une classe multiâges d'enfants de 7 à 11 ans.

Modules et décloisonnement des groupes de base

« Cette organisation pensée en modules est nouvelle. Je la présente telle qu'elle peut s'envisager. Les modules sont des lieux de construction de savoirs, savoir-faire, attitudes, ingrédients composant des compétences incontournables du cycle et réclamant un apprentissage intensif. Ils proposent souvent des situations d'apprentissage axées sur la structure des savoirs, des disciplines, des codes, des problématiques. Parallèlement, certains modules proposent des situations beaucoup plus larges et ouvertes à un public plus vaste. Ce qui permet d'offrir des modules plus spécifiques, consacrés aux grands incontournables du programme, aux enfants qui en ont le plus besoin.

« Chaque module représente un certain nombre de séances prévues en demi-journées, réparties actuellement sur trois semaines. Les séances d'un module peuvent être compactes (vécues plusieurs jours de suite, à l'intérieur de groupes reconstitués) ou être entrecoupées par du travail au sein de chacun des groupes de base. Chaque série de modules propose une dizaine de modules (chacun d'eux étant animé par un enseignant de l'équipe de cycle, puisqu'on travaille ici avec le décloisonnement). Les modules peuvent être dédoublés lors d'une même série. Ils sont reproduits au gré des besoins (un même module peut apparaître une dizaine de fois au cours des quatre ans du cycle tandis qu'un autre peut être animé moins régulièrement, faute de besoin). Les modules peuvent être de longueurs variables (deux, trois ou six semaines) mais les séries de modules doivent commencer et s'achever ensemble. La poursuite du travail différencié a alors lieu au sein du groupe de base avec des dispositifs différents. *Exemple :* un élève est inscrit, pour une même période, dans un module de six semaines, alors qu'un autre peut suivre deux modules de trois semaines ou trois modules de deux semaines. » (Vellas, 1999)

« Dans notre organisation modulaire, à l'école de Derrière-Corsy (Canton de Vaud, Suisse), nous concevons un module comme une activité large centrée autour d'objectifs transversaux définis indépendamment des contenus et autour d'une thématique. Les activités d'apprentissage se déroulent sur un laps de temps compact d'une durée de deux à six semaines. Les élèves inscrits dans un module sont engagés à plein temps autour des objectifs fixés. Et la situation de communication finale prévue à l'intérieur de chaque module vient donner davantage de sens à l'enseignement et à l'apprentissage.

« Nous avons défini des thématiques qui tiennent compte des divers milieux de vie des enfants pour l'ensemble de l'année scolaire au travers desquelles les objectifs de tous les domaines d'enseignement sont travaillés. Les modules sont orientés vers des objectifs de formation délimités mais généraux, puisqu'ils portent essentiellement sur le développement des compétences transversales. Plutôt qu'en termes de programme, au moment de la planification, nous réfléchissons sur l'architecture du réseau de l'itinéraire de l'apprenant en termes d'objectifs indispensables pour la maîtrise du curriculum. Donc, à chaque module correspond un ou plusieurs objectifs-noyaux (Meirieu, 1995), éléments organisateurs et centraux de chaque module. [Se référer ici aux pages 137 et 138, pour revoir la définition du concept d'objectif-noyau.]

« Comme le fonctionnement par modules n'est pas notre seule façon de planifier et d'organiser les apprentissages des élèves, nous nous réservons le droit d'exploiter avec eux les divers contextes significatifs que la vie et l'actualité peuvent nous apporter. L'approche par projets et par problèmes fait partie aussi de notre équipement de base pour gérer les apprentissages avec les élèves.

« Les modules compacts peuvent être aussi disciplinaires et se situer alors à des carrefours interdisciplinaires ou porter sur des compétences transversales (Rey, 1996). Bref, un module est défini par le champ qu'il occupe en termes de contenus et d'espaces-temps, par des objectifs clairement définis, par le niveau d'entrée et de départ en termes d'intérêt et de pré-requis et finalement par son utilité dans le parcours du cycle modulaire. » (Olivier Perrenoud, 2000)

Quand les modules prennent racine dans la vraie vie

Modules et projets présentent des similitudes, surtout quand ils sont orchestrés sur le terrain de la vraie vie. Toutefois, ils portent en eux des distinctions que je désire faire ressortir :

1 Le module s'inscrit plus dans la foulée d'un outil d'enseignement tandis que le projet est bien enraciné dans l'apprentissage.

2 La planification du module est assumée par des enseignants qui font des choix quant aux thèmes des modules, aux disciplines qu'ils désirent intégrer et aux compétences qu'ils veulent travailler avec les élèves.

3 Il se peut que pendant le déroulement d'un module, des projets prennent naissance autour de lui. Mais sa structure première est connue avant même que les élèves ne s'y engagent, ce qui n'est pas le cas pour le projet. Ne se rappelle-t-on pas que dans la foulée du projet, nous savons comment débute celui-ci, mais nous ignorons son point d'arrivée ? Les trajectoires peuvent être très différentes, surtout si on se laisse guider par les intérêts, les suggestions, les remarques et les commentaires des élèves.

4 Les modules sont des dispositifs pour contrer tout l'éparpillement que présente une grille-horaire axée sur des tâches d'apprentissages très morcelées dans le temps. Ils sont un véhicule intéressant pour le développement des savoirs essentiels.

À titre d'exemples, voici un aperçu des projets amenés par les modules que l'on pourrait proposer aux élèves :

- La réalisation d'un journal scolaire (structure d'un journal, étude des différents textes possibles, approche du monde, rédaction, montage et diffusion du journal).

- La planification et la réalisation d'une exposition de productions artistiques (exploration des différentes techniques, survol des styles de peinture, création personnelle, préparation immédiate de l'exposition).

- Un camp à la montagne (rédaction d'un carnet de bord, édition d'un journal collectif, préparation d'un diaporama commenté).

- L'espace, un monde à apprivoiser (mesure, surface, volume, plan, carte, système solaire).

- Les éléments vitaux autour de nous (les cours d'eau, l'histoire du feu, l'air et la pollution, l'air, la respiration et la santé, les collines et les montagnes, la météorologie).

Nous vous référons maintenant à quatre référentiels illustrant la démarche de l'approche par module (p. 160 à 165)

Voici, en surplus, un éventail de différents modules qui sont offerts à des élèves de 8 à 11 ans au cours d'une même année ou d'un cycle de deux ans, selon l'ampleur que l'on donnera aux champs d'étude des divers modules. Ici, l'intérêt des apprenants pour la thématique d'un module est sans doute un facteur important à considérer lorsqu'on en établit la durée. De plus, l'évaluation continue et la régulation que l'on effectuera tout au long du déroulement d'un module nous permettront assurément de raccourcir ou de rallonger sa durée, puisque nous sommes dans contexte de formation de base. Par contre, les modules utilisés dans un contexte de remédiation et de décloisonnement des groupes nous contraignent à encadrer leur durée dans le temps.

Des traces de différenciation

« Le module est conçu ici comme le lieu par excellence de la différenciation pédagogique. Ce concept est la clé de voûte de la construction et de la réalisation de notre projet. Un module est considéré comme un espace où chaque élève peut actionner des situations d'apprentissage proches de sa réalité, lui permettant ainsi d'accomplir son trajet personnel. La différenciation interne à une activité nous permet de placer chacun dans sa zone proximale de développement (Vigotzky, 1985). Cette pédagogie différenciée incite donc à une nouvelle approche où l'itinéraire est centré sur chaque apprenant, permettant l'individualisation des parcours de formation. » (Philippe Perrenoud, 1997)

Les modules offrent donc la possibilité d'une différenciation des trajets selon le choix ou le besoin des élèves. L'individualisation des parcours ne s'arrête pas à la personnalisation des itinéraires entre les modules; elle se poursuit sous une autre forme à l'intérieur des modules. Si chaque élève est soumis à des objectifs-obstacles à sa mesure, tous les élèves ne vivront pas les mêmes situations, n'apprendront pas les mêmes choses en même temps. Chacun suivra donc, vers des objectifs communs et partagés, un chemin d'apprentissage qui lui est propre à travers la succession des activités.

À l'intérieur d'un module, l'accompagnement de chacun exige un suivi individualisé, centré sur les processus en cours et remis sur le métier à tout instant, aidé en cela d'une observation continue et ce, pour réguler de façon optimale les choix et les apprentissages des élèves.

Dans les moments de consolidation et de remédiation, les élèves s'attaquent librement à une tâche ou à une autre, selon leurs besoins, qui sont harmonisés aux pistes de travail offertes par les modules. Un élève peut très bien se retrouver avec telle tâche de façon temporaire, en compagnie de nouveaux camarades éprouvant la même difficulté que lui. Par contre, pour le reste du voyage, ceux-ci pourraient suivre un parcours différent de lui ou progresser à des rythmes variés.

160

PANORAMA DES MODULES PLANIFIÉS EN FONCTION DU PROGRAMME VAUDOIS (SUISSE ROMANDE)

Panorama « compact » des modules

Plongés dans l'espace

Géométrie : mesure, surface, volume

Journal du camp d'été (module d'in-tégration)

Textes expressifs et descriptifs

Expression écrite

Devenir écrivain

Rudiments de la langue et de l'orthographe

Expression écrite

Mathématiques, géographie
Plans et cartes

Se situer dans l'espace

Sciences de la nature
Lecture, écriture

Je suis un chercheur

Histoire, géographie
Religions au fil du temps

De la chronologie dans nos fêtes et célébrations

Comprehénsion de lecture
Recherches, origines et modes de vie de l'homme

Revenir à ses origines

Géographie, histoire
Expression orale pour la présentation

À la découverte de la commune de Lutry

Sciences de la nature
Textes descriptifs et arts plastiques

Un zoo réinventé (voir page 162)

Éducation physique
Développement personnel et social

Et si l'on skiait ?

Source : Adapté d'Olivier PERRENOUD, Vers une pratique pédagogique en modules, Lutry (Suisse), École de Derrière-Corsy, 2000.

ORGANISATION DES ESPACES-TEMPS (POUR L'AN 2000)

	Lundi	Mardi	Mercredi	Jeudi	Vendredi
0835 1025 1155	Module compact	Module compact	Module compact	Module compact	Module compact Unité filée de gestion (Conseil de coopération, portfolio)
1350 1530	Module compact	Unité filée Projet personnel	Congé	Éducation physique	Unité filée Activités artistiques

À PROPOS DES ESPACES-TEMPS
DANS UNE TEMPORALITÉ HEBDOMADAIRE

Les *modules compacts* sont construits dans une perspective transversale complète. Ils regroupent en effet les domaines du français, des mathématiques, des arts visuels, des activités musicales et de l'approche du monde. Ces domaines sont traités soit par le biais d'activités larges réellement interdisciplinaires et transversales ou au travers de modules plus spécialisés, comme en mathématique et en création musicale. Dans ce dernier cas, les temporalités restent compactes pour permettre un investissement maximum à la fois rempli de sens et de motivation pour les apprenants.

Les *unités filées* sont organisées dans une perspective à moins longue échéance et reviennent à des moments fixes, ce qui permet aussi aux élèves de construire le sens des apprentissages à plus long terme. L'unité de gestion comporte à la fois le cadre de vie pour la collectivité et le suivi du voyage de chaque apprenant dans le cycle.

Source : Olivier PERRENOUD, *Vers une pratique pédagogique en modules*, Lutry (Suisse), École de Derrière-Corsy, 2000.

DESCRIPTION D'UN MODULE « ZOO »

Domaines: français, approche du monde, activités artistiques.

Durée

Module compact de six semaines (toutes les périodes selon la grille-horaire, avec l'unité filée [activités créatrices]).

Compétences travaillées (selon le plan d'études vaudois)

- Comprendre quelques phénomènes simples de son environnement.
- Écrire de manière lisible.
- Traduire des scènes de vie en tirant parti de moyens visuels.
- Réaliser une idée à l'aide de techniques et de matériaux.
- Écouter et dire : comprendre et produire un message oral.
- Lire : comprendre et restituer le sens et le contenu de textes.
- Écrire : produire des textes.

Contexte

Le projet de la classe était de monter un zoo avec des animaux en trois dimensions dans la cour de l'école, avec des pancartes explicatives sur les animaux présentés ainsi qu'un dossier plus complet de textes explicatifs constitué pour accompagner les visiteurs (autres classes, parents, voisinage). Des visites guidées complétaient le tout.

Objectifs de l'activité

Ce projet a permis de travailler sur les objectifs fondamentaux et avec les outils indiqués aux shémas des pages 164 et 165.

(Au centre les objectifs fondamentaux [compétences], puis les compétences associées et enfin les outils placés plus éloignés du centre.)

Étapes du projet

- Mise en projet des élèves.
- Visite d'un zoo avec observation des animaux, des pancartes de présentation, du zoo dans son organisation générale.
- Choix d'un animal par élève.
- Recherche de documents sur les différents animaux.
- Élaboration collective de guides d'écriture pour une pancarte explicative et pour un texte documentaire sur un animal.
- Travail en parallèle sur l'écriture des pancartes et des textes descriptifs, sur la construction des animaux en grandeur nature et des outils de structuration de la langue selon un contrat de travail personnel.
- Coévaluation régulière de la qualité et la progression du travail.

- Invitation écrite aux parents, aux autres classes et au voisinage.
- Montage de l'exposition avec décor autour des animaux.
- Organisation de visites guidées du zoo.
- Évaluation ou coévaluation finale et bilan du projet.

Évaluation

- Évaluation formative tout au long de l'activité et régulations pour permettre à chaque élève de construire son animal et de réaliser les textes associés.
- Guide coévaluatif de travail et d'écriture.
- En fin de module, un petit dossier, accompagné d'un commentaire général sur les progrès et les acquisitions de l'élève, est inséré dans son portfolio personnel.
- En plus du commentaire, ce dossier réunit des éléments significatifs quant aux objectifs fondamentaux travaillés. Ces éléments sont (pour cette activité) :
    - les guides d'écriture construits collectivement ;
    - les productions écrites personnelles avec tous les brouillons annotés par l'enseignant (avec les pistes de remédiation ou d'amélioration) pour le texte documentaire, la pancarte explicative, l'invitation écrite ;
    - les photos de la pancarte et de l'animal entouré de son décor dans le zoo ;
    - des éléments supplémentaires choisis par l'élève ;
    - le bilan final collectif du projet.

163

Source : Olivier PERRENOUD et Marianne PILLOUD, *Module ZOO,* Lutry (Suisse), École de Derrière-Corsy, 2000.

STRUCTURE PÉDAGOGIQUE DU MODULE

ZOO
Objectifs et outils

Activité transversale :
français
Activités artistiques
Approche
du monde

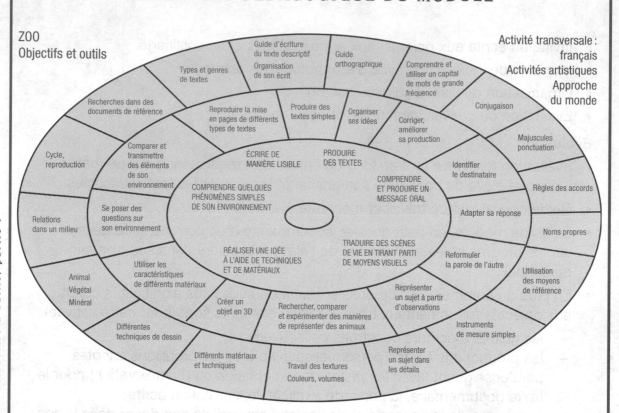

ZOO
Français

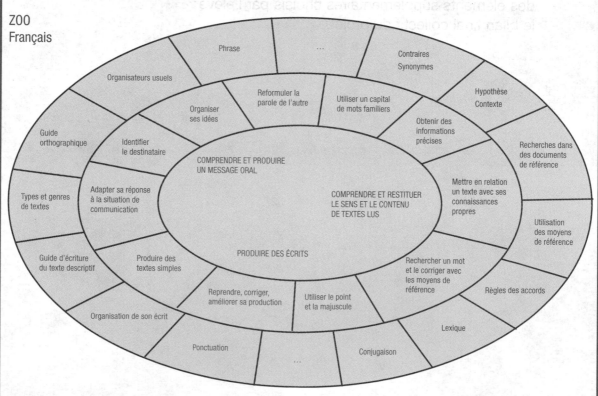

Source : Olivier PERRENOUD et Marianne PILLOUD, *Module ZOO,*
Lutry (Suisse), École de Derrière-Corsy, 2000.

Enrichir son coffre à outils, partie 1

164

STRUCTURE PÉDAGOGIQUE DU MODULE

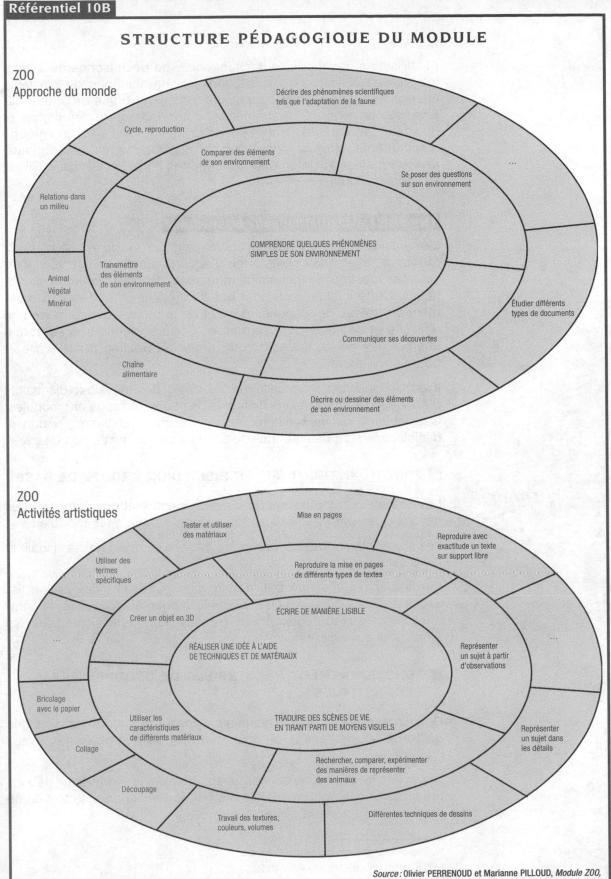

ZOO
Approche du monde

Décrire des phénomènes scientifiques tels que l'adaptation de la faune

Cycle, reproduction

Comparer des éléments de son environnement

Se poser des questions sur son environnement

...

Relations dans un milieu

COMPRENDRE QUELQUES PHÉNOMÈNES SIMPLES DE SON ENVIRONNEMENT

Transmettre des éléments de son environnement

Animal
Végétal
Minéral

Étudier différents types de documents

Communiquer ses découvertes

Chaîne alimentaire

Décrire ou dessiner des éléments de son environnement

ZOO
Activités artistiques

Tester et utiliser des matériaux

Mise en pages

Reproduire avec exactitude un texte sur support libre

Utiliser des termes spécifiques

Reproduire la mise en pages de différents types de textes

ÉCRIRE DE MANIÈRE LISIBLE

Créer un objet en 3D

RÉALISER UNE IDÉE À L'AIDE DE TECHNIQUES ET DE MATÉRIAUX

Représenter un sujet à partir d'observations

...

...

Bricolage avec le papier

Utiliser les caractéristiques de différents matériaux

TRADUIRE DES SCÈNES DE VIE EN TIRANT PARTI DE MOYENS VISUELS

Représenter un sujet dans les détails

Collage

Découpage

Rechercher, comparer, expérimenter des manières de représenter des animaux

Travail des textures, couleurs, volumes

Différentes techniques de dessins

Source: Olivier PERRENOUD et Marianne PILLOUD, *Module ZOO*, Lutry (Suisse), École de Derrière-Corsy, 2000.

Chapitre 6

165

« L'utilisation des modules dans un cadre de décloisonnement entre les classes sollicite nécessairement les interventions de plusieurs enseignants. Les enfants bénéficent forcément d'une brochette différenciée de regards, de méthodes, d'approches, de démarches et de stratégies. De plus, la corresponsabilité autour d'un grand groupe d'apprenants offre la possibilité de regroupements hétérogènes, favorisant ainsi des interactions différentes entre les élèves. » (Olivier Perrenoud, 2000)

Des pistes d'évaluation pour les modules

L'évaluation rattachée au fonctionnement par modules est bien sûr formative ; elle se fait sous forme d'accompagnement, de suivi individualisé destiné à orienter la régulation des interventions didactiques. Cette évaluation a pour but de dresser un état de l'avancement du travail, de reconnaître où et en quoi un élève éprouve une difficulté et de l'aider à la surmonter. Cette évaluation ne se traduit pas par des notes. Il s'agit plutôt d'une rétroaction pour l'élève et pour l'enseignant.

Il en découle une nécessité de se doter de nouveaux dispositifs d'évaluation adaptés à la philosophie de l'apprentissage par modules. Ces moyens peuvent différer selon que nous utilisons ou non le décloisonnement des groupes de base au sein d'une équipe de cycle.

■ FONCTIONNEMENT À L'INTÉRIEUR D'UN GROUPE DE BASE[1]

Le dossier d'apprentissage ou le portfolio fait état des compétences développées par l'élève dans son voyage à travers les modules.

Les arbres de connaissances et les blasons permettent de visualiser les acquis des élèves.

Le dossier d'évaluation bâti autour d'un passeport des apprentissages de fin de cycle est un outil d'information au service de la communication aux parents. Il sert de base aux entretiens avec les familles et aux soirées portfolio.

■ FONCTIONNEMENT À L'INTÉRIEUR DE GROUPES RECONSTITUÉS[2]

Un journal de bord pour chaque élève inscrit aux modules témoigne de son avancée dans le parcours par rapport aux objectifs-noyaux du cycle.

Un portfolio de modules contenant les plans de travail hebdomadaires et des documents-tests s'inscrit dans la perspective d'une mémoire collective de cycle.

---

1. Section inspirée d'Olivier Perrenoud (2000).
2. Section inspirée d'Étiennette Vellas (1999).

Nous devons nous rappeler que les outils d'évaluation nommés ci-dessus ont pour but de faciliter la gestion du cheminement de chaque élève, étant donné que nous travaillons ici au sein d'un groupe plus vaste que la classe. Ces dispositifs choisis ont donc une quadruple utilité : ils servent à renseigner d'abord les élèves, puis les enseignants avec qui ils ont travaillé, le titulaire du groupe de base auquel ces élèves sont rattachés et finalement, leurs parents.

À cela s'ajoutent les dispositifs d'évaluation privilégiés par chaque titulaire du groupe de base.

Nous continuerons l'exploration et l'approfondissement de certains dispositifs d'évaluation (journal ou carnet de bord, arbre de connaissances, blason, portfolio ou dossier d'apprentissage et passeport d'apprentissages de fin de cycle) dans le chapitre 9.

En attendant, allons faire la connaissance d'une troisième approche qui se prête au développement des compétences et à la différenciation des apprentissages : l'approche par problèmes.

L'approche par problèmes

En ce moment, nous nous retrouvons devant une approche qui n'est pas moins importante, pas moins efficace que les deux premières que nous venons d'explorer. De plus, l'approche par problèmes présente l'avantage d'être moins vaste dans son contenu et dans sa durée d'exécution. Donc, elle comporte moins de composantes à planifier et à gérer, et par le fait même, moins de routes où l'on risque de se perdre. C'est un atout intéressant pour un enseignant qui entame une carrière ou pour un pédagogue qui fait ses premiers pas vers le développement des compétences et vers la différenciation des apprentissages.

Appliquée facilement dans le domaine de la mathématique ou d'autres disciplines, elle peut être combinée avantageusement à l'approche par projets. Cet heureux mariage nous permet de travailler sur le développement des compétences en mathématique tout en respectant la rigueur et les règles de la didactique. Les enseignants très familiers avec l'utilisation du travail en projets déplorent assez souvent la difficulté qu'ils ont à donner à la mathématique toute l'importance et toute la place qui lui reviennent à l'intérieur des projets qu'ils vivent avec leurs élèves. C'est souvent cette matière qui en sort perdante. Alors pourquoi ne pas développer une approche conjointe (projets et problèmes) puisque celle-ci a le privilège d'être porteuse de fruits tout en étant précise et concise ?

Je m'en voudrais de laisser transparaître aux lecteurs que l'approche par problèmes touche uniquement la mathématique. Loin de là ! Nous devons retenir qu'elle s'applique à toutes les disciplines avec grand succès. La situation-problème porteuse d'un objectif-obstacle doit toujours être au rendez-vous de l'apprentissage, peu importe la discipline concernée.

« Le seul apprentissage qui influence réellement le comportement d'un enfant est celui qu'il découvre par lui-même et qu'il s'approprie. »

(Carl Rogers)

Sa *définition*

Revenons encore au savoir de Philippe Meirieu (1994), qui parle de cette approche en ces termes : « La situation-problème est une situation d'apprentissage élaborée par le didacticien dans laquelle il est proposé au sujet une tâche qu'il ne peut mener à bien sans effectuer un apprentissage précis et incontournable. Cet apprentissage constitue le véritable objectif de la tâche. »

La pratique de la situation-problème est probablement une des « trouvailles » pédagogiques les plus intéressantes de ces dernières décennies, puisqu'elle respecte la cohérence de ce que nous savons aujourd'hui du processus d'apprentissage et qu'elle n'altère pas les caractères du savoir.

Ce sont des didacticiens de la mathématique qui ont proposé pour la première fois ce modèle plus rigoureux de tâche d'apprentissage comportant un obstacle pour les élèves dans le but de déstructurer leur organisation mentale afin de les placer en situation de modification et de recréation de savoir. Malgré cette intention première de l'orienter vers la mathématique, nous pouvons quand même l'appliquer à d'autres disciplines. Nous devrons alors penser à diverses adaptations, à divers contextes, à diverses disciplines car son principe est transférable en dehors du champ de la mathématique. Dès que nous passons aux autres disciplines, nous sommes tenus de créer des dispositifs pédagogiques qui font apparaître le savoir comme toujours « problématique ». Ainsi, plutôt que de pédagogie de la situation-problème, terme trop limité à la mathématique, on parlera plus volontiers de situation problématique ou d'une pédagogie du problème. En pratique, il est souhaitable de toujours commencer une séquence d'apprentissage par une tâche problématique.

Les didacticiens et chercheurs Jean-Pierre Astolfi, Michel Develay et André Giordan ont favorisé la centration sur l'apprenant. La conception de l'apprentissage-enseignement, la présence de l'objectif-obstacle et la planification de la situation-problème constituent le moteur de leurs travaux.

Chez Astolfi, c'est la notion d'objectif-obstacle qui permet de construire des situations d'apprentissage, à la fois à partir de la matière enseignée et de l'identification des représentations des élèves et de leurs modes de pensée. Quant à Michel Develay, il propose des « situations-problèmes » ou « énigmes » respectant plus le processus apprentissage-enseignement que l'inverse, soit le processus enseignement-apprentissage. Enfin, André Giordan croit que l'apprentissage s'appuie sur un remodelage des structures cognitives faisant référence à la pédagogie de l'erreur ou du refus.

« Le travail autonome par les situations-problèmes se base sur le modèle constructiviste interactif. Celui-ci se caractérise essentiellement par l'idée que ce sont les apprenants qui construisent eux-mêmes leur savoir à partir de situations proches de la réalité d'utilisation de ce savoir, et grâce aux interactions entre leur savoir "déjà-là" et celui des autres : collègues, enseignants, livres, etc. D'où l'importance accordée dans cette conception aux essais et surtout aux erreurs, puisque celles-ci sont non seulement la preuve qu'un apprentissage est nécessaire, mais aussi la base sur laquelle vont s'appuyer les essais suivants en permettant une meilleure prise de conscience du "contenu" de l'apprentissage. » (Quittre, 1998)

Des gains pour les élèves

C'est une approche très enrichissante pour l'élève que de se voir soumettre une situation-problème, car il devient « acteur actif » dans la recherche de solutions possibles. Plusieurs facettes de son développement sont stimulées. Ici, nous pensons à la construction de sa motivation face au travail scolaire, au maintien d'une forte concentration, au développement d'habiletés sociales et intellectuelles, et surtout à la croissance de son autonomie dans les apprentissages, objectif à long terme.

Je me permets de souligner quelques avantages rattachés à l'utilisation de cette approche :

- La situation-problème est perçue d'abord par l'élève comme une énigme à découvrir, un genre d'obstacle à franchir ou un problème à clarifier. L'élève habité par cet intérêt se retrouve facilement en situation de recherche individuelle, puis en situation de recherche coopérative.

- L'apprenant vit une double interaction sociale pendant le processus de l'apprentissage : au sein de son équipe, il est en constante relation avec ses camarades, partageant questions, objections, hypothèses et solutions ; de plus, il est appelé à comparer sa réalisation et son processus avec d'autres élèves ou d'autres équipes de travail au moment de la communication des produits réalisés.

- Par sa nature même, la situation-problème déclenche tout un questionnement chez l'élève. L'objectif-obstacle, en provoquant un conflit cognitif, place l'apprenant en situation de réflexion sur ce qu'il dit, entend, voit et fait. Que la solution trouvée soit bonne ou mauvaise, il faut qu'il se demande pourquoi cela a fonctionné ou pourquoi ça ne convient pas. La métacognition permet à l'élève d'effectuer de perpétuels retours sur lui-même et sur ce qu'il vient de vivre, seul ou avec son équipe de travail.

- Et finalement, cette approche permet de tenir compte des différences individuelles que nous retrouvons chez les élèves de notre classe ou de nos classes.

Une ouverture à la différenciation

À travers le vécu d'une situation-problème, il y a possibilité de différencier le contenu, le processus, la production ou les structures.

Le regard au pluriel de l'intervenant peut s'exercer également quand il s'agit de décider s'il utilisera la différenciation successive ou simultanée, ou encore la différenciation à l'interne ou à l'externe.

Fort de la différenciation régulatrice, l'enseignant sera constamment en évaluation et en régulation à travers le déroulement de la situation-problème, tout comme il le fait au cours d'un projet ou d'un module. Il propose donc démarche, procédure, stratégie ou moyen différent, adapté à l'élève qui a interrompu sa tâche ou vit difficilement son itinéraire d'apprentissage.

Pour les élèves n'arrivant pas à saisir l'apprentissage à la fin de la première situation-problème, il est souhaitable d'en prévoir une autre où ils bénéficieront d'une guidance plus forte de la part de l'enseignant ou d'un camarade-tuteur.

Le travail en cycle en bénéficie également puisque les élèves disposent de deux ans ou plus pour apprivoiser la démarche de résolution de problème et se l'approprier. Et que dire de la présence de deux ou de quatre enseignants qui unissent leurs compétences pour concevoir et gérer des situations-problèmes? C'est un prétexte formidable pour mettre en branle le travail d'équipe au sein d'un cycle parce qu'on récupère du temps et des énergies en planifiant ensemble au lieu de le faire dans la solitude de sa classe. De plus, la conception des situations-problèmes exige de la part des pédagogues une connaissance approfondie du programme de formation et une gymnastique intellectuelle en vue de privilégier et d'orchestrer certains éléments de contenu à l'intérieur d'une situation-problème. Mais le jeu en vaut la chandelle...

Histoire de mieux connaître le sujet, nous nous rendrons dans des classes afin d'observer la planification entourant l'utilisation de cette approche au quotidien. Encore une fois, je ferai l'illustration d'un modèle de planification, l'approche par problèmes, à l'aide de témoignages recueillis en Belgique, lors d'un stage d'observation. Je suis consciente que plusieurs écoles du Québec auraient pu me fournir des planifications de situations-problèmes tout aussi valables. J'opte cependant de poursuivre avec l'expérimentation dont j'ai été témoin en banlieue de Huy.

Tout en prenant connaissance de l'expérimentation de ces deux situations-problèmes dans des classes belges (pages 171 à 173), rappelons-nous un élément important: l'objectif de l'apprentissage (le nœud conceptuel de la démarche) doit toujours être exprimé dans la consigne que l'on donne aux élèves.

Les élèves ont intérêt à savoir pourquoi ils font un travail, quel objectif d'apprentissage on poursuit avec eux et quel est le nœud conceptuel ou l'objectif-noyau (point de rencontre entre des notions) de l'apprentissage qu'ils sont en train de faire. Le pédagogue gagne à repérer des objectifs-obstacles puisque ceux-ci engendrent plus facilement des situations-problèmes. Il faut se souvenir qu'un objectif-obstacle permet à l'apprenant qui l'atteint de franchir un palier décisif de progression parce qu'il modifie son système de représentations et le fait accéder à un registre supérieur de formulation.

La planification des situations-problèmes présentées dans les pages suivantes a été faite à partir du contenu et de la terminologie du programme d'études belge.

SITUATION-PROBLÈME 1

Titre de l'activité : Faites un kilogramme

Clientèle visée : Classe de premier cycle

Objectif-noyau : Mesurer les masses

Compétence visée

Résoudre une situation-problème

Composantes

- Appliquer différentes stratégies en vue d'élaborer une solution.

- Partager l'information relative à la solution.

- Valider la solution.

Savoirs essentiels

Mesure de masses :

- Estimation et mesurage.

- Unités non conventionnelle.

- Unités conventionnelles (kilogramme et gramme).

- Relations entre les unités de mesure.

Démarche proposée

- Répartition de la classe en six groupes de travail de quatre à cinq élèves.

- Dans quatre groupes, il y a un instrument de mesure sur la table ; deux groupes n'ont rien à leur disposition.

- Sur chaque table, il y a des marchandises en quantité suffisante pour offrir un choix intéressant.

- Quand le travail est suffisamment avancé, que chaque élève pense avoir son « kg », inviter chaque groupe à écrire ou à dessiner sur une affiche « Un kg, c'est… »

- Chaque groupe présente les « kg » fabriqués. Les équipiers expliquent comment ils les ont faits, pourquoi ils sont sûrs que ce sont des « kg » et comment ceux-ci expriment ou représentent ce poids.

- L'enseignant accompagne les élèves dans leur appropriation des principes essentiels suivants : la distinction entre les objets et une de leurs propriétés (la masse) ; l'expression de l'invariance du kilogramme, peu importe les matériaux ou leur volume ; l'expression du mode d'emploi de l'instrument, du soupesage ; l'expression du résultat du mesurage par encadrement.

Pistes de différenciation
dans le processus d'une formation de base

- Faire 2 kg, 3 kg, la moitié d'un kg.

- Mettre une certaine quantité d'objets dans un sac, faire une estimation de poids et vérifier l'hypothèse avec une balance.

- Donner une liste d'objets et demander si le kg pourrait servir à les mesurer. Liste : une tasse de sucre, un livre de mathématique, une pilule, le poids de maman, un dé à coudre, un dictionnaire, le poids de la voiture de papa, etc.

- Préparer et mesurer les ingrédients nécessaires pour une recette de muffins à l'atelier de cuisine.

Matériel nécessaire : Marchandises de 1 kg, mais aussi plus ou moins lourdes ; sacs d'objets identiques (capsules, blocs *Legos*, cubes de bois, billes) ; sacs en plastique transparent de diverses grandeurs ; balance à plateau, balance de ménage graduée, pèse-personne et dynamomètre.

Commentaires

SITUATION-PROBLÈME 2

Titre de l'activité : Devenir expert dans les consignes

Clientèle visée : Classe de troisième cycle

Objectif-noyau : Rédiger un court texte incitatif

Compétence visée

Écrire des textes variés

Composantes de la compétence

- Exploiter l'écriture à diverses fins.
- Utiliser les stratégies, les connaissances et les techniques requises par la situation d'écriture.
- Évaluer sa démarche d'écriture en vue de l'améliorer.

Ressources sollicitées

(connaissances, stratégies, techniques, etc.)

Connaissances

- Prise en compte d'éléments de cohérence (principaux connecteurs ou marqueurs de relation).
- Connaissance de l'impératif présent liée à la phrase.

Stratégie d'évaluation de sa démarche

Vérifier l'atteinte de l'intention d'écriture.

Démarche proposée

Le travail de rédaction se fait individuellement d'abord. Puis, les élèves se regroupent en dyades structurées et planifiées, puis chacun s'exécute à tour de rôle afin de vérifier la précision et l'exactitude des consignes qu'il vient de rédiger. On régule, au besoin.

Pistes de différenciation

Pour le contenu et le processus d'une remédiation différenciée :

L'enseignant distribue une fiche à chaque élève, en ayant soin de remettre des lettres plus complexes à certains tandis que d'autres en recevront des plus faciles. *Exemple :* il est moins difficile de rédiger des consignes pour faire tracer un T à un camarade que de le faire pour un S ou un W.

Matériel nécessaire :

Une fiche subdivisée en quatre sections afin de donner les informations suivantes aux élèves : la consigne écrite, le dessin d'une lettre sur du papier quadrillé, une banque de vocabulaire-support et un espace ligné pour rédiger les consignes nécessaires à la réalisation de la lettre dessinée préalablement.

Commentaires

172

Écris les consignes à dicter pour qu'un copain reproduise ce dessin sans le voir et sans que tu lui dises de quelle lettre il s'agit.

Voici des mots pour t'aider:
perpendiculaire, segment, trace, parallèle, cm, gauche, vers, droite, haut, bas, milieu

Écris les consignes à dicter pour qu'un copain reproduise ce dessin sans le voir et sans que tu lui dises de quelle lettre il s'agit.

Voici des mots pour t'aider:
perpendiculaire, segment, trace, parallèle, cm, gauche, vers, droite, haut, bas, milieu

Cet exemple démontre que l'on peut appliquer la situation-problème à une discipline autre que la mathématique. De plus, on peut l'utiliser non seulement pour faire un apprentissage nouveau, mais aussi dans un cadre de consolidation ou de rémédiation. On remarquera également la combinaison de la différenciation et de la situation-problème.

Les arguments en faveur de cette approche pédagogique sont de nature fondamentale et éducative :

- « Travailler par situations-problèmes, c'est respecter l'enfant dans toute sa personne, c'est prendre en compte ce qu'est, ce que sait et ce que sait faire chaque enfant de la classe.

- « C'est aussi choisir de mettre l'enfant "debout", c'est vouloir faire de lui un futur adulte responsable, capable de réfléchir, de s'adapter. Choisir les situations-problèmes, c'est choisir une autre société.

- « C'est aussi vouloir "faire une tête bien faite plutôt qu'une tête bien pleine". C'est être persuadé que l'enfant pourra transférer cette façon de faire dans d'autres situations inconnues. C'est penser qu'il n'est pas nécessaire de tout voir, tout apprendre pour lui. C'est, au contraire, faire de lui un enfant chercheur même face à une situation nouvelle.

- « Enfin, c'est arrêter "l'assistance", c'est choisir une école libératrice où réapparaît le plaisir de la découverte, celui de suivre une démarche personnelle. Une école où chacun est pris en compte là où il est. » (Quittre, 1998)

L'utilisation de situations ouvertes

Tout comme les situations-problèmes, les situations ouvertes placent l'élève devant un défi qui l'engage dans un projet d'apprentissage, peut-être de façon plus orientée vers le développement des compétences transversales, en n'excluant pas de façon radicale le développement des compétences disciplinaires. Il s'agit de situations plus ouvertes où l'apprentissage est moins circonscrit au point de départ, comparativement à la situation problème. Nous savons que l'élève se retrouvera en contexte d'organisation, d'adaptation, de recherche, d'évaluation, de production d'idées, de communication, de planification, de créativité, etc. Mais, contrairement aux situations-problèmes, les situations ouvertes ne présentent pas un seul objectif d'apprentissage précis et incontournable pour l'apprenant. Elles nous offrent la possibilité de l'engager dans une activité généralement plus centrée sur ses choix et son cheminement, de lui faire jouer un rôle actif dans l'orientation du problème et de lui offrir un cheminement parsemé de différents apprentissages tout en lui offrant l'occasion de divers processus mentaux. L'apprenant a plus de place à l'intérieur de la situation ouverte, à moins que l'intervenant ne décide de refermer l'ouverture de la situation par la nature des interventions qu'il effectue.

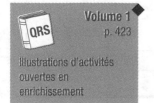

Volume 1
p. 423

Illustrations d'activités ouvertes en enrichissement

La pédagogie ouverte a beaucoup fait la promotion des activités ouvertes. Claude Paquette, pédagogue québécois, a extrêmement sensibilisé les praticiens à la pertinence d'utiliser des activités ouvertes et de fonctionner à partir d'un programme d'études ouvert. C'est d'ailleurs à cette philosophie que se sont raccrochées certaines écoles alternatives pour définir leur projet éducatif.

La situation-problème nous permettait d'anticiper, de façon précise, le principal apprentissage qui allait se faire. Nous nous retrouvions devant un objectif d'apprentissage qui était codé au point de départ. Pour sa part, la situation ouverte nous amène à composer avec des objectifs que l'on décodera en cours de route, même si nous pressentons l'orientation que l'apprenant pourrait prendre. Une chose est sûre : s'il s'agit d'un véritable défi, l'élève apprendra quelque chose qui sera tantôt prévu, tantôt imprévu. À nous de faire émerger cet apprentissage, au moment de l'objectivation, si nous voulons l'évaluer avec l'élève et le réinvestir avec lui plus tard. Autrement, cette situation ouverte aura servi simplement à occuper l'élève pendant un certain temps, puis elle sera mise au rancart en attendant qu'une autre vienne lui succéder.

Découvrir la richesse des situations ouvertes

Nous commençons notre trajet en nous arrêtant tout d'abord à la définition d'une situation d'apprentissage telle que proposée par Meirieu (1991) : «Situation (ensemble de dispositifs) dans laquelle un sujet s'approprie de l'information à partir du projet qu'il conçoit : il s'appuie, pour ce faire, sur des capacités et des compétences déjà maîtrisées qui lui permettent d'en acquérir de nouvelles. Les situations d'apprentissage peuvent ainsi apparaître pour l'apprenant en dehors de toute structure scolaire et de toute programmation didactique. »

Si l'on consulte Renald Legendre (1993), une «situation d'apprentissage est une situation pédagogique qui consiste, à partir de ce que l'enfant est capable de faire par lui-même, spontanément, à l'inciter à aller jusqu'où il lui est possible d'aller par lui-même, selon l'hypothèse qu'il ne révèle pas toutes les structures dont il dispose».

Comme nous parlons de situation ouverte dans le cas présent, nous allons nous référer à Claude Paquette (1992, p. 85-86) qui leur confère certaines caractéristiques :

- elles sont complètes par elles-mêmes ;
- elles favorisent l'intégration des différents champs disciplinaires ;
- elles sont propices à l'utilisation simultanée de plusieurs processus de la pensée ;
- elles ne prédéterminent pas les apprentissages à réaliser et les performances à atteindre ;
- dans une activité ouverte, la situation, le problème posé ou le défi peut provenir d'un intérêt ou d'une préoccupation de l'élève ou de l'intervenant, ou d'une entente conjointe des deux ;
- elles sont ouvertes à la différenciation des apprentissages, de par leur nature. Ainsi, les contenus, les processus et les productions peuvent être différenciés à partir de la même situation ouverte traitée différemment par cinq enfants, par exemple.

Aux situations d'apprentissage, qu'elles soient ouvertes ou non, nous associons très souvent le mot *défi,* appellation très courante auprès des élèves dans la classe. Cette expression est utilisée à bien des sauces, dans bien des contextes : « Donne-toi un défi de la semaine. Quel est ton défi de la prochaine étape ? Ce matin, je te présente un défi nouveau dans l'atelier de sciences. Je suis persuadée que tu es capable de relever le défi dans ton cahier de mathématique cet après-midi. Tu vas travailler à identifier tes forces et tes défis avant de présenter ton bulletin ou ton portfolio à tes parents. » Mais, au fait, qu'est-ce qu'un défi ? Est-ce clair pour l'enseignant ? Est-ce que l'élève comprend ce qu'on lui demande quand on lui parle de défi ?

D'après le dictionnaire *Le Petit Robert*, un défi est un « obstacle extérieur ou intérieur qu'une civilisation doit surmonter dans son évolution ». Ce peut être également une « déclaration provocatrice par laquelle on signifie à quelqu'un qu'on le tient pour incapable de faire une chose ».

Allons voir comment Renald Legendre (1993) définit ce concept : « Un défi est un obstacle pédagogique perçu par le sujet comme un écart stimulant entre l'état de ses connaissances et le nouvel objectif à atteindre. » Le défi est aussi présent dans la situation problème que dans la situation ouverte.

Ces différentes perceptions nous aident à cerner l'essence même de ce mot afin que nous puissions nous représenter mentalement ce que sont véritablement une situation mobilisatrice et un défi. Il est sûr qu'une tâche mobilisatrice doit comporter un réel défi pour celui ou celle à qui on la confie. Parce que mobiliser quelqu'un, c'est faire appel à son potentiel, c'est tenter de mettre en jeu ses facultés intellectuelles ou morales au moyen d'un mobile, d'un objectif, d'un but que l'on peut nommer un défi. C'est même lui signifier que l'on veut un rassemblement avec elle, devant un problème à résoudre, un idéal à atteindre ou une cible quelconque, pour passer à l'action avec elle.

À la lumière des données précédentes, pourrait-on dire qu'un défi doit représenter une situation complexe pour l'élève possédant tous les acquis nécessaires pour résoudre la difficulté ou le problème, et à qui on propose d'organiser lui-même les données et ses savoirs ? Pour nous guider dans la création des situations ouvertes et des défis logés au cœur de ces dernières, donnons-nous un cadre de référence qui nous aidera à valider ce que nous avons l'intention de proposer aux élèves.

Les défis au cœur de la situation ouverte

1 Comme nous l'avons dit précédemment, une situation ouverte porte en elle un *défi approprié* quand les apprenants doivent faire face à l'inconnu, mais qu'ils savent suffisamment de choses pour pouvoir la commencer. Quand nous parlons de zone proximale de développement, nous ouvrons tout de suite la porte à la différenciation. Une tâche peut être un défi pour trois élèves tandis qu'elle ne l'est pas nécessairement pour deux autres. Autrement dit, les élèves qui réussissent trop facilement la tâche proposée peuvent perdre leur motivation en cours de route tandis que ceux qui ne réussissent jamais à relever les défis proposés risquent fort de décrocher en chemin.

De plus, un défi de moyenne importance aujourd'hui ne garantit pas qu'il représentera le même défi demain. Le défi doit grandir en même temps que les apprentissages progressent. Au départ, ils sont ajustés aux différents niveaux des élèves et ils deviennent de plus en plus complexes au fur et à mesure que le scénario d'apprentissage se déroule. Nous devrons donc en tenir compte dans la gestion de nos ateliers, de nos centres d'apprentissage, de nos plans de travail ou de nos contrats d'apprentissage. « Comment différencier à partir de ces dispositifs ? » sera un volet traité dans le prochain chapitre.

2 Pour qu'il y ait mobilisation de l'apprenant, il faut que la tâche portant le défi en elle soit non seulement *adaptée*, mais également *signifiante*. C'est seulement à cette condition que l'élève décidera si l'apprentissage représente un véritable défi pour lui, même si l'enseignant est profondément convaincu que c'est le cas. C'est aussi le moment décisif de l'engagement, puisque l'élève se positionnera personnellement en disant oui ou non au défi qu'on lui propose.

L'enseignant soucieux d'offrir des défis signifiants devra graviter autour du vécu des élèves afin de choisir une porte d'entrée gagnante : intérêts personnels, intérêts collectifs, affinités en regard des intelligences multiples, vécu des familles, du milieu, de la communauté culturelle, centres d'intérêt rattachés au développement d'élèves d'un âge donné, événements d'envergure locale, provinciale, nationale ou internationale, etc.

Nous pouvons amplifier également le degré de signifiance de la tâche ou du défi en effectuant certaines interventions pédagogiques à saveur stratégique. Les élèves savent-ils pourquoi on leur propose ce défi, et surtout, une fois qu'il aura été relevé, ce qu'il va changer dans leurs vies d'écoliers, d'enfants ou d'adolescents ? Le défi sera-t-il classé dans un tiroir en attendant le prochain ? Est-on en train d'entraîner l'élève dans le tourbillon des défis ? Le « pourquoi » du défi et le « quand » de sa réutilisation, de son réinvestissement et de son transfert dans une autre discipline ou dans l'histoire personnelle de sa vie peuvent contribuer au maintien de la signifiance tout au long de la situation mobilisatrice.

3 Pour le pédagogue qui planifie et organise, la situation ouverte et son défi sont-ils considérés comme une fin ou un moyen ? Peut-on parler de *défi pédagogique* ? Quel lien cette situation a-t-elle avec le contenu du programme de formation ? Relève-t-elle des compétences transversales ou disciplinaires ? À quelle composante de la compétence touche-t-elle ? A-t-on pensé aux manifestations de cette compétence ? Comment allons-nous observer ce qui se déroulera ?

4 La présentation de la situation ouverte et de son défi est-elle le fruit du hasard, le résultat d'un choix impulsif ou intuitif ou encore d'une envie irrésistible de faire plaisir aux élèves ? Cette situation s'inscrit-elle à l'intérieur d'un *scénario* ou d'une *séquence* d'apprentissage ? Peut-on lui donner une vocation exploratoire ? De formation de base ? d'évaluation formative ? de consolidation ? de remédiation ? d'enrichissement ? d'intégration ou de transfert ?

5 La situation ouverte aurait intérêt à se dérouler dans le cadre d'une *démarche d'apprentissage* rigoureuse et planifiée. Le défi qu'elle porte en elle se manifestera-t-il au moment de la préparation à l'apprentissage ? pendant l'étape de la réalisation ? pendant la phase de l'intégration ? Même si ce défi est susceptible de se présenter très souvent dans le feu de l'action, c'est-à-dire au deuxième temps de la démarche, avons-nous toujours le souci de consacrer du temps pour préparer les élèves au défi qui leur sera soumis par un atelier, un centre d'apprentissage ou un contrat de travail ? Et surtout, comment allons-nous trouver le temps requis pour effectuer un retour sur le vécu de ce défi ?

6 Au moment où la situation ouverte s'amorce, avons-nous déjà identifié, avec les élèves, les critères de même que les dispositifs d'évaluation dont nous ferons usage ? Autrement dit, comment ce *défi* sera-t-il *évalué* ? Ici, l'orientation à prendre est double, puisqu'il s'agit, d'une part, d'évaluer constamment ce qui se passera afin d'accompagner le mieux possible les élèves qui sont en train de relever un défi ; d'autre part, selon la vocation que nous aurons attribuée à cette situation mobilisatrice, nous aurons besoin d'évaluer avec les élèves non seulement le produit rattaché à leur défi, mais aussi l'itinéraire qu'ils ont parcouru pour arriver à bon port. La discussion avec les élèves pour prendre conscience des apprentissages, des réussites importantes et des difficultés éprouvées et l'autoévaluation par les élèves serviront à différencier par la suite. Nul besoin de réaffirmer que tous les élèves ne relèveront pas un défi avec le même seuil de réussite et cela, dans un même laps de temps.

Par l'utilisation des défis et des situations ouvertes, l'enseignant développera son habileté à distinguer les situations d'apprentissage qui se confondent avec une évaluation naturelle, intégrée au processus d'apprentissage, et celles qui méritent une évaluation externe posée par l'adulte qui accompagne l'apprenant. Dans le premier cas, il s'agit d'une évaluation centrée sur l'apprenant tandis que dans le second, l'évaluation est centrée sur l'intervenant puisque l'essentiel résidera dans la régulation des actions éducatives.

7 Quelle place accordons-nous à la *différenciation* quand nous plaçons des élèves devant des tâches-défis ? Les mêmes défis sont-ils toujours obligatoires pour tout le monde ? Retrouve-t-on des défis semi-obligatoires ou facultatifs ? Dans la réalisation des défis, a-t-on des paliers de réussite ou de difficulté gradués et négociables ? Accepte-t-on et reconnaît-on divers seuils de réussite dans l'accomplissement des défis ? À certains moments, dans la classe, permet-on à des élèves de travailler simultanément sur des tâches-défis présentant des niveaux de complexité différents ? Offre-t-on aux élèves des degrés de guidance différents dans l'exécution de la tâche mobilisatrice ? Différencie-t-on les stratégies que requièrent les divers styles d'apprentissage ?

Comme nous le constatons, toute approche ou tout dispositif pédagogique nécessite une rigueur absolue, autant dans la planification et l'accompagnement que dans l'évaluation. J'ai choisi de présenter les différentes options pédagogiques par ordre de complexité pour mettre en lumière les exigences liées à chacune. Même si les situations ouvertes figurent en bas de liste, elles n'en demeurent pas moins riches et efficaces. Vaut mieux gérer une situation ouverte avec brio que de s'égarer dans l'articulation d'un projet qu'on ne maîtrise pas! Une situation-problème vécue dans toute son intensité est plus rentable qu'un module mal structuré.

Et que dire de la différenciation de la différenciation? De même qu'on ne saurait enfermer des pédagogues à l'intérieur d'un seul modèle pédagogique, il serait stérile d'orienter des élèves toujours vers la même approche. La pluralité, la combinaison, la juxtaposition des différentes options est porteuse de richesse, d'intérêt et, ultimement, de réussite. Pour une période donnée un enseignant pourrait ainsi décider de fonctionner occasionnellement par le travail en projets pour l'apprentissage des sciences humaines, des sciences de la nature, du français et des arts plastiques. Il ferait le choix d'utiliser les situations problèmes pour l'apprentissage de la mathématique. À un moment précis d'une remédiation intense en français, pour une période de deux semaines, en collaboration avec trois autres collègues, il se servirait d'un module d'apprentissage construit à cet effet. Par ailleurs, des situations ouvertes alimenteraient les ateliers de consolidation et d'enrichissement qui sont offerts aux élèves de sa classe quatre fois par semaine.

Ici, il n'est pas question d'associer une approche à une discipline. Il importe toutefois de comprendre que le professionnel de l'éducation se retrouve devant diverses options pédagogiques et qu'il doit effectuer des choix au moment de la planification des apprentissages. Ces choix ne sont pas permanents, mais peuvent se transformer selon les contextes.

Comme complément à l'étude des situations ouvertes, je vous offre des exemples de défis qui pourraient devenir les déclencheurs de chantiers pédagogiques axés sur la conception de situations ouvertes ou sur les transformations qu'on pourrait faire subir à des situations ouvertes de façon à les rendre davantage porteuses de différenciation soit sur le plan des contenus, des processus ou des productions.

Étant donné que ce guide sera utilisé par des enseignants qui travaillent avec des programmes d'études différents, je préfère les diriger vers une évaluation critique de ces situations proposées. La référence au contenu des curriculums, à la présence des compétences disciplinaires et transversales, à une taxonomie des processus mentaux, à une grille des habiletés mentales ou des intelligences multiples est un point de repère pour les praticiens désireux d'évaluer la richesse ou la pauvreté d'une situation d'apprentissage et surtout soucieux de présenter à leurs élèves des tâches vraiment mobilisatrices.

Les pages suivantes présentent une banque de situations ouvertes[3] qui pourrait alimenter avantageusement un tableau d'enrichissement.

3. Inspiré de C. PAQUETTE, *Pédagogie ouverte et interactivité*, vol. 1, p. 83 à 109, et vol. 2, p. 127 à 150, ainsi que de J. CARON et E. LEPAGE, *Vers un apprentissage authentique de la mathématique*.

SITUATION OUVERTE 1

1. Titre : À la découverte d'un musicien !

2. Intention pédagogique : Activité s'adressant à l'intelligence musicale et offrant une porte d'entrée

à la lecture et à la communication orale ou écrite.

3. Situation : Tu vis dans un monde où la musique vient embellir chacune des journées. Choisis un musicien dont tu connais le nom et avec qui tu aimerais faire plus ample connaissance. Il peut s'agir d'un musicien célèbre du passé ou d'un musicien contemporain.

4. Différenciation dans les pistes d'exploration

- Qui est ce musicien ?
- Dans quelle ville vit-il ou a-t-il vécu ?
- De quel l'instrument joue-t-il ou jouait-il ?
- Quelles œuvres a-t-il créées ou nous a-t-il laissées ?
- Qu'est-ce que tu apprécies le plus dans ses œuvres ? Pourquoi ?
- As-tu l'impression qu'il a eu ou a présentement une vie heureuse ? Pourquoi ?
- Que faut-il faire ou avoir pour devenir un musicien célèbre ?, etc.

5. Différenciation de pistes pouvant influencer le contenu à aborder

- Si tu devenais un musicien célèbre, de quel instrument jouerais-tu ?
- Si tu étais un chanteur célèbre, qu'est-ce qui te caractériserait ?
- Quelle personnalité internationale désirerais-tu rencontrer ? Pourquoi ?
- Quel athlète admires-tu le plus ? Pourquoi ?
- Quel inventeur a apporté une contribution extraordinaire à la vie des humains ?
- Si tu étais célèbre, qui serais-tu ? Où vivrais-tu ? Comment serait ta vie ?

6. Différenciation dans les défis proposés :

Documente-toi à son sujet et prépare-nous un petit reportage sur elle ou sur lui.
Présente ton personnage célèbre par un moyen de communication différent du reportage.

7. Commentaires

180

SITUATION OUVERTE 2

1. Titre: Coco et Ti-Gus

2. Intention pédagogique: Activité centrée sur le vécu des élèves et ouvrant la porte à la créativité et à la communication orale.

3. Situation: Cette année, dans la classe, nous avons deux animaux comme mascottes: Coco la perruche et Ti-Gus le hamster. Essaie d'imaginer ce qui peut bien se passer dans la tête de nos deux amis.

4. Différenciation dans les pistes d'exploration

- Sont-ils satisfaits de leur sort? Peux-tu en trouver les raisons?
- Quelles réflexions ont-ils lorsqu'ils entendent nos propos dans la classe?
- Quelle conversation entretiennent-ils durant les longues heures où les élèves sont absents de la classe?
- Qu'aimerais-tu dire à ces deux amis?
- Connais-tu des détails sur les perruches et les hamsters? Qu'est-ce qui les caractérise? Qu'ont-ils en commun? Quelles différences remarques-tu chez ces deux animaux?, etc.

5. Différenciation dans les défis proposés

- Réalise sur bande sonore le dialogue entre Coco et Ti-Gus.
- Crée une bande dessinée faisant ressortir les différences entre ces deux animaux.
- Présente le résultat de tes recherches sur ces deux animaux à l'aide d'un album illustré.

6. Pistes de différenciation en enrichissement ou en prolongement de la situation

- Qu'arriverait-il si Coco la perruche vivait avec un autre oiseau dans la classe?
  Serait-elle plus heureuse?
- Imagine que Ti-Gus s'évade de la classe pour prendre la clé des champs.
  Où se réfugie-t-il? Que lui arrive-t-il?
- As-tu le goût de les peindre? de les modeler?
- Invente une histoire à partir de la rencontre de Coco et de Ti-Gus, etc.

7. Commentaires

Chapitre 6

181

SITUATION OUVERTE 3

1. Titre : Une nouvelle direction d'école

2. Intention pédagogique : Activité centrée sur le vécu des élèves et ouvrant la porte à l'évaluation d'une situation de vie ; elle sensibilise les élèves à la consultation et à la communication orale vécue dans un cadre de discussion.

3. Situation : Ton directeur vient d'être muté à une autre école. La commission scolaire a décidé d'ouvrir le poste pour engager une nouvelle personne ; elle consulte le milieu pour connaître ses attentes. Pour la première fois, elle a décidé de demander l'opinion des élèves.

4. Différenciation dans les pistes d'exploration

- Quel genre de directeur aimerais-tu avoir ?
- Quelles qualités, quelles habiletés, quels talents veux-tu qu'il possède ?
- Quelles sont tes attentes par rapport à lui : sur le plan des relations humaines, de l'enseignement dispensé et de l'organisation de l'école en général ?
- Comment veux-tu qu'il anime la vie de l'école ?
- Quelle place veux-tu qu'il laisse aux élèves dans leur école ?, etc.

5. Différenciation sur le plan du processus vécu par les élèves

- Écris une lettre à la commission scolaire pour lui communiquer tes revendications.
- Prépare un exposé qui traduit ton point de vue concernant le choix d'un nouveau directeur d'école. Présente ce dernier au conseil d'établissement.
- Dresse le portrait-robot d'une bonne directrice ou d'un bon directeur d'école. Publie-le dans le journal de ton école.
- Élabore un parallèle entre les habiletés nécessaires pour diriger une école et celles qu'il faut pour diriger un hôpital. Qu'est-ce qui est pareil ? Qu'est-ce qui est différent ?, etc.

6. Commentaires

SITUATION OUVERTE 4

1. Titre: Notre aquarium

2. Intention pédagogique: Activité fermée au point de départ et qui s'élargit par la suite. Activité

centrée sur le vécu des élèves, ouvrant la porte aux mathématiques, à la recherche en sciences de la nature.

Activité qui invite les élèves à effectuer des démarches personnelles dans un cadre plus grand que celui de la classe.

3. Situation: En faisant le ménage de l'aquarium, une équipe d'élèves constate qu'il sort du filtre 10 bulles à la seconde et que le poisson Titanic s'ennuie parce qu'il est tout seul.

4. Différenciation dans les pistes d'exploration

- Combien peut-il sortir de bulles en une minute? en une heure? en une journée? en une semaine?

- Tous les filtres fonctionnent-ils selon la même norme, la même régularité? Consulte, vérifie et établis des comparaisons.

- Qu'arriverait-il si le filtre laissait échapper 10 bulles d'air à la minute? Compare les résultats obtenus maintenant avec ceux que tu as établis précédemment.

- Compte tenu de la grandeur de l'aquarium, estime le nombre de poissons pouvant y vivre. De combien d'espace un poisson a-t-il besoin pour se sentir à l'aise? Quel volume d'eau et d'air est nécessaire à chacun? La grosseur et le poids du poisson influencent-ils la dimension de son espace vital?

- Quelles espèces de poissons peuvent cohabiter?

- Pense au budget nécessaire pour acheter de nouveaux poissons, de la nourriture supplémentaire, et qui sait, peut-être un nouveau filtre, etc.

5. Différenciation dans les productions: Après avoir exploré tous les aspects de cette situation, présente-nous un tableau comparatif de la puissance des différents filtres disponibles dans les magasins spécialisés.

Présente-nous une vitrine de différents poissons aptes à cohabiter avec Titanic.

6. Pistes de différenciation en enrichissement ou en prolongement de la situation ouverte

- Que se passerait-il si un poisson n'avait pas de queue? Pourrait-il survivre quand même?

- Qu'arriverait-il s'il perdait une nageoire dorsale?

- Connais-tu les différentes parties d'un poisson ainsi que leurs fonctions respectives?

- Quelles conséquences peuvent avoir la mauvaise qualité de l'eau et une lumière insuffisante sur la santé des poissons? Qu'est-ce qui est le plus nocif pour eux, selon toi?

- Rédige un monologue sur la solitude de Titanic, qui devient de plus en plus lourde à porter, etc.

7. Commentaires

Chapitre 6

183

SITUATION OUVERTE 5

1. Titre : Sans neige

2. Intention pédagogique : Activité centrée sur les phénomènes scientifiques et ouvrant la porte

à l'anticipation, à la formulation d'hypothèses, à la recherche autonome et à la communication écrite et orale.

3. Situation : Des scientifiques viennent de publier un article d'envergure dans une revue spécialisée. Cet écrit intitulé «Sans neige» fait ressortir le fait qu'à court terme, il se pourrait qu'un jour, il ne neige plus au Québec.

Par suite d'un phénomène particulier, notre province n'aurait plus d'hivers comme nous en connaissons actuellement.

4. Différenciation dans les pistes d'exploration

- Comment expliquer la disparition du froid ? de l'hiver ?
- Est-ce que cela pourrait vraiment changer des choses dans nos vies ? Si oui, énumère le plus de changements possible.
- Qu'arriverait-il de certains magasins, de certains commerces, de certaines usines ou manufactures ?
- Nos loisirs et nos sports seraient-ils affectés par ce revirement de climat ?
- Prévois-tu des dangers pour la faune et la flore ?
- Serait-ce menaçant pour nos vies ?
- Quel domaine de la vie serait le plus touché, selon toi ?

5. Différenciation dan les défis proposés : Essaie d'analyser cette situation et prépare un
bulletin de nouvelles susceptible d'expliquer un tel changement à la population tout en la rassurant face à cet avenir incertain.

Prépare une conférence sur le réchauffement de la planète.

Élabore un mini-laboratoire de science pour démontrer quelques principes de base, comme la congélation, l'évaporation, l'ébullition, etc.

6. Commentaires

Enrichir son coffre à outils, partie I

Avec cet arrêt dans la contrée des situations ouvertes à caractère mobilisateur se termine notre expédition au pays de la planification : dirigeons-nous maintenant vers le chapitre 7, qui portera sur les structures organisationnelles. Celles-ci sont en perpétuelle interaction avec les modèles pédagogiques. Peu importe l'option retenue, il faudra toujours la situer à l'intérieur d'un cadre organisationnel pour actualiser les différentes étapes de l'apprentissage.

Nous scruterons les différentes stratégies pouvant appuyer ou transporter le projet, le module, la situation-problème ou la situation ouverte. Ces «contenants» qui sont à la disposition des pédagogues sont utilisés parfois avec adresse, parfois avec maladresse, mais sans toujours refléter la préoccupation de la prise en considération des différences. Et pourtant, les dispositifs que sont les centres d'apprentissage, les ateliers de travail, les contrats négociés avec les élèves et les plans de travail sont conçus avant tout pour faciliter la différenciation. En route pour un autre bout de chemin afin d'enrichir notre coffre à outils, cette fois-ci, sur le plan de l'organisation des structures pour différencier.

Pour enrichir ses connaissances

- Pour approfondir le volet des projets personnels, consultez l'ouvrage de Louise Capra et Lucie Arpin, *L'apprentissage par projets*, aux pages 131 à 152.

- Dans le livre *Les intelligences multiples* de Bruce Campbell, vous trouverez aux pages 127 à 134 des données vous permettant de consolider vos interventions ayant trait à l'encadrement des projets personnels.

- Pour mieux maîtriser l'approche par situations-problèmes, explorez les exemples de tâches d'apprentissage avec problèmes que vous trouverez dans l'ouvrage *Accompagner la construction des savoirs,* de Rosée Morissette et Micheline Voynaud, aux pages 83 à 117.

- Pour objectiver votre pratique en matière d'approche par projets, examinez de plus près la démarche de planification, d'accompagnement, de communication et d'évaluation que suggèrent Louise Capra et Lucie Arpin aux pages 97 à 165 du volume *L'apprentissage par projets*.

Pour prolonger les apprentissages

- Offrez à vos élèves la possibilité de démarrer ou d'enrichir des projets personnels. Pour ce faire, consultez l'aide-mémoire à votre disposition aux pages 149 et 150 du présent ouvrage. De plus, proposez-leur la boussole de travail, qui les guidera dans leurs projets personnels. Vous trouverez cet outil d'accompagnement à la page 151.

- Pour alimenter le travail de vos élèves qui ont de la facilité, référez-vous aux situations ouvertes susceptibles de les mobiliser et de les engager dans le développement de leurs processus mentaux supérieurs. Les exemples, des pages 180 à 184 peuvent vous inspirer dans cette voie.

- Analysez votre fonctionnement par projets. Essayez de voir où se situe la différenciation à l'intérieur de ces derniers. Les projets vécus sont-ils tous de même nature ? Les pistes de travail offertes sont-elles suffisamment variées ? Qu'en est-il des productions ? Les pages 145 à 148 peuvent vous servir de points de repère dans ce sens.

- Proposez à vos collègues de cycle de construire quelques situations-problèmes lors d'un prochain chantier pédagogique. Par la suite, suggérez-leur de s'intéresser à la planification d'un module d'apprentissage. Le présent chapitre peut vous guider dans ces deux avenues de planification.

Enrichir son coffre à outils, partie 2 :
l'organisation de la classe

Des structures organisationnelles pour faire éclater le groupe

« Pour différencier, il faut limiter le temps passé en grand groupe, qui n'est en général pas très profitable aux élèves en difficulté. »
(Philippe Perrenoud)

Les contenus et les processus que nous venons de voir doivent s'inscrire maintenant dans la ligne du temps. Ils devront être répartis en tenant compte des prescriptions d'un régime pédagogique et du programme de formation, de la grille-matière et du cheminement des élèves.

Pour ce faire, nous aurons donc recours à des structures organisationnelles respectueuses non seulement des éléments prescrits, mais aussi de la différenciation dans les apprentissages. Un premier regard sera posé sur des structures pouvant remplacer avantageusement le travail inconditionnel en grand groupe, telles que :

- les centres d'apprentissage ;
- le travail par ateliers ;
- le fonctionnement par sous-groupes ;
- la gestion du temps ;
- la gestion des groupes de travail ;
- la gestion des aménagements de l'espace.

Puisque le premier facteur à envisager est le moment choisi pour proposer des pistes de travail à l'élève, nous accueillons tout de suite un outil au service de la répartition quotidienne : le menu de la journée ou le menu d'un cours. Il s'agit d'une expression courante empruntée au monde de la restauration, mais s'adaptant très facilement à la réalité d'une classe. Encore là, ce concept de menu d'apprentissage est très malmené, car on le réduit facilement à une simple répartition de matières découpée en fonction des différentes périodes inscrites à l'horaire d'une journée. Pire encore, on l'enferme dans une perspective tellement hermétique qu'il devient impensable de le faire éclater de temps à autre afin de l'ouvrir à la gestion des différences. Certes, il y a un menu visuel dans la classe, mais tous les élèves continuent de faire la même chose en même temps. Dans ce cas, peut-on parler de véritable innovation ou simplement d'une apparence d'ouverture ?

Comme l'utilisation d'un menu ouvert, par opposition à un menu fermé, est un peu l'entrée en matière dans le monde de la différenciation, nous prendrons le temps de le définir.

Un outil de base : le menu ouvert

En consultant *Le Petit Robert,* nous trouvons les définitions suivantes du mot *menu* : « Liste détaillée des mots dont se compose un repas, autant dans son agencement que dans son ordonnance ; dans un restaurant, liste déterminée de plats composant un repas à prix fixe ; programme, ordre du jour ; choix d'opérations proposé sur l'écran d'un ordinateur à l'utilisateur. »

À la lumière de ce filtre, nous allons créer au mot «menu» une définition propre au monde scolaire, dans une perspective adaptée à la vie de la classe. Le menu d'apprentissage est un référentiel visuel élaboré par l'enseignant ou en coopération avec les élèves, et sur lequel on trouve la liste des différentes tâches réparties dans le temps en fonction de périodes ou de moments précis d'une journée de classe. Il découle, bien sûr, de la planification de l'enseignement et il est utilisé, de façon générale, chaque matin ou au début de chaque cours. Il permet aux élèves et à tous ceux qui interviennent dans la classe d'avoir un aperçu général du déroulement de la journée ou du cours. On peut y ajouter certaines précisions en utilisant des pictogrammes ou des symboles, tels que les modes de correction utilisés et les types de regroupements privilégiés. D'un simple coup d'œil, les élèves peuvent déjà apprivoiser un peu les activités d'apprentissage que l'on va leur proposer. Ils s'y préparent mentalement d'abord, puis concrètement; ils planifient la sélection des manuels, des cahiers et du matériel nécessaires à la tâche proposée. C'est aussi une excellente façon d'amener les élèves à s'engager le plus rapidement possible, de les responsabiliser dès leur entrée en classe le matin. Ainsi, il y a moins de bavardage inutile, moins de perte de temps et moins de répétition de consignes de la part de l'enseignant. Et pour les élèves plus jeunes, quoi de plus naturel pour développer la conscience de l'écrit?

Il existe dans les classes deux sortes de menus: le menu fermé et le menu ouvert. Dans le premier cas, l'outil proposé sert simplement à informer de la matière abordée pendant la journée et il n'ouvre pas du tout la porte à la différenciation, puisque toutes les tâches proposées sont obligatoires et que le travail collectif continue d'être en vedette. L'enseignant ne veut pas ou ne se sent pas prêt à accepter de faire éclater le grand groupe afin de permettre à des élèves de travailler simultanément à des tâches différentes.

Dans un menu ouvert, on trouve une ou plusieurs périodes ouvertes à la différenciation. Certaines périodes sont bloquées par l'enseignant et on les dit non négociables. D'autres sont offertes à un sous-groupe ou à quelques élèves seulement en fonction d'un besoin particulier; on les nomme périodes semi-obligatoires; les périodes de travail facultatif sont déclarées négociables étant donné que l'apprenant a plein pouvoir sur elles.

Le *menu* est *ouvert* quand le pédagogue tient vraiment compte de certaines différences entre les élèves, qu'il met en œuvre des dispositifs de différenciation nécessaires à leur progression et que les élèves ont des choix ou sont dirigés vers des défis différents. L'enseignant offre généralement une alternance entre le travail collectif et le travail autonome (au sein d'ateliers, de centres, de sous-groupes) soutenu par l'utilisation d'outils de gestion du temps.

Comme nous l'avons déjà mentionné, au début d'une expérimentation, l'enseignant ne peut pas différencier tout le temps; il choisira

Volume 1
p. 388 à 392

Outil 6.8 Enfin, des outils
pour gérer le temps

Volume 2
p. 348 et 349

Des petits pas dans la
gestion du temps

plutôt des moments précis de différenciation qu'il prendra soin de planifier avec rigueur et d'organiser avec soin. Ce sera l'occasion d'une différenciation simultanée au sein de sa classe pour une période donnée. Il peut faire le choix d'ouvrir le menu deux fois par semaine, une fois par jour ou quelques journées entières, s'il désire se concentrer sur un projet particulier ou sur une remédiation importante. Une période ouverte dans le menu constitue également un moment propice pour l'intervention de l'orthopédagogue de l'école ou de l'enseignant de soutien dans la classe. N'est-ce pas aussi le moment idéal pour utiliser les compétences des parents au sein du groupe-classe ? Et c'est sûrement un des facteurs qui pourront contribuer à faire tomber les murs de la classe pour décloisonner avec une ou quelques classes. Il faut absolument qu'un enseignant accepte d'abord d'ouvrir son propre menu à l'intérieur de sa classe avant d'être à l'aise dans la navigation outre-mer avec les élèves des autres classes et les collègues de son cycle.

À la page suivante, le référentiel 13 propose deux exemples de menu ouvert en fonction d'un début de différenciation des apprentissages.

Chacune des structures sera examinée soigneusement et présentée par ordre de complexité de conception et de gestion. Commençons tout de suite par l'emploi de centres d'apprentissage ouverts à des élèves d'une même classe ou à quelques classes appartenant à un même cycle.

EXEMPLES DE MENU OUVERT

Dans une classe du préscolaire ou du primaire

Le lundi 10 octobre 2002	**Interprétation du menu et ouverture à la différenciation**

8 h 30   Réunion du conseil de classe

9 h   À la recherche d'une loi !
(l'accord du verbe)

10 h 15   Travail autour de la situation-problème
« Fais un kilogramme »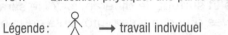

13 h   Planification du projet collectif
sur les châteaux

14 h

Menu ouvert
?

15 h   Éducation physique : une partie de soccer

Légende :   → travail individuel

  → travail en dyades

 → travail d'équipe

 → travail collectif

Tout d'abord, il s'agit d'un menu qui est fermé à cinq périodes, sauf à 14 h, où l'on trouve une période ouverte.

Différentes options :

- L'enseignant joue avec deux composantes : la consolidation et l'enrichissement.
  Deux sous-groupes s'organisent : une clinique dirigée par l'enseignant et la proposition de travail autonome orienté vers les projets personnels en marche.
- La possibilité pour les élèves de faire des choix de travaux à partir du plan de travail ou du tableau de programmation.
- Une période de fonctionnement par ateliers.
- Une période de fonctionnement par centres d'apprentissage.
- L'animation simultanée de deux sous-groupes, à partir d'objectifs ou de processus différents, par l'enseignant de la classe et l'enseignant-orthopédagogue de l'école.
- Le décloisonnement avec un collègue d'une classe de même niveau pour une remédiation différenciée dans une discipline.
- Le décloisonnement au sein d'une équipe-cycle en vue du développement de certaines compétences transversales ciblées, etc.

Pour une période au secondaire

Français, période de 75 minutes

- Présentation des thèmes de communication écrite : « Les catastrophes dans le monde » ou « Les découvertes bienfaisantes pour l'humanité ».
- Carte d'exploration pour la production d'idées en fonction des deux champs d'intérêt en équipes de quatre élèves.
- Conception d'un plan de production écrite en dyades d'intérêt, selon le thème retenu.
- Bilan du travail et perspectives pour la prochaine période.

Ici, le menu s'ouvre par le choix des thèmes et par les différents groupes de travail utilisés : collectif, équipes de quatre élèves et dyades au cours de la même période.

Dans une perspective de 75 minutes, il est difficile de penser organiser de la différenciation nécessitant des changements de structure à chaque période.

Par contre, pour une période donnée, on pourrait organiser de la différenciation simultanée pour une remédiation sur une compétence non acquise.

Cette remédiation simultanée pourrait se vivre au sein d'un même groupe ou au sein de quelques groupes d'un même cycle.

Un concept riche : les centres d'apprentissage

Le survol de l'histoire des centres

Cette technique d'enseignement nous est arrivée des États-Unis, où elle est expérimentée depuis quelques décennies. Elle a commencé aussi à prendre racine dans les milieux anglophones du Canada ; on s'en servait surtout dans les classes pour donner un rôle actif aux élèves, pour diminuer les périodes d'enseignement magistral, pour nourrir de façon plus substantielle les élèves performants. La Colombie-Britannique, l'Ontario et le Nouveau-Brunswick ont proposé rapidement ce nouveau modèle d'apprentissage à leurs praticiens. Graduellement, le Québec a été sensibilisé à ce dispositif de différenciation et des expérimentations ont été effectuées en regard de la gestion de la douance, de l'enseignement au préscolaire et de la gestion des classes dites spéciales, à effectifs réduits, composées d'élèves en difficulté. On s'en servait donc essentiellement pour gérer des groupes extrêmes hors normes, pour régler des problèmes plus que pour en prévenir. Mais voilà qu'avec l'arrivée des nouveaux programmes d'études définis par cycles, le besoin de différenciation émerge dans la pensée de plusieurs praticiens, dans leurs conversations, dans le discours des gestionnaires des commissions scolaires, etc. Le fonctionnement par centres constituerait-il une autre façon de travailler, d'apprendre et surtout de différencier ? Ne serait-il pas accessible à tous les élèves d'une classe plutôt qu'à certaines exceptions ? Pourrait-on s'en servir dans une perspective aussi préventive que curative ? Pour répondre à toutes ces interrogations, je vous livre ici quelques éléments relatifs à leur application.

La popularité qu'ont acquise les centres d'apprentissage depuis une vingtaine d'années met en relief un besoin de diversification et de différenciation. Bien qu'ils soient surtout présents dans des classes du primaire, ils ont leur équivalent dans les laboratoires de sciences, dans les salles d'arts plastiques et dans les locaux d'informatique des écoles du secondaire. Des projets expérimentaux tenus dans certaines écoles secondaires et portant sur le travail en projets, l'apprentissage coopératif et la planification collégiale de situations d'apprentissage interdisciplinaires ont contribué à développer un intérêt particulier pour cette structure, qui semblait réservée au point de départ aux enseignants du primaire.

Un concept à consolider

La présence de centres d'apprentissage dans une classe révèle une attitude particulière de l'enseignant à l'égard de l'apprentissage et du rapport au savoir. Ce dispositif s'appuie sur les principes suivants :

- Les élèves peuvent apprendre seuls ou en petits groupes, sans l'intervention directe de l'enseignant ;

- Les élèves ont le droit d'apprendre à des rythmes différents et avec des méthodes qui leur conviennent ;

- Les élèves sont les premiers responsables de leur apprentissage ;

- Il est possible de faire et de superviser plusieurs choses à la fois dans une classe.

Même si les centres d'apprentissage ont déjà été définis dans un de mes volumes sur la gestion de classe participative, je tenterai ici de les redéfinir et de les expliquer autrement.

Selon Kaplan, Madsen et Gould (1980), «un centre d'apprentissage est un espace délimité au sein d'un local-classe où l'on retrouve une série d'activités d'apprentissage ainsi que le matériel nécessaire pour enseigner, pour renforcer, pour approfondir une habileté ou un concept».

Précisons tout de suite qu'il est différent du centre d'intérêt, qui est plutôt conçu pour motiver les élèves et leur présenter l'étude d'une ou de plusieurs disciplines rejoignant certains de leurs intérêts particuliers. Nous pourrions rattacher le centre d'intérêt à un modèle de planification de l'enseignement non axé sur les différences tandis que le centre d'apprentissage est plutôt un modèle pédagogique et organisationnel qui devrait être alimenté, idéalement, soit par une situation-problème, soit par une situation ouverte ou par un sous-ensemble de projet ou de module. De plus, le centre d'apprentissage joue une fonction importante dans la différenciation des apprentissages. *Exemples :* nous pourrions planifier un centre d'intérêt sur les dinosaures à l'intention d'une classe très intéressée par cette réalité ; l'exploitation de ce centre d'intérêt se ferait surtout dans un contexte collectif offrant des tâches semblables et individuelles, sans élément de différenciation. Le centre d'apprentissage sur les dinosaures présenterait, quant à lui, une liste de cinq tâches différentes orientées vers des processus mentaux, des disciplines ou des objectifs différents. Ce centre serait ouvert à l'ensemble des élèves et fréquenté par un nombre limité d'entre eux, à différents moments de la journée et de la semaine.

Bref, c'est un lieu organisé en vue de la réalisation autonome d'activités d'apprentissage dans un véritable contexte de différenciation. En plus de présenter une organisation spatiale de matériels, de démarches et de procédures, il offre la possibilité aux élèves d'effectuer des choix de thèmes, de problèmes, de situations, de tâches, de disciplines, de compétences ou de ressources, selon leurs besoins en constante évolution. Il leur permet donc de gérer une bonne partie de leur démarche d'apprentissage. Cependant, nous devons toujours avoir en mémoire le fait que les éléments proposés à l'intérieur d'un centre ont nécessairement des liens entre eux et se rattachent à un concept intégrateur et organisateur.

À la lumière des données précédentes, il est facile de reconnaître aux centres d'apprentissage une finalité de différenciation, à moins que par nos interventions, nous les fassions dévier de leur vocation première. Ils offrent dans leur essence même le regard au pluriel nécessaire pour différencier, car les élèves peuvent trouver au sein d'un centre non seulement des tâches différentes rattachées à un même objectif, mais aussi des défis divers gravitant autour de disciplines différentes.

Si on les compare avec les ateliers, ils sont plus riches dans leur contenu, plus complexes dans leur élaboration et plus polyvalents dans leur exploitation. Nous pourrions presque dire que les centres d'apprentissages sont des ateliers à plusieurs dimensions. *Exemples*: dans un atelier de sciences, on pourrait inviter des élèves à développer leur capacité à formuler des hypothèses dans le cadre d'une expérience spécifique sur les objets qui flottent. Par ailleurs, dans un centre d'apprentissage sur l'eau, les élèves pourraient développer la même capacité à partir de trois expériences différentes: la flottaison des objets, la coloration de l'eau et la dissolution de matières solides dans de l'eau.

Il serait possible également de planifier un centre d'apprentissage en fonction d'une discipline (les sciences) plutôt qu'en fonction d'un thème (l'eau). Nous proposerions alors plusieurs expériences différentes afin d'amener un plus grand nombre d'élèves à s'approprier le plus rapidement possible l'étape de la formulation d'hypothèses. Ainsi, ils se trouveraient devant des choix différents: l'expérience des aimants au contact des métaux, la combinaison des piles actionnant un interrupteur ou l'influence de l'air sur le feu. Nous aurions aussi l'occasion de proposer aux élèves qui sont à l'aise avec la formulation d'hypothèses de poursuivre leurs apprentissages en se rendant jusqu'à l'étape des conclusions à dégager une fois l'expérience tentée.

Un cadre de planification

Comme cadre de planification, il serait bon d'avoir en tête les modalités suivantes:

1 Les centres d'apprentissage doivent se concentrer sur des objectifs importants: principes, concepts, objectifs-noyaux, processus mentaux, etc.

2 Le matériel sélectionné pour chaque centre doit être pertinent, riche, varié et de nature à faciliter l'atteinte des objectifs ciblés.

3 La variété et la diversité du matériel et des tâches doivent correspondre aux niveaux atteints en lecture, aux différents profils d'apprentissage et aux champs d'intérêt multiples.

4 L'inclusion d'activités simples, aussi bien que d'activités complexes, concrètes ou abstraites, structurées ou non, est à recommander si l'on désire prendre en considération les divers profils d'apprentissage des élèves.

5 Des procédures de fonctionnement claires et visuelles sont laissées en permanence au centre : directives concernant le dépannage ou l'enrichissement s'inscrivant dans la poursuite des défis relevés au centre d'apprentissage.

6 Des dispositifs de contrôle des travaux sont prévus, aussi bien en ce qui concerne les travaux terminés que la qualité des tâches accomplies. Un relevé des utilisateurs et des utilisatrices est à la disposition des élèves à l'entrée du centre. Une autoévaluation des efforts fournis et de la qualité du travail remis peut très bien être jumelée avec le tableau de fréquentation.

7 Un scénario d'évaluation continue est proposé aux élèves afin d'observer, de déceler et de consigner les progrès et les difficultés des élèves dans leur travail à l'intérieur du centre. Journal de bord, objectivation des apprentissages, autoappréciation de la performance de l'élève et sélection de pièces de travail susceptibles d'être portées au dossier d'apprentissage : toutes ces stratégies d'information serviront à effectuer les ajustements nécessaires à la rentabilité du centre, aussi bien pour son contenu futur que pour sa gestion. Elles seront surtout très utiles pour suivre de près le cheminement de chacun des élèves qui l'auront visité.

8 Les centres peuvent être orientés différemment :

- Vers des disciplines. *Exemples :* centre de sciences, de mathématique, de lecture, d'écriture, d'arts, etc. ;

- Vers des thèmes, des projets ou des modules : centres sur les dinosaures, sur les planètes, sur le cirque, sur les moyens de transport, etc. Nous avons la possibilité de combiner des cibles de travail et de développer ainsi des centres qui seraient à la fois thématiques et interdisciplinaires ;

- Vers une fonction mentale spécifique (afin de la développer à fond, de la faire découvrir et de promouvoir les différentes façons de l'exercer). Ainsi, nous pourrions planifier un centre de recherche, un centre d'interprétation, un centre de communication, un centre d'exploration, un centre d'expérimentation ;

- Vers le référentiel des intelligences multiples élaboré par Gardner. Les divers centres orientés vers les intelligences linguistique, logico-mathématique, kinesthésique, visuospatiale, musicale, interpersonnelle, intrapersonnelle et naturaliste contiendraient des tâches susceptibles de mobiliser chacune de ces formes d'intelligence. On pourrait même leur donner une appellation significative en les baptisant chacun du nom d'une personnalité célèbre s'étant illustrée dans chacun de ces domaines ;

- Vers une étape précise du scénario ou de la séquence d'apprentissage : centre d'enrichissement, centre de consolidation, centre de découverte, centre de remédiation, etc. ;

Volume 2
p. 287 et 288

Définition des centres d'apprentissage

- Vers une séquence d'apprentissage complète : centre d'apprentissage incluant les étapes de la découverte, de l'intégration, de l'évaluation et de la remédiation ;

- Vers un scénario d'apprentissage complet : centre d'apprentissage global incluant les six étapes : formation de base, évaluation, consolidation, enrichissement, réinvestissement et transfert.

Permettez-moi de rappeler le merveilleux prétexte que pourrait offrir la planification de quelques centres d'apprentissage pour quatre enseignants d'un même cycle désireux de différencier à l'externe. La conception et la réalisation de ces centres pourraient se faire dans le cadre d'un chantier pédagogique. Ensemble pour la même cause ! À la fin du chantier, nous serions prêts à passer à l'action.

Chaque centre d'apprentissage est porteur d'une intention éducative.

9 Peu importe la base organisationnelle choisie (thèmes ou disciplines), nous avons à articuler sa raison d'être :

- Est-ce pour développer des compétences spécifiques incluses dans les programmes d'études ?

- Est-ce pour favoriser le développement de certaines compétences transversales ?

- Est-ce pour développer des processus mentaux généraux, tels que la mémoire, la compréhension, l'application, l'analyse, la synthèse et l'évaluation (grille de Bloom) ?

- Est-ce pour développer un répertoire de stratégies rattachées aux domaines généraux de formation, comme les stratégies associées à un projet (information, prise de décision, planification, réalisation, communication) ou les stratégies de consommation ?

10 Le nombre de centres à implanter est une décision qui appartient à l'enseignant. Il peut en introduire seulement un dans la classe comme il peut décider d'en implanter plusieurs en même temps. Toutefois, nous devrons être réalistes dans nos innovations et nous rappeler que pour qu'un centre soit riche, propice aux apprentissages et surtout ouvert à la différenciation, nous sommes obligés d'y consacrer plusieurs heures pour préparer sa naissance et assurer sa mise à jour. Nous pouvons profiter de la richesse d'un centre sans être tenus de fonctionner uniquement par centres d'apprentissage à un moment donné, dans un contexte collectif. Au contraire, la présence d'un centre ou deux oblige l'enseignant à plonger dans la gestion de la différenciation sur le plan du temps. « Que feront les autres élèves pendant que huit de leurs compagnons sont inscrits à deux centres d'apprentissage différents ? »

Des modèles de centres

Différents modèles de centres peuvent être élaborés en fonction du temps dont nous disposons ou que nous voulons y consacrer, de l'espace disponible dans la classe, du matériel pédagogique et didactique à notre disposition et finalement, des modifications que nous sommes en mesure d'apporter à l'aménagement de la classe. Il existe donc des centres portatifs, des centres de table, des centres muraux, des chevalets, des isoloirs et des centres volants. Voici une brève description de chacun d'eux.

- Les *centres portatifs* se rangent à un endroit précis. L'élève va chercher lui-même le centre et réalise les activités proposées à son lieu de travail habituel. *Exemples :* des fichiers, des jeux éducatifs peuvent alimenter un centre de remédiation.

- Comme son nom l'indique, le *centre de table* est installé sur des tables ou des petits bureaux et les élèves vont y travailler. Généralement, ces centres contiennent du matériel nécessaire à l'exploration ou à l'expérimentation. *Exemples :* du matériel de robotique, du carton et des crayons fusain, des éléments nécessaires pour nourrir des expériences sur l'électricité au sein d'un centre de formation de base sur ce sujet.

- Les *centres muraux* sont affichés sur des babillards et les tâches d'apprentissage y sont fixées à l'aide de punaises ou d'épingles. Ils peuvent être fabriqués selon le principe de l'accordéon ou des panneaux de tapisserie. À caractère temporaire, ils sont plutôt utilisés dans un contexte de formation de base ; les élèves s'y rendent pour choisir l'activité dont ils ont besoin et retournent par la suite à leur place pour s'engager dans le projet soumis. *Exemples :* manuels, livres, fiches adaptées, recueil de situations-problèmes, coffret de situations ouvertes, etc.

- Les *chevalets* sont tout simplement une adaptation des centres muraux ; ils présentent l'avantage d'être mobiles, ce qui en permet le déplacement. Ils ressemblent étrangement à certains grands menus mobiles utilisés en restauration. On leur attribue donc les mêmes fonctions que les centres muraux.

- Les *isoloirs* conviennent très bien pour la réalisation des travaux individuels, car ils peuvent contribuer à faciliter la concentration des élèves. S'il est fixe, l'isoloir sera de grande dimension et il sera installé au sein d'une zone silencieuse de la classe. S'il est mobile, il aura des proportions plus petites et l'élève aura la possibilité de le déplacer pour l'apporter à son pupitre ou à sa table de travail. L'isoloir utilisé en temps d'élection pour assurer la discrétion au citoyen lors du vote représente un exemple d'isoloir mobile. Il convient parfaitement à une tâche d'évaluation personnelle, à une remédiation importante ou à une activité d'apprentissage complexe.

- Finalement, les *centres volants* dépannent drôlement quand nous sommes en manque d'espace. C'est vraiment une utilisation de la troisième dimension de la classe puisque nous suspendons ces centres à partir du plafond. Le principe des cordes, des chaînes ou des supports à rideaux est utile pour la fabrication, l'installation et le fonctionnement de ces centres. Ceux-ci ont l'avantage « d'agrandir » la classe en utilisant un espace jusque là inutilisé. Ils peuvent tenir lieu de centres portatifs ou de table.

Tous ces modèles de centres peuvent être permanents ou temporaires ; certains seront obligatoires et quelques-uns hériteront d'un caractère semi-obligatoire ou facultatif.

Volume 2
p. 286 à 298

Outil 6.6 Une nouvelle piste à explorer : les centres d'apprentissage

Plusieurs éléments nécessaires à la mise en place de ces centres ont été définis dans l'ouvrage *Quand revient septembre,* volume 2. Je vous invite à relire cet outil-support, aux pages 286 à 298. Les éléments de base pour réussir la planification d'un centre d'apprentissage autogéré par les élèves (page 290) et les fonctions relatives à sa gestion (page 291) constituent des balises importantes à se donner avant de plonger dans cette innovation. La manière de présenter les centres d'apprentissage aux élèves, de les utiliser avec eux et de superviser leur exploitation s'avère une mesure prudente avant de partir en mer.

Les applications et les avantages des centres d'apprentissage

Les centres d'apprentissage peuvent être des instruments de diversification et d'intégration de l'apprentissage. Que ce soit pour le préscolaire, le primaire ou le secondaire, ils ont été conçus pour encourager les différentes manières d'explorer, d'expérimenter, d'interpréter, de s'exprimer et de communiquer. À quoi pourraient ressembler ces espaces de travail ? Voici quelques exemples pour illustrer mes propos :

- Dans un centre de documentation : ordinateur, connexion au monde Internet, livres, revues spécialisées, encyclopédies, enregistrements de documentaires, téléviseur avec magnétoscope, possibilité de téléphone à proximité, photographies, reproductions d'œuvres d'art, microscope, loupe, etc.

- Dans un centre d'expression : magnétophone, instruments de musique, magnétoscope, marionnettes, accessoires et costumes de théâtre, matériaux pour écrire, dessiner, sculpter, déguisements, etc.

- Dans un centre de communication : salon de lecture, édition de textes et d'un journal scolaire, montage de petits spectacles, critiques de volumes, composition d'un recueil de poésie, préparation de présentations et de démonstrations, etc.

Le fait de combiner le matériel de plusieurs manières dans un seul centre augmente les possibilités d'intégration et peut encourager les élèves à essayer d'apprendre d'une façon nouvelle ou inusitée. Il est bien évident que les exemples que je viens d'énumérer conviennent mieux à des centres situés à l'extérieur de la classe, que ce soit un local adjacent à quelques classes ou un petit endroit de l'école ayant une utilité restreinte et auquel on décide de donner une vocation plus riche. *Exemple :* dans une école secondaire de second cycle, des enseignants de sciences ont décidé avec leur chef de groupe de transformer un petit local de rangement pas très utile en centre de sciences commun. Pensons seulement aux élèves qui ont de la facilité ; ils excellent à un examen ou finissent une tâche obligatoire dans un temps record. Que faire avec eux ? Les obliger à réviser la correction de l'examen avec nous, leur proposer de faire des pages supplémentaires ou les inviter à fréquenter le centre de sciences, qui offre différentes pistes de réinvestissement de la matière ? Qu'est-ce qui est préférable pour leur motivation ? pour leur progression ?

On voit ici que l'idée des centres peut se prolonger en dehors de la classe. Les élèves peuvent effectuer certaines recherches ou activités de communication en groupes ou individuellement, à la bibliothèque de l'école, dans la salle de musique, dans le laboratoire de sciences ou dans l'auditorium. Les élèves qu'on encourage à définir eux-mêmes leurs domaines de recherche ont tendance à faire beaucoup plus que le minimum requis et à dénicher des ressources qu'on ne trouve généralement pas en classe. L'arrivée d'Internet dans les écoles a eu pour effet d'augmenter le nombre potentiel de centres d'apprentissage et d'enrichir considérablement les ressources mises à la disposition des élèves par divers centres. Combinés à d'autres installations et à du matériel qui encouragent différents modes de pensée et d'expression, les ordinateurs et leurs périphériques étendent la portée d'un centre bien au-delà de la classe, de l'école, voire de la communauté.

Les centres d'apprentissage sont un moyen d'organiser la classe pour encourager une pollinisation croisée des idées et des modes d'expression. En permettant les recherches et la communication des idées de différentes façons, l'enseignant valide la manière d'apprendre propre à chaque élève et invite tous les élèves à accéder à la compréhension par des moyens qui leur sont moins familiers.

Quand un élève fait des recherches sur un animal à l'ordinateur tandis qu'un autre dessine l'animal et qu'un troisième s'intéresse à son cri par l'écoute d'une cassette sur les sons produits par les mammifères, leur apprentissage n'est-il pas plus significatif que s'ils avaient tous lu le même chapitre ? S'ils vont ensuite à un centre de communication et qu'un élève compose un poème sur les animaux, qu'un autre fait une sculpture en papier mâché ou en pâte à modeler et qu'un troisième invente un numéro d'expression corporelle avec bande sonore à l'appui, ces trois élèves ne vont-ils pas en retenir plus sur ce sujet que s'ils avaient tous rempli la même feuille d'exercices ou lu une même page tirée du manuel scolaire ?

Des centres au service de l'élève et de l'enseignant

Quand le menu de la journée ou du cours est ouvert et que nous décidons d'avoir recours aux centres d'apprentissage, nous avons différents choix à notre portée.

■ L'AFFECTATION PAR L'ENSEIGNANT

Après avoir identifié des besoins particuliers, l'enseignant affecte les élèves à un centre et cela, dans différents contextes :

- Des élèves qui ont de la facilité sont orientés vers un centre ou quelques centres pour réaliser des tâches plus complexes pendant que le reste de la classe révise et corrige certains travaux ;

- Des élèves en difficulté travaillent à un centre d'apprentissage avec du matériel adapté pendant que les autres élèves effectuent le travail demandé dans leur manuel scolaire ;

- Toute la classe travaille dans des centres d'apprentissage sans que l'enseignant ait choisi le centre auquel chaque élève est affecté. Ce peut être un moment de différenciation simultanée ;

- Deux élèves manifestant des troubles de comportement ou de concentration pendant une leçon sont dirigés vers un centre au lieu d'être envoyés dans le corridor pour réfléchir ou se calmer. Le cours se poursuit et l'on règle la situation par la suite, une fois que les autres élèves travaillent sur leur plan de travail ou leur contrat d'apprentissage ;

- Quatre élèves ayant terminé une tâche ou leur plan de travail avec succès se retrouvent à un centre présentant des défis pour eux ; on accélère le dépassement non seulement par la vitesse de croisière, mais aussi par la complexité des tâches sollicitant des processus mentaux supérieurs ;

- L'enseignant-orthopédagogue qui vient travailler avec cinq élèves de la classe s'associe à leur projet d'apprentissage déjà démarré dans un centre au lieu de les sortir du local pour entreprendre des tâches nouvelles ;

- Au moment d'une période de décloisonnement entre deux classes pour un temps fort de remédiation, les élèves sont affectés à des centres d'apprentissage pendant que les deux titulaires les guident dans leur cheminement respectif. Ceux-ci peuvent le faire à l'intérieur d'un même local ou dans deux locaux différents, selon le nombre de centres d'apprentissage mis à leur disposition et le nombre (contingenté) d'élèves par centre. Il est sans doute plus facile, aux points de vue de l'espace et du bruit, de gérer trois centres dans deux pièces différentes que d'en gérer six dans un même lieu de travail.

■ LA SÉLECTION PAR LES ÉLÈVES

Les élèves ont la possibilité d'aller travailler eux-mêmes dans les centres qui les intéressent à différentes occasions:

- Chaque fois qu'ils ont des temps libres à meubler;
- À certaines périodes où l'enseignant ouvre le menu pour exercer une gestion exploratoire des centres d'apprentissage. Ces moments de choix personnel laissés aux élèves deviennent une occasion idéale pour l'enseignant de les observer au travail afin de découvrir davantage leurs intérêts et leur style d'apprentissage;
- Quand ils ont dressé un bilan hebdomadaire, mensuel ou d'étape, qu'ils ont identifié leurs forces et leurs faiblesses et qu'on leur demande d'avoir recours à un centre d'apprentissage en particulier pour relever les défis apparaissant sur leur plan d'action.

■ PAR L'ENTREMISE D'UN CONTRAT

Les élèves négocient la réalisation de certaines activités intégrées aux centres d'apprentissage avec leur enseignant. Ces tâches sont inscrites dans un contrat d'apprentissage de même que le temps alloué à chacune d'elles ainsi que les ressources nécessaires pour atteindre les objectifs fixés. Cette utilisation convient parfaitement à des élèves peu autonomes, manquant de motivation ou éprouvant des difficultés à effectuer des choix judicieux et réalistes pour eux. Ce mode de gestion favorise une continuité des efforts tout en donnant un caractère officiel aux décisions prises. Nous avons intérêt à fonctionner selon une démarche rigoureuse qui implique l'élève dans des activités structurées et des projets réalistes, réalisables dans un délai de production court, ne dépassant pas trois à cinq semaines.

Cette façon de faire est possible au sein d'un groupe de base ou d'un groupe reconstitué, si l'on a fait le choix de décloisonner pour s'ouvrir aux élèves de tout le cycle.

■ PAR L'ENTREMISE D'UN PLAN DE TRAVAIL

Il peut arriver qu'à cause du contenu de son plan de travail, un élève se retrouve en face d'une tâche obligatoire à réaliser à un centre d'apprentissage. Quand le menu de la journée est ouvert et que les élèves gèrent leur temps par l'entremise d'un plan de travail, ils ont la possibilité de décider à quel moment de la semaine et du jour ils fréquenteront ce lieu de travail. Ici, il ne pourrait s'agir que d'une différenciation dans le temps, mais j'ose espérer qu'il y a différenciation également dans les exigences rattachées aux défis, dans l'outillage cognitif proposé et dans le mode de guidance privilégié.

La grille de Bloom sur les processus mentaux a été utilisée pour le référentiel de la page 206.

Ce mode de gestion peut s'ajuster à un groupe multiâges et multi-programmes.

■ PAR ROTATION

La classe est divisée en différentes équipes de travail. Une période est allouée à chacune des équipes pour travailler dans les centres d'apprentissage. À la fin de la période, il y a rotation des équipes. Dans l'application de ce modèle, nous éviterons toutefois d'orienter des élèves vers des centres ne présentant pas suffisamment de défis adaptés à leur potentiel. La référence à une séquence ou à un scénario d'apprentissage peut nous aider à éviter pareille situation. Donc, la rotation des élèves dans la fréquentation des centres est pertinente, surtout s'il s'agit de tâches exploratoires ou de formation de base. Devant des centres alimentés par des situations fermées de consolidation ou d'enrichissement, nous devons être extrêmement prudents et nous demander constamment : « Qu'est-ce que cet élève retirera de la fréquentation de ce centre d'apprentissage, aujourd'hui ? Sera-t-il en situation d'approfondir ses apprentissages ou sera-t-il tout simplement occupé à faire quelque chose ? »

À ce stade-ci, il serait pertinent de visualiser quelques outils entourant la planification et la gestion des centres d'apprentissage. En voici quatre :

- Aide-mémoire pour organiser un centre d'apprentissage (page 203) ;

- Grille de planification pour enrichir ou concevoir un centre d'apprentissage (page 204) ;

- Exemple d'un mini-centre d'apprentissage portatif (page 205) ;

- Exemple d'un plan de centre d'apprentissage (page 206).

AIDE-MÉMOIRE POUR ORGANISER UN CENTRE D'APPRENTISSAGE

1. Porte d'entrée à privilégier

- Une discipline
- Quelques disciplines
- Un thème
- Un thème et une discipline
- Les intelligences multiples
- Un thème et des processus mentaux
- Une fonction mentale précise
- Une étape de séquence d'apprentissage
- Une étape de scénario d'apprentissage
- Toute la séquence
- Tout le scénario
- Un projet
- Un module

2. Vocation du centre

- Obligatoire
- Semi-obligatoire
- Facultative
- Vocation intégrée (les trois volets)

3. Sortes de centre

- Portatif
- De table
- Mural
- Chevalet
- Isoloir
- Volant
- À l'extérieur de la classe

4. Éléments de base d'un centre

- Texte de présentation des objectifs rattachés au centre
- Plan du centre (tableau ou matrice des contenus) ; contenus versus objectifs
- Fiches des tâches d'apprentissage
- Règles de fonctionnement
- Équipement, matériel de référence
- Relevé des utilisateurs ou tableau de fréquentation des centres
- Journal de bord ou cahier d'apprentissage
- Feuille de route personnelle pour le relevé des centres visités
- Aménagement de l'espace, du temps et des groupes de travail

5. Assignation des élèves au centre

- Par l'enseignant
- Autosélection par les élèves
- Par contrat d'apprentissage
- Par plan de travail
- Par rotation

Outil-support 25

GRILLE DE PLANIFICATION POUR ENRICHIR OU CONCEVOIR UN CENTRE D'APPRENTISSAGE

Cibles de différenciation :

(contenus, processus, productions, structures, guidance, fréquence d'utilisation)

Nom du centre : _____

Durée du centre : _____

ASPECT PÉDAGOGIQUE

Pourquoi ?	Comment ?	Quoi ?	Pour qui ?	Jusqu'où ?	Où ?
Aspect pluriel sur le plan des contenus	Aspect pluriel sur le plan des processus	Aspect pluriel sur le plan des tâches	Les élèves visés	L'évaluation du travail et de l'atteinte des objectifs	L'aménagement de l'espace
L'intention pédagogique	Les démarches et les stratégies d'apprentissage	Les situations ouvertes	Pour les élèves en formation de base, en remédiation, en enrichissement	Capacité à faire seul, avec de l'aide, aurait encore besoin d'aide	
La finalité du centre		Les situations-problèmes			
Les compétences ciblées		Les défis	Caractère obligatoire, semi-obligatoire ou facultatif	Objectif : – atteint – à poursuivre – dépassé	
Les capacités à développer					

ASPECT ORGANISATIONNEL

Avec quoi ?	Comment ?	Avec qui ?	Quand ?
Le matériel nécessaire à la tâche et le matériel de référence	La procédure décrivant le mandat et les étapes à suivre	Les groupes de travail utilisés : dyades, équipes	Le moment de visite choisi à l'intérieur du menu
		Le nombre contingenté d'élèves y travaillant individuellement	La fréquentation de visite hebdomadaire
			La durée de la visite au centre

EXEMPLE D'UN MINI-CENTRE D'APPRENTISSAGE PORTATIF
Des stratégies gagnantes!

Intention pédagogique : outiller les élèves pour le développement de stratégies de mémorisation.

Vocation du centre : remédiation sur la mémorisation de l'orthographe des mots.

Porte d'entrée : les intelligences multiples de Gardner.

Voici diverses façons d'étudier ton vocabulaire à l'école. Choisis celle que tu préfères. Change de stratégie chaque semaine. Essaie de trouver quels exercices t'aident le mieux à mémoriser l'orthographe de ces mots.

Les stratégies adoptées / Les intelligences multiples	Indique ici la fréquence des stratégies utilisées							
	1	2	3	4	5	6	7	8
1. Stratégie linguistique	Invente une histoire en utilisant tous les mots du vocabulaire. Lis ton histoire à quelqu'un en t'arrêtant pour épeler chaque mot de ta liste.							
2. Stratégie musicale	Épelle tes mots sur l'air de l'une de tes chansons préférées.							
3. Stratégie kinesthésique	Crée des lettres de l'alphabet avec ton corps et même chaque lettre de chacun des mots que tu dois mémoriser.							
4. Stratégie interpersonnelle	Avec un partenaire, apprends ton vocabulaire par la technique en deux étapes : je pense et je partage mon apprentissage du mot avec mon camarade.							
5. Stratégie visuo-spatiale	Écris tes mots en utilisant diverses couleurs pour les lettres ou les parties de mots que tu trouves difficiles à mémoriser.							
6. Stratégie logico-mathématique	Divise tes mots de vocabulaire par catégories avant de les mémoriser. Tu peux créer des catégories en te servant du nombre de lettres, de la lettre du début du mot, de la lettre de la fin du mot. Vois combien de catégories tu peux inventer.							
7. Stratégie naturaliste	Associe chaque mot à mémoriser à un nom d'animal. Par exemple : la première lettre d'un mot te rappelle sûrement un nom d'animal commençant par la même lettre. Et tu continues ainsi...							
8. Stratégie intrapersonnelle	Détermine toi-même tes stratégies de mémorisation en décidant de quelle façon tu aimerais mémoriser ta liste de mots de la semaine.							

Source : Inspiré de Bruce CAMPBELL, *Les intelligences multiples*, Montréal, Chenelière/McGraw-Hill, 1999, p. 53.

Chapitre 7

205

EXEMPLE D'UN PLAN DE CENTRE D'APPRENTISSAGE

Matrice des contenus: c'est un tableau à double entrée qui est affiché à l'intérieur du centre, où l'on trouve en ordonnée les contenus développés d'une part, et les objectifs visés (compétences, processus mentaux) d'autre part.

Cet outil sert à l'élève pour effectuer ses choix de tâches et à l'enseignant pour guider un élève dans son cheminement à l'intérieur du centre.

Thème exploité dans le centre : l'hiver

Compétences développées / Contenus développés	Connaissance	Compréhension	Application	Analyse	Synthèse	Évaluation	Créativité
Les animaux qui hibernent et hivernent	Fiche 6						
Les oiseaux qui fuient vers les pays chauds		Fiche 7A				Fiche 7B	
Le carnaval du village			Fiche 9A	Fiche 9B			
La fête de Noël à l'école avec les camarades				Fiche 13A		Fiche 13B	
Fabrication d'une murale pour personnes âgées					Fiche 8A		Fiche 8B
La vente des vêtements et équipements de sport		Fiche 10A	Fiche 10B			Fiche 10C	
Création d'un conte autour de la vie d'un bonhomme de neige					Fiche 11A		Fiche 11B
Fabrication d'une mangeoire pour les moineaux		Fiche 12A	Fiche 12B				

Quelques facteurs de réussite en fonction des centres

L'enseignant ne doit pas confondre centre d'apprentissage et centre d'intérêt : le centre d'intérêt peut se morceler pour donner naissance à un ou à plusieurs centres d'apprentissage. *Exemple :* à partir du centre d'intérêt « les marionnettes », nous pourrions créer des tâches mobilisatrices sur ce sujet dans les centres de lecture, d'expression et d'arts plastiques.

L'enseignant établit une distinction très nette entre les centres d'apprentissage et les ateliers. Quand nous planifions un atelier, nous pensons surtout à déterminer un défi principal susceptible de rassembler la majorité des élèves, quitte à prévoir un défi plus exigeant par la suite, pendant le déroulement de l'activité, afin de permettre à des élèves qui ont de la facilité de prolonger l'apprentissage commencé. Quand nous planifions un centre d'apprentissage, nous partons tout de suite avec l'idée que nous devons penser à plusieurs tâches puisque le centre est un outil conçu pour gérer les différences. Ces différentes tâches peuvent viser un ou plusieurs objectifs, selon notre degré d'aisance à manipuler la complexité.

Pour des personnes novices en la matière, il est plus facile de construire un centre en fonction d'un seul objectif ou d'une étape précise d'une séquence ou d'un scénario d'apprentissage que d'essayer de le faire pour le processus au complet. *Exemple :* élaborer un centre d'enrichissement ou un centre de remédiation en lecture (dans une discipline donnée ou seulement un volet de cette dernière).

Les centres sont des structures entières, complètes et autonomes. Ils sont construits pour fonctionner sans qu'on ait recours aux autres dispositifs de la classe. Voilà pourquoi nous trouvons à l'intérieur un genre de tableau de programmation indiquant aux élèves les tâches suggérées et un tableau d'inscription, à la sortie. Il ne s'agit vraiment pas d'un coin quelconque avec du matériel et des élèves. Donc, avant d'y avoir recours, il serait plus sage et plus prudent de se familiariser d'abord avec des structures moins complexes, tels l'atelier ou l'enseignement par sous-groupes.

Plus nous désirons impliquer nos élèves dans la classe et les faire participer à leurs apprentissages, plus nous devons penser à élaborer avec eux des structures claires. L'outil-support 24 (page 203) a été créé pour rappeler aux enseignants tous les aspects de la planification sur lesquels ils devront se pencher avant de lancer l'expérimentation du centre dans la classe.

Comme les centres sont des structures assez vastes et riches, je vous recommande de concevoir et d'utiliser pour leur gestion des instruments de consignation, tant pour vous que pour les élèves. Exemples d'outils : un relevé des utilisateurs et des utilisatrices placé à l'entrée de chaque centre, une feuille de route personnelle indiquant les centres visités et les tâches accomplies, un journal de bord ou un carnet d'apprentissage pour chaque élève afin de laisser des traces visuelles des apprentissages, des difficultés et des besoins en matière de soutien.

Avant d'entreprendre la création de centres, il est primordial d'effectuer un sondage d'intérêts auprès des élèves et de dresser une liste de besoins d'apprentissage, de difficultés éprouvées et de défis à relever. Le centre doit être un écho au cheminement des élèves et non quelque chose qui se déroule en parallèle de l'enseignement et de l'apprentissage.

Même si la structure des centres convient particulièrement bien aux classes du préscolaire, d'adaptation scolaire, d'initiation à une langue, de même qu'aux classes à niveaux multiples, je suis d'avis que l'enseignant de toute classe présentant des écarts importants entre les élèves, autant sur le plan du rendement que du profil, des intérêts ou de la maturité, aurait grandement avantage à s'intéresser à ce modèle d'organisation. Trop souvent, nous pensons régler ces problèmes par l'achat de nouveaux matériels scolaires ou par des heures supplémentaires d'enseignement. Nous ne voulons pas regarder du côté de nos interventions et de nos stratégies d'enseignement ou nous oublions de le faire.

C'est sur cette note quelque peu incitative que nous abandonnons notre étude des centres d'apprentissage. Je vous invite à me suivre dans l'exploration d'un autre modèle organisationnel: les ateliers.

 ## Consolider notre fonctionnement par ateliers

Développé d'abord aux États-Unis dans les années 1970 et adopté par la suite au Canada et au Québec, le fonctionnement par ateliers demeure toujours d'actualité, d'autant plus que ce mode organisationnel s'est étoffé des divers courants pédagogiques et des nouvelles orientations pour les classes du préscolaire, du primaire et du secondaire.

Il faut dire que du côté de l'Europe, ce concept d'atelier didactique est comme un fil rouge dans l'histoire des différentes réformes scolaires: J. Dewey et ses *learning environments*, M. Montessori, O. Decroly et leurs «centres d'intérêt» et Célestin Freinet et ses «ateliers» ne sont que les plus connus parmi les différents concepteurs et utilisateurs d'ateliers d'apprentissage. Presque toutes ces formes d'ateliers ont, au fil du temps, dépassé leur forme initiale pour s'enrichir, se transformer et s'adapter non seulement aux nouvelles réalités éducatives, mais aussi aux besoins différents des enfants d'aujourd'hui. Il est réjouissant de voir que beaucoup de classes du primaire ont suivi le pas emboîté par l'école maternelle depuis le début de son existence. Certaines classes d'adaptation scolaire ont également fait des tentatives dans ce sens, développant ainsi leur propre concept d'atelier d'apprentissage.

« Là où des élèves travaillent et apprennent de manière responsable, là où la mentalité est plus humaine et plus libre, là où de vraies situations pédagogiques existent... il y a de l'espoir. »
(Dr Tilman Petersen, Belgique, 1992)

Comme il s'agit d'un concept encore d'actualité et d'un dispositif qui se prête à la responsabilisation et à la différenciation, je juge important d'y consacrer une place à l'intérieur de ce module organisationnel axé sur la différenciation. Toutefois, je devrai faire ressortir les différentes utilisations qu'on peut en faire, les difficultés rattachées à diverses applications, les interrogations à l'égard de leur fonctionnement ainsi que les dangers de confusion entre les ateliers et leurs sœurs jumelles. Même après toutes ces années d'expérimentation, plusieurs questions reviennent constamment sur les lèvres de ceux qui ont adopté ce mode de gestion. J'ai fait le choix de répertorier les interrogations les plus courantes et les plus fondamentales à ce sujet et de m'en servir d'abord comme élément d'introduction, puis comme canevas de rédaction par la suite.

Je ne fais pas toujours la différence entre les coins et les ateliers.

Qu'est-ce qu'un atelier, au juste ?

Quelle est la différence réelle entre un coin d'activités, un atelier de travail et un centre d'apprentissage ?

Comment situer les postes de travail ou les stations de travail par rapport aux ateliers ?

Un élève refuse de participer à un atelier ; que faire ?

Les élèves peuvent-ils toujours avoir le choix ou l'adulte doit-il imposer les ateliers ?

Pour faciliter le roulement des ateliers, doit-on organiser des groupes fixes d'élèves ?

Comment faire des liens entre le projet et les ateliers ?

Tous les ateliers doivent-ils avoir un rapport avec le projet ?

Comment évaluer le travail ? Comment savoir si les objectifs sont atteints ?

Combien d'ateliers simultanés peut-on mettre en œuvre selon l'âge des élèves ?

Comment favoriser l'autonomie des élèves au sein des ateliers ?

Le rôle de l'enseignant pendant le déroulement des ateliers est-il de s'occuper d'un ou de deux ateliers et d'avoir l'œil sur le reste de la classe ?

Où s'inscrit la différenciation dans le fonctionnement des ateliers puisque tous les élèves doivent avoir complété les tâches des ateliers le vendredi après-midi ?

Et la liste pourrait s'allonger... Je partirai donc de ce questionnement pour structurer le développement de cette partie portant sur les ateliers. Comme nous pouvons le constater, quelques définitions s'imposent. Une présentation des variantes d'ateliers nous enrichira, tandis que l'établissement des liens très étroits entre les projets et les ateliers nous orientera. L'établissement des nuances entre les ateliers et les centres d'apprentissage nous éclairera et enfin, les pistes de gestion d'ateliers en fonction de la différenciation nous donneront une erre d'aller. En avant vers l'appropriation de ce modèle !

Des coins à l'atelier

Comme les ateliers prennent naissance à partir d'un espace délimité dans la classe, nous clarifierons les deux appellations «coins» et «ateliers».

L'usage courant veut que l'on appelle «coin» tout endroit de la classe ou de l'école situé, bien naturellement, dans un coin ! À moins que ce ne soit ailleurs : les coins deviennent vite insuffisants quand on veut proposer une variété de jeux et d'activités éducatives pendant une période où les enfants sont complètement autonomes. Qui dit «coin» parle d'un endroit pour explorer librement, découvrir un nouveau jeu, jouer à sa guise, imiter des personnages et des actions de la vie très bien connus. Généralement, l'élève ne trouve pas dans un coin une structure pour l'orienter. Il a la possibilité d'effectuer des choix de matériels, de défis et de démarches personnelles. Ce coin existe pour le stimuler, favoriser les découvertes, susciter des interrogations, le préparer à un prochain apprentissage et même lui permettre d'appliquer ou de réinvestir personnellement quelque chose qu'il vient d'apprendre.

Très souvent, le coin peut se métamorphoser en un ou plusieurs ateliers, selon l'ampleur qu'il avait et la contribution de l'apprenant. Ainsi, un coin de cuisine fréquenté pendant un certain temps pourrait donner naissance à divers ateliers : mathématique, langage, cuisine, etc. L'atelier devient donc le prolongement du coin et un peu sur le même principe de l'inclusion, nous pourrions affirmer qu'avec des coins, on peut faire des ateliers et qu'avec des ateliers, on peut construire des centres d'apprentissage. Même si ces concepts sont distincts les uns des autres, ils sont aussi très interreliés quand arrive le temps de planifier des apprentissages pour les élèves. En guise d'illustration de mes propos, je vous présente dans le référentiel 15 de la page suivante un extrait du livre *Les activités en ateliers* de Nicole du Saussois.

EXEMPLE D'UN COIN DE JEU QUI DEVIENT ATELIER

Atelier cuisine

Les élèves vont :

- réaliser un gâteau,
- réaliser un petit déjeuner,
- préparer la collation,

en suivant des consignes, en concrétisant un projet décidé en commun, avec l'aide de l'adulte.

Atelier lié au projet

Les élèves vont :

- préparer une fête, un goûter.

L'adulte peut être ou non présent.

Atelier approche du code écrit (défis moyens)

Les élèves vont :

- réaliser une recette en recherchant des indices pour reconnaître des emballages.

L'adulte doit être présent.

Atelier d'« approche diététique »

Les élèves vont :

- réaliser des collations en suivant des recettes équilibrées, en découvrant certains ingrédients.

COIN CUISINE

Les élèves peuvent :

- y jouer librement,
- y jouer en imitant ce qu'ils connaissent.

Atelier langage

Les élèves vont :

- réaliser un gâteau en employant les termes indispensables à la recette :
  - substantifs : cuillère, saladier, batteur, levure, sucre vanillé,
  - qualitatifs : sucré, salé, amer, acide,
  - verbes d'action : verser, mélanger, pétrir, enfourner ;
- communiquer la recette aux enfants d'un autre groupe, d'une autre classe.

L'adulte peut être présent ou non ; les enfants s'aident mutuellement.

Atelier mathématique

Les élèves vont :

- mettre la table pour x enfants,
- préparer la collation pour x enfants,
- réaliser une recette qui nécessite des mesures.

Ils utilisent les « outils » et les connaissances mathématiques acquises précédemment.

Atelier lecture-écriture (défis plus grands)

Les élèves vont :

- réaliser un plat en lisant pour agir, en écrivant pour se souvenir ou communiquer.

L'adulte y est souvent présent.

Source : Inspiré de Nicole DU SAUSSOIS, Les activités en ateliers, Paris, Armand Collin Éditeur, 1991, p. 20.

Chapitre 7

211

Si les coins peuvent générer des ateliers, nous nous intéresserons maintenant à ces derniers en effectuant un triple survol de leur définition. Nous commencerons par nous rapprocher du point de vue de leurs utilisateurs : les élèves et les enseignants. Nous terminerons cette exploration en faisant référence aux différents auteurs qui ont écrit sur le sujet.

Quelques définitions

Quand nous interrogeons de jeunes élèves sur la présence des ateliers dans leur vie, ils nous expliquent ce qui se passe dans ces lieux, ce qu'ils y vivent ou ce qu'ils y réalisent plutôt que de les définir ou de préciser leur utilité. Et je pense qu'il est normal qu'il en soit ainsi, car les enfants affectionnent particulièrement l'aspect concret des choses, c'est-à-dire les tâches qu'on leur propose. Beaucoup d'adultes utilisent les ateliers pour gérer les apprentissages des élèves en se centrant surtout sur l'aspect organisationnel, négligeant assez souvent l'aspect pédagogique de ces dispositifs. Voici donc des propos d'élèves au sujet des ateliers : *C'est quand on travaille à faire quelque chose ; C'est quand on joue avec des jeux intéressants ; C'est là qu'on fait des choses qu'on donne à tout le monde par après ; Si je veux fabriquer une marionnette, je me rends dans un atelier ; C'est difficile, les ateliers, parce qu'on construit des ponts ; On fait des crabes avec de la pâte à modeler ; Avant de quitter un atelier, on doit choisir un soleil ou un nuage.*

Maintenant, donnons la parole aux praticiens[1]...

« Ce sont des lieux de vie où l'élève, par les diverses expériences qu'il réalise, construit petit à petit sa personnalité. »

« Ce sont des lieux de vie permettant d'offrir à de petits groupes d'élèves soit des manipulations, soit des expériences, ou encore des créations ou des évaluations. »

« Ce sont des lieux de vie, de recherche, de dialogue où l'élève découvre, expérimente, crée et partage. »

« Ce sont des petits groupes où chaque élève évolue, progresse à son propre rythme à partir des choix qu'il fait. »

« Ce sont des petits groupes d'élèves fonctionnant suivant une consigne précise soit pour un travail de recherche, soit pour une exécution précise individuelle ou commune. »

« Il s'agit d'un travail par groupes ayant pour objectif de réaliser un projet commun à la classe avec possibilités pour l'enfant de choisir l'activité qu'il veut au moment où il veut, à la condition toutefois de remplir un contrat et de passer un temps délimité à l'intérieur de tous les ateliers de la classe. »

---

1. Cette enquête a été réalisée dans le cadre d'une repréicision des ateliers extraite de l'ouvrage de Nicole DU SAUSSOIS, *Les activités en ateliers,* Paris, Armand Colin Éditeur, 1991, p. 12, 16, 17.

« C'est une méthode ou un moyen de travail en petits groupes permettant d'atteindre un but précis en respectant une ou plusieurs consignes. »

« Il s'agit d'une ventilation d'élèves en petits groupes de quatre ou cinq pour réaliser des activités liées à un projet commun. »

« C'est une entreprise de groupes obligée de s'auto-organiser pour une réalisation unique. »

« C'est la constitution de petits groupes permettant à l'enseignant de se consacrer à un moins grand nombre d'élèves à la fois. Et pendant ce temps, des activités sont proposées à ceux-ci pour qu'ils puissent choisir celle qu'ils désirent. »

« Ce sont des moments pendant lesquels les élèves peuvent choisir entre plusieurs activités qu'ils mènent seuls ou par petits groupes. »

« C'est un moment pendant lequel six ou huit élèves se retrouvent ensemble pour réaliser le même travail. »

Quand nous regardons le point de vue des praticiens, trois types de définitions se dégagent : certains considèrent les ateliers comme des lieux de vie et de travail où les élèves sont impliqués dans leurs apprentissages ; d'autres les voient comme des regroupements d'élèves, comme de petits groupes d'élèves qui réalisent simultanément des activités différentes, en lien ou non avec un projet commun ; quelques personnes les perçoivent comme des périodes à l'intérieur d'un horaire donné où l'on offre des choix d'activités aux élèves. De toute façon, ces trois éléments caractérisent les ateliers et avec des critères complémentaires, ils peuvent très bien contribuer à l'articulation d'une définition.

Si je m'attarde à camper la définition de ce modèle organisationnel, c'est que je sais qu'il y a un besoin criant de précisions à ce sujet. Plusieurs enseignants confondent le travail par ateliers avec le fonctionnement par sous-groupes, avec l'utilisation des centres d'apprentissage et même avec la présence des divers coins que nous pouvons aménager dans une classe. D'autres sont intéressés à développer ce dispositif ou l'utilisent déjà depuis un bon moment sans avoir pris nécessairement le temps de réfléchir sur la définition de ce mode de responsabilisation et de différenciation. Il n'est pas suffisant de dire que nous aimerions fonctionner par ateliers au sein d'une équipe-cycle pour que nous en partagions nécessairement une vision commune greffée sur le processus d'apprentissage. Trop souvent, nous passons à l'action sans avoir pris le temps d'articuler un cadre théorique du concept que nous désirons incarner. S'ensuivent alors parfois des déceptions amères. Et finalement, si nous persistons à nous engager dans une avenue sans en connaître le cadre théorique, nous nous retrouvons assez souvent avec des ateliers étrangers au vécu général de la classe, n'étant pas assez directement liés aux apprentissages qui se font dans les périodes où

Volume 1
p. 393, 394, 400, 403, 405

Outils pour gérer des ateliers

Volume 2
p. 356 à 379 et p. 279 à 286

Outil 7.2 Mieux gérer les ateliers, est-ce possible ?

les ateliers sont fermés. C'est comme s'il y avait la vraie école d'un côté et de l'autre, les ateliers. Et pourtant!

Le dictionnaire *Le Petit Robert* nous dit qu'un atelier est un lieu où des artisans ou des ouvriers travaillent en commun. Il donne aussi comme synonymes «boutique», «chantier», «laboratoire». Il ajoute que l'ensemble des ouvriers peuvent travailler dans un atelier et que c'est aussi le lieu où un artiste travaille seul ou avec des aides. Et finalement, on lit qu'un atelier peut désigner l'ensemble des artistes qui y travaillent sous la direction d'un maître.

Dans le domaine de l'éducation, Renald Legendre (1993) définit le concept de la façon suivante: «Petit nombre d'étudiants (de trois à huit) réunis en vue de réaliser un objectif bien délimité et accepté par chacun des étudiants. Salle équipée de machines et d'outils destinés à l'apprentissage de métiers ou de travaux pratiques. Approche pédagogique où les enfants sont appelés à travailler seuls ou en équipes à des activités requérant de l'équipement et une organisation spécifiques.» Cet atelier peut devenir coopératif dans le cadre d'un lieu organisé où un groupe de sujets travaillent en collaboration à la réalisation d'un projet commun. À ce moment-là, il est plutôt l'équivalent d'un chantier coopératif. Des éléments communs se dégagent tout de même des deux sources de référence précédentes: l'aspect des lieux, des groupes et des travaux à réaliser.

Quand la pédagogie s'installe au sein des ateliers

Maintenant, utilisons les expertises de chercheurs-pédagogues. Madame Étiennette Vellas (1999) parle des ateliers en nous rappelant que «ce sont des lieux où s'exercent certaines techniques (certains savoir-faire) en les mettant à la disposition d'une expression relativement libre des élèves». Ces ateliers sont ouverts pendant des périodes où les élèves ont la possibilité de fonctionner à partir de leur plan de travail, de leur contrat d'apprentissage ou de tout autre outil de gestion du temps mis à leur disposition. Je tiens à faire remarquer que ces propos se situent dans le contexte d'un projet précis d'accompagnement pédagogique d'une école genevoise en mutation et à la recherche d'un modèle personnalisé.

À partir de toutes les données exposées précédemment et à partir de mes savoirs d'expérience, je me risque à formuler une définition à saveur pédagogique: un atelier est un endroit où l'on propose une tâche mobilisatrice à un ou à des élèves, plaçant ainsi ce dernier ou ces derniers en projet d'apprentissage, en situation de travail. Les ateliers sont donc le lieu:

- d'un apprentissage ciblé à faire;

- d'une activité éducative précise encadrée par des consignes claires et accessibles;

- d'une tâche mobilisatrice à accomplir avec support de matériel adapté;

- de la présence de liens significatifs entre la tâche d'apprentissage et le projet mobilisateur de la classe.

Tout compte fait, les objectifs poursuivis, la nature de la tâche proposée ainsi que la pertinence des interventions effectuées par l'adulte déterminent la qualité et la viabilité des ateliers. Par conséquent, ceux-ci n'ont pas de vertus en eux-mêmes, ni de finalité ultime, car ils sont ni plus ni moins des coquilles vides qui ne trouvent leur raison d'être et leur efficacité que dans la chair, le contenu qu'on y greffe ou qu'on y insère ainsi que dans l'environnement éducatif qui les caractérise. Les ateliers sont des moyens mis à la disposition des pédagogues désireux de développer une approche participative, responsabilisante et différenciée auprès de leurs élèves. Ils doivent être créés et mis en œuvre seulement s'ils répondent à un objectif précis de développement, s'ils facilitent un apprentissage significatif et durable et enfin, s'ils favorisent chez les élèves qui les fréquentent des échanges d'entraide et de coopération. Autrement, l'atelier n'a nullement sa raison d'exister. S'il se résume à des rotations d'activités que l'on effectue avec des élèves travaillant au sein de divers sous-groupes, sa valeur éducative est faible. Toutefois, nous devons admettre qu'un tel fonctionnement est probablement le tremplin vers le travail par ateliers ; ces petits pas permettent la rupture avec un enseignement magistral et collectif. Ces premiers essais ne sont pas à négliger, car chacun de nous est capable de reconnaître la bonne dose de courage nécessaire pour oser poser un premier geste d'innovation.

Pour fermer la boucle de ce premier élément de réflexion sur les ateliers, nous allons tenter de nous donner une définition encore plus précise et plus unificatrice. Les ateliers sont des lieux d'apprentissage variés que l'on planifie et que l'on organise en fonction d'un objectif de développement, afin de permettre à un certain nombre d'apprenants de se détacher du grand groupe durant de courtes périodes pour se retrouver en présence d'une tâche mobilisatrice à assumer seuls ou avec quelques camarades de travail, avec le support de ressources matérielles et didactiques adaptées et efficaces.

Des ateliers en évolution

Vers les années 1980, le mouvement Freinet allemand s'est beaucoup appliqué à faire évoluer le concept d'atelier. J'aimerais vous présenter quatre modèles ou adaptations qu'ils en ont faits[2] :

- les modèles « plan de travail » ;

- les stations ou les postes de travail ;

2. La présentation des quatre modèles d'ateliers est une adaptation d'un article paru dans la revue *Le Nouvel Éducateur*, numéro 101, septembre 1998. L'auteur de cet article est Herbert Hagstedt, membre du mouvement Freinet allemand, formateur à l'Université de Kassel et fondateur de l'atelier d'apprentissage de son université.

- les modèles « buffet » ;
- les ateliers de production.

En même temps que nous les explorerons, vous pouvez vous référer au référentiel 16 de la page 224.

Nous commencerons par les deux premiers modèles, plus exigeants pour l'enseignant en termes d'organisation et de planification.

■ LES MODÈLES « PLAN DE TRAVAIL »

Dans ce genre d'atelier, le concept à travailler est défini de façon très précise, de même que la liste de matériel à utiliser et le programme de travail à exécuter.

Les propositions d'expériences, de constructions, d'observations ou de bricolages sont formulées sur de petites cartes et elles indiquent aux élèves ce qu'on veut leur faire apprendre, ce qu'on leur suggère comme pistes de travail ainsi que la marche à suivre. Les élèves travaillent à cet endroit de manière indépendante (sans la présence de l'enseignant) et à l'aide de fichiers.

Même si ce modèle, qui s'apparente au plan Dalton, peut paraître à première vue moins ouvert que d'autres dispositifs connus, il offre néanmoins certains avantages : il peut servir d'élément déclencheur pour des projets personnels que les élèves se chargeront de modifier en cours de route puisqu'ils ont la possibilité de poursuivre ce qui a été commencé à la maison. Ce modèle fournit donc des pistes intéressantes pour alimenter les travaux personnels à la maison et pour des tâches d'alibis auprès d'élèves kinesthésiques désireux d'apprendre sans avoir trop l'impression de subir la lourde tâche de la compréhension de la lecture. *Exemples :* ce modèle convient à des expérimentations sur l'eau, l'électricité, les aimants et les minéraux ou encore sur l'étude de la forêt avec ses sortes d'arbres, ses différentes feuilles aux formes et aux coloris différents de même que les sortes d'oiseaux ou d'animaux qui l'habitent. Il me semble que ce modèle colle plus à la réalité des sciences tandis que les stations d'apprentissage sont merveilleusement adaptées à l'univers de la mathématique. Il me semble également que ce modèle permet de scinder le grand groupe afin de faire réaliser une expérience exigeant un matériel spécialisé, à disponibilité restreinte, ou de faire acquérir une habileté demandant à la fois une implication forte de la part de l'apprenant et un accompagnement très soutenu de la part de l'enseignant. Le modèle « plan de travail » n'est pas nécessairement conçu pour gérer des écarts très grands sur le plan des acquis des élèves, contrairement aux postes d'apprentissage. Nous pouvons l'intégrer à notre pratique avec ou sans cadre de différenciation, tout comme ces ateliers peuvent être ouverts à l'ensemble de la classe ou à une partie seulement. Certaines tâches offertes au sein de ce genre d'ateliers peuvent être incluses à l'intérieur d'un contrat de travail ou d'un plan de travail ouvert, ce qui veut dire que des élèves pourraient se rendre à ces endroits pendant que d'autres seraient occupés à accomplir des tâches écrites à leur bureau.

Il est probable que des praticiens font déjà appel à ce modèle quand ils organisent leur fonctionnement par ateliers. De toute manière, j'essaie de démontrer que pour différencier, nous avons besoin de divers dispositifs qui seraient normalement susceptibles d'évoluer au fur et à mesure que nos compétences professionnelles en matière de gestion des différences progressent. C'est maintenant le temps de nous diriger vers deux autres modèles plus ouverts et plus axés sur l'autonomie des élèves et sur leur capacité à gérer leurs apprentissages : les modèles « buffet » et les modèles « atelier de production ».

■ LES STATIONS OU POSTES DE TRAVAIL

Les postes de travail ou les stations d'apprentissage sont, dans la classe, des endroits où les élèves peuvent réaliser simultanément des tâches distinctes en regard de buts ou de thèmes variés, fixés pour l'ensemble des postes. La présence et le choix de matériaux sélectionnés et organisés dans une optique didactique sont des gages de l'efficacité des postes de travail. Nous verrons les motifs qui justifient cette variété avec un exemple illustrant leur fonctionnement. Ils peuvent être utilisés par des élèves de tout âge, dans toutes les disciplines; ils peuvent servir fréquemment, de façon formelle ou informelle, ou encore seulement à l'occasion, à un moment précis d'une séquence d'apprentissage. Les postes offrent donc un répertoire de tâches qui répondent à une variété de défis adaptés au profil du groupe-classe. Pour les exploiter avec des élèves plus jeunes, il faudra les identifier à l'aide d'affiches, de symboles ou de couleurs.

Au premier abord, nous pourrions être tentés de les confondre avec les centres d'apprentissage. Il ne faut pas perdre de vue que les postes ou stations dont nous sommes en train de traiter constituent tout simplement une adaptation des ateliers. Tout en poursuivant leur exploration, j'établirai les nuances nécessaires entre les centres d'apprentissage et les postes ou stations de travail.

Sur le plan organisationnel, nous devons prévoir idéalement plus de stations que de groupes d'élèves pour qu'il y ait des places libres, parfois même des stations inoccupées. Comme leur fonctionnement est basé sur un système de rotation, il n'est pas nécessaire que tous les élèves travaillent dans la même station en même temps pour bénéficier d'une différenciation dans les apprentissages. Les élèves n'ont pas besoin non plus de passer la même période de temps à chaque poste. Comme nous pouvons le voir, cette stratégie amène des regroupements variés, car des élèves peuvent même être invités à ne pas visiter du tout une ou deux stations. Mais si chacun doit se rendre à chaque poste, le choix du matériel diffère et la charge de travail de même que les exigences prescrites à l'intérieur de chacune des stations diffèrent également. Il s'agit d'une structure à la fois souple et organisée que nous comprendrons mieux à la lumière des exemples suivants. Gabrielle Faust-Siehl (1989) a proposé à ses élèves 19 stations d'apprentissage placées en cercle dans sa classe et basées sur le thème du temps.

Dans une autre expérience, sur la géométrie corporelle, huit stations ont été mises en place pour exposer les élèves différemment à la perception des formes géométriques. Les stations de travail étaient alors temporaires et toutes orientées vers un même thème et un même but. Les tâches proposées ressemblaient à celles-ci :

Station 1 : par la manipulation d'objets, découvrir quelque chose sur le plan des formes ;

Station 2 : réaliser une construction à l'aide de différentes formes imposées ;

Station 3 : inventer une construction géométrique à l'aide des formes disponibles et en faire le dessin ;

Station 4 : trouver des façons différentes de classifier des formes géométriques ;

Station 5 : formuler un exercice sur les formes qui serait proposé par la suite à des camarades ;

Station 6 : inventer une règle du jeu, une loi après avoir observé avec attention les différentes formes géométriques ;

Station 7 : écrire un texte libre concernant une production imaginaire à partir des formes observées ;

Station 8 : faire le croquis d'une maison ou d'un village à partir des formes que l'on connaît.

Remarquons ici l'aspect varié des tâches proposées, qui permet à l'enseignant de diriger rapidement certains élèves vers certaines stations sur la base de leurs acquis ou de leurs formes d'intelligence. Ici, les postes de travail contribuent à organiser une exploration différenciée de la géométrie corporelle. Leur utilisation se situe à mi-chemin entre les coins et les centres d'apprentissage. Garnis de matériels différents comme les coins, mais plus structurés dans les tâches que ces derniers, les postes de travail offrent l'avantage des centres d'apprentissage sans obliger à planifier et à superviser ce dispositif plus complexe par ses composantes et généralement, de plus longue durée.

Ressemblant étrangement à des ateliers, les stations s'en distinguent car elles ne nécessitent pas une vitrine d'ateliers, un tableau d'inscription ou de contrôle. De plus, les élèves ne se trouvent pas devant l'obligation et la nécessité de visiter toutes les stations pendant un nombre de minutes déterminées à l'avance. Leur souplesse d'utilisation permet à l'enseignant d'observer les élèves au travail, d'évaluer rapidement ce qui se passe et de réguler par la suite.

Pourquoi se doter d'une architecture complexe et rigide quand les élèves sont engagés tout doucement dans un processus naturel d'apprentissage?

La meilleure illustration des postes de travail est proposée par Carol Ann Tomlinson (2003), et je me permets de vous en donner un bref aperçu.

«Au début de l'année scolaire, une évaluation diagnostique en mathématique révèle à une enseignante de quatrième année les écarts de résultats des élèves quant à leurs capacités d'effectuer des opérations mathématiques. Et cette différence est énorme: certains élèves sont deux ou trois ans sous les attentes de ce niveau tandis que d'autres sont deux ou trois ans au-delà de ces attentes. Et cela, en plus, dans divers domaines: quelques élèves ont de la difficulté avec la numération de base, d'autres, avec l'addition et la soustraction simples, tandis que certains ont des attentes très grandes pour développer leur habileté à multiplier et à diviser dans divers contextes, avec différents degrés de difficulté. Et que dire de leur degré d'attention et de concentration, qui est très variable d'une minute à l'autre! Sans parler aussi de leur motivation, qui s'effrite rapidement au moindre petit obstacle. Ce n'est sûrement pas par l'ajout de fiches ou d'explications supplémentaires que je vais réussir à mobiliser et à faire progresser tout ce beau monde », se dit-elle.

Et voilà qu'elle fait le choix de mettre en place cinq postes d'apprentissage dans cinq parties de la classe, et qu'elle décide aussi qu'ils seront opérationnels seulement pour les périodes de mathématiques. Après avoir planifié leur contenu et leur fonctionnement, elle fait la présentation de chaque station à tout le groupe-classe. Elle indique aussi aux élèves un point de repère par rapport à la fréquentation: tous les jours, les élèves se réfèrent à un tableau mural à clous représentant les inscriptions aux cinq stations. Des étiquettes portant le nom des élèves sont suspendues dans les diverses parties du panneau perforé et correspondent aux cinq postes. De cette manière, les élèves savent, au début de chaque période, par quel poste ils doivent commencer l'étude de la mathématique.

- *Le poste 1 est un poste d'enseignement:* les élèves de ce poste reçoivent un enseignement direct de la part de leur enseignant. Utilisation du tableau, travail en dyades, manipulation de matériel et utilisation de fiches adaptées sont les principaux moyens utilisés à cet endroit.

- *Le poste 2 est un poste de vérification:* les élèves de ce poste ont à travailler tantôt seuls, tantôt en dyades structurées, sans la présence permanente de l'enseignante. L'utilisation de matériel concret est non négociable, ce qui veut dire que la manipulation et les représentations visuelles sont utilisées pour effectuer les opérations, pour expliquer et justifier leur démarche de résolution de problèmes. Des références visuelles pour rappeler l'importance de certains gestes à poser sont à la disposition des élèves, comme

«Utilise l'estimation pour faire la vérification» ou encore «Illustre ta réponse à l'aide d'un diagramme». Dossier personnalisé de travail sur les quatre opérations, sablier pour mesurer le temps et calculatrice pour vérifier l'exactitude des calculs figurent parmi les outils disponibles. À l'entrée du poste, une carte-contrôle est remplie par l'élève et attachée à la fiche d'application terminée.

- *Le poste 3 est un poste de pratique:* les élèves de ce poste travaillent sur une opération non maîtrisée pour laquelle ils ont besoin d'expérience additionnelle. Chaque élève utilise des feuilles de travail préparées par l'enseignant et chacun doit les laisser à la station, signées et datées, dans une boîte destinée à cette fin. Ici, nous commençons à vérifier, à contrôler les acquis, étant donné qu'un certain nombre d'élèves a pris suffisamment d'expérience à l'intérieur des deux autres stations visitées pour être à l'aise avec les apprentissages visés. Sans doute que le poste ou les deux postes précédents ont contribué à consolider cette assurance. Logiciel de mathématique, ordinateur, manuel scolaire, feuille-contrôle autocorrective, calculatrice et feuillet d'autoévaluation sont des dispositifs pour renforcer l'acquisition et l'intégration d'une opération mathématique par les élèves eux-mêmes. Tout de même, ceux-ci doivent laisser des traces écrites de leur passage à cette station en indiquant le genre d'exercices complétés, le nombre d'exercices réussis et la date où ces travaux ont été faits. Il s'agit de l'étape préliminaire avant d'appliquer ou de transférer les connaissances acquises dans des contextes plus vivants, plus réels, que proposent les postes quatre et cinq.

- *Le poste 4 est un poste d'application:* les élèves de ce poste se trouvent dans un genre de boutique gérée par un personnage fictif. Les tâches d'apprentissage sont rattachées à la gestion, à la vente ou à l'achat de marchandise. Parfois, les élèves doivent acheter des articles d'un catalogue ou décider quels articles vendre ou acheter selon un budget spécifique. À d'autres moments, ils doivent faire l'inventaire de la boutique ou remettre la monnaie à des clients après une série d'achats. Avant de quitter la station, les élèves écrivent à la gérante imaginaire pour la renseigner sur les problèmes éprouvés et sur les solutions apportées afin que pareille situation ne se reproduise plus. Leur message est daté et déposé dans la boîte aux lettres de la station, avant leur départ.

- *Le poste 5 est le poste des projets:* ici, les élèves travaillent seuls, en dyades ou en petits groupes pour réaliser des projets à long terme qui exigent l'utilisation adéquate de divers concepts mathématiques. La durée des projets varie, tout comme les sujets. Quelquefois, les projets sont greffés au vécu de la classe; quelquefois, les élèves réalisent des projets de nature sportive, d'exploration spatiale, de littérature ou d'écriture. Ces projets sont générés tantôt par l'enseignant, tantôt par les élèves, ou développés en étroite collaboration enseignant-élèves. Peu importe leur origine, les projets retenus ont comme prétexte de faire appliquer la mathématique par les élèves en établissant des liens avec un domaine de la vie et d'éveiller ainsi leur curiosité sur le monde. Tout en travaillant sur un projet d'envergure, les élèves sont tenus d'appliquer certaines connaissances mathématiques dans diverses situations. Les élèves utilisent un journal de bord à deux volets pour encadrer leur travail à ce poste : au début de la période, ils résument le travail déjà fait et se fixent des objectifs pour la prochaine période. À la fin de cette dernière, ils indiquent quels objectifs ont été atteints et quelles seront les prochaines étapes. Ce journal de bord demeure à la station d'apprentissage, rangé dans un classeur prévu à cette fin.

Il est bien évident que l'expérience des postes d'apprentissage en mathématique a plus d'envergure que celle qui portait sur la géométrie corporelle. J'ai voulu faire ressortir deux applications différentes des postes ou des stations d'apprentissage. La perspective de la différenciation est toujours présente dans les deux modèles, peu importe l'ampleur qu'on leur donne. Dans le premier exemple, on travaille un même contenu, mais avec des supports différents tandis que dans le second, les possibilités de différenciation sont plus grandes puisqu'on peut modifier simultanément le contenu et le processus, sans parler de la possibilité de produits différents (offerts à la station des projets). Et il est normal que ça se déroule ainsi, car les besoins de différenciation sont plus criants dans le second exemple.

Une fois que le pédagogue est familier avec la structure des postes de travail, il peut s'en servir dans divers contextes ou dans diverses disciplines simplement en leur donnant une extension plus ou moins grande et en adaptant les exigences aux besoins et aux profils du groupe-classe.

Si j'ai consacré des efforts pour vulgariser cette excellente trouvaille, et pris un certain temps pour en parler, c'est que je pense qu'il s'agit d'une formule gagnante pour différencier, se situant à mi-chemin entre les centres d'apprentissage et les ateliers de travail. De toute façon, notre exploration n'est pas terminée et nous nous intéresserons maintenant à une seconde adaptation : les modèles « plan de travail ».

■ LES MODÈLES « BUFFET »

Comme leur nom l'indique, il faut s'attendre à un grand échantillonnage de matériels disponibles dans la classe, disposés sur des étagères, sur des tables ou dans des caisses thématiques. Même la salle de classe peut devenir un immense buffet où les élèves opèrent des choix. Ici, nous misons sur la richesse de l'environnement pour stimuler les élèves à réaliser des apprentissages. Contrairement au modèle « plan de travail », rien n'est défini, puisque ce sont les élèves qui choisissent leur matériel en fonction des besoins ou des intérêts qu'ils éprouvent et expriment. Ils doivent donc organiser leur table de travail et rassembler tout ce dont ils ont besoin pour travailler ou pour apprendre, dans la direction qu'ils se sont fixée.

Toutefois, le matériel mis à la disposition des élèves a été étudié soigneusement par le pédagogue, qui l'a sélectionné et analysé en fonction de concepts-clés, d'idées essentielles ou d'objectifs-noyaux. Les élèves ont une liberté d'expression et de choix, mais à partir d'un cadre riche et stimulant ; autrement dit, il ne s'agit pas d'organiser un marché aux puces ou une vente-débarras. Nous aurons pris le soin également de faire une présentation du matériel sélectionné avant d'ouvrir ce genre d'ateliers aux élèves. *Exemples :* si l'on met à la disposition des élèves des miroirs ou des bandes de papier peint, il est possible que certains d'entre eux se retrouvent devant une tâche de symétrie, de dallage ou de motifs ; si l'on place aussi des pendules, de la corde, des chronomètres, on risque que d'autres élèves optent pour la construction de balanciers ; enfin, il se peut que quelques-uns soient attirés par les roches, les minéraux et les aimants afin de vérifier leurs propriétés ainsi que les hypothèses quant à leurs rapports.

La richesse de ce modèle provient du fait que les élèves s'habituent à faire des choix judicieux, à découvrir leurs centres d'intérêts personnels, à se donner un projet personnel et à organiser les ressources dont ils ont besoin. Il est clair que l'utilisation de l'atelier dans cette optique répond vraiment au défi de la différenciation, puisque chaque élève a l'occasion de travailler à partir de ce qu'il est, de ce qu'il sait et de ce qu'il veut faire ou apprendre. Que demander de plus ? Un enseignant confiant, créatif, doué pour l'organisation et capable de naviguer dans la prise de risque et les différences, sans aucun doute...

Nous sommes rendus à notre dernière étape, un tour d'horizon du quatrième modèle : les ateliers de production.

■ LES ATELIERS DE PRODUCTION

Dans cette forme de travail, il n'y a ni lieu de travail fixe, ni thème imposé, ni but à atteindre, ni matériel sélectionné préalablement. Nous demandons vraiment aux élèves de développer leur propre programme de travail, de définir un but original, de trouver leur propre motivation et de s'organiser de façon indépendante. Cette forme d'ateliers, que nous connaissons de la pédagogie de Freinet, vise à développer l'autonomie chez l'élève et à structurer son identité. L'enseignant joue alors le rôle de personne-ressource auprès des élèves qui sont capables de se dépanner ou d'en dépanner d'autres au besoin. On peut se retrouver avec des productions telles que : journal mural, journal de classe, correspondance scolaire, livre d'histoires, boîte aux lettres, création d'un coffret de problèmes mathématiques, **brevets** en histoire ou en géographie, expérience précise à réaliser en sciences, recherche autonome à partir des ressources offertes dans Internet, etc.

BREVET : technique utilisée par **Célestin Freinet** pour permettre à un élève de témoigner de ses capacités sur le plan de ses apprentissages à un moment jugé opportun pour lui. L'élève se soumet à une épreuve planifiée par son enseignant ou il en conçoit une à l'intention de ses camarades en fonction d'expertises maîtrisées et reconnues.

L'ouverture à la différenciation est très présente au sein de ce modèle, puisque chaque élève peut être affecté à un projet personnalisé. À première vue, le modèle « atelier de production », tout comme le modèle « buffet », peut paraître inaccessible à certains élèves qui ont eu du mal à planifier, à gérer leur temps et leur matériel ; pourtant, n'est-ce pas en expérimentant la mise en projet qu'ils développent les ressources nécessaires pour y arriver ?

Même si les modèles présentés sont différents les uns des autres, ils sont aussi complémentaires par leur nature et leur rôle. Par conséquent, il est de bon aloi pour un enseignant qui veut différencier d'avoir recours à chacun d'eux au besoin, de jouer parfois sur deux modèles en même temps, de combiner ou juxtaposer des ateliers différents selon les disciplines, selon les compétences à développer et selon les caractéristiques des apprenants. Arriver à penser ainsi, c'est être sur la route de la différenciation de la différenciation.

Le tableau comparatif des quatre modèles d'ateliers de la page 224 vous aidera à les comparer les uns aux autres, de sorte qu'il vous sera possible de créer des combinaisons.

Nous pouvons même accroître la diversité des adaptations possibles des ateliers en nous référant aussi à Brignet *et al.* (1997). Il a analysé le fonctionnement de divers dispositifs de différenciation parmi lesquels figurent l'atelier-carrousel, l'atelier-arbre et l'atelier-organigramme. Nous aurons recours à ces derniers au chapitre 11 pour illustrer différents scénarios de différenciation vécus à l'intérieur d'un groupe de base par un enseignant-titulaire et ses élèves. Notons que nous pourrions les utiliser également dans un contexte de décloisonnement.

L'exploration que nous venons de terminer nous fait apprécier davantage l'existence et l'utilisation de ces structures organisationnelles parfois méconnues, parfois sous-expérimentées et parfois dénaturées de leur vocation première. Je pense bien que chaque lecteur est convaincu de leur bien-fondé, mais qu'en même temps, des inquiétudes quant à la planification, l'organisation et la gestion des ateliers se pointent encore à l'horizon. Afin de pallier ce malaise, nous nous intéresserons aux enjeux, aux gains rattachés à ces outils. Peut-être qu'ainsi, certains nuages s'estomperont, certaines rides se défroisseront et le sourire réapparaîtra sur vos lèvres.

Des enjeux intéressants

Lorsque j'interroge des enseignants qui expérimentent le fonctionnement par ateliers depuis un certain temps, tous sont unanimes pour leur reconnaître les avantages suivants. La formule des ateliers :

- aide à suivre plus individuellement le cheminement des élèves ;
- permet une meilleure communication entre les élèves d'une même classe ;

TABLEAU COMPARATIF DES QUATRE MODÈLES D'ATELIERS

Modèles Critères de comparaison	Modèle « plan de travail »	Modèle « station ou poste de travail »	Modèle « buffet »	Modèle « atelier de production »
Objectifs d'apprentissage	Fixés, précisés par un système de fichiers selon ce que l'on veut faire, organiser ou apprendre.	Fixés pour chaque station en fonction de ce que les élèves doivent découvrir, apprendre.	Choisis ou définis par les élèves eux-mêmes selon ce qu'ils veulent travailler ou apprendre.	Définis par les élèves selon ce qu'ils veulent produire ou créer.
Rôle de l'apprenant	Choisit une fiche de travail et l'exécute. Programme de travail défini.	Choisit ou accepte de fréquenter une station, exécute et essaie d'aller plus loin.	Choisit son matériel et organise sa table de travail. Il planifie sa réalisation et documente son procédé.	Choisit sa tâche et son matériel, s'organise, planifie et réalise.
Rôle de l'enseignant	Concepteur, organisateur, observateur.	Initiateur, créateur, observateur, superviseur et accompagnateur.	Facilitateur, observateur et régulateur.	Observateur et dépanneur.
Matériel utilisé	Liste très précise des matériels répartis dans les ateliers.	Matériaux variés, choisis et organisés de façon didactique par l'enseignant.	Variété de matériels disponibles dans la classe et choisis par les élèves selon leurs besoins ou intérêts.	Matériel diversifié, mais choisi spécifiquement en fonction du projet privilégié par chaque élève.
Mode de gestion	Système d'organisation dirigée. Mode plus fermé que les autres modèles (+).	Système de rotation pour chaque élève. Plus de postes que d'élèves. Modèle semi-fermé (++).	Système d'organisation autonome non dirigée quant au matériel disponible. Modèle ouvert (+++).	Système de développement d'un plan de travail personnel. Modèle très ouvert (++++).
Ouverture à la différenciation	Tâches communes ou différenciées. Possibilité de prolongement à la maison.	Tâches communes ou différenciées. Possibilité de différenciation successive ou simultanée.	Différenciation évidente pour chaque élève.	Différenciation très évidente pour chaque élève.

- rend les élèves plus autonomes, plus responsables dans leurs comportements, dans la gestion et l'évaluation de leurs apprentissages, dans la gestion de leur temps et de leurs travaux, dans la prise de décisions, la prévision et la planification entourant les choix à faire et à assumer, dans les exigences et les défis rencontrés dans leur cheminement ;

- facilite l'observation régulière des progrès de chacun et de leur processus d'apprentissage ;

- offre davantage l'occasion de s'occuper des enfants plus timides, de ceux qui éprouvent discrètement ou secrètement des difficultés d'apprentissage ;

- favorise l'entraide et la coopération dans les apprentissages ;

- ouvre la porte à la différenciation de tout genre : rythme, style, degré de motivation, maturité d'apprentissage, etc. ;

- procure des situations vivantes pour les élèves kinesthésiques et tactiles ;

- contribue à créer un environnement riche et stimulant pour les élèves peu motivés, leur permettant parfois de se réconcilier avec l'école ;

- assure une structure d'apprentissage ouverte à l'utilisation des compétences des parents, de l'orthopédagogue ou des ressources du milieu ;

- provoque l'éclatement du grand groupe au sein de la classe et offre aussi une belle occasion de décloisonnement et de collaboration entre deux ou trois classes appartenant à un même cycle.

■ DES CONDITIONS GAGNANTES POUR RENTABILISER LES ATELIERS

Comme les ateliers sont avant tout des véhicules d'apprentissage, des stratégies d'enseignement et des dispositifs potentiels pour favoriser la responsabilisation et la différenciation des apprenants, nous avons intérêt à les exploiter avec rigueur et clairvoyance si nous voulons qu'ils produisent les résultats escomptés. C'est dans cette perspective que je développerai ci-dessous des conditions gagnantes à considérer et à mettre en œuvre, tant sur les plans de la planification, de l'organisation, de la gestion et de l'évaluation des ateliers.

- Ces squelettes organisationnels doivent être habillés et nourris de l'intérieur. Autrement, ils risquent fort d'être pauvres, dénués de sens, devenant de simples prétextes à l'activisme ; la consommation d'activités et de matériels. Ils deviendront avec le temps des endroits où l'on joue, où l'on explore du matériel, où l'on s'affaire à quelque chose d'agréable pour meubler des espaces-temps.

- Ils doivent être étroitement liés à la pédagogie qui se vit dans la classe ; sinon il risque de se créer une cloison étanche entre le vécu des ateliers et l'autre portion de la vie de classe. Voilà pourquoi les *projets* ou les *modules* peuvent servir à alimenter le *cœur* des *ateliers*. **Il n'y a pas deux formes d'école : celle qui se déroule de façon plus traditionnelle pendant quatre périodes et celle qui offre une certaine ouverture pendant une seule période afin de rendre les élèves plus motivés ou de leur faire jouer un rôle plus actif.**

De toute façon, la structure même des projets ou des modules exige qu'une certaine forme de prolongement d'apprentissage s'exerce au sein de sous-groupes, d'équipes, de dyades et de projets personnels. Pourquoi vouloir planifier autre chose pour alimenter les ateliers alors que l'intérêt est déjà éveillé par un premier moteur d'apprentissage ? À titre d'exemple, l'outil-support 27 de la page 227 illustre les liens sur le plan de la planification d'un projet d'apprentissage et celle de divers ateliers de cognition ou d'expression que nous pourrions mettre en place par la suite.

• Des modèles de planification moins vastes que les projets ou les modules, mais tout aussi valables, peuvent être utilisés pour donner vie aux ateliers. Ici, je fais référence aux *situations-problèmes* et aux *situations ouvertes,* porteuses de défis, qui ont été traitées dans le chapitre précédent. Les élèves se retrouvent alors en projet d'apprentissage, étant sollicités par une tâche signifiante et à leur mesure. Le pédagogue aura alors pris soin de définir le *quoi* à l'intention des apprenants.

• Les ateliers planifiés et organisés dans la classe peuvent se vivre *avec ou sans liens* entre eux. *Exemple :* nous pouvons proposer aux élèves une série de huit ateliers complètement différents sur le plan des objectifs et des contenus : la galerie des ateliers indépendants.

Nous pouvons tout aussi bien orienter les élèves vers un objectif commun : postes de travail pour l'apprentissage d'une notion mathématique ou stations de travail pour la rédaction d'un texte à caractère incitatif. Tout est question d'intention ou de finalité pédagogique de la part de l'enseignant. Et le *pourquoi* doit être à la source de toute intervention axée sur la planification.

Il est possible également d'établir des relations seulement entre deux ou quatre ateliers sur les huit qui pourraient être offerts aux élèves : les élèves du préscolaire peuvent être invités à fréquenter l'atelier du salon de lecture pour lire à leur façon un livre-vedette et se rendre par la suite à l'atelier de pâte à modeler pour sculpter l'animal-vedette ou encore pour dessiner les séquences de l'histoire.

Plus nous devenons habiles à établir des liens entre les différents ateliers offerts, plus nous nous rapprochons du terrain des centres d'apprentissage, puisque ceux-ci ressemblent étrangement à des ateliers à plusieurs dimensions.

• Pour faire naître ou pour enrichir des ateliers, des lanternes de haute intensité doivent nous éclairer lors de la planification et l'organisation qui soulèvent des questions d'ordre *pédagogique* (pourquoi ? pour qui ? quoi ? comment ? jusqu'où ?) et d'ordre *organisationnel* (où ? avec quoi ? comment ? avec qui ? quand ?).

Volume 2
p. 360 et 361

• Composantes de base d'un atelier

• Grille de planification pour enrichir ou faire naître un atelier

PLANIFICATION DES TÂCHES À RÉALISER DANS LES DIFFÉRENTS ATELIERS

LE PROJET ET LES DIFFÉRENTS ATELIERS

Point de départ : « _____

_____

_____ »

Ateliers cognitifs | Ateliers d'expression

Atelier de langue maternelle | Atelier de mathématique | Atelier d'éveil scientifique | Atelier d'expression artistique | Atelier d'expression corporelle | Atelier d'expression musicale

_____

_____

Réalisation du projet
- d'école
- d'atelier
- de classe
- à court terme
- à moyen terme
- à long terme

Aboutissement du projet : « _____ »

Source : Inspiré de M. M. LABYE, *Les ateliers : pratique pédagogique du projet*, Bruxelles, Fernand Nathan (Éditions Labor), 1983, p. 14.

Volume 1
p. 388 à 405

Outil 6.8 Enfin des outils
pour gérer le temps

VITRINE D'ATELIERS :
référentiel visuel qui
présente aux élèves
l'ensemble des ateliers
offerts pour une période
donnée.

228

Enrichir son coffre à outils, partie 2

Nul besoin d'argumenter plus longuement pour dire que les questions à caractère pédagogique ont tendance à être escamotées au profit de celles traitant de l'organisation. Avec le risque que l'on connaît bien, celui que les ateliers soient perçus d'abord comme des fins en soi. Animés de cette vision, nous faisons tout simplement des ateliers pour des ateliers.

• Le fonctionnement par ateliers nécessite que le *MENU* soit *OUVERT* pendant la période où nous y avons recours, ce qui veut dire que nous avons besoin obligatoirement d'*outils* pour gérer le *temps*. La **vitrine** pour annoncer les ateliers, le tableau d'inscription, la grille de planification hebdomadaire à l'intention de chaque élève, si nous fonctionnons par ateliers pendant plus d'une période par jour, le tableau de contrôle et la feuille de route à l'intention de l'utilisateur feront partie de l'équipement nécessaire.

• Comme les ateliers figurent parmi les dispositifs privilégiés pour développer l'autonomie, il faut donc se soucier de mettre à la disposition des élèves le *coffre à outils* pour qu'ils puissent gérer leurs apprentissages à même ces outils. Nous penserons alors au matériel nécessaire, à la procédure indiquant les étapes à franchir pour atteindre le résultat fixé, au rappel de la démarche d'apprentissage, parfois nécessaire pour soutenir les élèves dans le processus, à un système de dépannage en cas de difficulté et finalement, à une grille d'autoévaluation portant sur l'effort ou la performance, à remplir avant de quitter l'atelier.

• L'*atelier* est différent du *centre* d'apprentissage tout comme il se distingue nettement du travail en sous-groupe ou du *travail d'équipe*. La première nuance a été établie lorsque nous avons traité des centres d'apprentissage tandis que la seconde fera l'objet d'une étude plus approfondie lorsque nous aborderons l'utilisation des divers groupes de travail, dans le présent chapitre. Nous pouvons faire travailler quatre élèves sur une maquette, en équipe, au sein d'un atelier de production, ou placer quatre élèves côte à côte pour travailler individuellement à créer un masque dans l'atelier de bricolage. *Nous ne devons pas confondre équipe de travail et équipe de vie.* Quand nous nous retrouvons avec un problème de contingentement d'élèves au sein d'un atelier à cause du manque d'espace, nous sommes loin du travail d'équipe, nous parlons tout simplement d'équipe de vie. Il est peut-être temps pour nous, professionnels de l'éducation, de clarifier certaines réalités organisationnelles afin d'appeler les choses par leur nom véritable et de les gérer dans un contexte de rendement optimal. Notre discours n'en sera que plus crédible.

• Au moment de la planification des ateliers, la présence d'un *scénario* ou d'une *séquence* d'apprentissage peut faciliter grandement l'identification de leur vocation, permettant ainsi de les orienter davantage vers la différenciation.

Dans le cas du scénario, nous nous retrouvons alors en présence d'ateliers d'exploration, de formation de base, de consolidation, d'enrichissement et même d'évaluation. Pour établir les nuances qui caractérisent chacune de ces étapes, nous avons intérêt à nous poser les questions suivantes : *Où suis-je rendu dans la planification des apprentissages des élèves ? Pour qui est-ce que je planifie ces ateliers ? Qui visitera ces ateliers ? Seront-ils tous obligatoires ? semi-obligatoires ? facultatifs ?*

Dans la perspective d'une séquence d'apprentissage, nous parlerons plutôt d'ateliers de découverte, d'intégration, de remédiation et même d'évaluation. Encore là, nous devrons nous positionner par rapport aux éventuels utilisateurs de ces ateliers en nous préoccupant d'identifier leur vocation. Cela nous permet de situer la différenciation à l'intérieur d'un cadre précis, n'excluant pas une différenciation régulatrice qui s'applique tout au long du processus d'apprentissage. Des décisions devront se prendre quant à la durée de ces ateliers. Revêtiront-ils tous un caractère permanent ? ou temporaire ? S'étaleront-ils sur une durée d'une semaine ? d'un mois ? d'une année ? Ainsi, l'atelier d'informatique risque fort d'être permanent toute l'année même si l'on modifie son contenu et son fonctionnement au fil du temps. L'atelier de cuisine peut être considéré comme temporaire, puisqu'il ne durera que deux semaines, c'est-à-dire la durée du projet de « La salade de fruits ». Après quoi, il sera remplacé probablement par un autre atelier temporaire répondant à un autre besoin ou à une autre source d'intérêt.

• Quand nous désirons assurer une variété dans la planification des objectifs ou des contenus des ateliers, nous avons la possibilité d'utiliser des *cadres de référence*, gages de différenciation et d'efficacité. J'illustrerai mes propos, à l'aide de deux cadres différents : la liste des *besoins fondamentaux* de tout enfant et la grille des *intelligences multiples* de Gardner.

Quand nous examinons de plus près les besoins fondamentaux des jeunes enfants, nous nous retrouvons assez souvent avec la nomenclature suivante : besoins de découverte, d'expression, de mouvement, de créativité, de calme, de socialisation, de réalisation, d'autonomie, sans compter certains besoins affectifs ou ludiques. Quelle belle grille pour planifier des tâches d'apprentissage qui se retrouveront au sein des ateliers ! Quel beau point de repère pour construire la feuille de route personnelle à chaque élève, dans l'itinéraire de fréquentation des ateliers ! Ce genre de boussole nous permet de décider qu'un même atelier sera obligatoire pour un élève, tandis qu'il deviendra facultatif pour un autre.

La théorie des intelligences multiples fournit également aux éducateurs un répertoire intéressant de différenciation. Toutes les formes d'intelligence y sont représentées; aucune n'est placée sur un piédestal, aucune n'est sous-estimée ou ridiculisée. Que l'on parle d'intelligence linguistique, logicomathématique, kinesthésique, visuo-spatiale, musicale, interpersonnelle, intrapersonnelle ou naturaliste, chaque élève s'y retrouve avec ses forces et ses faiblesses, bien sûr. Toutefois, aucun ne peut se dire : « Je ne suis pas intelligent, moi. » Chacun l'est à sa façon et les visites aux différents ateliers favoriseront la consolidation des acquis tout en créant un éveil et une ouverture à de nouvelles façons d'apprendre. Encore faut-il que les ateliers offerts présentent des défis différents avec des exigences différentes et même un cadre de fréquentation différent...

- La différenciation peut se présenter sous d'autres jours pour ce qui est des ateliers : la proposition d'*un seul défi* aux élèves, d'une tâche unique dans un atelier présentant des *exigences différentes*. *Exemple :* à l'atelier de jeux éducatifs, les élèves pourraient être soumis à différentes exigences, telles que la capacité à réussir un jeu éducatif à partir de règles simples, à partir de règles de difficulté moyenne, à partir de règles très difficiles, la capacité à s'autoévaluer en plus, la capacité à créer soi-même un nouveau jeu en surplus.

Le fait de proposer deux *défis complémentaires* reliés à un même objectif, au sein d'un même atelier, est également une façon de différencier. Le premier défi serait une tâche offerte à l'ensemble des élèves tandis que le second jouerait le rôle de prolongement de cet apprentissage pour des élèves qui ont de la facilité. Nous parlerions alors de Défi et de Défi Plus. Et c'est ainsi que nous nous acheminons vers le royaume des centres d'apprentissage, puisque nous devenons de plus en plus habiles à jouer avec l'aspect pluriel de la planification et de la gestion des activités. *Exemple :* à l'atelier d'expression, le choix de deux défis orientés d'abord vers un dialogue entre deux animaux vivant dans la forêt, puis, vers la préparation d'une présentation de cette conversation à l'aide de marionnettes-animaux. Nous pourrions même ajouter des éléments de décor, de thème musical et de publicité pour cette présentation.

- Nous devons faire *évoluer* notre expérimentation des ateliers. Il nous apparaît primordial d'éviter de les institutionnaliser, c'est-à-dire de vouloir en faire des structures hermétiques à toute adaptation ou à toute nouveauté. Comme ils ne sont que des contenants au service des apprentissages des élèves, nous avons intérêt à ne pas les enfermer dans des structures rigides où tout demeure figé et répétitif, malgré les changements qui s'imposeraient. Je joins à cette recommandation une référence décrivant l'évolution d'une expérimentation d'ateliers vécue dans une classe du préscolaire ou de premier cycle du primaire.

Quand nous parlons de faire évoluer ces dispositifs, nous avons en tête différents paramètres. Le profil et la maturité des élèves utilisateurs, l'expérience qu'ils ont de cette structure organisationnelle, l'homogénéité ou l'hétérogénéité du groupe-classe (écarts plus ou moins grands), l'aisance de l'enseignant à gérer cette forme de travail de même que le type de pédagogie qu'il utilise en classe, la période de l'année où l'on propose aux élèves cette nouvelle stratégie d'enseignement, tous ces facteurs méritent d'être considérés avant qu'on articule et qu'on établisse un mode de fonctionnement.

Autrement dit, nous ne choisissons pas une seule façon de gérer les ateliers pour l'appliquer tout au long de notre carrière. Il n'y a pas de recette à appliquer à ce niveau, mais plutôt une invitation à trouver plusieurs adaptations à cette forme organisationnelle.

Exemples : en début d'année, dans une classe de préscolaire regroupant des enfants de quatre et cinq ans, il serait sans doute pertinent de retrouver, dans la vitrine des huit ateliers, des propositions d'ateliers exploratoires sans défi précis et d'ateliers de consolidation axés sur des besoins observés chez les élèves. Par contre, toujours dans la même classe, vers les derniers mois de l'année scolaire, le tableau d'ateliers pourrait être alimenté par quelques ateliers de formation de base, de consolidation et d'enrichissement, puisque les écarts de rendement entre les élèves grandissent au fur et à mesure que l'année avance.

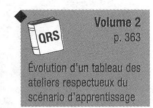

Volume 2
p. 363

Évolution d'un tableau des ateliers respectueux du scénario d'apprentissage

De plus, quand je parle de progression dans l'expérimentation d'ateliers dans la classe, je suppose qu'il existe divers scénarios de travail, de complexité différente :

- ateliers exploratoires et ateliers d'enrichissement ;
- ateliers exploratoires et ateliers de consolidation ;
- ateliers de remédiation et d'enrichissement ;
- ateliers de formation de base et ateliers d'enrichissement ;
- ateliers de formation de base et ateliers de remédiation ;
- ateliers de formation de base, de remédiation et d'enrichissement ;
- ateliers d'intégration, de réinvestissement et de transfert.

Même si nous nous efforçons d'appliquer ces conditions gagnantes à notre gestion quotidienne des ateliers, nous faisons face à diverses difficultés, à certains imprévus et à des expériences que nous qualifions d'abord d'échecs alors que cela n'est pas le cas. Dans ces moments-là, rappelons-nous les avantages qui sont rattachés à cette façon de vivre et d'apprendre. D'abord, cet aspect de la différenciation que l'on peut orienter vers les rythmes, les styles, les degrés de motivation, les niveaux d'apprentissage, les âges et la diversité des groupes. Puis, cette grande force qui consiste à placer les élèves en situation de pouvoir par rapport à la tâche à accomplir : ils peuvent effectuer des choix, ils se trouvent en présence d'expériences concrètes, de matériel diversifié, de périodes de manipulation et de réalisations significatives, ils ont le temps nécessaire pour travailler selon leurs capacités et selon leur rythme, ils ont conscience des progrès réalisés, ils ont même l'occasion de partager leurs réussites avec leurs camarades.

Tous ces bénéfices s'appliquent également pour les centres d'apprentissage. Toutefois, pour appliquer ces deux structures organisationnelles, nous sommes non seulement contraints d'accepter de rompre progressivement avec l'enseignement magistral collectif, mais aussi de prendre en compte l'aspect métacognitif rattaché à ces formes d'apprentissage. L'enseignant a un très grand rôle à jouer sur ce plan. Son rôle de médiateur amènera les élèves à prendre conscience des stratégies gagnantes ou perdantes qu'ils ont utilisées. Les élèves ne sont généralement pas à même de transférer ainsi leurs acquis. Il faut donc intervenir auprès d'eux quand ils construisent leurs apprentissages dans les centres et les ateliers, de façon à les aider à rendre transparent leur travail intellectuel. Le recours aux sous-groupes de discussion ou aux entretiens méthodologiques auprès d'un élève ou d'une équipe de travail sont à privilégier. C'est là l'occasion de rendre explicite ce que nous avons tendance à considérer comme implicite. Autrement, le travail en ateliers et en centres d'apprentissage risque fort de demeurer stérile.

Avant de terminer ce chapitre, je désire présenter un dernier mode organisationnel tout aussi efficace que les deux premiers, mais moins complexe à planifier et à structurer, peut-être moins insécurisant quant au contrôle et au suivi des apprentissages des élèves. Et c'est ainsi que nous nous dirigeons vers le fonctionnement par sous-groupes, élément très présent dans la perspective de la gestion des cycles d'apprentissage.

Apprivoiser le fonctionnement par sous-groupes

« Le talent des enfants est un mystère impénétrable. Nous, les adultes, sous-estimons leurs capacités, leurs désirs d'accomplissement et leurs dons. Toujours nous les retenons. »

(Yehudi Menuhin)

QRS
Volume 2
p. 341 à 355

Outil 7.1 La gestion des sous-groupes de travail

Si la différenciation est reliée d'une certaine manière à l'éclatement du grand groupe, nous avons l'obligation de créer des structures organisationnelles qui nous permettront de travailler dans cette direction. Le travail en sous-groupes se présente à nous comme une possibilité intéressante. En tant que formatrice d'enseignants, je véhicule cette façon de faire depuis plusieurs années et c'est souvent avec beaucoup de réticence, d'insécurité et de prudence que les praticiens acceptent d'aborder cette réalité avec moi.

Dans le recueil d'outils organisationnels sur la gestion de classe participative de *Quand revient septembre*, j'avais construit un outil traitant de ce mode organisationnel. Des exemples de situations d'enseignement favorables à son implantation et à son utilisation étaient cités de même qu'un aperçu du coffre à outils à mettre en œuvre auprès du sous-groupe devant travailler d'une façon autonome. Les enseignants les plus réceptifs à ce mode de fonctionnement étaient sans contredit ceux qui devaient gérer quotidiennement une classe multiprogrammes et multiâges. Quelques enseignants travaillant dans des classes d'adaptation scolaire à effectifs réduits acceptaient de se pencher sur ce sujet, étant bien souvent en situation d'urgence ou de survie. Serions-nous plus habitués à réagir en contexte curatif ou thérapeutique ? L'aspect préventif des situations difficiles n'est peut-être pas notre créneau habituel pour intervenir et pour innover. C'est comme si nous repoussions de nous le plus longtemps possible cette obligation de différencier. Si la réalité ne nous oblige pas à le faire, nous écartons cette possibilité de nos vies de pédagogues et d'apprenants. Mais pourquoi ?

Des empreintes difficiles à effacer

- Tout d'abord, il est plus facile de perpétuer un modèle que nous connaissons très bien, celui qui a marqué notre formation initiale et nos stages, celui que nous avons implanté au début de notre carrière en nous inspirant du vécu des enseignants qui ont influencé positivement notre vie d'élève.

- Fonctionner par sous-groupes représente un défi important pour plusieurs d'entre nous, puisque nous devons inventer, créer ce modèle de différenciation sans avoir d'exemples fonctionnels sous nos yeux et surtout sans avoir l'assurance qu'il est tout aussi efficace que celui que les parents de nos élèves et nous-mêmes connaissons. Malgré cette incertitude sur le plan de la rentabilité, nous nous accrochons à cette façon de fonctionner, car ce modèle organisationnel a fait ses preuves jusqu'à maintenant. Pourquoi plonger dans l'inconnu sans avoir la certitude que nous sortirons gagnants de cette nouvelle expérience ?

- De plus, la peur qui nous hante est rattachée, bien sûr, au vécu du sous-groupe qui devra travailler sans la guidance de l'enseignant. Si nous étions deux adultes dans la même classe pour gérer ces deux sous-groupes de travail, ce ne serait pas la même chose et nous oserions plus souvent. Des enseignants m'ont déjà confié qu'ils optaient pour cette façon de travailler seulement lorsqu'ils recevaient un ou une stagiaire dans la classe ou encore l'orthopédagogue de l'école. Pour eux, il est inconcevable de permettre à un sous-groupe d'élèves de travailler seul, à l'intérieur d'une structure de responsabilisation et de différenciation que nous aurions établie préalablement avec eux.

- Une troisième crainte est rattachée au fait que nous avons déjà vécu de mauvaises expériences à ce niveau. Nous avons permis à des élèves de travailler seuls, sans les outiller suffisamment pour qu'ils soient en mesure de gérer cette liberté d'action. Les résultats n'ont pas été des plus heureux : nous nous sommes retrouvés avec des problèmes de discipline, d'intérêt face à la tâche, de perte de temps, de diminution d'efforts et de perturbations du climat de la classe. Nous croyons très souvent que les élèves connaissent les comportements à adopter dans telle situation de vie et qu'il n'est pas nécessaire de les définir avec eux. Prendre du temps pour leur apprendre le travail autonome en définissant avec eux les règles du jeu nécessaires peut nous sembler superflu, voire inutile, d'autant plus que le temps nous manque et que le contenu des programmes nous apparaît extrêmement chargé. Dans le contexte scolaire actuel, où nous parlons de plus en plus de développement de compétences transversales et de domaines généraux de formation, non seulement nous pouvons, mais nous devons travailler ces dimensions du développement de la personne.

- Une quatrième peur porte sur l'outillage que nous devons développer avec les élèves pour leur permettre de travailler autrement, sans la présence directe de l'enseignant auprès d'eux.

Dans notre for intérieur, nous sommes convaincus du bien-fondé de cette délégation de pouvoir, mais nous sommes bloqués, soit par un manque de créativité pour concevoir des outils de responsabilisation ou encore par une incapacité à prendre des risques dans ce sens. Pourtant, c'est le prix à payer pour sortir des sentiers battus... Pour ouvrir davantage vos horizons en tant qu'enseignant, je me permets ici de vous renvoyer au chapitre 2, qui traite du changement, des peurs à vaincre et des deuils à faire.

• Nous pouvons peut-être expliquer notre fragilité face aux sous-groupes par le manque de cadre théorique supportant cette nouvelle façon de faire. Mais au fait, qu'est-ce qu'un sous-groupe de travail ? Qu'entend-on par « fonctionner par sous-groupes dans une classe » ? Est-ce exclusif au décloisonnement entre des classes appartenant à un même cycle d'apprentissage ? Doit-on recourir au sous-groupe à l'intérieur de sa propre classe ? Si oui, pourquoi a-t-on intérêt à le faire ? Quand et comment ?

Des clarifications s'imposent

Dans la vie de tous les jours, nous savons qu'un sous-groupe est une partie d'un groupe ayant elle-même une structure de groupe. Nous savons aussi qu'un sous-groupe fait partie automatiquement d'un groupe plus important que lui. Nous utilisons cette appellation très souvent dans un contexte de classification, de répartition de sous-ensembles.

Maintenant, dans la vie de la classe, nous pouvons dire que l'ensemble des élèves constitue le grand groupe et qu'à l'intérieur de ce groupe, les possibilités de décloisonnement et de regroupements d'élèves sont multiples. Cette fragmentation, cet éclatement reposera alors sur un choix de critères non seulement judicieux, mais aussi très variables. Enfin, une évidence me saute aux yeux : plus nous plaçons de groupes en relation directe les uns par rapport aux autres, plus nous nous trouvons avec une possibilité de regroupements différents et variés. Ce sont les fruits du **produit cartésien** et dans le vécu d'un cycle d'apprentissage, nous devons être en mesure de jouer avec ces nombreuses possibilités qui s'offrent à nous.

PRODUIT CARTÉSIEN : interactions et combinaisons qui s'opèrent parmi les groupes existants pour donner naissance à de nouvelles structures de travail.

Certains groupes peuvent être stables, d'autres, plus éphémères ; certains sont multiâges, d'autres monoâges ; certains sont relativement homogènes, d'autres hétérogènes ; quels qu'ils soient, ils sont composés à partir de divers critères : les projets, les niveaux, les compétences, les intérêts, les besoins, les méthodes ou les approches, etc. La composition exacte des groupes peut être déterminée à l'avance pour certains types de regroupements plus stables, mais pour d'autres (à caractère plus spontané ou éphémère), elle se greffera au vécu des apprenants, c'est-à-dire qu'elle évoluera au gré des besoins, des difficultés et des progrès des élèves. La composition des groupes de durée limitée aura beau n'être connue qu'à la dernière minute, l'équipe d'enseignants impliqués pourra planifier la démarche, les périodes et les lieux où elle fera de la différenciation par des sous-groupes.

Je me permets de rappeler ici que nous avons toujours le choix de différencier les contenus, les processus, les productions et les structures. Dans le cas présent, nous nous intéressons à la différenciation des structures. Je vais me référer au Groupe de pilotage de Genève (1999, p. 14), qui a donné un cadre de référence sur les groupements d'élèves à leurs enseignants en pleine expérimentation des cycles d'apprentissage. « Différencier, c'est, pour une part, diversifier les structures et regrouper les enfants de manières différentes en fonction des objectifs poursuivis, afin de favoriser les interactions entre élèves et de créer des dynamiques variées et mieux adaptées à tel ou tel objectif. »

Les différents regroupements peuvent être effectués à partir des balises suivantes :

- « Les regroupements devraient constituer, même pour de courtes périodes, de véritables groupes favorables aux interactions entre élèves, à la coopération et à l'entraide entre eux et à la fructification et à l'éclosion de conflits sociocognitifs. »

- « Les objectifs communs d'apprentissage devraient guider les regroupements d'élèves, après avoir été fixés au préalable, plutôt que d'être adaptés par après à des formes de regroupements déjà préétablis. »

- « Il est préférable de varier les modes de regroupements, aucun ne constituant un modèle unique, et de garder une souplesse dans leur organisation et dans leur fonctionnement. » (Groupe de pilotage, 1999, p. 14)

À la lumière de ce qui précède, nous percevons bien que les sous-groupes ne sont pas synonymes d'ateliers de travail ou de centres d'apprentissage, pas plus qu'ils ne sont l'équivalent du travail d'équipe ou coopératif. *Exemple :* nous pourrions affecter un sous-groupe de la classe, c'est-à-dire 6 élèves, au travail par ateliers ou à la visite de centres d'apprentissage tandis que les 3 autres sous-groupes (18 élèves) seraient partagés entre le travail de rédaction d'une production écrite, la réalisation d'une recherche sur les animaux préhistoriques et la compilation des résultats d'une enquête sur les moyens de transport.

Dans cette situation, nous ne sommes peut-être pas plongés à corps perdu dans la différenciation, mais nous sommes en train d'accepter que le grand groupe éclate pour permettre à des élèves de travailler simultanément sur des tâches différentes et pour leur offrir un accompagnement plus personnalisé. Nous faisons aussi face à l'apprentissage d'une nouvelle gestion de classe qui s'ouvre tranquillement à l'autonomie des élèves et à leur responsabilisation. Sans doute que lors de ce contexte d'apprentissage, nous obligerons les élèves à effectuer une rotation des activités afin de compléter un tour d'horizon des quatre tâches obligatoires.

L'exemple précédent est valable pour la gestion d'un groupe de base et non pour un groupe reconstitué par du décloisonnement fait à partir de groupes stables et définis.

Autre clarification sur le concept de sous-groupes: lorsque nous ouvrons le menu de la journée pour permettre à des élèves de travailler sur leur plan de travail, sur leur contrat d'apprentissage ou sur le tableau de programmation, il est normal que nous nous retrouvions avec certains sous-groupes qui auront été construits à partir des choix d'activités faits par les élèves. Ainsi, une partie de la classe sera affairée à compléter individuellement le travail de compréhension de lecture qui a été proposé au groupe-classe, un autre sous-groupe d'élèves travaillera en dyades structurées sur un tableau d'équivalences de fractions tandis que sept élèves concentreront leurs énergies en équipes pour réaliser une maquette sur le relief de leur région. Nous pourrions affirmer que nous avons alors trois sous-groupes qui travaillent simultanément sur des tâches d'apprentissage différentes mais qu'un seul sous-groupe travaille en équipe (à l'atelier de construction et de bricolage) puisque les autres élèves travaillent individuellement ou en petits groupes de deux à leur bureau respectif.

Si nous transférons cette idée de sous-groupes au vécu d'un cycle d'apprentissage géré par quatre enseignants utilisant assez régulièrement le décloisonnement, nous parlerons d'abord de groupes reconstitués à partir de critères définis et peut-être même de sous-groupes de travail qui émergeront à partir des regroupements initiaux. Ici, nous nous retrouvons avec une double structure de différenciation, puisque nous commençons par différencier à l'externe en décloisonnant, puis nous nous glissons sur le terrain de la différenciation de la différenciation en différenciant également à l'intérieur de la classe. À mon avis, cette situation s'applique nécessairement chaque fois que les écarts d'acquis sont très grands parmi nos élèves.

Même à l'intérieur d'un groupe que nous qualifions d'homogène, on trouve encore des différences. Rappelons-nous le fonctionnement des voies au secondaire, dans lesquelles les élèves étaient classés selon leur rythme d'apprentissage. À l'intérieur d'un groupe de 30 élèves identifiés «forts», nous trouvons obligatoirement d'autres différences à gérer, sans tomber toutefois dans un abus d'enseignement individualisé. *Exemple:* supposons qu'au début de novembre, quatre enseignants du premier cycle du primaire convenaient de constituer des groupes de lecture, à partir des acquis des quatre groupes de base, afin d'offrir aux élèves un accompagnement plus différencié. Même en formant plusieurs groupes (groupe de décodage de base, groupe de développement de stratégies de lecture, groupe de pratique pour améliorer la rapidité en lecture, groupe pour parfaire le fini d'une lecture expressive), nous sommes automatiquement confrontés à d'autres différences que nous devrons gérer autrement, ce qui est même souhaitable, car les interactions entre les élèves n'en seront que plus riches. **J'insiste sur cette dimension afin de véhiculer le message suivant : ce n'est pas parce qu'on travaille avec des groupes reconstitués qu'il n'y a plus de différences à l'intérieur de chacun de ces groupes.**

Dans les visites de classes que j'ai effectuées en vue d'observer la gestion des cycles, j'ai vu assez couramment l'accent mis sur la différenciation à l'externe par le décloisonnement et la naissance de groupes reconstitués. J'ai parfois remarqué l'absence ou la faiblesse de stratégies de différenciation à l'interne (ou leur faiblesse) par la suite, les élèves se trouvant soit en période d'enseignement magistral, soit en période de travaux à partir d'exercices spécifiques ou de fiches. Je pense que les deux formes de différenciation (à l'interne et à l'externe) doivent se vivre parallèlement. Notre défi actuel est d'intervenir sur deux domaines complémentaires de gestion : la gestion interclasses (avec le regroupement d'élèves qui donne naissance à des groupes de travail distincts) et la gestion courante d'une classe (incluant la présence de sous-groupes qui se détachent occasionnellement du grand groupe).

Cet aspect de la différenciation à l'externe sera creusé plus en profondeur dans le chapitre 12, qui traitera de la gestion des cycles par une équipe collégiale.

Les différents scénarios possibles

Cette pratique de la différenciation à travers un fonctionnement par sous-groupes peut prendre différents visages selon les moments de son utilisation. La première question à se poser est sans doute : « Quand aurais-je intérêt à former des sous-groupes de travail dans ma classe ? » J'ai déjà répondu à cette interrogation dans *Quand revient septembre,* en énumérant une douzaine de situations qui s'y prêtent. Je me contenterai d'en rappeler quelques-unes qu'il m'apparaît urgent de récupérer, telles que :

Volume 2
p. 343 à 346

Pour installer graduellement l'enseignement par sous-groupes

- la révision collective d'un examen ou d'une tâche quelconque à laquelle tous les élèves sont tenus de participer, peu importe le résultat obtenu ;

- l'obligation pour certains élèves autonomes et déjà compétents d'écouter de longues explications avant de pouvoir démarrer une tâche d'apprentissage ;

- les périodes de révision collectives bloquées pour tous les élèves de la classe dans le but d'assurer une phase uniforme de consolidation préparatoire à un examen éventuel ;

- les circonstances où nous manquons dans la classe de matériel didactique, de manipulation ou d'expérimentation, afin de permettre à tous les élèves de mettre la main à la pâte en s'impliquant personnellement, chose qui ne serait pas possible en grand groupe ;

• les situations d'apprentissage plus complexes qui nécessitent de la part de l'enseignant un accompagnement pédagogique et une présence plus soutenus auprès de chacun des élèves ; etc.

Après avoir reconnu des moments stratégiques pour briser le grand groupe, nous devons passer à la seconde étape, qui est d'identifier le scénario de formation de sous-groupes retenu et de planifier l'outillage à développer avec les élèves qui travailleront sans guidance. Chaque fois que l'enseignant décidera d'appliquer la différenciation simultanée, il aura besoin d'ouvrir le menu du cours ou de la journée, de référer les élèves à des outils pour gérer le temps ou d'opter pour le fonctionnement par sous-groupes, par ateliers ou par centres d'apprentissage.

Volume 2
p. 347

Enseignement par sous-groupes et structure organisationnelle à planifier

Les différents scénarios d'utilisation de sous-groupes sont illustrés dans le référentiel 17 que vous trouvez à la page suivante, tandis que l'outillage à construire avec les élèves sera rappelé brièvement. Comme le requiert l'organisation de tout dispositif, on doit se pencher à la fois sur sa dimension pédagogique et sur sa dimension organisationnelle.

La dimension pédagogique des sous-groupes de travail

1 Les élèves qui ont à travailler en sous-groupes doivent être informés préalablement de la raison d'être de la tâche (le « pourquoi ») et des gains rattachés à l'exécution de cette dernière (le « quand réutilisable »). Ces deux sources d'informations influencent grandement la signifiance et la motivation naissantes chez l'apprenant qui se prépare à s'engager dans un projet d'apprentissage.

2 Le ou les sous-groupes devant travailler de façon autonome ont besoin de connaître la nature de la tâche d'apprentissage qui leur est proposée. Ils doivent savoir « *quoi faire* ». Le support visuel s'avère ici de première importance parce que l'enseignant ne sera pas en permanence à côté des élèves pour leur rappeler verbalement le mandat.

3 Des démarches ou des stratégies d'apprentissage seront sans doute nécessaires pour appuyer les élèves dans la réalisation de la tâche. Les élèves doivent savoir « *comment faire* » ; pour ce faire, ils ont accès à des procédures, à des référentiels qui leur sont familiers.

4 Une grille d'objectivation ou d'autoévaluation peut s'avérer un excellent outil de conscientisation de l'élève qui est en train d'apprendre en faisant quelque chose. Les élèves doivent être en mesure de nommer ce qu'ils ont appris et de comprendre ce qui les a aidés ou ce qui leur a nui dans leur démarche.

SCÉNARIOS DE FORMATION DE SOUS-GROUPES

Avec deux sous-groupes

Sous-groupe 1
Élèves avec enseignant

Sous-groupe 2
Élèves avec travail individuel, sans guidance

Guidance de l'enseignant en alternance

Sous-groupe 1
Élèves seuls

Sous-groupe 2
Élèves seuls

Sous-groupe 1
Élèves avec enseignant

Sous-groupe 2
Élèves avec tuteur

Sous-groupe 1
Élèves avec enseignant

Sous-groupe 2
Élèves avec orthopédagogue

Sous-groupe 1
Élèves avec enseignant

Sous-groupe 2
Élèves avec stagiaire

Avec quatre sous-groupes

Une seule discipline

Sous-groupe 1
Élèves seuls

Sous-groupe 2
Élèves seuls

Guidance de l'enseignant en alternance

Sous-groupe 3
Élèves seuls

Sous-groupe 4
Élèves seuls

Disciplines différentes

Sous-groupe 1
Élèves seuls

Sous-groupe 2
Élèves seuls

Guidance de l'enseignant en alternance

Sous-groupe 3
Élèves seuls

Sous-groupe 4
Élèves seuls

Système de rotation : une ou plusieurs disciplines

Sous-groupe 1
Élèves seuls

Sous-groupe 2
Élèves avec enseignant

Sous-groupe 3
Élèves seuls

Sous-groupe 4
Élèves seuls

Dans le sous-groupe 2, de l'enseignement est donné, mais toujours à un petit groupe d'élèves.

Les autres élèves travaillent sur des tâches déjà précisées, lancées ou commencées.

5 Du matériel ou des activités de prolongement d'apprentissage doivent être prévus et mis à la disposition du sous-groupe, dans lequel on retrouve sûrement quelques élèves qui ont de la facilité. Les élèves qui ont terminé ce qu'ils devaient faire doivent maintenant savoir ce qu'ils peuvent faire, ce qu'on leur propose comme activités de prolongement.

6 Dimension organisationnelle : le matériel nécessaire à la réalisation du mandat proposé doit être prévu, sélectionné, identifié et présenté aux élèves qui auront à l'utiliser. Les élèves doivent savoir « *avec quoi* » ils peuvent ou ils doivent travailler.

7 Un système d'autocorrection peut faciliter les initiatives d'élèves au rythme de travail plus rapide, travaillant sur une tâche fermée où l'on ne trouve qu'une seule bonne réponse. Certains élèves, même compétents, éprouvent le besoin d'être confirmés dans ce qu'ils font pour aller plus loin.

8 Le *cadre de vie* en sous-groupes mérite qu'on le précise avant d'y avoir recours. Les élèves doivent être informés du fonctionnement du sous-groupe, des règles qui s'y appliquent. Ils doivent savoir à quelles ressources matérielles et humaines ils peuvent recourir en cas de « panne ». L'illustration d'un cadre de vie responsabilisant pour le travail en sous-groupes se fera par le développement des trois prochains points : 9, 10 et 11.

QRS | **Volume 2**
p. 52

Procédure de
débrouillardise

9 Une procédure de *débrouillardise* à la disposition des élèves peut empêcher bien des interventions inutiles. Toutefois, comme il s'agit d'un exemple de procédure organisationnelle, nul besoin d'ajouter que ce rituel évoluera au fur et à mesure que les élèves développeront des compétences d'autonomie proportionnellement à la marge de manœuvre qui leur sera accordée et à la fréquence du travail en sous-groupes.

10 La possibilité de fonctionner en dyades d'*entraide* permet aux élèves de poursuivre le travail malgré les difficultés ou les obstacles. Bien sûr ce recours aux dyades doit être analysé en fonction de la séquence d'apprentissage. Plus un apprentissage est nouveau, plus les élèves ont recours au savoir-faire de leurs camarades, tandis que plus ils s'approchent d'une maîtrise de compétence, plus ils ont intérêt à se détacher de ce support.

11 Un élève responsable d'un sous-groupe peut aider grandement l'enseignant à se détacher de ce dernier pour être présent ailleurs. Peu importe le titre que l'on donne à cet élève, l'important, c'est de vraiment définir avec les élèves de la classe le rôle précis qu'il joue auprès de ses compagnons. Il ne s'agit pas d'un préfet de discipline, mais plutôt de quelqu'un qui pourrait cumuler les fonctions suivantes : être responsable du matériel présent ou manquant, rappeler l'échéancier et la tâche, au besoin, apporter une aide supplémentaire à certains élèves (seulement si ceux-ci ont passé par les diverses étapes de la procédure de débrouillardise) et enfin, se permettre de faire appel à l'enseignant pour fin d'information et de vérification, lorsque toutes les ressources ont été épuisées dans son sous-groupe.

Nous fermons la boucle des structures organisationnelles à l'appui de la différenciation pour nous intéresser maintenant à la gestion des groupes de travail, à la gestion du temps et de l'environnement éducatif.

 ## Jongler avec les groupes de travail

Dans tous les projets de réforme pédagogique proposés aux enseignants et aux élèves, nous trouvons des compétences transversales d'ordre personnel et social. Dans le programme de formation de l'école québécoise, elles sont décrites ainsi : structurer son identité personnelle et coopérer.

Nous nous appuierons donc sur le développement de ces compétences pour rappeler l'importance de varier les groupes de travail au fil du déroulement de la démarche d'apprentissage. Toutes les formes de travail ont leur raison d'être, leur valeur et leur nécessité ; aucune n'est plus efficace, ni plus importante, inférieure ou supérieure à une autre. Par contre, certaines sont plus fécondes que d'autres dans certaines situations. Chacune apporte sa contribution à la construction du savoir pourvu qu'elle soit choisie avec la même rigueur, la même fréquence et avec le même souci du développement de l'autonomie et de l'efficacité.

Comme la documentation a été assez abondante depuis les dix dernières années pour faire la promotion de l'apprentissage coopératif développé préalablement aux États-Unis, je me contenterai d'énumérer des structures de travail à notre disposition, ferai ressortir certaines faiblesses à corriger dans la trajectoire de l'entraide et de la coopération et en dernier lieu, m'attarderai à la gestion du tutorat. Vous trouverez ci-contre des références à consulter.

Volume 1
QRS
p. 364 à 380

Outil 6.4 Formation et utilisation de dyades ou d'équipes d'entraide

Volume 2
QRS
p. 317 à 332

Outil 6.8 Vers un apprentissage coopératif

L'escalier de l'entraide et de la coopération

Si nous dressons un escalier de l'entraide et de la coopération à plusieurs paliers, nous y trouvons les éléments suivants :

Palier 1 : *Équipes de vie dont les membres travaillent individuellement à l'intérieur d'un îlot de travail.*

Palier 2 : *Dyades naturelles de dépannage,* à caractère temporaire.

Palier 3 : *Dyades structurées à partir de critères de formation,* à caractère permanent, en vue de l'accomplissement d'une tâche ou d'un projet quelconque. Il y a vraiment entraide à la condition que les écarts d'acquis ne soient pas trop grands entre les deux partenaires.

Palier 4 : *Tutorat* entre élèves pour favoriser le partage de compétences plus grandes et plus solides. Cette forme d'entraide consiste à jumeler un élève qui possède une habileté particulière ou un niveau de compétence élevé dans un domaine et un élève désirant perfectionner ses habiletés ou améliorer ses connaissances dans ce même champ. Le tuteur joue alors le rôle de guide, de conseiller, de modèle ou d'enseignant.

Palier 5 : *Travail en équipes spontanées* déterminées par le choix des élèves ou par le hasard, avec durée de vie très limitée, puisque ces équipes cessent d'exister dès que la discussion ou la tâche est terminée.

Palier 6 : *Travail en équipes structurées et permanentes* pour un certain temps, construites à partir d'un sociogramme, à partir de critères et de choix déterminés par l'enseignant, et de choix faits par les élèves. Une démarche conjointe entre élèves et enseignant permet d'identifier des critères cohérents avec la tâche proposée, à partir desquels les élèves effectuent eux-mêmes des choix éclairés, quant aux membres de l'équipe de travail qu'ils veulent bien se donner pour un certain temps, afin d'actualiser un projet ou une tâche de production à long terme.

Palier 7 : *Apprentissage coopératif* où l'accent est mis non seulement sur le résultat, mais aussi sur tout un processus orienté vers l'interdépendance positive entre les membres d'une équipe et l'apprentissage des compétences sociales et intellectuelles. Le développement de ces compétences interpersonnelles, sociales et cognitives est tout aussi important, sinon plus que la tâche à réaliser, prétexte à la coopération. C'est celle-ci qui oblige alors les élèves à vivre en interdépendance positive, devenant ainsi de plus en plus coopératifs.

Vous remarquerez que j'ai osé placer au premier palier de l'escalier de l'entraide et de la coopération les pupitres en îlots de travail qui abritent tout simplement des équipes de vie. Toutefois, il ne suffit pas de regrouper des pupitres dans la classe pour diverses raisons pour affirmer que nous faisons du travail coopératif. La marge est très grande entre ces deux formes de travail. Si nous consultons l'image de l'escalier, nous percevons que le premier groupe de travail mentionné se trouve au premier palier tandis que le second se situe au palier 7.

Parmi les formes de travail possibles, je n'ai pas mentionné le travail individuel et le travail collectif. Nous savons très bien que les enseignants y ont recours assez fréquemment et que ce sont surtout les regroupements coopératifs d'élèves autour d'une tâche commune qui représentent, pour les praticiens, des sources d'appréhension et d'insécurité.

Je ne veux aucunement démontrer que le travail d'entraide et de coopération doit venir détrôner le travail individuel ou collectif. Les tâches individuelles, coopératives et collectives seront toujours nécessaires pour actualiser la construction des savoirs et pour orienter une période de travail ou une journée de classe. C'est la séquence ou le scénario d'apprentissage qui nous guidera dans l'utilisation adéquate de ces divers modes de travail.

Les principes de base à travailler avec les élèves

Avant de plonger dans le tutorat, je reformulerai quelques principes de base susceptibles de rentabiliser le fonctionnement du travail d'équipe.

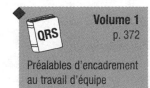

Volume 1
p. 372

Préalables d'encadrement
au travail d'équipe

Soulignons tout d'abord l'importance de discuter avec les élèves des raisons qui justifient que nous travaillions en équipe. Il est facile pour des enfants de s'imaginer qu'il s'agit d'une période-récompense ou d'un moment où ils peuvent relâcher les efforts. J'ai déjà entendu la réflexion suivante dans une classe qui était l'objet d'une observation professionnelle : « Nous avons été gentils depuis le matin, pourrions-nous avoir une période d'équipe pour la prochaine période ? »

Il importe également de clarifier avec les élèves la nature des tâches susceptibles d'alimenter le travail d'équipe. Parfois, nous proposerons une tâche de discussion ; d'autres fois, ce sera une tâche de production. Dans le premier cas, nous aurons à nous préoccuper de distribuer la parole à chacun, tandis que dans le second cas, nous devrons en plus effectuer un partage des tâches. Donc, les exigences sont beaucoup plus grandes quand nous sommes devant un mandat de production.

La diversité des critères pour former des équipes de travail doit être abordée avec les élèves afin que ceux-ci établissent des liens très étroits entre la tâche proposée et les critères retenus. Si nous créons une carte d'exploration sur un sujet donné avant de procéder à l'articulation d'une recherche, nous n'allons pas utiliser les mêmes critères de formation d'équipes que si nous faisons une « chasse aux fautes » après avoir pris la dictée d'un texte verbal.

Dans la première situation, le critère de l'hétérogénéité des acquis des élèves sera privilégiée, tandis que dans la seconde situation, le critère de l'homogénéité des acquis sera plus pertinent pour la tâche proposée.

La possibilité de travailler avec des matériaux différents dans un travail individuel et dans un travail d'équipe peut aider de jeunes élèves à se faire une représentation mentale de ce qu'est un véritable travail d'équipe. Ainsi, dans une tâche individuelle, les élèves utilisent leur cahier de mathématique et un crayon à la mine.

Par contre, si on leur demande de procéder à une tempête d'idées sur l'hiver avant d'entreprendre une production écrite, ils ressentiront probablement le besoin d'utiliser une grande affiche avec des marqueurs de couleur afin que les quatre équipiers puissent bien voir ce qui sera noté.

Enfin, le travail d'équipe étant le fruit d'une collaboration, son évaluation constitue une responsabilité partagée par les élèves. Assez souvent, nous utilisons seulement des tâches d'apprentissage et le retour se fait surtout par rapport aux attitudes et aux habiletés à travailler en équipe. Il m'a été donné d'assister à un cours d'arts plastiques au secondaire où l'enseignant confiait à des équipes de quatre élèves la responsabilité de produire des maquettes artistiques avec cinq critères à respecter. Et quand arrivait le moment d'évaluer la réalisation, c'étaient les élèves qui, à l'intérieur de leur propre équipe, devaient se répartir les points, selon la contribution et la performance de chacun en lien avec les critères donnés. L'enseignant agissait comme observateur, comme médiateur à l'occasion ou comme approbateur des jugements et des décisions prises par chacune des équipes. Quand une équipe avait de la difficulté à se donner un barème de départ, l'enseignant intervenait pour dire : « Votre équipe mérite 320 points sur 400. Vous avez la tâche de vous les répartir à l'interne à partir des critères fournis au point de départ, de votre implication et de vos compétences personnelles. » Toute une culture, différente de celle qui consiste à dire : « Votre équipe mérite un B , » peu importe ce qui a été apporté ou fait par chaque membre. Où sont la responsabilisation et la différenciation, à ce moment-là ?

Le monitorat et le tutorat : des atouts à privilégier !

Avec l'arrivée du développement des compétences, avec la présence des cycles d'apprentissage et avec les manifestations de plus en plus fréquentes de différenciation par le décloisonnement des groupes de base, le monitorat, et surtout le tutorat, constituent des dispositifs avantageux. Certes, ce ne sont pas des réalités nouvelles ; par contre, très souvent, nous y avons eu recours de manière spontanée ou intuitive. Les résultats n'étaient pas nécessairement catastrophiques, mais ils pourraient sans doute être optimisés si nous basions ces pratiques sur un cadre plus défini et plus rigoureux. Je tenterai d'établir un tel cadre dans les prochaines lignes.

Le monitorat et le tutorat s'inscrivent vraiment dans la foulée du ressourcement par les pairs, tant pour les enseignants que pour les élèves. Toutefois, une nuance importante existe entre ces deux formes d'entraide et de collaboration.

Le monitorat est plutôt orienté vers le choix d'élèves qui en aideront d'autres du même âge dont les acquis sont différents, sans présenter pour autant des écarts gigantesques. Ces élèves se trouvent habituellement dans une même classe, qu'elle soit monoâge ou multiâges. Les élèves sont en dyades ; l'un d'eux joue le rôle de moniteur. Les élèves moniteurs sont sollicités pour apporter une aide complémentaire à d'autres élèves en leur fournissant des explications qui leur permettront de surmonter une difficulté ou de terminer une tâche. On confère aux élèves jumelés le titre de dyades structurées et permanentes.

Le tutorat, quant à lui, est plus exigeant que le monitorat dans ses fonctions et dans ses responsabilités. Il consiste à faire bénéficier un ou quelques élèves de l'expertise d'élèves plus âgés, possédant des niveaux de compétences plus élevées, capables de s'engager dans l'accompagnement d'un ou de quelques élèves dans une perspective à plus long terme. Exceptionnellement, nous pourrions retrouver des élèves tuteurs dans une classe monoâge.

Ces deux supports à l'apprentissage ne remplacent aucunement l'enseignement dispensé par les pédagogues, mais constituent seulement une forme d'intervention complémentaire empreinte de confiance, de constance au travail et de réussites motivantes pour les élèves qui en bénéficient. Comme l'enjeu se veut des plus intéressants, j'apporterai certaines précisions quant au fonctionnement et aux conditions de réalisation de ces structures.

Qu'il s'agisse de monitorat ou de tutorat, nous avons intérêt à organiser, à encadrer, à superviser et à évaluer le fonctionnement de ces deux formes d'intervention. Donc, voici un relevé d'actions à poser à cette fin :

- *Présenter aux élèves les implications du monitorat et du tutorat.* Pour le tutorat, l'outil-support 28 de la page 247 fait un rappel des consignes particulières à l'intention des élèves.

- *Cibler les élèves qui possèdent des habiletés ou des connaissances particulières dans des domaines différents.* La technique visuelle de l'arbre de connaissances du groupe-classe installé sur un mur peut faciliter grandement l'identification de moniteurs ou de tuteurs. Nous en parlerons davantage dans le chapitre 9, qui traite de l'instrumentation en évaluation. Toutefois, l'enseignant choisit les élèves aidants en tenant compte non seulement de leurs compétences scolaires, mais aussi de leurs capacités à entrer en relation d'entraide avec d'autres élèves. L'affinité affective et une certaine compatibilité sur le plan du caractère sont des bases solides pour toute relation d'aide. En cas de doute, le recours au **sociogramme** demeure une mesure efficace.

- Une fois que nous avons ciblé certains tuteurs potentiels, *vérifier auprès d'eux leur intérêt à jouer ce rôle*. C'est ici que le cadre descriptif du rôle du tutorat revêt toute son importance.

- *Offrir par la suite à ces élèves, toujours sur une base volontaire, l'occasion de devenir tuteurs* pour une certaine période.

- *Définir un contrat d'engagement avec eux.* Un exemple est présenté à la page 248 et un modèle de plan de travail pour encadrer l'accompagnement se trouve à la page 249.

- *Fournir aux élèves une période d'entraînement* au travail de tuteur par une séance d'information, par des démonstrations de support à l'apprentissage et par la présentation d'outils adaptés (dictionnaire par images ou pour débutants, lexique de mathématiques, banque de stratégies, références visuelles, coffre à outils portant sur la méthodologie du travail intellectuel).

SOCIOGRAMME : représentation graphique du type de relations individuelles entre les membres d'un groupe, réalisée à partir d'une consultation auprès des élèves.

- Pendant la durée du mandat, *continuer à épauler le tuteur* en effectuant les interventions suivantes :

  – Fournir à l'élève le matériel et les instruments nécessaires pour l'appuyer dans les explications qu'il donne, l'aider à comprendre les étapes de l'apprentissage et lui rappeler quotidiennement les buts de son travail de tutorat. *Exemple :* matériel de manipulation, fiches adaptées, clé de correction, jeux éducatifs, pistes d'objectivation et d'évaluation, grille d'autoévaluation à l'intention du protégé, crayons de correction, images autocollantes pour stimuler la motivation externe, au cas où...

  – Encourager et épauler l'élève-tuteur dans les déceptions ou les frustrations qu'il peut éprouver face aux difficultés, aux limites observées chez l'élève qu'il accompagne.

  – Rappeler au tuteur qu'il peut résilier son contrat en tout temps, pourvu qu'il en manifeste l'intention à une semaine d'avis.

  – Évaluer périodiquement avec lui les avantages qui sont rattachés à son rôle, les apprentissages qu'il réalise en tant qu'aidant de même que les difficultés qu'il réussit à surmonter et les problèmes qui sont sans réponse pour le moment.

AIDE-MÉMOIRE POUR TUTEUR OU TUTRICE

✔ *Soucie-toi de respecter tes échéances de programmation et sois constamment à jour dans ton travail personnel.*

✔ *Laisse des traces écrites des progrès de l'élève que tu accompagnes à l'intérieur d'un carnet de route ou de ton journal de bord.*

✔ *Fixe des objectifs d'apprentissage avec ton élève et définis avec lui des défis à relever, tout en veillant à sa motivation.*

✔ *Encourage constamment ton protégé dans les progrès qu'il réalise et valorise les efforts qu'il déploie. Tu peux te servir des mots « force » et « défi » pour lui donner une rétroaction positive.*

Volume 2
p. 53 à 66

Outil 4.3 Conséquences du cœur ou conséquences-cadeaux

✔ *Vérifie fréquemment les états d'âme de l'élève que tu accompagnes et fournis-lui l'occasion de s'exprimer librement sur l'aide que tu lui apportes.*

Volume 1
p. 77 à 85

Outil 2.5 Comment te sens-tu aujourd'hui ?

Chapitre 7

247

EXEMPLE DE CONTRAT D'ENGAGEMENT DE TUTORAT

Engagement du tuteur

J'accepte de travailler auprès de _____

_____ comme tuteur.

Nom du tuteuré

Cet engagement débutera le _____

date et mois

et il durera _____.

durée

Je m'engage à :

- respecter les règles de tutorat que nous avons définies ensemble ; ☐

- aider un élève de ma classe ; ☐

- aider un élève d'une autre classe. ☐

_____

classe concernée (groupe-âge ou nom du titulaire)

Je suis disponible pour aider _____

minutes/jours

à raison de _____.

jours/semaines

Toutefois, il m'est possible de résilier mon contrat, si j'ai des raisons valables pour le faire et si je fais part de mon intention d'abandonner mon rôle à une semaine d'avis.

Signature : _____ _____

tuteur   témoin

Date de la signature : _____

EXEMPLE DE PLAN DE TRAVAIL POUR TUTEUR

Nom du tuteur: _____ Début du plan: _____

Nom du tuteuré: _____ Fin du plan: _____

Voici la liste des projets d'apprentissage sur lesquels
nous travaillerons ensemble:

_____

_____

_____

_____

_____

Cadre de suivi

Dates des rencontres	Objectifs atteints ou compétences développées	Évaluations faites

Échelles d'évaluation suggérées

Développement de la compétence:
- L'élève réussit sans mon aide: 1
- L'élève réussit avec un peu d'aide: 2
- L'élève réussit avec beaucoup d'aide: 3
- L'élève n'est pas encore capable de réussir: 4

Effort fourni:
- L'élève fait beaucoup d'efforts pour réussir: 1
- L'élève fait un peu d'efforts: 2
- L'élève démissionne en cours de route: 3
- L'élève n'essaie même pas de s'impliquer pour réussir: 4

Parmi les obstacles qui jalonnent le monitorat et le tutorat, on trouve différentes objections que l'on peut associer aux perceptions des parents, notamment la crainte qu'il y ait des pertes de temps (surtout pour l'élève aidant) et liées au fait que l'enseignement n'est pas une responsabilité que l'on peut déléguer à des enfants. Pour défendre ce mode d'intervention, une argumentation solide doit être préparée du côté des professionnels de l'éducation. Ciblons d'abord les avantages que peuvent retirer les différents partenaires liés par le projet du tutorat.

■ POUR LE TUTEUR

Volume 2
p. 153 à 155

Les étapes de la formation de concepts

Il consolide ses apprentissages parce qu'il doit clarifier ce qu'il comprend afin de le transmettre à une autre personne. Si l'on veut situer ce geste mental à l'intérieur des étapes de la formation de concepts, nous pourrions dire que cet élève passe de l'étape des concepts intuitifs à l'étape des concepts verbalisés. Et à ce stade, il est fort possible que l'apprentissage soit plus durable et plus garant d'un transfert.

Il développe son attitude d'empathie, son écoute et sa sensibilité au vécu de l'autre, outils indispensables aux relations interpersonnelles de qualité.

Dans l'accompagnement qu'il vit, il doit intervenir en faisant preuve de certaines compétences intellectuelles, telles que la planification, la prise de décisions et l'évaluation. Pour cet élève-tuteur, il s'agit d'un contexte enrichissant, puisqu'il développe, dans un cadre à la fois naturel et significatif, certaines habiletés mentales supérieures, chose qu'il ne ferait pas s'il était orienté vers la production de pages supplémentaires, une fois ses tâches obligatoires accomplies.

Il bénéficie de situations privilégiées pour accroître son autonomie et son sens de l'entraide. Son intelligence interpersonnelle est très sollicitée, autant du moins que son intelligence linguistique ou mathématique.

■ POUR LE PROTÉGÉ

Il reçoit une aide individuelle particulière, car celle-ci est donnée par un enfant à un autre enfant ou par un adolescent à un autre. Or, souvent, les jeunes ont une façon bien spéciale de se comprendre et ils développent rapidement une complicité remarquable entre eux. Le langage utilisé, les exemples extraits de leurs réalités et les remarques empreintes d'authenticité et de spontanéité suffisent parfois pour toucher et mobiliser un élève plutôt indifférent au monde scolaire.

Il bénéficie d'une seconde chance pour atteindre les objectifs visés.

Il connaît davantage d'expériences de réussite scolaire, car les défis qu'il se donne sont greffés sur son propre cheminement plutôt que sur celui du groupe-classe. Son estime de soi et sa motivation scolaire en ressortent automatiquement gagnantes.

Il découvre peu à peu les joies du partage et de la solidarité en compagnie de son tuteur.

Il développe une certaine forme d'introspection, car il doit définir et communiquer à son tuteur ce qu'il sait déjà, ce qu'il ne comprend pas, ce qu'il se sent capable d'entreprendre. Il verbalise en cours de route ses difficultés, ses découvertes et ses réussites.

■ POUR L'ENSEIGNANT

Il est bien évident que l'enseignant récupère du temps avec un tutorat efficace. Comme il est moins essoufflé et surtout moins éparpillé, il rentabilise davantage ses actions.

Il peut ainsi consacrer plus de temps aux élèves plus à risque, car ces élèves en grand besoin ne sont généralement pas concernés par le tutorat.

Ayant toujours en tête le profil du groupe-classe, il intervient de façon différenciée auprès des autres élèves, avec les dyades de travail.

Fort d'expériences positives en tutorat, l'enseignant peut prolonger ce mode de travail en mettant à profit les compétences des élèves d'une autre classe appartenant au même cycle ou à une classe d'un autre cycle de l'établissement scolaire. C'est ainsi que le décloisonnement prend parfois naissance entre des partenaires d'un même cycle ou de cycles différents. J'ai vu très souvent des élèves de 11 ans devenir des parrains et des marraines de lecture pour des enfants de 6 ans qui entreprenaient l'apprentissage de la lecture. De même, j'ai observé des dyades de travail qui s'affairaient efficacement à l'étude de l'informatique. Les élèves qui avaient développé des compétences dans ce domaine jouaient le rôle de tuteurs de diverses façons. En plus d'être jumelés avec d'autres élèves d'une autre classe, ces mêmes élèves étaient mis à contribution au laboratoire d'informatique pour servir de ressources rassurantes auprès d'enseignants peu familiers avec les rudiments des nouvelles technologies.

Dans la perspective d'une présence de plus en plus grande de classes multiâges, d'une différenciation accrue au sein des groupes-classe et d'une différenciation externe qui nécessite le décloisonnement des groupes de base pour travailler plutôt avec des classes d'un même cycle ou d'un cycle différent, il m'apparaît essentiel de mentionner que le tutorat est un outil à structurer et à développer, susceptible d'enrichir notre coffre à outils actuel.

Des outils pour gérer le temps

Quand nous parlons de différenciation, nous sommes obligés de nous intéresser à certaines structures favorisant ce passage de la ressemblance à la différence. Parmi celles-ci, nous retrouvons les outils pour gérer le temps. Le *menu ouvert* prépare la voie à tous les autres outils, car il fait éclater le grand groupe et permet de rompre avec l'enseignement magistral. Si nous ouvrons le menu, c'est que nous acceptons que les élèves fassent des choix, qu'ils travaillent simultanément sur des tâches différentes, qu'il y ait dans la classe certains chuchotements et certains déplacements ; cela signifie aussi que nous avons probablement le souci de différencier les apprentissages. L'ouverture du menu suppose qu'on doive mettre nécessairement à la disposition des élèves des cadres de travail pour qu'ils puissent gérer eux-mêmes ces espaces-temps que nous leur donnons. Et c'est ainsi que nous mettons en œuvre le plan de travail, le contrat d'apprentissage, le tableau de programmation et le tableau d'enrichissement.

Comme premier geste d'exploration, je suggère de retourner à la référence ci-contre.

Volume 1
p. 388 à 405

Outil 6.8 Enfin, des outils pour gérer le temps

Plusieurs enseignants du préscolaire et du primaire sont assez familiers avec ces outils pour gérer le temps. Je ne reviendrai pas sur des données préliminaires, qui sont sans doute intégrées, préférant m'orienter vers la gestion de ces dispositifs dans un contexte de différenciation et m'attarder sur l'ouverture à donner au plan de travail et à l'utilisation d'un contrat d'apprentissage.

Présentement, les observations faites en classe me permettent d'affirmer que les outils pour gérer le temps s'inspirent surtout d'intentions de participation, d'implication et de responsabilisation de la part de l'apprenant. Dans la majorité des cas, tous les élèves doivent avoir fait au complet la liste des tâches apparaissant sur le plan de travail ou sur le tableau de programmation dans un même laps de temps et en respectant les mêmes exigences de travail. Où se situe la différenciation à ce moment-là ? Simplement dans la différenciation des moments choisis pour accomplir ces différentes tâches. Je reprendrai donc le plan de travail et le tableau de programmation en tentant de modifier leur structure pour qu'ils soient plus ouverts et plus respectueux des différences.

Je ferai la révision de ces architectures de travail en employant une approche comparative parce que c'est en confrontant les différents concepts que nous arrivons à dégager les particularités de chacun. Telle sera notre démarche d'appropriation des nuances portant effectivement sur l'utilisation des différents outils de gestion du temps.

Des ressemblances à faire ressortir

Le plan de travail, tout comme ses alliés, peut se définir comme étant un outil de planification d'activités que l'on met à la disposition des élèves pour leur permettre de gérer eux-mêmes leurs apprentissages chaque fois que le menu du cours ou de la journée est ouvert. Construit à partir de la planification de l'enseignant, il présente aux élèves un répertoire de tâches qui devront être accomplies durant une période donnée.

De façon générale, nous utilisons ces outils pour les raisons suivantes :

- Pour structurer le travail autonome des élèves ;

- Pour leur apprendre à gérer activités et temps ;

- Pour les contraindre à une tâche obligatoire ;

- Pour leur permettre de faire des choix et d'avancer à leur rythme ;

- Pour leur apprendre à utiliser d'autres ressources que l'enseignant (procédures de travail, documents de référence, rappel de démarches, de stratégies et compétences des camarades) ;

- Pour rassurer l'enseignant quant à la poursuite des objectifs du programme et au contrôle des tâches réalisées ;

- Pour permettre à l'enseignant de laisser certains élèves travailler sans guidance afin de se consacrer davantage à ceux qui ont besoin d'un soutien fort et permanent ;

- Pour faciliter la gestion de certaines périodes de différenciation simultanée dans la classe.

Nous pouvons pressentir quelques inconvénients rattachés à l'emploi de ces cadres de planification et de gestion du travail en classe. Ces désavantages peuvent être corrigés facilement si nous intervenons pour réguler leur déroulement.

Les écarts de production et de rendement peuvent s'amplifier très vite entre les élèves rapides et les plus lents, surtout s'il n'y a aucune place à la différenciation dans la mise en œuvre des outils pour gérer le temps.

Les contacts, les relations personnelles entre enseignant et élèves qui ont de la facilité risquent fort de se raréfier. Nous pouvons intervenir auprès d'eux de façon formelle ou informelle :

- pour leur donner une rétroaction positive verbale ou non verbale ;

- pour susciter ou mener avec eux un questionnement ;

- pour les inviter à prendre conscience des apprentissages faits ;

- pour leur suggérer de les partager avec une autre personne.

Une masse de travaux attendant une correction de la part de l'enseignant en dehors des heures de classe peut s'accumuler très rapidement, surtout si aucune variante de correction n'a été pratiquée dans la classe, que ce soit l'autocorrection, la correction par un pair, par une équipe de travail ou à l'aide d'une clé de correction.

Une inégalité dans le travail fait à la maison peut se manifester facilement, surtout si nous avons le réflexe de donner en devoirs tout ce qui n'est pas terminé dans le plan de travail. L'écart se creuse encore plus si la différenciation n'est présente d'aucune façon dans la planification et la gestion des cadres de travail.

Dans la perspective d'un emploi à forte dose du menu ouvert et des outils pour gérer le temps, l'entité groupe-classe pourrait manquer de cohésion et de concertation, puisqu'elle se trouve en perpétuel éclatement. Au quotidien, ce risque n'est pas très élevé puisqu'on aime bien se retrouver en présence du grand groupe, question de se sécuriser et de se convaincre que tout va bien quand le groupe est sous la gouverne de l'enseignant.

Des variables du plan de travail

Le plan de travail peut être construit et utilisé différemment, tout comme ses équivalents.

- Plan de travail comportant un seul volet : le travail de formation de base obligatoire en classe.

- Plan de travail à deux volets : le travail obligatoire en classe et à la maison.

- Plan de travail à deux volets, de type semi-ouvert : le travail obligatoire et le travail d'enrichissement facultatif en classe ; cette forme de plan de travail se veut une combinaison d'un plan de travail régulier et d'un tableau d'enrichissement.

- Plan de travail à trois volets, de type plus ouvert : le travail obligatoire, le travail semi-obligatoire (obligatoire pour certains élèves) et le travail facultatif ; celui-ci commence à ressembler étrangement à un tableau de programmation.

- Plan de travail très ouvert où l'on retrouve non seulement les aspects obligatoires, semi-obligatoires et facultatifs, mais aussi des contenus différents et des exigences différentes dans le choix et l'exécution de certains travaux ; ce plan de travail devient en quelque sorte l'équivalent d'un contrat de travail et il peut être appelé « plan de travail à éléments ouverts ».

Nous avons besoin de recourir à ces différents outils seulement si nous voulons diminuer le nombre de périodes collectives pour en introduire d'autres qui seront autogérées par les élèves en travail d'équipe et en travail individuel. Autrement, cela ne vaut pas la peine de consacrer temps et énergie pour concevoir de tels dispositifs qui donneront aux élèves simplement une forme d'illusion les amenant à croire qu'ils ont du pouvoir sur le temps, alors que ce n'est pas le cas. Les enseignants qui ont déjà géré des classes multiprogrammes et multiniveaux n'avaient pas le choix d'introduire ce genre d'outils auprès de leurs élèves. En effet, pour être capables d'assurer l'alternance qu'exige l'animation de deux groupes, ils devaient s'assurer que les élèves sans guidance aient à leur disposition des références pour les orienter dans la gestion du travail autonome qui leur était demandé pendant une période de trente minutes, par exemple.

Des accessoires à ne pas négliger

Chaque fois que nous décidons d'avoir recours au plan de travail, au tableau d'enrichissement, au tableau de programmation, au contrat de travail, nous sommes obligés de les accompagner de structures complémentaires.

1 *Tableau d'inscription* aux activités à la disposition des élèves.

2 *Tableau de contrôle* des réalisations à la disposition de l'enseignant.

3 *Menu du cours ou de la journée ouvert* affiché quelque part dans la classe pour que les élèves puissent le consulter au moment de la planification de la journée, le matin. Ici, nous avons le choix de l'ouvrir une seule fois par période ou par jour, ou plus d'une fois.

4 *Grille de planification* pour une semaine de classe ou pour un cycle de six ou neuf jours, tout dépendant de notre façon de gérer la grille-horaire. Il s'agit d'une grille vierge que les élèves utilisent pour répartir leurs choix d'activités en fonction d'abord du menu de la journée, et en second lieu, en fonction d'un certain nombre de périodes ou d'heures échelonnées sur une journée de classe. Cette grille prend tout son sens quand l'enseignant est capable de proposer aux élèves *deux* périodes *ou plus* de gestion personnelle. Autrement, nous n'avons pas besoin d'obliger les élèves à remplir cette grille, chaque matin, puisque c'est l'enseignant qui a en main le déroulement du cours ou de la journée.

Voici une procédure intéressante à proposer aux élèves pour l'organisation du temps de chaque journée:

- L'enseignant mentionne d'abord les périodes qui sont réservées à certains travaux collectifs.

- Puis, les élèves sont invités à planifier leur travail d'équipe (des équipes stables pour la durée d'un tableau de programmation, par exemple, ou des équipes permanentes pour un mois ou deux peuvent amoindrir certains problèmes de disponibilité d'élèves au moment de la période de planification).

- Ensuite, ils planifient le travail individuel.

- Finalement, chaque élève est invité à faire approuver par l'enseignant la planification de sa journée inscrite sur sa grille de planification, qu'il a reçue au début de la semaine. Même si cette

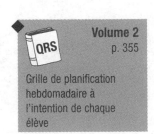

Volume 2
p. 355

Grille de planification hebdomadaire à l'intention de chaque élève étape peut s'avérer lourde au début de l'année scolaire ou au début d'une expérimentation de la différenciation, il faut essayer de résister à la tentation de l'escamoter ou de l'abandonner en cours de route. Ce moment d'objectivation avec l'élève lui permet de faire certaines prises de conscience qui l'amèneront par la suite à planifier plus judicieusement : *Ai-je varié le choix de mes tâches ? Ai-je respecté un équilibre entre les tâches obligatoires et facultatives ? Me suis-je soucié de vérifier si j'étais concerné par les tâches semi-obligatoires ? Ai-je fait une évaluation juste du temps nécessaire pour réaliser telle activité ? Ai-je établi un juste équilibre entre le travail individuel et le travail d'équipe ?*

C'est en planifiant quotidiennement avec essais, erreurs et régulations qu'un élève développe vraiment sa compétence à planifier. Ainsi, nous pouvons consacrer 15 à 20 minutes à cette planification, en début d'année, pour l'ensemble de la classe, tandis qu'en janvier, il ne nous faudra que 7 à 10 minutes pour le faire. Le temps et la persévérance font parfois des miracles.

Comme les élèves sont en situation d'apprentissage pour ce qui est du développement de leur autonomie, de leur capacité à planifier et à gérer leur temps, un retour sur le déroulement du travail autonome est des plus nécessaires. Ils pourront se questionner eux-mêmes à partir de diverses pistes proposées à la page suivante (outil-support 31).

Des distinctions à établir

Contrairement au plan de travail, au tableau de programmation et au contrat de travail, le tableau d'enrichissement, destiné prioritairement aux élèves qui ont de la facilité, doit être combiné obligatoirement à une autre structure. Cette structure complémentaire fournira aux élèves la liste des tâches obligatoires et semi-obligatoires à accomplir. Ordinairement, sur le plan de l'aménagement de l'espace, nous trouvons le plan de travail devant la classe, bien à la vue de tous les élèves. Le tableau d'enrichissement, quant à lui, est orienté vers l'arrière de la classe, endroit plus discret parce que fréquenté moins souvent et par un plus petit nombre d'élèves.

Le tableau de programmation développé par Claude Paquette en pédagogie ouverte propose une liste d'activités à double entrée. À l'horizontale, nous y trouvons la liste des tâches obligatoires et facultatives ; nous pourrions même y ajouter le répertoire des activités semi-obligatoires. Verticalement, ces mêmes activités sont réparties en fonction de modalités de travail à respecter : travail collectif, travail d'équipe et travail individuel. En pédagogie ouverte, les situations d'apprentissage proposées dans ce tableau sont mobilisatrices et ouvertes. Les élèves ont même la possibilité d'inclure des activités d'apprentissage qu'ils auront validées auprès de l'enseignant. Le tableau de programmation peut être adapté en fonction des éléments prescriptifs rattachés à l'application d'un programme d'études défini. Le référentiel 20 de la page 264 en témoigne.

RETOUR SUR LE TRAVAIL AUTONOME

	Oui	Non

- Ai-je utilisé tous mes outils de travail ? ☐ ☐

- Ai-je essayé de comprendre toutes les consignes par moi-même ? ☐ ☐

- Me suis-je mis au travail tout de suite après avoir planifié ma journée ? ☐ ☐

- Ai-je demandé des conseils au besoin ? ☐ ☐

- Ai-je surveillé mon ton de voix lorsque j'ai eu à parler avec un autre élève ? ☐ ☐

- Ai-je respecté les autres élèves qui étaient concentrés sur leurs travaux ? ☐ ☐

- Me suis-je déplacé calmement dans la classe quand c'était nécessaire de le faire ? ☐ ☐

- Ai-je accepté d'aider les autres élèves ? ☐ ☐

- Ai-je soigné mes travaux autant dans l'écriture que dans la mise en pages ? ☐ ☐

- Ai-je rangé mon matériel quand j'avais terminé l'utilisation d'un outil de travail ou la visite d'un atelier ? ☐ ☐

- Ai-je fourni tous les efforts dont j'étais capable ? ☐ ☐

257

Enrichir son coffre à outils, partie 2

De façon générale, le tableau de programmation et le contrat de travail sont des dispositifs complets parce qu'ils présentent une intégration des différents volets d'un scénario d'apprentissage. Mais comme tout outil peut être adapté, il pourrait arriver que l'on décide de marier un contrat de travail ou un tableau de programmation avec un tableau d'enrichissement. Une chose est sûre cependant : si je possède un tableau de programmation, je n'ai pas besoin d'avoir recours à un plan de travail ou à un contrat de travail pour l'ensemble des élèves. Le même raisonnement s'applique pour le contrat de travail. À vouloir jongler avec trop d'outils de gestion du temps, on finit par empoisonner l'existence des élèves puisqu'ils n'arrivent plus à se situer par rapport à tous ces points de repère qui leur sont offerts. *Exemple :* la présence d'un plan de travail, d'une liste d'activités «cinq minutes», d'un tableau d'enrichissement, d'un cahier d'activités de consolidation et d'un tableau d'ateliers dans une même classe et pour les mêmes élèves peut devenir lourde à gérer, autant pour les élèves que pour l'enseignant. N'y aurait-il pas lieu d'intégrer certaines activités de consolidation et d'enrichissement aux ateliers et d'intégrer certaines tâches de consolidation et d'enrichissement nécessitant plus d'écrit que d'expérimentation au plan de travail ? Ce serait une manière de diminuer le nombre de dispositifs auxquels les élèves doivent se référer.

Volume 1
p. 358 et 359

Outil 6.2 Des activités «cinq minutes», au cas où…

Volume 2
p. 352 et 353

Le tableau d'enrichissement

Comme nous venons de parler d'enrichissement, il serait sans doute à propos d'inviter les pédagogues à bien situer cette étape à travers une séquence ou un scénario d'apprentissage afin qu'ils soient capables d'établir des critères de sélection de tâches d'enrichissement. Lors de mes visites en classe, j'ai surtout observé que le centre d'enrichissement était beaucoup alimenté par des activités de consolidation présentées de façon plus originale ou plus intéressante et malheureusement, parfois par des activités simplement divertissantes. Je reprendrai cette dimension de la structure à établir dans la classe à l'intention des élèves qui ont de la facilité dans le chapitre 11. Je pense qu'il s'agit là d'un élément essentiel, car pour différencier, nous devons nous préoccuper autant des élèves qui ont de la facilité que de ceux qui ont de la difficulté. Sinon, comment allons-nous trouver le temps nécessaire pour procéder à des interventions d'adaptation et de guidance différenciées auprès des élèves en difficulté alors que les élèves performants nous accaparent passablement par leurs besoins, leurs questions ou leurs désirs d'aller plus loin ? Différencier, c'est prendre des moyens différents pour des élèves différents.

Puisque nous avons des choix à faire en matière de différenciation et d'outils pour gérer le temps dans divers contextes, avec divers groupes d'élèves et divers scénarios d'expérimentation, nous avons intérêt à saisir les avantages de chacun de ces outils.

De plus, lorsque nous voulons différencier à l'externe par le décloisonnement des groupes à l'intérieur d'un cycle donné, il se peut que nous ayons besoin de recourir à des outils pour gérer le temps présentant des niveaux de complexité différents. *Exemple :* avec des élèves éprouvant des difficultés à gérer eux-mêmes leurs apprentissages, il serait plus à propos d'utiliser un plan de travail adapté et un tableau d'enrichissement, tandis qu'avec des élèves plus autonomes dans la gestion du temps, nous pourrions introduire un tableau de programmation. Enfin, avec des élèves présentant plus d'indices de fragilité, un contrat d'apprentissage à objectifs restreints, planifié pour une courte période (une semaine tout au plus) serait mieux adapté.

Les contrats d'apprentissage

Renald Legendre (1993) définit le contrat d'apprentissage ainsi : « Engagement verbal ou écrit liant une personne à former et une personne responsable de cette formation dans une entreprise. » Il ajoute que le terme « contrat » convient parfaitement lorsqu'il s'agit d'une personne ou d'un petit groupe en formation. Dans le cas d'un ensemble plus grand de sujets, le terme « convention » serait plus approprié.

Aux États-Unis et au Québec, les contrats ont d'abord été connus et utilisés pour encadrer le travail des élèves se situant aux deux extrêmes de l'écart-type, c'est-à-dire les élèves très doués et les élèves en difficulté d'apprentissage. Rarement, on en faisait mention pour gérer des classes d'élèves « à rendement moyen », ce qui veut dire que les contrats d'apprentissage se trouvaient surtout dans des classes consacrées à la douance ou des classes d'adaptation scolaire, à effectifs réduits. Peu à peu, le concept a évolué et est devenu plus polyvalent, aussi bien en termes d'utilisation que de groupes visés. Toutefois, je dois ajouter que l'expression « contrat d'apprentissage » a été utilisée très souvent pour désigner un plan de travail, tout comme le tableau de programmation l'a été pour parler tout simplement d'un plan de travail. De toute façon, ce sont des outils axés autant sur le développement de l'autonomie que sur l'ouverture à la différenciation. À trop vouloir individualiser, nous pouvons tomber dans le piège de l'isolement et de la désocialisation. C'est le juste équilibre entre le respect du cheminement de la personne et la dynamique du groupe qui doit nous guider dans notre recours à ces divers dispositifs de différenciation. À nous de respecter leur vocation première et d'être très vigilants quant à leur utilisation pour dresser non seulement des contrats didactiques avec les élèves, mais aussi des **contrats sociaux.**

Plusieurs approches ont déjà été suggérées pour l'exploitation des contrats d'apprentissage (Berte, 1975 ; Knowles, 1986 ; Tomlinson, 1997 ; Winebrenner, 1992), toutes permettent aux élèves de travailler assez indépendamment avec du matériel fourni en grande partie par l'enseignant. La spécificité du contrat d'apprentissage réside surtout dans le fait qu'une entente a été établie préalablement dans la

CONTRAT SOCIAL : convention qui résulte de négociations et en vertu de laquelle une ou plusieurs personnes s'engagent, envers une ou plusieurs autres, à faire ou à ne pas faire quelque chose.

réciprocité entre l'enseignant et l'élève, donnant ainsi à ce dernier la liberté d'acquérir des compétences ou des apprentissages que les deux parties jugent importants à un moment donné du parcours d'apprentissage. En plus de présenter ce qui doit être appris ou travaillé, on y inscrit l'échéancier, les modalités de travail, des critères de réussite, de même que des dispositifs de bilan ou de présentation de réalisations. Il s'agit donc d'une structure ouverte à des parcours individuels plutôt que collectifs et pouvant donner naissance à des cadres plus restreints par la suite, tel le plan de travail.

L'enseignant est à l'origine de la démarche contractuelle, ce qui ne lui confère pas pour autant un pouvoir supplémentaire ou des privilèges particuliers dans la gestion de cet outil. Son engagement est essentiel, car en plus d'être le garant des exigences contractuelles, il est aussi responsable de l'information à donner au groupe-classe et à la famille. Il se doit d'offrir aux élèves des possibilités de gestion du temps, des moments de conscientisation pour les aider à définir leurs besoins, leurs désirs quant aux apprentissages à faire, aux compétences à développer. En plus d'être responsable de la mobilisation et de l'engagement de chaque élève, il doit se pencher sur la création et la mise en œuvre de dispositifs adaptés à la réalité de la classe et au cheminement des élèves.

Par contre, il ne doit pas se substituer à la prise de décision que l'élève doit effectuer par lui-même. Dans cette perspective, le contrat d'apprentissage est un excellent moyen pour concilier ces deux responsabilités d'accompagnement, c'est-à-dire celle de la classe et celle de chaque élève.

Pour bien cerner l'essence même d'un contrat d'apprentissage, je vous suggère de vous référer aux caractéristiques suivantes :

- Les apprentissages visés par un contrat sont déterminés par l'enseignant, à qui incombe également de s'assurer par la suite que ces apprentissages se fassent.

- Un contrat ne peut être efficace que si les élèves qu'il concerne sont en mesure d'assumer une partie de la responsabilité d'apprendre.

- Il est un excellent véhicule de différenciation nous offrant la possibilité de différencier les contenus et les processus.

- Il précise les conditions de travail que les élèves doivent respecter pour toute la durée du contrat (comportement, contraintes de temps, travail à la maison et implication en classe).

- Il peut prévoir des avantages (liberté de faire des choix, possibilité de travailler en dyade ou d'utiliser des notes de référence) si les élèves respectent les conditions de travail. Des désavantages sont aussi prévus s'ils ne les respectent pas (imposition de tâches obligatoires, précision de paramètres de travail telle une adaptation d'échéancier et obligation de travailler seuls).

- Il permet à l'enseignant d'établir des critères de réussite et de qualité de présentation du travail dans un contexte personnalisé.

- Il inclut la signature des clauses de l'entente par l'élève et l'enseignant.

Bref, tout en étant un outil à responsabilité élargie pour les élèves, il présente une structure assez définie pour les empêcher de s'égarer en cours de route. S'il s'agit d'un contrat pour une période d'une quinzaine, d'un mois ou d'un trimestre, tout dépendant de l'âge des élèves, nous pourrions même bâtir quelques plans de travail à partir de ce contrat d'apprentissage pour le concrétiser, surtout si nous sommes en présence d'élèves éprouvant des difficultés à prévoir et à planifier.

Dans la référence ci-contre, nous avons traité des contrats avec les élèves. Une plus grande attention a été apportée aux contrats de comportement. Toutefois, quelques exemples de contrats d'apprentissage y ont été glissés également.

Volume 2
p. 67 à 78

Outil 4.4 Un contrat avec un élève, pourquoi pas ?

Après ce survol des outils pour gérer le temps, je ressens le besoin, pour illustrer ces éléments théoriques, de vous présenter des exemples de cadres de travail destinés aux élèves. À noter que l'enseignant s'est préoccupé de différencier les apprentissages, quel que soit l'outil utilisé.

Exemple 1 : L'évolution d'un plan de travail orienté davantage vers la différenciation (page 262).

Exemple 2 : Le contenu d'un plan de travail à trois volets : tâches obligatoires, tâches semi-obligatoires et tâches facultatives (page 263).

Exemple 3 : Le tableau de programmation construit en fonction des rythmes d'apprentissage (page 264).

Exemple 4 : Les paramètres importants d'un contrat d'apprentissage (pages 265 et 266).

Exemple 5 : Les caractéristiques des outils pour gérer le temps ouverts à la différenciation (page 267).

Référentiel 18

PLAN DE TRAVAIL EN ÉVOLUTION… VERS LA DIFFÉRENCIATION

Axé sur la gestion des ressemblances	Ouverture aux différences
Production écrite sur les vacances (longueur : 100 mots ; complexité : 5 critères à respecter).	Production écrite sur les vacances (longueur : 50 à 100 mots ; complexité d'écriture : de 3 à 5 critères à respecter).
Résolution de problèmes dans le manuel de mathématique, pages 42 à 48.	Résolution de problèmes dans le manuel de mathématique, pages 42 à… Obligation de réaliser deux pages et possibilité de travailler en dyades d'entraide.
Enquête sur les moyens de transport suivants : automobile, train, avion et paquebot. Présentation de l'enquête avec un histogramme.	Enquête sur les moyens de transport avec possibilité de choisir parmi 4 moyens de transport ainsi que l'outil d'expression pour présenter les résultats.
Compréhension de lecture sur le texte « Des vacances au Québec », questions 1 à 20.	Compréhension de lecture sur le texte « Des vacances au Québec », questions 1 à 20. Attention ! Les numéros 14, 15, 16 et 17 sont facultatifs.
Production d'arts plastiques sur mon sport préféré.	Production d'arts plastiques sur mon sport préféré. Invitation à rédiger un texte pour le journal de la classe, section « Nos vacances ».
Recherche sur les oiseaux habitant notre région durant l'été en respectant la démarche proposée (6 étapes).	Recherche sur les oiseaux du Québec ; possibilité de construire un jeu de reconnaissance associatif : photos et noms d'oiseaux.
Sciences humaines : bilan des apprentissages à faire au sujet du Québec (aspects physique, économique et touristique).	Sciences humaines : bilan des apprentissages à faire au sujet du Québec (aspects physique, économique et touristique). Invitation à dresser un parallèle entre le Québec et une autre province.

PLAN DE TRAVAIL DIFFÉRENCIÉ EN FONCTION DES RYTHMES D'APPRENTISSAGE

1. Je dois faire (tâches obligatoires)

Mathématique : travail de géométrie dans le manuel *Défi mathématique*, pages 42 à 48.

Compréhension de lecture : coffret de fiches au coin-lecture.

Fiches à faire : _____

Résultat obtenu : _____

Écriture : rédaction de phrases sur le cirque.

Longueur : 5 à 10 phrases.
Longueur choisie : _____

Exigences : de 2 à 4 exigences d'écriture.

Exigences retenues : _____

Travail à l'ordinateur avec un logiciel « Je découvre un village de formes ».

Évaluation du travail

J'ai réalisé _____ tâches.
　　　　　　　　nombre

2. Mon enseignant me suggère de faire (tâches semi-obligatoires)

Je travaille sur les fiches d'orthographe. Numéros _____ ☐ ☐ ☐

Je travaille sur les notions d'espace avec le géoplan.

Je me pratique à lire l'heure.

Je pratique mon écriture.

J'ai complété mon plan de travail

　　　　　　　　　　　　　Oui　Non
- Mes tâches obligatoires.　☐　☐
- Ma tâche semi-obligatoire.　☐　☐
- Ma tâche facultative.　☐　☐

3. Je peux faire (tâches facultatives)

☐ Je lis un livre-vedette.

☐ J'invente une histoire pour mon partenaire de travail.

☐ Je travaille sur mon projet personnel.

☐ Je peux transposer mon texte sur le cirque sur traitement de texte.

J'ai éprouvé des difficultés quand j'ai fait :
_____
_____

Les conseils de mon enseignant :
_____
_____

TABLEAU DE PROGRAMMATION CONSTRUIT EN FONCTION DES RYTHMES D'APPRENTISSAGE

Tâches individuelles	Tâches d'équipe	Tâches collectives
* Lettre au bureau d'information touristique de ma région. * Travail sur les coordonnées, manuel de mathématiques, pages 44 à 50. * Observation au microscope.	* Travail coopératif sur les provinces maritimes. Support : manuel de sciences humaines, pages 23 à 27. * Compréhension de texte sur le cinéma, questions 1 à 10.	* Mise en situation de la production écrite. * Retour sur le travail coopératif et émergence d'une synthèse sur les provinces maritimes
** Visite à l'atelier de mesures.	** Clinique sur l'accord du sujet avec le verbe. ** Consolidation sur le périmètre et sur l'aire à l'ordinateur.	** Outillage de la démarche de recherche.
❤ Carte d'invitation pour la matinée musicale. ❤ Traitement de texte à apprivoiser.	❤ Expo-science. ❤ Construction d'un village de formes.	❤ Murale sur les planètes. ❤ Journal des finissants.

Légende :

* Tâche de formation de base obligatoire pour tous les élèves.

** Tâche de consolidation ou de remédiation obligatoire pour certains élèves.

❤ Tâche d'enrichissement facultative.

Remarque : Ce tableau de programmation est constitué de plusieurs tâches fermées (orientées vers une seule bonne réponse).

Quelques tâches sont ouvertes et orientées vers le développement d'habiletés supérieures

La richesse d'un tableau de programmation est déterminée par l'ouverture des tâches sélectionnées et par la différenciation des contenus, des processus, des produits et des structures utilisées.

CANEVAS DE CONTRAT D'APPRENTISSAGE
INSPIRÉ DU MODÈLE DE PHILIPPE MEIRIEU

Contrat négocié _____ entre les partenaires suivants :

nom de l'élève _____

nom des partenaires _____

1. Analyse de la situation actuelle

    • les raisons qui ont conduit à ce contrat :

    _____

    _____

    _____

    • les difficultés éprouvées :

    _____

    _____

    _____

    • les réussites :

    _____

    _____

    _____

    • les intérêts personnels qui aideront à réaliser ce contrat :

    _____

    _____

    _____

    _____

2. Objectifs :
    À la suite de ce bilan, j'ai décidé d'apprendre ou de développer :

    _____

    _____

    _____

3. Échéance du contrat :

_____

4. Moyens et aides pour réussir ce contrat :

_____
_____
_____
_____
_____

5. Production à réaliser :

_____
_____
_____
_____
_____
_____

6. Évaluation prévue :

_____
_____
_____
_____

7. Engagement : *je m'engage à mener à bien ce contrat et, en cas d'interruption, j'accepte de vivre avec les conséquences que nous avons décidées ensemble.*

Signature de l'élève : _____

Signature des partenaires : _____

ESCALIER DES STRUCTURES DE TRAVAIL OUVERTES À LA DIFFÉRENCIATION

Palier 7
(ouverture +++++++)
Contrat d'apprentissage

Différenciation:
– des contenus
– des processus
– des productions
– de l'évaluation
– des structures
– des exigences
– de l'ordre d'exécution

Palier 6
(ouverture ++++++)
Centre
d'apprentissage

Différenciation:
– des contenus
– des processus
– des rythmes
– des formes d'intelligence
– des exigences
– de l'ordre d'exécution

Palier 5
(ouverture +++++)
Plan de travail
à éléments ouverts
ou contrat de travail

• Tâches obligatoires,
  semi-obligatoires
  et facultatives
• Contenus différents
• Exigences différentes
• Ordre d'exécution
• Groupes de travail
  différents

Palier 4
(ouverture ++++)
Tableau d'ateliers

• Tâches obligatoires,
  semi-obligatoires
  et facultatives
• Défis différents
  au sein de quelques
  ateliers
• Ordre d'exécution
  différent
• Groupes de travail
  différents

Palier 3
(ouverture +++)
Tableau de
programmation

• Tâches obligatoires,
  semi-obligatoires
  et facultatives
• Ordre d'exécution
  différent
• Groupes de travail
  différents

Palier 2
(ouverture ++)
Tableau
d'enrichissement

• Tâches facultatives
  pour élèves qui ont
  de la facilité
• Ordre d'exécution
  différent

Palier 1
(ouverture +)
Plan de travail
conventionnel

• Tâches obligatoires
  pour tous les élèves
• Ordre d'exécution
  différent

Enrichir son coffre à outils, partie 2

Comme conclusion à cette partie traitant de l'organisation de la classe, voici quelques constats portant sur la gestion du temps et la différenciation :

1 Il existe plusieurs outils pour nous aider à différencier. Chacun d'eux mérite d'être connu, car nous ne savons pas à quel moment de notre carrière nous en aurons besoin, et nous ne pouvons pas choisir quelque chose que nous ne connaissons pas.

2 Comme il existe plusieurs façons de planifier, d'organiser, d'utiliser et de gérer ces divers outils organisationnels, à nous d'user de créativité et de souplesse pour qu'ils soient vraiment à notre service, car après tout, ils ne sont que des structures à notre disposition pour nous permettre d'atteindre des finalités de responsabilisation et de différenciation.

3 Le choix des outils organisationnels doit être fait à partir de l'analyse des contextes dans lesquels nous évoluons : la population d'élèves concernée, la nature des objectifs à atteindre, la séquence ou le scénario d'apprentissage planifié, les divers **profils d'enseignement** et d'apprentissage de même que les cibles de différenciation sont des facteurs susceptibles d'influencer la sélection des dispositifs de différenciation.

4 Sans nier la valeur propre de chacun de ces outils, nous avons la responsabilité d'évaluer et de dégager leur degré d'ouverture à la différenciation. *Exemple :* de par leur structure, les centres d'apprentissage sont censés offrir davantage de pistes de différenciation que les ateliers, tout comme les contrats d'apprentissage sont plus axés sur un cheminement personnalisé que les plans de travail. (Voir le référentiel 21 de la page 267.)

5 La nature des actions que nous effectuons par la suite en lien avec ces moyens peut contribuer à refermer ou à élargir leur degré d'ouverture. Comme il s'agit de structures malléables, il est facile de les modifier et de les détourner de leur vocation première : le développement de l'autonomie et la gestion des différences. *Exemple :* si nous offrons toujours aux élèves des ateliers obligatoires ou encore que nous rendons non négociables tout ce qui figure sur un tableau de programmation, par nos interventions, nous faisons dévier ces outils de leur vocation première et nous refermons des structures de travail, qui auraient pu fonctionner de façon plus ouverte.

6 Certains outils se prêtent à une combinaison et à une juxtaposition de leurs rôles dans la gestion de la différenciation. *Exemple :* la gestion des sous-groupes d'élèves peut revêtir plusieurs visages et elle nécessite la présence d'outils complémentaires pour s'organiser, tels le plan de travail, le tableau d'enrichissement ou le tableau de programmation.

Un environnement éducatif à créer

Pour que ces outils organisationnels puissent prendre vie dans la classe, nous devons nous préoccuper de la grande structure environnementale qui intègre chacun de ces morceaux et dans laquelle élèves et enseignants ont à vivre et à grandir: l'environnement éducatif, qui inclut non seulement les ressources humaines, mais aussi les ressources didactiques, technologiques et matérielles.

> « Sait-on que l'architecture des lieux est une forme silencieuse d'enseignement ? »
> (Georges Kuppens, *L'idée pédagogique du Plan d'Iena*)

Des stratégies à varier

Dans cet environnement éducatif, nous incluons tout d'abord tous les moyens d'enseignement et d'apprentissage qui sont à la disposition de tout enseignant. Lors de la sélection du matériel édité, il faut s'assurer de deux critères importants pour le développement des compétences: l'engagement de l'apprenant à travers l'utilisation de ce matériel et l'ouverture du matériel aux différences existantes chez les élèves. Les outils-support des pages 271 à 273 peuvent vous aider à valider ces deux conditions essentielles à la construction du savoir. Toujours dans une perspective de différenciation, il serait contradictoire que nos choix portent uniquement sur les manuels scolaires et les cahiers d'exercices, d'autant plus que la théorie des intelligences multiples nous invite fortement à différencier nos portes d'entrée afin de rejoindre un plus grand nombre d'élèves. Prenons le temps de nous rappeler brièvement l'ensemble des ressources disponibles en les regroupant autour d'une perspective tridimensionnelle.

Tableau 7.1	Ressources éducatives		
	1	**2**	**3**
	Dans les classes	*Dans l'école*	*Dans la communauté*
	• Livres de bibliothèque. • Matériel de manipulation. • Jeux éducatifs commerciaux ou de fabrication maison. • Sorties éducatives. • Correspondance scolaire. • Techniques audiovisuelles. • Ressources multimédias. • Compétences des parents. • Ordinateur et ses périphériques. • Ateliers et centres d'apprentissage. • Outils pour gérer le temps: plan de travail, contrat d'apprentissage, tableau de programmation, tableau d'enrichissement, etc.	• Bibliothèque et centre de documentation. • Laboratoire d'informatique. • Banque d'activités d'enrichissement disponible dans un centre commun à quelques classes ou à un cycle. • Modules d'apprentissage pour soutenir la consolidation et la remédiation dans un fonctionnement par cycles. • Projets spécifiques faisant appel aux compétences des élèves: chorale, troupe de théâtre, expo-sciences, club d'échecs, journal de l'école, équipe de Génies en herbe, compétitions sportives, présentations culturelles, club informatique. • Compétences personnelles et pédagogiques des divers intervenants de l'école, etc.	• Bibliothèque municipale. • Musées. • Centre de ressources didactiques. • Prêt de matériels par divers organismes. • Aréna et centre sportif. • Théâtre et salle de spectacles. • Compétences des ressources du milieu. • Services offerts par les différentes associations ou entreprises du milieu, etc.

À la vue de toute cette banque de dispositifs qui ne demande qu'à être exploitée et sollicitée, comment résister à l'envie de favoriser une approche variée, diversifiée et différenciée qui puisera ses fondements dans l'approche par projets, l'apprentissage coopératif, l'enseignement stratégique, l'enseignement par médiation, la théorie des intelligences multiples, la gestion mentale, la philosophie pour enfants, la gestion de classe participative, la thérapie de la réalité, la programmation neurolinguistique?

La philosophie des changements majeurs proposés en éducation présentement place l'enseignant devant une marge de manœuvre qu'il n'a jamais connue jusqu'à maintenant. À ce privilège se rattachent bien sûr des choix judicieux à faire, une responsabilité décisionnelle à exercer et une imputabilité à assumer. Dans la vie de tous les jours, l'on devra se demander constamment: «Pour développer telle compétence chez mes élèves qui manifestent actuellement tel profil, tel intérêt et telle maturité face à l'apprentissage, quel moyen d'enseignement serait susceptible de rallier ces deux éléments sur un même terrain?» Il s'agit ici d'une décision professionnelle qui ne s'apparente nullement au simple choix d'une page ou d'un exercice. Pour faciliter cette décision, je vous suggère trois grilles d'analyse en lien avec les moyens d'enseignement. (Voir outils-support, pages 271 à 273.)

D'ailleurs, l'exemple suivant nous permettra de distinguer un geste de technicien utilisant toujours la ressource didactique que sont les manuels scolaires, par opposition à un professionnel désireux d'enrichir l'environnement éducatif de ses élèves et capable d'opter pour la ressource la plus efficace pour eux dans un contexte d'apprentissage donné. *Exemple:* dans l'enseignement de choix de carrières au secondaire, lorsque nous couvrions tout le programme par l'entremise d'un cahier d'exercices que les élèves devaient remplir, nous étions complètement à l'opposé d'une démarche professionnelle, qui aurait consisté à connaître les professions et métiers des parents des élèves pour les inviter successivement à venir en classe afin de présenter leur travail (cette approche est d'ailleurs préconisée actuellement au Québec, dès le primaire, avec le concept d'«école orientante».) Le dialogue entre parents-élèves sur le choix de carrières aurait sûrement contribué à donner du sens à cette matière, réconciliant ainsi plusieurs jeunes avec elle. Oui, l'utilisation des compétences des parents en milieu scolaire est une denrée rare qui est tout aussi valable, parfois même plus que l'exécution de quelques pages de manuels scolaires.

Très souvent, lors de mes rencontres de formation d'enseignants, je leur ai lancé: «Enseignez-vous présentement au laser ou au chloroforme?» Cette interrogation avait pour objectif de les ramener aux approches éducatives et aux moyens d'enseignement préconisés, car la réalité quotidienne me présentait assez souvent une scène d'apprentissage plutôt pauvre et dégarnie. Comment ne pas décrocher du terrain scolaire, surtout si l'on est un étudiant animé par une motivation scolaire très fragile?

GRILLE D'ANALYSE POUR L'UTILISATION
DES MOYENS D'ENSEIGNEMENT

- Est-ce que j'ai déjà fait l'inventaire des moyens d'enseignement qui existent dans mon milieu ?   Oui ❑   Non ❑

- Quels sont les moyens d'enseignement que j'utilise présentement ?
  _____
  _____

- Ces moyens d'enseignement sont-il diversifiés ? Oui ❑ Non ❑

- Quels avantages ces moyens d'enseignement présentent-ils ?
  _____
  _____

- Quelles restrictions comportent-ils ?
  _____
  _____

- Dans quels buts et avec quelles intentions ces moyens sont-ils utilisés ? Est-ce cohérent avec la philosophie et les orientations du programme de formation des jeunes ?
  _____
  _____

- L'utilisation de ces moyens d'enseignement favorise-t-elle chez les élèves :
  – l'acquisition de connaissances ?   Oui ❑   Non ❑
  – le développement de compétences ? Oui ❑   Non ❑
  – la modification d'attitudes ?   Oui ❑   Non ❑

- Parmi tous les moyens d'enseignement que je connais, quels sont ceux qu'il serait souhaitable :
  – de conserver ? _____
  _____
  – d'abandonner ? _____
  – d'introduire ? _____
  _____
  – de développer davantage ? _____
  _____

- Constats : _____
  _____

GRILLE D'ANALYSE POUR L'UTILISATION DE MATÉRIEL ÉDITÉ

	Oui	Non
• Est-ce que j'ai déjà fait l'inventaire du matériel didactique qui existe dans mon milieu ?	☐	☐
• Ai-je déjà réfléchi aux diverses utilisations possibles de ce matériel ?	☐	☐
• Ai-je déjà mis ce matériel à la disposition des élèves pour fins d'observation ?	☐	☐
• Ai-je déjà observé et noté de quelle manière les élèves utilisent ce matériel ?	☐	☐
• Est-ce que je me fixe préalablement des critères d'observation lorsque les élèves utilisent ce matériel ?	☐	☐

Exemples :

	Oui	Non
– matériel recherché et apprécié des élèves ;	☐	☐
– utilisation différenciée du matériel par les élèves (flexibilité) ;	☐	☐
– questions, réflexions, commentaires des élèves ;	☐	☐
– durée de l'intérêt des élèves ;	☐	☐
– solidité ; etc.	☐	☐
• Est-ce que j'incite les élèves à donner de nouvelles fonctions au matériel ?	☐	☐
• Est-ce que j'utilise le matériel didactique pour des activités bien spécifiques comme la formation de base ? la consolidation et la remédiation ? l'enrichissement ? Pourquoi ? Quand ?	☐	☐
• Ai-je déjà mis sur pied des activités ouvertes à partir d'un matériel didactique déjà ouvert ? à partir d'un matériel didactique fermé ?	☐	☐
• Ai-je déjà fait avec les élèves une liste des diverses utilisations possibles du matériel didactique à leur disposition ?	☐	☐
• Ai-je déjà analysé le degré d'ouverture du matériel didactique à ma disposition ?	☐	☐

GRILLE POUR ANALYSER L'OUVERTURE DU MATÉRIEL ÉDITÉ

	Oui	Non

- Le matériel peut être utilisé dans un espace fluide et flexible.

- Le matériel peut être utilisé dans un temps ouvert.

- Le matériel favorise autant le travail individuel que le travail coopératif.

- Le matériel est conçu sous la forme de problème ou de situation ouverte.

- Le matériel permet des réalisations diversifiées et personnalisées.

- Le matériel est conçu à partir d'activités diversifiées.

- Le matériel laisse des choix importants à l'élève (temps, idées, procédures et groupe de travail).

- Le matériel peut être utilisé dans un contexte de gestion démocratique.

- Le matériel peut favoriser une évaluation débouchant sur une nouvelle exploration.

- Le matériel permet aux élèves de manifester leurs intérêts et leurs préoccupations.

- Le matériel est exempt de séquences prédéterminées.

- Le matériel est flexible et adaptable.

- Le matériel permet aux élèves de s'autoévaluer.

Chapitre 7

273

Des architectures à repenser

Le principe de la vie en commun et les formes d'enseignement qui en découlent, la pratique des regroupements et de la différenciation, la réalité des cycles d'apprentissage avec ses possibilités de décloisonnement, la liberté d'action, de mouvement et d'expression que sous-tend le développement de compétences, tout cela nous oblige à repenser l'espace scolaire. Le cadre matériel de l'éducation est d'une importance déterminante et on est porté à le sous-estimer et même à le négliger assez souvent.

Les propos de Georges Kuppens (1992) décrivent bien notre vécu en matière d'environnement scolaire : « Si on prend le risque d'une schématisation des modèles architecturaux scolaires, on peut penser que les bâtiments ont été habituellement construits selon trois modèles :

« De temps en temps, selon le modèle de la prison (grande cour centrale fermée avec des classes qui donnent sur cette cour-préau) ;

« Parfois, selon le modèle du couvent (cloître central avec classes autour) ;

« Très souvent, selon le modèle de la caserne (long et haut couloir avec classes juxtaposées qui y débouchent). »

Sans parler de certains modèles spéciaux liés à des projets expérimentaux, telles les polyvalentes-villages qui abritaient de 2000 à 3000 élèves et les écoles de forme arrondie ou inhabituelle destinées aux classes à aires ouvertes. Malheureusement, souvent ce n'étaient que des structures vides, pas toujours nourries de l'intérieur par un projet éducatif cohérent avec les structures de base. Après un certain temps passé à l'intérieur de ces murs, on a vu poindre des modifications importantes apportées à ces lieux en vue de perpétuer une pédagogie traditionnelle à tendance fermée et autoritaire. Nous n'avons qu'à penser aux murs mobiles qui ont été fixés ou reconstruits afin de préserver l'intimité de chaque classe appartenant à une même aire de travail. Nous n'avons qu'à penser aussi aux pavillons qu'il a fallu créer et organiser au sein de ces grandes écoles secondaires afin de redonner aux adolescents le sentiment de sécurité et d'appartenance dont ils avaient besoin pour fonctionner normalement.

Dans les projets de construction et de rénovation d'écoles, nous ne pouvons pas dire que l'architecture a vraiment été au service de la pédagogie. Des pédagogues avertis, des parents à l'âme éducatrice, des directions d'écoles visionnaires n'ont pas toujours réussi à influencer les décisions des ingénieurs, des architectes ou des fonctionnaires du gouvernement, et pourtant...

Il y a lieu de se demander pourquoi nous nous retrouvons aujourd'hui avec une **dichotomie** importante entre les lieux physiques des écoles et le projet de société de développer chez les élèves des compétences transversales et disciplinaires dans un contexte de

DICHOTOMIE : division, opposition entre deux éléments que l'on sépare nettement.

socio-constructivisme, de partenariat, de participation et de dif-férenciation. La réponse est évidente : c'est que nous n'avons pas inscrit ces projets immobiliers dans une base solide, édifiée à partir des besoins des usagers, c'est-à-dire les enseignants, les parents, les élèves et les directions d'écoles.

Même si les pédagogies ont évolué dans plusieurs institutions sco-laires, celles-ci se retrouvent très souvent avec une architecture tra-ditionnelle froide, linéaire, sévère, fermée qui a été conçue plus pour une pédagogie de tendance fermée et autoritaire. À l'intérieur des classes, on découvre généralement une disposition frontale, du mobilier aligné en rangées, des armoires fermées et un tableau noir. Dans les écoles plus novatrices, nous pouvons apercevoir des tableaux d'affichage, quelques ordinateurs et un évier. Dans l'ensemble des classes du secondaire, on se retrouve avec des locaux froids, peu ou mal décorés, sans ambiance (un peu comme si nous n'y vivions pas). Voilà le cadre de travail habituel des élèves et des enseignants (Kuppens, 1992).

Cette description terne ne correspond vraiment pas aux classes du préscolaire et du primaire, qui ont tenté d'innover à partir des struc-tures à leur disposition, si imparfaites soient-elles. Celles-ci ont réussi à nous faire la démonstration que les plus grands projets pé-dagogiques ne voyaient pas obligatoirement le jour dans les écoles les plus modernes et les plus luxueuses. Mais si nous avons l'occasion de bénéficier d'un cadre de travail cohérent avec les valeurs véhiculées, les objectifs poursuivis, les formes d'enseignement privilégiées, les besoins des enseignants et des élèves, pourquoi nous priver d'un tel atout ? Il y a suffisamment d'autres obstacles à aplanir.

L'exemple de la Maison des Trois Espaces de Saint-Fons, dans la ban-lieue de Lyon, illustre bien cette cohérence qu'il doit y avoir entre la charte de l'école (valeurs et objectifs) et l'environnement éducatif que l'on désire se donner. « Tout d'abord, ils ont fait le choix du nom *mai-son* plutôt qu'école parce que c'est le lieu où, parmi d'autres, chacun a une place reconnue. L'évolution n'est-elle pas la famille où l'on partage, où l'on peut cultiver son jardin secret, l'abri où l'on grandit, l'espace sécurisant où l'on vit, où l'on expérimente avec ses propres outils ? C'est un domaine plus vaste qu'un simple établissement où l'on enseigne. » (Collectif de la Maison des Trois Espaces, 1993, p. 15-21)

Puis, toute l'équipe-école a décidé d'avoir l'esprit d'entreprise en se joignant au chantier de la construction d'une nouvelle école, colla-borant ainsi avec les architectes et les partenaires constructeurs. Une vision nouvelle de la gestion du temps, de l'espace et des pra-tiques pédagogiques au service du développement de compétences dans un contexte de partenariat et de différenciation : telle était la base des prises de décisions. « Nous ne bâtissions pas par hasard, nous bâtissions pour une école qui s'appellerait maison, afin que le pédagogique n'oublie pas l'éducatif, le collectif n'oublie pas l'indi-viduel, l'administratif n'oublie pas la vie.

276

« Dans le projet initial, étaient déjà recherchées trois idées-forces qu'on retrouve exprimées dans des matériaux évocateurs : le bois pour la chaleur vivante, le béton pour la solidité des structures, le verre pour la transparence et la lumière.

« Les trois dimensions sont trois espaces pour un voyage de la socialisation à la citoyenneté, trois plans dans lesquels les enfants évoluent sans cesse :

« Le plan vertical, c'est le cursus scolaire de l'élève, au cours duquel il apprend à vivre avec les autres et à acquérir son autonomie à lire, à écrire, à compter, à former, à concevoir et réaliser un projet personnel en prenant conscience de la diversité de ses stratégies et de ses possibilités, en s'ouvrant au monde graduellement.

« Le plan horizontal, c'est celui par lequel l'école laisse entrer la vie du monde extérieur afin qu'elle ne soit pas une structure autosuffisante mais qu'elle communique sans cesse, que soient possibles toutes les rencontres, tous les échanges. C'est le plan de la convivialité.

« Le plan transversal est plus subtil, c'est celui où s'imbriquent les deux précédents. C'est le trait d'union qui permet à chaque enfant de se savoir reconnu comme un être global, au centre du système éducatif. La transversalité fait éclater l'espace scolaire en une multitude de possibilités, pour les enfants, de se découvrir et de réinvestir ailleurs des capacités ou des compétences : au manège équestre comme en grammaire, en géométrie comme au tir à l'arc, dans une partie d'échecs comme dans la construction d'un texte. C'est le lieu géométrique de la cohérence éducative. » (Collectif de la Maison des Trois Espaces, 1993, p. 15-21)

Si j'ai voulu vous soumettre ce projet innovateur, c'était pour présenter un exemple de cohérence entre environnement scolaire et mission éducative, pour inciter des milieux à s'impliquer davantage lorsque surviennent des projets de rénovation ou de construction et aussi pour démontrer la force et la puissance d'une équipe-école qui décide de travailler dans la même direction.

Un aménagement à créer et à gérer

Voici encore ce que le pédagogue Georges Kuppens (1992, p. 97-100) en disait : « Les locaux de base doivent répondre à quelques soucis à la fois pratiques et éducatifs :

« Le souci esthétique, tout d'abord. Celui-là apparaît au travers de la qualité de la décoration, de la couleur des murs, du maintien de l'ordre, de l'état et de la disposition du mobilier.

« Le souci convivial, ensuite. Il transparaît au travers d'un espace prévu pour donner la parole aux enfants, de l'existence de coins divers réservés à des activités spécifiques et un espace d'exposition pour les objets apportés par les élèves, support d'apprentissage à

« Le local du groupe de base doit devenir une sorte de *living-room* scolaire. »
(Der Kleine Jena-Plan)

ne pas négliger. Le climat de convivialité est également accentué par la présence d'un oiseau, le bruit régulier d'une horloge et la décoration florale apportée par les enfants.

« Le souci du travail, enfin. Celui-ci est rencontré par le classement et l'ordre qui règnent dans les armoires ouvertes, sur les étagères. On y trouve le matériel didactique élémentaire, les fichiers de travail, les jeux didactiques, les outils (pinceaux, crayons, cahiers, livres), la bibliothèque de la classe, l'ordinateur, les cartes géographiques, la mappemonde, les dictionnaires, etc. »

Nous pouvons déduire de ces deux références européennes qu'il est essentiel de créer dans les classes un espace ouvert et outillé, tout en créant parallèlement l'aération et l'ouverture de nos pratiques pédagogiques. Autrement, c'est peine perdue. Déjà, les écoles alternatives avaient saisi ces principes d'aménagement de l'espace de même que les éducateurs du préscolaire. Pour ces pédagogues, il s'agissait vraiment de milieux de vie où les élèves ont la possibilité de manipuler, de se déplacer, de communiquer, de travailler avec différents outils d'expression et d'interagir avec leurs pairs.

Comme j'ai déjà abordé ce sujet dans *Quand revient septembre,* je n'y reviendrai pas. Je préfère vous orienter sur certaines pistes pouvant enrichir votre aménagement actuel ou vous amener à analyser la cohérence qui existe entre votre environnement éducatif et la philosophie des nouveaux programmes d'études.

- L'aménagement actuel est conçu et ouvert à la participation des élèves : facilité à se déplacer librement dans la classe, à aller chercher le matériel nécessaire, à s'inscrire à un atelier ou à une clinique, à s'autocorriger.

- L'aménagement actuel permet d'actualiser la différenciation : espace pour la formation de base, cliniques de remédiation, centre d'enrichissement, sous-groupes de travail.

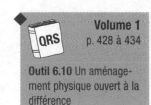

Volume 1
p. 428 à 434

Outil 6.10 Un aménagement physique ouvert à la différence

- L'aménagement actuel permet et facilite l'entraide et la coopération entre les élèves : dyades d'entraide, travail d'équipe ou coopératif. Il est possible de bouger et de déplacer facilement les tables ou les pupitres pour en faire des îlots de travail.

- Une certaine rigueur est observée dans l'affichage des diverses références visuelles : références organisationnelles et didactiques, toutes deux caractérisées par un souci d'esthétique.

- Des espaces-temps et des lieux permettent aux enfants de prendre la parole en classe : conseil de coopération, causerie du matin, partage d'expériences, discussions pour élaborer des routines de portée sociale, relationnelle ou didactique.

Volume 2
p. 369 à 379

Outil 7.3 Apprendre avec Ordino

- Des espaces revêtent un caractère plus permanent tandis que d'autres sont de durée temporaire, évoluant ainsi avec les intérêts et les besoins des élèves : le centre d'informatique est plutôt à caractère permanent tandis que l'atelier de géométrie est plutôt temporaire.

- Une souplesse dans l'aménagement de l'espace est possible actuellement, car le recours à l'approche par projets et l'implication très grande des élèves à l'intérieur de ces derniers ne nous permettent pas de tout prévoir et surtout de tout organiser à l'avance. Nous devons procéder à la réorganisation de l'espace avec les élèves au fur et à mesure que les structures actuelles ne conviennent plus au vécu de la classe.

- Une ouverture à la cohabitation avec d'autres enseignants ou d'autres élèves est envisageable présentement à l'intérieur de l'environnement éducatif. Le décloisonnement de groupes de base pratiqué pour donner vie à divers regroupements d'élèves oblige certains changements dans l'aménagement actuel de la classe. Les éléments négociables et non négociables sont identifiés préalablement avec les différents partenaires.

- Il est réaliste de penser que nous pouvons déborder du cadre de la classe pour utiliser des espaces vacants ou des locaux de service afin d'agrandir notre classe de l'intérieur et de fournir un espace de travail adapté au fonctionnement par sous-groupes.

- Il est possible de s'assurer l'étroite collaboration des élèves pour aménager l'espace avec eux. Leur point de vue est une ressource trop souvent négligée. Après tout, qui de mieux que des élèves pour juger de leur habitat naturel? Leurs propositions empreintes de créativité et de sens pratique nous surprennent parfois.

- Il est normal que l'aménagement physique évolue au fur et à mesure que l'année avance. Il est aussi nécessaire que nous soyons capables de justifier les modifications que nous apportons à l'aménagement de la classe. Il doit y avoir une finalité pédagogique derrière chaque décision que nous prenons. L'aménagement du début de l'année scolaire ne ressemblera pas à celui de février parce que le vécu n'est plus le même.

- Dans une perspective de fonctionnement par équipes-cycles, il est enrichissant de discuter et de prendre des décisions communes avec ses collègues quant à certains éléments de l'aménagement de l'espace.

Comme mot de la fin à cette thématique d'organisation de la classe qui préoccupe beaucoup les praticiens, j'affirme que l'aménagement de l'espace, du temps et des groupes de travail constitue un noyau important qui nous amènera à vivre plusieurs deuils et à vaincre plusieurs peurs, et nous aidera à traverser de l'autre côté de la rivière: du côté des cycles d'apprentissage. Puisque la classe est un peu le sanctuaire de l'enseignant, puisque le sentiment d'appartenance à ce lieu habituel de travail est très fort, puisque certains aspects matériels de la classe apportent une forme de sécurité affective, les changements sur ce plan devront se faire graduellement, consciemment et en partenariat avec les élèves et les collègues de travail.

Quel beau casse-tête s'offre à nous! Heureusement, nous avons plusieurs années devant nous pour l'assembler...

Maintenant que nous avons planifié et organisé, nous sommes prêts à plonger dans l'action en accompagnant l'apprenant dans la construction de ses savoirs. Poursuivons donc notre route!

Pour enrichir ses connaissances

- Le volume de Bruce Campbell (1999) établit des liens entre les intelligences multiples et l'utilisation des centres d'apprentissage en classe. Les pages 203 à 206 du présent chapitre vous permettront de survoler une application de ces structures organisationnelles.

- Le travail par ateliers a été analysé en profondeur par Nicole du Saussois. Référez-vous à son ouvrage *Les activités en ateliers,* qui définit un cadre global de planification et d'organisation de ce dispositif propice à la différenciation. Les pages 11 à 57 sauront vous alimenter dans ce domaine.

- La planification d'ateliers en fonction d'un scénario d'apprentissage assure la présence de liens significatifs entre les tâches d'apprentissage offertes aux élèves. Explorez des exemples de scénarios d'apprentissage orchestrés en ateliers dans le livre de Lisette Ouellet, *Quand les enfants s'en mêlent.*

- Si vous désirez outiller vos élèves pour la coopération, examinez de plus près certaines stratégies susceptibles de développer la coopération dans votre classe. Le guide *La coopération au fil des jours* de Jim Howden et Huguette Martin fournit une illustration d'outils propres à développer cette habileté chez les élèves.

Pour prolonger les apprentissages

- Utilisez davantage le menu ouvert pour gérer des moments de différenciation simultanée dans votre classe.

- Tentez de faire évoluer un plan de travail conventionnel que vous utilisez habituellement avec vos élèves. Ajoutez-y des éléments ouverts afin de tenir compte de plus en plus des acquis des élèves et de leur rythme ou de leur style d'apprentissage.

- Encadrez de façon plus rigoureuse un travail de tutorat vécu entre deux élèves de votre entourage. Servez-vous des ressources que sont les compétences présentes chez des élèves appartenant à votre cycle.

- Explorez la formation des sous-groupes de travail de façon à différencier leur utilisation et à les intégrer plus fréquemment au fonctionnement de votre classe. Ciblez une modalité qui vous intéresse particulièrement. N'oubliez pas de fournir l'outillage nécessaire aux élèves qui travailleront sans la guidance de l'enseignant.

- Essayez de transformer un atelier à caractère permanent de votre classe en un centre d'apprentissage. Pensez à ce que vous devez modifier ou ajouter à ce dispositif pour que celui-ci transpire la pluralité lors d'un apprentissage quelconque au lieu de l'aspect singulier qui caractérise habituellement un atelier.

CHAPITRE 8

Enrichir son coffre à outils, partie 3 :
l'accompagnement de l'apprenant

Une carte routière à suivre

« Pour guider, il faut suivre. »
(Auteur inconnu)

Si la plupart des réformes pédagogiques suggèrent fortement de placer les élèves au cœur de leurs apprentissages pour qu'ils jouent un rôle actif dans la construction de leurs savoirs, elles préconisent aussi la présence active d'un enseignant médiateur qui observe, anime, guide, confronte, outille, questionne, évalue et régule au besoin. Toutes ces interventions pédagogiques s'articulent autour d'un accompagnement qui ne peut échapper à une recherche constante et interactive jalonnée d'expériences, de doutes, de risques, d'essais, d'imprévus, de turbulences et d'incertitudes.

Comme dirait Odette Bassis (1998), l'animation est d'abord recherche, ce qui implique les attitudes et les compétences suivantes : un enseignant à la fois formateur et animateur, qui est constamment sur le qui-vive, centré sur l'essentiel plutôt que sur l'accessoire, qui réussit à mobiliser ses élèves autour d'un questionnement pédagogique, les obligeant à s'investir dans leurs propos, dans leurs argumentations et dans l'affirmation de leurs pensées. Voilà tout un défi, car les vestiges d'une école qui privilégiait surtout la découverte d'une bonne réponse et qui ne donnait pas le droit à l'erreur sont imprégnés dans notre culture scolaire. Le simple fait d'amener un élève à passer d'un mode de communication impersonnel à un mode affirmatif est un défi de taille.

« Je crois, j'ai une idée à ce sujet, je pense que, je dis que, moi, je fais cela, je viens de découvrir, je me demande si… »	**au lieu de**	« Il y a, on voit, il se peut, on dirait que, il faudrait que, on constate que, peut-être que… »

Pour que s'effectue cette mutation, nous devons entendre ou voir de plus en plus dans les classes les interventions suivantes : tantôt le pédagogue pousse à l'argumentation, tantôt il oblige par une mini-situation à confronter ce qui vient d'être fait, dit ou représenté, tantôt il isole un élève pour le laisser chercher seul encore quelques minutes, tantôt il ne relève pas un mot ou une expression qui arrive encore trop tôt pour le reste du groupe.

Volume 2
p. 155

Les étapes de la formation de concepts

Dans la référence ci-contre, vous trouverez un guide d'intervention de l'enseignant quant aux étapes de la formation de concepts. Même si nous savons que nous devons être constamment aux aguets, il n'est pas évident d'effectuer une intervention de qualité à un moment crucial dans la construction du savoir. Nous avons besoin de points de repère pour accompagner l'apprenant dans son processus d'apprentissage. Et la situation se complique quand il nous faut envisager l'accompagnement de plusieurs apprenants qui n'empruntent pas nécessairement la même route pour se rendre à la destination qu'est le transfert. De là l'importance de se procurer une excellente carte routière de la construction du savoir et de se placer par la suite en situation d'accompagner *au pluriel*.

Par souci de soutenir la différenciation successive, nous nous pencherons dans cette partie sur quatre cibles d'intervention :

- différencier nos mises en situation ;
- différencier nos stratégies d'enseignement ;
- différencier l'outillage cognitif proposé aux élèves ;
- différencier nos contextes de mise en mots, de **verbalisation explicite,** d'objectivation ; bref, notre discours métacognitif.

Des mises en situation à différencier

« Même si nous pouvions trouver comment tous pouvaient devenir de brillants violonistes, un orchestre a aussi besoin de musiciens qui jouent des instruments à vent, de cuivre, à percussion et d'autres instruments à cordes. La différenciation vise à obtenir des résultats de qualité de chaque individu et à donner aux élèves une chance de développer leurs forces respectives. »

(Howard Gardner)

Si les mises en situation contribuent à mobiliser nos élèves autour d'un projet, d'un thème, d'une activité, d'une idée ou d'un concept, nous devons leur prêter une attention tout à fait spéciale afin d'assurer la continuité de cette mise en route. Depuis un certain temps, les pratiques courantes concentrées autour de l'oral et de l'écoute comme stratégies de départ se sont déplacées du côté des éléments visuels, car ces stratégies fonctionnent de moins en moins, étant donné le changement de profil des élèves. Toutefois, la verbalisation des expériences, des acquis et des possibilités de transfert aura toujours sa place à l'intérieur du développement de compétences, comme le préconise le programme de formation. Cependant, il y a une nuance à saisir relativement à la fréquence d'utilisation de l'oral et de l'écoute : occuper sa place ne veut pas dire occuper toute la place.

D'ailleurs, Howard Gardner (1999) a grandement contribué à nous faire prendre conscience des variantes de préférences et de forces de l'intelligence. Grâce à sa recherche continue sur les intelligences multiples, il nous a fait comprendre qu'un enfant doté d'une intelligence spatiale peut absorber des informations, résoudre des problèmes et exprimer ses apprentissages d'une manière différente d'un autre dont l'intelligence est verbale linguistique. Il propose donc différentes applications à sa théorie ; nous nous intéressons à ce qu'il appelle les « points de départ ». Pour lui, « il s'agit d'une stratégie qui s'adresse bien sûr aux différents types d'intelligence consistant à proposer aux élèves l'exploration d'une discipline donnée en utilisant cinq avenues différentes ou points de départ ».

- Point de départ narratif : raconter une histoire ou faire une narration au sujet de la discipline ou du concept en question.

VERBALISATION EXPLICITE : étape importante en métacognition par laquelle un apprenant exprime ou traduit de façon claire ses expériences, ses apprentissages ainsi que son cheminement vécu.

- Point de départ logique quantitatif : utiliser des nombres ou des approches déductives scientifiques de la discipline ou de la question.

- Point de départ de base : examiner la philosophie et le vocabulaire qui entourent la discipline ou le concept.

- Point de départ esthétique : centrer l'attention sur les aspects sensoriels de la discipline ou du concept.

- Point de départ expérimental : utiliser une approche pratique où l'élève travaille avec des matériaux qui représentent la discipline ou le concept. Ces matériaux favorisent l'établissement d'un lien avec l'expérience personnelle de l'élève.

  Exemple : pour une étude sur les ponts qui ont marqué l'histoire du Québec, nous pourrions réussir à intéresser des élèves différents en utilisant des portes d'entrée différentes :

  – les histoires rattachées à leur construction ou à leur utilisation ;

  – la culture ou l'héritage qu'ils peuvent nous communiquer ;

  – les formes d'architecture qu'ils présentent et leurs aspects esthétiques respectifs ;

  – les matériaux de base utilisés ainsi que leurs propriétés et leurs caractéristiques.

Si nous désirons relever le défi de la différenciation lors de nos mises en situation, nous pouvons nous constituer une banque de stratégies dans laquelle nous puisons, selon les contextes d'apprentissage et selon les profils des élèves.

Figure 8.1   **Liste de stratégies pour différencier les mises en situation**

- jeu de rôle
- manipulation d'un objet
- démonstration d'une expérience
- sketch déclencheur
- lecture personnelle d'un court article de journal
- message par une marionnette ou un personnage complice
- enregistrement d'un message sonore ou télévisé
- visite d'une page Web
- mini-exposition d'objets
- narration d'une histoire à compléter

- matériel de manipulation
- remue-méninges
- observation d'un objet, d'une affiche ou d'une gravure
- formulation d'hypothèses
- utilisation du mime, de l'expression corporelle ou d'ombres chinoises
- modelage d'un objet, d'un animal ou d'une personne
- problème choc à résoudre
- utilisation de photographies
- court extrait d'une vidéo
- présentation de quelques diapositives, etc.

De plus en plus, des recherches, des enquêtes et des statistiques confirment que nos élèves ont besoin de bouger, de toucher, de regarder, d'expérimenter, de s'exprimer et d'interagir avec leurs pairs. Pourquoi alors persister à vivre les mises en situation en grand groupe, avec la parole comme unique outil d'expression? Pourquoi vouloir tant activer les connaissances antérieures collectivement et verbalement? Des élèves trouveraient grand profit à le faire parfois par écrit, individuellement ou en équipe coopérative. Les connaissances que nous avons acquises sur les divers styles d'apprentissage et sur les intelligences multiples doivent nous guider dans la modification de nos pratiques pédagogiques. À quoi bon toute cette théorie, si nous ne cherchons pas à y donner vie?

Différencier les interventions en fonction des profils d'apprentissage

Une fois nos mises en situation différenciées, nous voilà rendus sur le terrain de la différenciation de nos stratégies d'enseignement afin de rejoindre tous les profils d'apprentissage des élèves. Dans un premier temps nous avons à cohabiter avec ces différentes manières d'apprendre. Puis, nous avons intérêt à découvrir et à exploiter les richesses rattachées à chacune d'elles. Enfin, nous avons à tenir compte de ces différences toutes les fois que nous intervenons dans l'acte apprentissage-enseignement.

Cohabiter avec différentes manières d'apprendre

Il y a fort longtemps que nous savons que les élèves n'apprennent pas tous de la même manière. Même dans les classes considérées comme homogènes au point de départ, nous trouvons une grande variété de styles d'apprentissage et d'intelligences. D'ailleurs, avec le multiculturalisme grandissant et les politiques d'intégration des élèves dans nos classes, la diversité des élèves n'a jamais été aussi grande et la probabilité que cette réalité continue de s'amplifier est très forte. Ne vaut-il pas mieux, alors, se préparer à gérer cette situation plutôt que de demeurer dans le *statu quo* en espérant que les différences s'amoindrissent au cours de la prochaine décennie? Les enjeux sont des plus importants et leur examen attentif peut nous donner le courage de poursuivre notre route sur les sentiers de la différenciation.

Toutes les théories issues de la psychologie cognitive étudient les différentes manières d'appréhender l'information, de la traiter et de l'exprimer. Elles aident ainsi l'enseignant à déterminer les modèles que les élèves utilisent le plus naturellement et le plus fréquemment. En rassemblant de l'information sur le profil d'apprentissage de chaque élève, l'enseignant dispose d'un guide pour développer la métacognition chez l'élève, exploiter les forces de ce dernier comme point de départ dans son enseignement, aplanir les obstacles à leurs apprentissages, insister sur les facultés qui ont besoin d'être stimulées davantage et se baser sur un cadre de référence pour diversifier ses moyens d'enseignement et d'évaluation.

« Les buts de l'éducation sont étroitement liés à... l'invention d'esprits individuels, d'esprits qui ont une signature personnelle, qui voient le monde et qui l'influencent d'une manière bien à eux. »
(Eisner, 1992)

La question ultime demeure : « Quel est le meilleur cadre théorique à utiliser pour aider les élèves à identifier leur façon d'apprendre ? » Je suis tentée de répondre par l'entremise de quatre critères :

- Une grille conçue en lien avec les étapes du processus d'apprentissage ;
- Une grille élaborée avec synthèse ;
- Une facilité d'accès du niveau de langage ;
- Une introduction de l'outil d'autoanalyse à l'aide d'un contexte signifiant.

Dryden et Vos (1994) estiment qu'il existe actuellement une vingtaine de méthodes de classification des différentes manières d'apprendre. Certaines emploient l'expression « styles d'apprentissage », d'autres, « styles de pensée », « modalités de pensée » ou « intelligences ». Même si ces diverses approches n'examinent pas toutes exactement les mêmes choses, elles ne sont pas contradictoires, ni mutuellement exclusives, car certaines, au contraire, se complètent harmonieusement.

QRS **Volume 2**
p. 258 à 270

Outil 6.3 Savoir décoder et gérer les styles d'apprentissage

Plusieurs volumes ont été rédigés sur ce sujet afin d'outiller les pédagogues. Je me contenterai donc de faire un bref rappel de trois modèles accessibles aux élèves, aux enseignants et aux parents.

■ PREMIER MODÈLE : LE STYLE D'APPRENTISSAGE

Le modèle mis au point par Ken Dunn et Rita Dunn, de l'Université St.John's (New York), classifie les élèves selon leur style d'apprentissage :

- Les auditifs privilégient l'information donnée oralement et vont demander des renseignements plutôt que de lire les directives écrites. Ils aiment bien savoir QUOI faire.

- Les visuels apprennent mieux à partir de l'information qu'ils voient ou lisent. Ils sont très sensibles à l'utilisation des gravures, des photographies, des diapositives, des affiches, des extraits de vidéo ou d'émissions télévisées. Ils sollicitent souvent des exemples et n'acceptent de se mettre à l'ouvrage que si l'on a eu le soin de leur préciser COMMENT faire.

- Les tactiles ou les digitals apprennent mieux quand ils manipulent des tableaux, des schémas, des graphiques. Ils ont une attirance particulière pour l'informatique ; ils développent rapidement leurs compétences dans ce domaine, tout en se préoccupant d'analyser, de comparer et de faire une étude critique des éléments qu'ils doivent manipuler.

- Les kinesthésiques apprennent mieux par le mouvement et l'action, en prenant part à des activités qui ont un rapport direct avec leur vie. Ils éprouvent le besoin d'écrire, de dessiner, de manipuler et de faire des expériences concrètes pour apprendre. Très proches de leurs émotions, ils ont de la facilité à ressentir leur propre vécu et celui des autres.

Ken et Rita Dunn sont d'avis que la plupart des personnes ont deux styles d'apprentissage bien développés. Ils soutiennent que sur une classe de trente élèves, vingt-deux ont des capacités assez équilibrées pour absorber de l'information de différentes manières.

■ DEUXIÈME MODÈLE : LE STYLE DE PENSÉE

Déjà en 1982, Anthony Gregore, de l'Université du Connecticut, a élaboré une théorie sur les styles de pensée fondée sur deux variables : la manière de voir le monde (concrète ou abstraite) et la manière d'ordonner le monde (en séquences ou au hasard). Selon ce modèle, ces deux variables se combinent pour donner quatre styles de pensée :

- Les penseurs concrets-séquentiels tirent profit du monde qu'ils peuvent percevoir par les sens. Ils remarquent les détails et s'en souviennent facilement. Ils mémorisent aisément les faits, les formules et les règles. Ils apprennent bien au moyen d'expériences manuelles et concrètes.

- Les penseurs concrets non séquentiels aiment expérimenter. Ce sont des penseurs divergents, prêts à faire les sauts intuitifs qui caractérisent la pensée créative. Ils éprouvent fortement le besoin de trouver d'autres façons de mener à terme ce qui est proposé et de faire les choses à leur manière.

- Les penseurs abstraits-séquentiels aiment le monde de la théorie et de l'abstraction. Leurs processus de pensée sont logiques, rationnels et intellectuels. Ils préfèrent travailler seuls plutôt qu'en groupe.

- Les penseurs abstraits / non séquentiels organisent l'information en réfléchissant et sont à l'aise dans un milieu peu structuré, axé sur les contacts humains. Ils vivent dans un monde de sentiments et d'émotions, et apprennent mieux quand l'information est personnalisée.

■ TROISIÈME MODÈLE : LES INTELLIGENCES MULTIPLES

La théorie des intelligences multiples est un modèle cognitif mis au point dans les années 1980 par le psychologue Howard Gardner, de l'Université Harvard. La théorie de Gardner est que chacune des huit intelligences qu'il a retenues a une histoire évolutionniste, son propre système de symboles et une localisation spécifique dans le cerveau humain.

- L'intelligence verbale et linguistique est responsable de la production du langage et de toutes les possibilités complexes qui en découlent : la narration d'histoires, le raisonnement abstrait, la structuration conceptuelle et l'écriture.

- L'intelligence logicomathématique est le plus souvent associée à la pensée scientifique, au raisonnement déductif et à la résolution de problèmes. Cette intelligence comprend la capacité de reconnaître les modèles, d'utiliser des symboles abstraits comme les chiffres et les figures géométriques, et de voir les liens entre des bribes d'information séparées.

- L'intelligence spatiale et visuelle est liée aux arts visuels, à la navigation et à la cartographie, à l'architecture et aux jeux comme les échecs. La vue et la capacité de former des images mentales sont des éléments-clés de cette intelligence.

- L'intelligence corporelle et kinesthésique est la capacité d'utiliser son corps pour exprimer une émotion (par la danse ou par le langage corporel), pour jouer ou pour inventer. Les personnes qui ont une grande intelligence corporelle et kinesthésique ont besoin d'expériences manuelles concrètes. Ils ont recours à la motricité fine et à la motricité globale. Ils aiment explorer l'espace et ils apprennent par la pratique (c'est en forgeant qu'on devient forgeron).

- L'intelligence musicale et rythmique comprend, entre autres, la capacité de reconnaître et d'utiliser des structures rythmiques et tonales ainsi que la sensibilité aux bruits ambiants, à la voix humaine et aux instruments de musique.

- L'intelligence interpersonnelle comprend l'aptitude à communiquer par des moyens verbaux et non verbaux, à travailler en coopération et à observer les humeurs, les caractères et les intentions des autres. Les personnes qui ont une grande intelligence interpersonnelle sont capables d'empathie.

- L'intelligence intrapersonnelle est liée à la connaissance de soi, de ses sentiments, de son processus de pensée et de son cheminement spirituel. Cette intelligence comprend la capacité de se livrer à une réflexion personnelle, de se sentir entier et indivisible, de parvenir à des niveaux de conscience plus élevés, de rêver du possible et de l'actualiser.

- L'intelligence naturaliste – plus récemment intégrée à la théorie de Gardner – est alimentée et influencée par les éléments de la nature, de la faune et de la flore. Les personnes habitées par cette forme d'intelligence sont non seulement capables d'observation de réalités environnementales, mais elles sont en outre préoccupées par la dimension écologique des choses. Pour elles, le milieu de vie et de travail prend une importance capitale. L'aspect concret des éléments qui les entourent contribue à mobiliser ces personnes, à les placer en situation de projet et même à les associer intimement à la mission protectrice et développementale de la nature.

La théorie des intelligences multiples de Gardner postule que chaque personne possède ces huit intelligences à des degrés différents et que nous accomplissons la plupart de nos fonctions grâce à une interaction complexe de plusieurs d'entre elles. Pour rendre cette théorie accessible aux élèves, je vous propose le référentiel 22 de la page suivante.

«Pizza» des intelligences multiples
(adaptée de Howard Gardner)

Source : Inspiré de Thomas ARMSTRONG, *Les intelligences multiples dans votre classe*, Montréal, Chenelière/McGraw-Hill, 1999.

Découvrir et exploiter les différentes façons d'apprendre

Quelle que soit la taxonomie retenue pour décrire les différentes manières d'apprendre, les interventions à privilégier en fonction de ces manières demeurent les mêmes. La plupart des modèles de classification se fondent sur les questions suivantes (Dryden et Vos, 1994):

- *Par quel moyen l'élève assimile-t-il le plus facilement l'information. En regardant, en écoutant, en bougeant ou en touchant?*

- *Quelles conditions doivent être réunies pour que l'élève intègre et conserve l'information qu'il apprend? Quel environnement physique lui est le plus favorable? Quels besoins émotifs et sociaux faut-il satisfaire pour qu'il apprenne?*

- *Comment l'élève organise-t-il et traite-t-il l'information? Est-il surtout guidé par l'hémisphère gauche ou par l'hémisphère droit de son cerveau? A-t-il tendance à analyser ou à généraliser?*

- *Comment l'élève illustre-t-il et exprime-t-il son interprétation du monde? Quels produits et types de performance lui viennent le plus naturellement (Butler, 1995)?*

Trois grandes responsabilités professionnelles se profilent dans ce processus de découverte et d'exploitation des diverses formes de pensée:

- Prendre le temps d'observer comment les élèves apprennent.

- Se donner les moyens de sensibiliser les élèves à leur propre façon d'apprendre pour les rendre davantage conscients de leur processus d'apprentissage.

- Développer son habileté à intervenir de façon différenciée en tenant compte des styles d'apprentissage ou des intelligences multiples.

■ DÉCOUVRIR PAR L'OBSERVATION

Il faut d'abord observer le comportement des élèves. Que font-ils pendant leurs temps libres en classe et après l'école? Quelles passions habitent profondément leur vie personnelle? Quelles sont les forces qui les caractérisent dans les sports, les loisirs, les activités culturelles? Dans quels genres de travaux excellent-ils? Quelles professions ou carrières les intéressent plus spécialement? Comme le fait remarquer Thomas Armstrong (1994), les moments les plus révélateurs peuvent être ceux pendant lesquels les élèves ont de la difficulté à faire ce qu'on attend d'eux.

Exemple: l'élève dont l'intelligence linguistique prédomine parle quand ce n'est pas son tour; l'élève porté par une intelligence spatiale dessine et rêvasse pendant un exposé; l'élève à forte tendance interpersonnelle est en interaction avec ses camarades à propos de tout et de rien tandis que l'élève de type kinesthésique bouge, s'agite, s'amuse avec sa règle ou sa gomme à effacer, ou encore se met à l'ouvrage avant même que les consignes de travail soient données.

À l'intérieur d'un journal de bord de cycle, les enseignants peuvent introduire une section «Styles d'apprentissage» qu'ils alimenteront par des grilles d'observation, des anecdotes ou des découvertes de préférences ou d'intérêts en lien avec la vie personnelle et scolaire des élèves. À cette collecte d'informations de premier ordre peuvent s'ajouter des démarches et des stratégies plus poussées, voire plus scientifiques, qui aident à confirmer ce qui a d'abord été pressenti. Dans cette perspective, il est possible d'utiliser des jeux structurés, des questionnaires de dépistage élaborés avec clé d'interprétation ou encore des tests conçus par des spécialistes en la matière.

■ DÉCOUVRIR PAR UNE RECHERCHE PLUS STRUCTURÉE

Nous pouvons pousser l'observation en parlant aux parents de nos élèves ou encore aux autres intervenants scolaires qui les côtoient. Les élèves peuvent manifester des difficultés dans les cours axés sur les idées abstraites, sur les habiletés linguistiques, mathématiques ou logiques, et posséder des aptitudes exceptionnelles sur le plan des réalisations concrètes, des arts et de l'éducation physique.

Nous pouvons utiliser des dispositifs simples qui sont déjà à notre portée pour confirmer certaines hypothèses. Le choix des mots que les élèves utilisent pour nous parler en classe trahit leur profil mental. Enfin, du matériel didactique sophistiqué est aussi offert sur le marché pour valider tout le travail intuitif et d'observation qui a été fait. Soulignons notamment *Modality Kit* ou des jeux portant sur les préférences cérébrales. Les tests scientifiques avec clé d'interprétation sont également des outils précieux.

Exemple 1 : une affiche de couleur représentant une scène d'action au bord d'un lac ou d'une montagne peut servir de prétexte pour inviter des élèves à préciser ce que cette gravure représente pour eux.

Les visuels parleront de la couleur de l'eau, du beau coucher de soleil, de la forme des montagnes.

Les auditifs décriront la scène de façon rationnelle, avec beaucoup d'objectivité sans s'investir sur le plan gestuel ou émotif. Ils nous parleront peut-être du clapotis de l'eau, du chant des oiseaux, du sifflement du vent et de l'écho dans les montagnes.

Les kinesthésiques se verront déjà en pleine action dans ce décor, dévalant les pentes de ski à vive allure ou luttant contre le vent sur leur planche à voile.

Quant aux tactiles, ils prendront plaisir à schématiser la scène, à comparer certains éléments et à verbaliser une appréciation critique du tableau qui leur est présenté.

Exemple 2 : un élève auditif insiste sur les directives d'exécution et les consignes lui permettant d'accomplir la tâche demandée. Le visuel est plus sensible aux moyens mis à sa disposition (exemple de départ, type de matériel utilisé et groupe de travail autorisé). Pour sa part, le kinesthésique est très préoccupé par l'action à poser et par la réalisation demandée. Même si la tâche n'est pas encore commencée, il veut savoir comment il peut présenter son travail aux autres (outil d'expression, public ciblé, possibilité d'agrémenter le produit final par des fantaisies personnelles). L'élève tactile quant à lui, aime bien comparer les éléments qu'on lui présente et très souvent, il traduit son point de vue par un schéma, un tableau ou un graphique ; l'ordinateur demeure un allié de travail précieux pour lui.

Exemple 3 : dans une équipe de six élèves chargée de préparer un sketch pour souligner l'anniversaire de leur enseignant, les réactions risquent d'être fort différentes, surtout si le mode d'apprentissage n'a pas été considéré au moment de la formation de l'équipe. L'auditif sera très préoccupé par la construction du scénario et la rédaction du texte, tandis que le visuel souhaitera préciser les costumes, les décors et les accessoires. Pendant ce temps, le kinesthésique se verra déjà en train de répéter, de jouer sur la scène ; il insistera pour qu'on répartisse les rôles, qu'on détermine les moments de répétition et qu'on choisisse la musique. L'élève tactile aura pris soin de récupérer très vite la tâche de concevoir la carte d'anniversaire, qu'il compte bien sûr réaliser à l'ordinateur. Il y aura sûrement de la négociation à faire entre eux pour mener ce projet à bien.

■ DÉCOUVRIR PAR L'AUTOANALYSE

Les élèves doivent apprendre à analyser leurs forces et leurs faiblesses, et à les accepter comme des aspects positifs de leur personnalité. Dès leur jeune âge, ils sont en mesure de découvrir que chaque personne a un profil différent et que cela contribue à enrichir les relations humaines.

Le fait d'utiliser un outil de référence visuel regroupant les différents styles (ou les formes) d'intelligence peut sensibiliser les élèves à leur mode personnel d'apprentissage. Très souvent, ce dispositif assez simple les invite à s'observer en situation d'apprentissage, à découvrir ce qui se passe quand ils apprennent. Même si les stratégies qu'un élève choisit sont différentes de celles de son camarade, cela n'empêche pas chacun d'eux d'arriver au même but. La « pizza » des intelligences multiples (page 289) est un cadre de référence très évocateur pour de jeunes enfants. Au cours d'une visite dans une classe francophone du Manitoba où l'on avait affiché un cadre vulgarisé des intelligences multiples, j'ai recueilli ces témoignages d'élèves :

«Moi, j'ai l'intelligence des mots. Je parle facilement devant la classe. Quand on travaille en équipe, j'aime bien donner mes idées. J'aime aussi présenter aux autres le travail qu'on a fait. »

«Moi, je pense que j'ai l'intelligence des personnes. J'ai beaucoup d'amis. Je n'aime pas tellement travailler seul à mon pupitre. Et les élèves me choisissent souvent quand arrive le temps de former une équipe. »

Pour renforcer ces intuitions ou schématiser un profil d'apprentissage, nous pouvons demander aux élèves d'analyser la manière dont ils apprennent en leur suggérant des pistes pour leur journal de bord (dessin ou écrit). Nous pouvons aussi leur demander de se constituer un dossier de travaux qui démontre ce qu'ils ont travaillé ou appris au sujet des styles d'apprentissage ou des formes d'intelligence. Cette nomenclature peut constituer l'architecture d'un portfolio d'élève. Cela est possible pour peu que l'enseignant fasse référence aux types de compétences, aux résultats d'apprentissage visés et à la forme d'intelligence sollicitée dans les travaux.

Différencier l'outillage cognitif proposé aux élèves

Nous ne pouvons pas dissocier le développement des compétences de l'enseignement stratégique, très présent dans l'accompagnement pédagogique de l'apprenant. Malheureusement, pour plusieurs enseignants, cette approche cognitive demeure une zone nébuleuse, un terrain inexploré ou une avenue inaccessible. Comme la documentation disponible sur ce sujet est de qualité, je me limiterai ici à rappeler aux praticiens de s'intéresser aux richesses que cette approche peut apporter à l'acte d'apprentissage-enseignement. Je ferai aussi dans cette section une présentation plus détaillée de certaines stratégies d'enseignement et d'apprentissage, en accordant une place de choix à la carte sémantique et aux schémas organisateurs.

Jacques Tardif (1992, p. 295) mentionne certaines caractéristiques et pratiques propres à l'enseignement stratégique que nous ne pouvons plus ignorer:

«L'enseignant stratégique intervient non seulement dans le contenu, mais également dans les stratégies cognitives et métacognitives relatives à ce contenu.

«L'enseignant stratégique rend explicites à l'élève les stratégies efficaces et économiques spécifiques à chacune de ces tâches.

«L'enseignant stratégique est un penseur et un preneur de décisions qui connaît très bien le contenu des programmes et les stratégies cognitives, métacognitives relatives à ces contenus.

« L'enseignant stratégique utilise comme stratégies : l'élaboration et l'organisation dans l'enseignement des connaissances déclaratives, la discrimination et la généralisation pour les connaissances conditionnelles et la procéduralisation, la composition pour les connaissances procédurales.

« L'enseignant stratégique agit directement sur la construction de la connaissance dans la mémoire et il organise toujours avec l'élève les connaissances en schémas organisateurs. »

Donc, pratiquer l'enseignement stratégique signifie prendre des décisions réfléchies sur les outils qui conviennent le mieux à chaque tâche d'apprentissage, et ce, en fonction de ce qui est prescrit par le programme de formation, des besoins et des caractéristiques des élèves. Déterminer les stratégies à utiliser soi-même ou à enseigner est un élément important de la planification de chaque situation d'apprentissage. Il fut un temps où nous ne nous intéressions qu'au contenu à transmettre, négligeant les interventions sur le « comment », car nous tenions pour acquis qu'il était superflu de l'enseigner puisque les élèves le savaient instinctivement. Cette double préoccupation du *quoi* et du *comment enseigner* retiendra autant notre attention que le *quoi* et le *comment apprendre*. Les enjeux sont des plus importants sur ce plan :

- L'enseignement stratégique encourage la formation par les pairs, exploitant le modelage fait par des élèves compétents. Des recherches (Pearson *et al.*, 1992) démontrent que les apprenants compétents possèdent un répertoire de structures organisationnelles pour absorber de nouvelles données ou résoudre un problème. Ils organisent consciemment leurs connaissances réelles à l'aide de plans afin de mieux les comprendre. Ces plans sont flexibles et s'adaptent à une variété de contenus et de sujets.

- L'enseignement stratégique accroît la métacognition des élèves, leur montrant à observer leurs processus et à y réfléchir par la suite.

- L'enseignement stratégique amène les élèves à être plus responsables de leurs apprentissages. Au début, l'enseignant explique chaque stratégie et en vérifie l'application, mais les élèves assument graduellement la responsabilité de leur apprentissage en choisissant les stratégies qui conviennent le mieux à chaque situation.

- L'enseignement stratégique vise à développer chez les élèves une attitude propice à l'apprentissage. Il incite les élèves à chercher à comprendre de nouvelles données, à persévérer après l'échec et, finalement, à appréhender tout problème à résoudre avec confiance.

Pour conduire les élèves à l'apprentissage autonome, il faut leur enseigner des stratégies d'apprentissage de façon structurée jusqu'à ce qu'ils puissent les employer sans aide dans une variété

Tableau	8.1	L'engagement de l'enseignant et celui de l'élève

L'engagement de l'enseignant	L'engagement de l'élève
1. Présenter la stratégie et expliquer pourquoi, comment et quand l'utiliser.	1. Pourquoi est-ce que j'emploie cette stratégie ?
2. Prêcher par l'exemple en appliquant soi-même cette stratégie.	2. Comment fonctionne-t-elle ?
3. Redire la stratégie, l'appliquer à nouveau jusqu'à ce que les élèves la maîtrisent.	3. Quelle autre stratégie pourrais-je utiliser dans cette situation ?
4. Réfléchir sur le processus avec les élèves.	4. Dans quelles autres situations puis-je utiliser cette stratégie ?
5. Accroître graduellement leur responsabilité dans la gestion de cette stratégie. Une fois le modelage terminé, guider les élèves dans l'utilisation de la stratégie enseignée pour finalement les engager dans une pratique autonome.	5. (Et parfois…) Comment pourrais-je aider un autre élève à l'utiliser ?

de situations. L'objectif est d'amener les élèves à utiliser ces straté-gies dans des contextes différents, tant à l'école qu'à la maison.

Cette démarche d'enseignement et de consolidation de stratégies ne peut être le fruit du hasard ; elle nécessite une procédure rigoureuse (Ellis *et al.*, 1992, p. 2-22) que nous avons intérêt à partager avec les élèves. De plus, elle se vit de façon simultanée avec les élèves, puisque ceux-ci sont également invités à une démarche de question-nement pédagogique.

Il y a sans doute différentes façons de classifier des répertoires de stratégies à enseigner et à apprendre. D'ailleurs, le programme de formation de l'école québécoise suggère sûrement des regroupe-ments de stratégies, celles-ci faisant partie d'un contenu non négo-ciable. Heureuse initiative, d'ailleurs ! Je profite de l'occasion pour souligner l'importance de rattacher à un cadre organisateur les dif-férentes stratégies que nous avons l'intention d'enseigner aux élèves. Ce cadre tout eb étant visuel, sera aussi facilement acces-sible aux élèves pour qu'ils puissent le consulter aussi souvent qu'ils le désirent afin de situer toute stratégie qu'ils sont en train d'explo-rer ou d'appliquer. Parmi les différents schémas organisateurs qui m'ont été soumis, celui de la page 297 est utilisé dans des écoles francophones du Manitoba. Il s'agit d'un référentiel en lien avec les étapes de la démarche d'apprentissage. Il s'articule ainsi :

1 stratégies de base ;

2 stratégies de mise en branle ;

3 stratégies d'acquisition ;

4 stratégies de mise en application ;

5 stratégies d'apprentissage autonome.

Une telle grille de classification pourrait aider une équipe-école à se donner un plan de formation à l'intention des élèves tenant compte de l'architecture des cycles d'apprentissage. Ainsi, cette équipe-cycle pourrait s'entendre sur un répertoire et une répartition des stratégies à enseigner aux élèves. Un pas de plus vers la cohérence et la continuité, n'est-ce pas ?

En complément à ce tableau intégrateur, voici cinq exemples de stratégies d'apprentissage correspondant aux différents types énoncés dans le référentiel 23 de la page suivante. Je décrirai sommairement chacune de ces stratégies. Les élèves disposeront de cadres vierges, appelés aussi feuilles de réflexion (voir pages 301 à 304), pour manipuler chacune de ces stratégies.

Stratégie 1 : *La procédure* ÉPIER *pour une écoute active*

Cette *stratégie de base* aide les élèves à cibler les idées essentielles lors du visionnement d'un film, ou de la présentation d'un exposé. Elle les aide également à prendre des notes et à laisser des traces écrites d'une communication reçue. Le cadre ÉPIER donne les directives d'écoute suivantes :

É couter
P oser des questions
I maginer
E ntendre dans sa tête
R ésumer

• *Pendant que tu* **écoutes**, **pose-toi** *deux ou trois questions et note-les.* **Imagine** *ce que tu* **entends** *dans ta tête, visualise-le et fais-en un dessin.* **Résume** *ce que tu as entendu en écrivant un paragraphe.*

À cet effet, l'enseignant donne toujours une feuille de réflexion aux élèves et leur demande de traiter l'information qu'ils reçoivent en écoutant, en posant des questions, en imaginant l'information et en la résumant. Cette stratégie vise à mobiliser l'élève afin qu'il joue un rôle actif dans l'appropriation du contenu, luttant ainsi contre l'inertie qui risque de s'installer chez un groupe d'auditeurs. J'ose ajouter que cette stratégie s'avère également pertinente pour un enseignant qui « subit » parfois une conférence ou qui la vit dans l'indifférence.

Stratégie 2 : *Le cadre de leçon ou d'exposé*

Dans le cadre d'une préparation de leçon ou d'un survol d'exposé au moment de la *mise en branle*, l'enseignant se construit un cadre organisateur des données essentielles à communiquer. Cet outil de synthèse est conçu à partir des éléments d'apprentissage ciblés et des attentes de l'enseignant en tenant compte du moment de l'année scolaire où l'on en fait l'utilisation. Nous déduisons alors qu'il n'y aura jamais une seule formule retenue, mais plutôt quelques-unes, qui vont varier et s'ajuster au cheminement des élèves et de l'enseignant.

DES STRATÉGIES D'APPRENTISSAGE

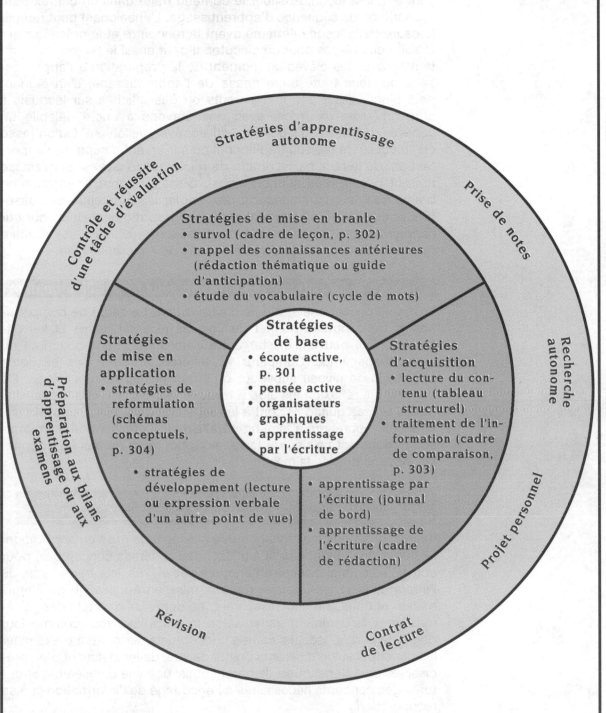

Stratégies d'apprentissage autonome

Contrôle et réussite d'une tâche d'évaluation

Prise de notes

Stratégies de mise en branle
- survol (cadre de leçon, p. 302)
- rappel des connaissances antérieures (rédaction thématique ou guide d'anticipation)
- étude du vocabulaire (cycle de mots)

Stratégies de base
- écoute active, p. 301
- pensée active
- organisateurs graphiques
- apprentissage par l'écriture

Stratégies de mise en application
- stratégies de reformulation (schémas conceptuels, p. 304)
- stratégies de développement (lecture ou expression verbale d'un autre point de vue)

Stratégies d'acquisition
- lecture du contenu (tableau structurel)
- traitement de l'information (cadre de comparaison, p. 303)
- apprentissage par l'écriture (journal de bord)
- apprentissage de l'écriture (cadre de rédaction)

Préparation aux bilans d'apprentissage ou aux examens

Recherche autonome

Projet personnel

Révision

Contrat de lecture

Source : Inspiré d'un ouvrage de référence pour les écoles francophones (maternelle à quatrième secondaire) du Manitoba.

Cette stratégie de survol vise deux buts précis : aider les élèves à se centrer sur la leçon, et situer le contenu traité dans un contexte de scénario ou de séquence d'apprentissage. L'enseignant peut remplir le cadre de la leçon lui-même avant la rencontre et le présenter par la suite aux élèves pour en discuter. Il peut aussi le remplir conjointement avec les élèves au moment de la préparation à l'apprentissage ou dans toute autre phase de l'apprentissage. L'enseignant peut alors utiliser des transparents ou des affiches sur lesquels il aura pris soin de tracer avec des crayons à encre délébile un canevas de travail qu'il pourra réutiliser éventuellement. Qu'on fasse ce survol sur le tableau traditionnel ou sur un autre support, l'important est de le faire par écrit afin de rejoindre les élèves de la classe qui ont besoin d'un support visuel. C'est au début de la mise en branle qu'il faut commencer à rassembler les morceaux du casse-tête pour classer les informations et non au moment du retour sur l'apprentissage. Ainsi, les élèves disposeront d'une carte routière pour avancer à petits pas sur le chemin de l'apprentissage.

Stratégie 3 : Le cadre de comparaison pour traiter l'information

Voici maintenant une *stratégie d'acquisition*. Le cadre de comparaison et de contraste permet de voir les ressemblances et les différences qui peuvent exister entre deux mots, deux concepts ou deux événements. Comparer et différencier sont des habiletés cognitives de niveau supérieur qu'il faut enseigner aux élèves. Ce canevas de réflexion les aide à traduire leur pensée et à laisser des traces écrites quand ils sont à la recherche de similitudes et de différences. Apprendre à faire un parallèle ou à dresser une comparaison critique est un défi de taille, alors pourquoi ne pas leur donner les moyens pour le faire ?

Stratégie 4 : Le cadre de concept : reformuler afin de s'assurer que l'apprentissage est bien ancré

Intéressons-nous maintenant à une *stratégie de mise en application*. Les enseignants ont intérêt à utiliser des schémas conceptuels pour activer les connaissances antérieures des élèves, leur transmettre de l'information et les appuyer dans la mise en application de l'information et dans son enrichissement. Le degré de difficulté des schémas peut évidemment varier selon la discipline, tout comme leur degré de pertinence. Les cadres conceptuels permettent d'examiner les concepts selon différents points de vue, de les définir et d'en préciser les caractéristiques. Ils offrent aussi une vue d'ensemble structurée des concepts nécessaires à l'encodage de l'information et à sa récupération.

Voici différentes possibilités :

• la classe remplit le schéma conceptuel pendant une discussion animée par l'enseignant ;

- les élèves remplissent individuellement le schéma conceptuel pour organiser et analyser les concepts ;

- les élèves travaillent en petits groupes pour remplir le schéma et un retour est fait par la suite avec toute la classe.

Dans toutes les stratégies d'apprentissage que nous avons abordées, un élément commun revient constamment : la nécessité de présenter des cadres de travail pour organiser les divers éléments d'apprentissage que les élèves doivent gérer. Si cet aspect procédural est profitable aux élèves, il l'est doublement pour un enseignant soucieux de leur présenter des connaissances organisées, claires et globales. Ce processus d'organisation des connaissances est étroitement lié à l'esprit de synthèse et à la capacité de faire des liens. Le dispositif pouvant le mieux supporter le développement de ces deux compétences intellectuelles est sûrement la carte sémantique.

Stratégie 5 : Le tour d'horizon pour visualiser le contenu

Cette *stratégie d'apprentissage autonome* permet d'avoir un portrait global du sujet à traiter ; elle favorise l'intégration des concepts d'une séquence d'apprentissage et le développement des idées. Elle permet aux apprenants de vivre des expériences tactiles et visuelles. Elle peut être utilisée à différents moments de l'apprentissage : pour présenter un sujet, consolider des apprentissages en cours ou dégager une conclusion à un scénario d'apprentissage.

La démarche la plus courante consiste à placer plusieurs images et objets à différents endroits de la classe et à inviter les élèves, en équipes de deux ou trois, à examiner chaque objet. Par la suite, les équipes doivent réaliser une des activités proposées par l'enseignant :

- répondre à des questions formulées par l'enseignant en lien avec chaque objet ;

- rédiger une liste de questions sur les différents objets ;

- comparer les objets, trouver leurs ressemblances et leurs différences ;

- relier les objets à d'autres choses qu'ils connaissent déjà ;

- prendre des notes concernant ces objets dans leur journal de bord ou dans un carnet d'observation ;

- émettre un commentaire à propos de chaque objet sur une feuille placée près de ce dernier.

De nombreuses variantes pertinentes peuvent être imaginées à partir de ces activités. En voici un exemple : former des groupes d'élèves et leur demander de préparer une petite exposition à partir d'objets sélectionnés par l'enseignant en regard du sujet traité. Une fois les mini-expositions prêtes, les élèves circulent pour visiter les stations d'exposition et observent le travail réalisé par leurs camarades. Un membre de ce groupe accueille les élèves visiteurs, commente au besoin et répond aux questions. À chaque station, après cette visite interactive, les groupes se reforment pour revoir leur propre station d'exposition afin de l'améliorer en s'inspirant des idées glanées ici et là.

Pendant les prochaines minutes tu vas :

a) Entendre un conférencier parler de _____

_____ .

b) Regarder un film ou une vidéo dont le titre est _____

_____ .

c) Écouter un exposé.

d) Assister à une présentation de réalisation portant sur _____ .

_____

1. Pose-toi des questions et écris-les ci-dessous.

_____

_____

_____

_____

2. Imagine ce que tu entends et dessine-le.

3. Résume ce que tu as entendu en un ou deux paragraphes.
   Utilise le verso de cette page au besoin.

_____

_____

_____

_____

_____

_____

Source: Do Your Laps, reproduction autorisée par Lynda MATCHULLIS et Bette MUELLER, Nellie McClung Collegiate, D.S. de Pembina Valley n° 27.

Discipline :

Sujet :

Plan de la leçon ou de l'exposé :

Compétence visée :

Résultats visés :

Devoirs et travaux :

Notes personnelles :

Source: *Lesson Frame*, reproduction autorisée par Lynda MATCHULLIS et Bette MUELLER, Nellie McClung Collegiate, D.S. de Pembina Valley n° 27.

302

Discipline : _____   Sujet : _____

C O M P A R E	Qu'est-ce que _____ et _____ ont de **semblable** ?
	Qu'est-ce que _____ et _____ ont de **différent** ?

D I F F É R E N C I E

Écris une phrase qui compare et qui différencie les deux mots, concepts ou événements.

Source : *Compare and Contrast Frame*, reproduction autorisée par Lynda MATCHULLIS et Bette MUELLER, Nellie McClung Collegiate, D. S. de Pembina Valley n⁰ 27.

Concept :

Exemples :

Caractéristiques :

Ce concept ressemble à...

Ce concept ne ressemble pas à...

Définition :

Peux-tu l'illustrer ?

Source : Concept Frame, reproduction autorisée par Lynda MATCHULLIS et Bette MUELLER, Nellie McClung Collegiate, D. S. de Pembina Valley nº 27.

Des stratégies à enseigner

Depuis que j'œuvre en milieu scolaire, j'ai côtoyé des centaines d'enseignants et j'ai été en mesure d'observer que plusieurs d'entre eux ne ne sont pas à l'aise avec l'esprit de synthèse et, pis encore, que les élèves n'ont pas tellement l'occasion de travailler sur des tâches d'apprentissage sollicitant cette compétence. Voilà pourquoi je m'attarde maintenant aux cartes sémantiques et à l'enseignement des synthèses aux élèves.

En tant qu'enseignants, nous nous trouvons souvent devant des élèves incapables de nous dire ce qu'ils ont appris ou ce qu'ils ne comprennent pas tout à fait, sans parler de la triste réalité : ils ont oublié le contenu du dernier cours ou l'application d'une règle de grammaire pourtant maintes fois répétée. Toute cette dimension de la mémoire à long terme est cruciale : Comment se fait-il que ce vaste réservoir de connaissances à pouvoir illimité ne livre pas toujours la marchandise et que la rétention des connaissances présente des ratés ? Nous devons revoir nos pratiques linéaires, séquentielles et hermétiques de présentation des contenus, car ce n'est pas en isolant les concepts que les élèves comprennent véritablement, mais plutôt en les comparant les uns avec les autres, en établissant des liens entre eux. Nos moments d'activation de connaissances antérieures plutôt échevelés, nos retours sur les apprentissages parfois faibles sur le plan des liens et nos tentatives de conclusion souvent hâtives et désorganisées doivent faire l'objet d'un examen de conscience si nous voulons accompagner véritablement les apprenants dans la construction de leur savoir.

Comme disait Jacques Tardif (1992), nous ne devons pas craindre d'outrepasser les limites de la mémoire à long terme, mais plutôt nous assurer de la capacité des élèves de bien emmagasiner la multitude d'informations qu'ils reçoivent au cours d'une journée, d'une semaine ou d'un mois. C'est là qu'entre en scène l'organisation des connaissances à transmettre sous forme de schémas organisateurs ou de cartes sémantiques. Plus les apprenants auront d'exemples de l'architecture des connaissances, d'un système de réseaux utilisé par l'enseignant, plus ils ressentiront le besoin de classer les informations ; ils comprendront qu'ils ont intérêt à le faire. À partir des cartes sémantiques proposées par l'enseignant, ils apprendront à organiser leurs propres réseaux de connaissances.

La carte sémantique

Fort des explications de Tardif (1992), nous pouvons dire qu'une carte sémantique, « c'est une façon économique et efficace de classer les nouvelles informations de telle sorte qu'elles soient hiérarchisées et organisées dans notre mémoire à long terme et fassent partie de réseaux de relations cognitives sous forme de connaissances déclaratives ».

Par conséquent, une carte sémantique doit posséder certaines caractéristiques. Elle est :

- essentiellement dynamique, en ce sens que les concepts qu'elle illustre sont représentatifs d'une réalité en mouvement ;

- évolutive, parce qu'elle peut s'enrichir de nouvelles informations ; de nouveaux réseaux d'information peuvent s'ajouter ;

- efficace, parce qu'elle permet de visualiser les informations importantes ;

- économique, parce qu'elle ne met en lumière que ce qui est nécessaire.

Présenter une carte sémantique du sujet à l'étude aux élèves avant de donner un exposé rempli de nouvelles notions ne peut qu'améliorer leur réception du message. Ainsi, ils peuvent traiter l'information au fur et à mesure qu'elle se présente. Ils ont aussi l'occasion de faire le tri entre leurs connaissances déjà acquises et les nouvelles connaissances. Nous devons placer les élèves très fréquemment dans des situations diversifiées d'élaboration de cartes sémantiques. D'ailleurs, les étapes rattachées à l'apprentissage par projets font référence à ce moment fort de la construction du savoir. Pour nous convaincre de cette affirmation, voici un exemple que donne madame De Koninck (1996, p. 83) au sujet de l'enseignement de l'accord du participe passé.

Supposons que nous voulions amener nos élèves à accorder les deux participes passés dans la phrase suivante :

« Les fleurs que j'ai cueilli____ hier sont déjà fané____. »

Nous pouvons expliquer verbalement la règle aux élèves et leur présenter des exemples afin d'en illustrer les différents aspects. Nous pouvons également construire une carte sémantique sur le participe passé (voir page suivante) afin d'offrir à l'élève un cheminement intellectuel plus visuel, plus global et plus orienté vers les comparaisons de concepts.

Pour nous permettre de faire un choix éclairé entre ces deux options concernant l'appropriation de l'accord des participes passés, plaçons-nous en situation d'apprenants.

Option 1 : Si je veux accorder adéquatement l'un ou l'autre de ces participes passés, j'identifie d'abord son auxiliaire. Si c'est l'auxiliaire *être*, j'accorde le participe passé avec le sujet du verbe. Si c'est l'auxiliaire *avoir*, j'identifie le complément du verbe direct. Si celui-ci est placé avant le verbe, j'accorde le participe passé avec ce complément. S'il est placé après ou qu'il n'y en a pas, le participe est invariable.

Option 2 : À la page 307, vous trouverez un exemple de carte sémantique sur l'accord du participe passé. La page 308 illustre un autre exemple de réseaux concernant les composantes de la différenciation des apprentissages.

L'accord du participe passé

```
                    ┌─────────────────────────────┐
                    │  Accord du participe passé  │
                    └─────────────────────────────┘
```

P. P.   P. P. E.   P. P. A.

Sans auxiliaire   Avec l'auxiliaire   Accord avec l'auxiliaire
                         être   *avoir*

Accord avec le nom   Accord avec le   Accord avec le
qu'il accompagne   sujet du verbe   complément de verbe direct

                                        oui   non   non

                                C. D. avant   C. D. après   C. D. absent
                                le verbe   le verbe

                                Accord avec   Invariable   Invariable
                                le complément

Source : Inspiré de Godelieve DE KONINCK, *À quand l'enseignement ?,* Montréal, Les Éditions Logiques, 1996, p. 98.

Chapitre 8

307

LA DIFFÉRENCIATION DES APPRENTISSAGES

Pourquoi ?
- À cause du profil d'apprentissage
- À cause des intérêts et de la motivation à apprendre
- À cause des acquis et de la maturité d'apprentissage
- À cause de la perception de la signifiance rattachée à la tâche

Quoi ?
- Les contenus
- Les processus
- Les productions
- Les structures
  - Liées au temps
  - Liées aux groupes de travail
  - Liées aux dispositifs organisationnels
  - Liées aux aménagements de l'espace

Quand ?
- Au début de l'apprentissage
- Pendant l'apprentissage
- Après l'apprentissage

Comment ?
- Par la différenciation intuitive
- Par la différenciation planifiée et régulatrice
- Par la différenciation authentique
  - Différenciation mécanique
  - Différenciation successive
  - Différenciation simultanée
    - À l'interne
    - À l'externe

Après avoir survolé ces deux options, que préférons-nous en tant qu'apprenants? Quelle option, selon vous, convient davantage à des élèves en difficulté? Quel est le meilleur repère à faire mémoriser par les élèves, une fois la consolidation faite?

La synthèse

Il est difficile de dissocier la carte sémantique de la compétence qui consiste à faire des synthèses; dans les deux cas, il est question de classer l'information, de l'organiser en un tout qui est accessible mentalement et concrètement. Bloom, dès 1982, parlait de la synthèse en ces termes: «C'est la catégorie du domaine cognitif qui offre le plus de possibilités pour un comportement créateur de la part de l'étudiant.» Dans la classification des habiletés mentales, nous retrouvons la synthèse dans les échelons supérieurs de toute grille, peu importe l'auteur choisi.

«Enseigner à l'élève à construire une synthèse, c'est lui enseigner la réorganisation personnelle des informations reçues de l'extérieur pour se les approprier et les transformer en connaissances» (De Koninck, 1996). Travailler dans ce sens, c'est donner aux élèves extrêmement de pouvoir sur la construction de leur savoir, dans divers contextes d'apprentissage, faisant appel à la synthèse. Ici, nous n'avons qu'à penser au plan à réaliser en vue d'une communication orale ou écrite, d'une recherche, aux questions épineuses entourant l'idée directrice d'un texte ou d'un paragraphe, à la comparaison de deux époques culturelles et à l'élaboration d'une définition de concept. Il est utopique de penser que cette habileté de synthèse est innée et que nous n'avons pas à l'enseigner puisque plusieurs élèves la possèdent déjà. Il est aussi erroné de croire qu'un certain nombre d'élèves évoluant dans des classes ordinaires ne parviendront jamais à faire des synthèses, peu importe ce que nous ferons pour eux: n'est-ce pas une solution facile que de se rabattre sur la fatalité de l'échec ou sur une impuissance acquise? Cependant, il est certain que cette démarche d'appropriation de la synthèse par un groupe d'élèves sera tantôt plus rapide, tantôt plus lente, plus facile ou plus difficile, et se fera avec ou sans guidance. C'est la réalité des différences entre les individus et dans ce domaine comme dans bien d'autres, la différenciation s'impose.

«Enseigner la façon de faire une synthèse, c'est d'abord en faire avec les élèves, c'est aussi donner des exemples de synthèses bien construites, c'est leur fournir l'occasion d'en faire en classe, seuls ou en équipe, c'est aussi discuter de la pertinence de leurs synthèses et enfin, c'est les convaincre qu'ils ont l'occasion de prendre le contrôle du contenu qui leur est présenté et leur expliquer pourquoi il en est ainsi» (De Koninck, 1996).

■ LES AVANTAGES DE L'ENSEIGNEMENT DES SYNTHÈSES

- C'est avant tout une manifestation de différenciation, puisque la synthèse est quelque chose d'essentiellement personnel, étant donné qu'elle appartient à l'individu ou à l'équipe d'élèves qui la produit.

- Elle nécessite le recours à d'autres stratégies métacognitives, cognitives et affectives, tout en ouvrant la porte à d'autres stratégies – comme la prise de notes, la collecte et l'interprétation de données –, ingrédients indispensables à la réussite d'une bonne synthèse.

- Elle offre de merveilleuses occasions de pratique et d'amélioration de l'écriture tout en permettant aux élèves de réinvestir les mots spécifiquement liés à la discipline. Utilisé dans un contexte signifiant, ce nouveau vocabulaire permet d'accroître les connaissances spécifiques et le développement culturel de l'apprenant.

- Elle peut devenir un instrument d'évaluation formative valable, puisque pour élaborer une synthèse, l'élève doit comprendre les concepts et voir les liens qui existent entre eux. Et que dire de sa souplesse d'utilisation et de l'économie de temps qu'elle représente, si l'on compare la synthèse avec l'examen traditionnel qu'il faut concevoir, administrer et corriger par la suite !

- Finalement, à la suite de la lecture ou de l'écoute des synthèses faites par les élèves, l'enseignant peut apporter les ajustements nécessaires à la séquence d'apprentissage et réguler au besoin.

Après avoir parlé d'outillage cognitif à développer à partir d'un contexte réel et significatif pour les élèves, on ne peut passer sous silence le questionnement pédagogique et l'objectivation, excellent processus pour développer la métacognition. D'entrée de jeu, nous avons à différencier le questionnement pédagogique, ce déclencheur de prises de conscience.

Différencier nos contextes d'objectivation

S'il est un domaine où nous devons investir sur le plan de la différenciation, c'est bien celui du questionnement pédagogique et de l'objectivation. D'ailleurs, tous les renouveaux pédagogiques insistent sur cette nécessité de placer les élèves en situation de projet d'apprentissage et de les amener à réfléchir de différentes façons sur leurs apprentissages. Nos pratiques de mise en mots ou de verbalisation explicite sont surtout vécues à partir d'une animation collective orientée vers l'expression verbale. Parfois, le prix à payer pour ce moment important de l'apprentissage est très élevé: problèmes d'intérêt et de discipline, monopole de la parole par certains élèves plus verbo-moteurs, décrochage d'élèves plus fragiles sur le plan de la motivation, inertie chez les élèves qui ne sont pas du tout au rendez-vous de l'apprentissage et manque de temps pour une

Volume 1
p. 296 à 301
et p.323 à 330

- L'objectivation du vécu des apprentissages
- Outil 5.3 L'objectivation au cœur de nos apprentissages

période d'objectivation de qualité. Déjà, dans les volumes *Quand revient septembre*, j'ai fait allusion à ce danger qui consiste à vouloir objectiver tout le temps en grand groupe.

Il est bien évident que le fait de ne pas objectiver en grand groupe nous ramène à la case départ, c'est-à-dire au problème de la différenciation. Nous savons qu'il serait pertinent de faire objectiver les élèves en sous-groupes et que nous pourrions en retirer de nombreux avantages, mais le problème de fond, c'est que nous nous demandons : « Que vont faire les autres élèves pendant ce temps ? Comment vais-je gérer ce travail simultané ? Les élèves sans guidance pourront-ils mener à bien les tâches proposées ? Est-il dangereux que je perde le contrôle de ces sous-groupes ? Les élèves ont-ils la capacité d'objectiver seuls ? » Nous sentons bien que derrière toutes ces craintes fondées se cache un criant besoin de gestion de classe axée sur la responsabilisation et la différenciation.

Pour apaiser ces peurs et offrir des solutions de rechange, je commencerai par réviser quelques pistes élémentaires de différenciation à appliquer en contexte d'objectivation. Puis, je proposerai quelques pistes nouvelles, question de démontrer qu'il est possible d'innover et de différencier sur le plan de ce processus. La pierre d'achoppement est toujours rattachée au fait d'accepter de faire autrement au lieu de s'efforcer de faire plus.

Pour commencer, rappelons-nous que nous pouvons jouer avec les cibles d'objectivation, les moments privilégiés pour faire objectiver, les groupes de discussion choisis et les outils d'expression utilisés.

Tout d'abord, dans la perspective du développement global des élèves, nous avons le choix de cibler tour à tour ou simultanément les connaissances, les attitudes, les habiletés et les compétences, qu'elles soient transversales ou disciplinaires.

Puis, comme nous accompagnons les élèves dans la construction de leurs savoirs, il est de mise de suivre fidèlement la carte routière de l'apprentissage et de faire des arrêts pour l'objectivation au début, pendant et après l'apprentissage, de même qu'après une évaluation circonscrite.

Ensuite, nous pouvons voyager à travers l'espace de l'objectivation en grand groupe, mais aussi avec des sous-groupes, des équipes de trois ou quatre élèves, des dyades permanentes et même en compagnie d'un seul élève.

Enfin, nous pouvons prioriser différentes techniques d'expression pour objectiver avec les élèves de même que concevoir des dispositifs nouveaux pour le faire autrement. L'oral, l'écrit, le dessin ou le geste sont des avenues possibles pour amener des élèves à exprimer leur vécu et à réfléchir sur ce dernier.

Quand je parle de dispositifs nouveaux à créer ou à adapter, je fais allusion au journal de bord, au carnet d'apprentissage, aux grilles-maison pour effectuer des corrections ou des retours, aux cubes ou aux cartons-étiquettes conçus pour l'objectivation, à la rédaction thématique, aux billets d'entrée et de sortie pour le début et la fin d'un cours et aux pistes de réflexion des élèves autour d'un portfolio ou d'un dossier d'apprentissage.

Le journal de bord réanimé

Le journal de bord à l'intention des élèves n'est pas vraiment un outil nouveau en soi; son utilisation et son animation sont toutefois à reconsidérer.

L'activation des connaissances antérieures peut se faire individuellement avec cet outil, comme on peut y construire des schémas organisateurs pour ordonner les résultats d'un remue-méninges. Les cartes sémantiques destinées à relever et organiser les idées essentielles d'un chapitre ou d'un apprentissage à long terme pourraient y occuper une place de choix. Les élèves peuvent utiliser aussi leur journal de bord pour rédiger des bilans d'apprentissage et y inscrire leurs forces et leurs défis.

Le journal de bord étant un excellent moyen pour accroître la métacognition des élèves, nous pouvons l'utiliser en plaçant les élèves devant des questions pour entamer la réflexion, du genre: « Comment cette idée t'est-elle venue ? Qu'est-ce que tu as appris sur toi-même en faisant cela ? Qu'est-ce qui aurait pu t'aider à le faire autrement ? As-tu remarqué de quelle façon tu abordais le problème ou le sujet ? Comment traites-tu l'information : par morceaux ou comme un gros casse-tête ? » Tout ce questionnement vise une meilleure connaissance des élèves par eux-mêmes.

Volume 2
p. 241 à 248

Outil 6.1 Parle-moi de toi et de tes apprentissages

Nom : _____

Objectif ou compétence : _____

Discipline : _____

AVANT L'APPRENTISSAGE

Pistes de retour ou de mise en mots	Oui	Non	Ne sait pas	Commentaires
1. Est-ce que je connais déjà quelque chose sur le projet proposé ou sur la problématique ?				_____
2. Ai-je déjà entendu, vu ou lu quelque chose qui me fait penser à ce sujet ?				_____
3. Est-ce que je connais des ressources qui pourraient m'aider à atteindre ou à réaliser mon défi d'apprentissage ?				_____

PENDANT L'APPRENTISSAGE

Pistes de retour ou de mise en mots	Oui	Non	Ne sait pas	Commentaires
1. Est-ce que ça va bien dans mes apprentissages ?				_____
2. Ai-je besoin d'aide ? Si oui, j'identifie une personne-ressource.				Personne-ressource _____
3. Suis-je capable de dire ce que je comprends ?				_____

Source : Une enseignante de l'école francophone Jean-Côté (Alberta).

PENDANT L'APPRENTISSAGE

Pistes de retour ou de mise en mots	Oui	Non	Ne sait pas	Commentaires
4. Suis-je capable d'exprimer mes difficultés ?				
5. Comment ma personne-ressource peut-elle m'aider ? • par explication orale • par exemple écrit/ modèle • par manipulation • par démonstration • par d'autres moyens				

APRÈS L'APPRENTISSAGE

Pistes de retour ou de mise en mots	Oui	Non	Ne sait pas	Commentaires
1. Ai-je réalisé mon défi ?				
2. Ai-je appris des choses nouvelles ? Si oui, quoi ?				
3. Ai-je développé des compétences nouvelles ? Si oui, lesquelles ?				

Ce que j'ai fait :

❑ Production orale
❑ Compréhension orale
❑ Rapport de laboratoire
❑ Recherche autonome
❑ Projet personnel ou d'équipe

❑ Production écrite
❑ Compréhension écrite
❑ Résolution de problème
❑ Synthèse d'un contenu
❑ Résumé de lecture
❑ Autres travaux : _____

Ce que j'ai développé :

❑ Mémoire/connaissances
❑ Compréhension
❑ Application
❑ Analyse
❑ Synthèse
❑ Évaluation

Source: Une enseignante de l'école francophone Jean-Côté (Alberta).

Nous pouvons orienter nos interventions en fonction du cheminement des élèves à travers la démarche d'apprentissage.

1 Au début des apprentissages :

- *As-tu des questions sur ce que nous avons vu ensemble hier ?*
- *Écris une note à quelqu'un qui n'était pas ici hier pour lui expliquer ce que tu as appris récemment.*
- *Complète la phrase suivante : « Hier, j'ai appris ou j'ai développé … »*
- *Complète la phrase suivante : « Je me demande encore si… »*

2 Pendant le vécu des apprentissages :

- *Complète la phrase suivante : « Je comprends maintenant… »*
- *Complète la phrase suivante : « Ce que je viens d'apprendre se rapporte à… »*
- *Résume ce que tu as appris en une seule phrase.*
- *Trouve des mots qui traduisent ce que tu ne comprends pas assez ou pas encore.*

3 À la fin d'un apprentissage :

- *Y a-t-il encore des choses que tu ne comprends pas ?*
- *Réfléchis à une stratégie que tu as utilisée et dis pourquoi tu l'as utilisée.*
- *Peux-tu faire un lien entre ce que tu viens d'apprendre aujourd'hui et d'autres apprentissages que tu as faits récemment ?*
- *Parle de quelque chose que tu viens d'observer et qui t'a fait penser à autre chose.*
- *As-tu entendu, lu ou vu quelque chose qui t'a surpris ? une chose avec laquelle tu étais en désaccord ? une chose avec laquelle tu étais en accord ?*
- *Complète la phrase suivante : « Je ne comprends toujours pas… »*
- *Complète la phrase suivante : « Je pense que je pourrai me servir de l'apprentissage suivant dans un autre cours ou encore dans ma vie personnelle, parce que… »*

La rédaction thématique

Toujours dans la perspective d'alimenter le journal de bord, voyons la stratégie de la rédaction thématique, qui fait appel à l'écriture pour activer et développer les connaissances antérieures. La démarche est fort simple : les élèves écrivent pendant quelques minutes sur le sujet à l'étude, en réponse à une question posée par l'enseignant. Par la suite, ils lisent ce qu'ils ont écrit à la classe ou en sous-groupes, en équipes coopératives ou en dyades de travail. Ils peuvent aussi laisser leur rédaction thématique à l'enseignant pour que celui-ci cerne le pouls du groupe avant de se lancer dans une étude commune avec tous les élèves ou, mieux encore, de constituer des groupes basés sur les intérêts ou les besoins.

Petite note malicieuse : il n'est pas nécessaire de corriger les fautes de français dans ces textes, car l'objectif n'est pas d'évaluer la performance des élèves en écriture, mais plutôt de connaître leurs acquis sur un sujet bien précis.

Les billets d'entrée et de sortie

Comme dernière piste d'enrichissement de notre coffre à outils axés sur l'accompagnement de l'apprenant, une idée bien originale : les billets d'entrée et de sortie, dans la perspective d'un enseignement assumé par des enseignants spécialistes comme au secondaire, par exemple. Les élèves remplissent ces billets au début ou à la fin du cours. Idéalement, ils devraient remplir leur billet d'entrée avant le début du cours et le présenter pour y être admis (question de se motiver à être présents et à écouter !). En réalité, la plupart des élèves ont besoin de temps au début de la classe pour remplir leur billet. Cette petite stratégie vise à les aider à diriger leur attention sur ce qu'ils vont apprendre, à réfléchir sur ce qu'ils ont appris et à renseigner l'enseignant sur les apprentissages faits par les élèves. Une boîte ou un panier est déposé sur une table et les élèves y laissent tomber leur billet de sortie avant de quitter le local.

Voici les pistes d'écriture les plus fréquentes pour l'entrée :

- les questions auxquelles les élèves n'ont pas eu de réponse lors du dernier cours ;
- un commentaire décrivant où ils en sont dans leurs apprentissages ;
- une phrase résumant ce qu'ils attendent du cours qui commence.

Quant à la sortie, les commentaires ressemblent à ceci :

- la notion la plus importante qu'ils aient apprise pendant le cours ;
- une question à laquelle ils n'ont pas eu de réponse ;
- le moment le plus intéressant du cours ;
- le moment le plus pénible de la période.

Dans ce chapitre, nous nous sommes intéressés à l'accompagnement de l'apprenant en train de construire son savoir. Celui-ci nous demandera bien sûr des rétroactions sur son cheminement et sur sa performance, même si nous l'avons impliqué fortement dans son questionnement pédagogique et dans sa conscientisation. Il a besoin d'être renforcé dans sa démarche par une personne en qui il a confiance : son enseignant. Espérons que celui-ci a collecté des données tout au long du chemin. Sinon, comment fera-t-il pour évaluer les apprentissages qui ont été faits ? C'est ce que nous aborderons dans le prochain chapitre.

Pour enrichir ses connaissances

- Pour vous approprier davantage le concept des cartes sémantiques, consultez l'ouvrage de Godelieve De Koninck, *À quand l'enseignement?* Les pages 83 à 88 sauront sûrement répondre à vos questions. De plus, plusieurs exemples de cartes sémantiques y sont proposés.

- Pour initier les élèves et leurs parents à la théorie des intelligences multiples, consultez le livre de Bruce Campbell, *Les intelligences multiples*. Les pages 21 à 31 vous guideront dans cette démarche de sensibilisation.

- L'ouvrage *Intégrer les intelligences multiples dans votre école,* de Thomas R. Hoerr, représente un excellent outil pour réfléchir à votre propre profil ou encore pour évaluer le niveau d'intégration des intelligences multiples au sein de votre classe. Les pages 111 à 115 sont particulièrement pertinentes si vous désirez relever ce défi.

- L'accompagnement de l'apprenant dans la construction de son savoir a brillamment été traité par Philippe Meirieu dans son ouvrage *Apprendre... oui, mais comment*. Il y identifie un certain nombre de stratégies d'accompagnement. Pour en prendre connaissance et visualiser les tableaux qui les illustrent, voyez les pages suivantes: 45, 46, 67, 68, 69, 70, 102, 103, 123, 124, 125, 149, 150, 151, 152.

Pour prolonger les apprentissages

- Planifiez avec rigueur vos diverses mises en situation. Assurez-vous d'utiliser une variété de dispositifs afin de rejoindre le plus grand nombre d'apprenants possibles. Notez ce que vous aurez privilégié dans votre journal de bord. Compilez ces données. Après un certain temps, que constatez-vous?

- Choisissez le modèle d'identification des modes d'apprentissage qui convient le mieux à votre groupe d'élèves. Utilisez ce cadre de référence pour sensibiliser les élèves à leur façon d'apprendre. N'oubliez pas de consigner les résultats obtenus sur une feuille de route qui alimentera votre journal de bord.

- Lors de la soirée d'informations aux parents, planifiez du temps à votre ordre de réunion pour aborder la question des intelligences multiples. Amenez-les à prendre conscience qu'ils doivent tenir compte de cet aspect lorsqu'ils accompagnent leur enfant dans la gestion des devoirs et des leçons à la maison.

- En compagnie de votre équipe-cycle, abordez la question de l'outillage cognitif. Demandez-vous s'il est possible de partager une vision commune pour le développement des compétences méthodologiques prescrites par le programme de formation de l'école québécoise. Si oui, que pouvez-vous faire ensemble pour que les apprentissages dans ce domaine se vivent de façon cohérente et continue?

CHAPITRE 9

Enrichir son coffre à outils, partie 4 :
l'évaluation

*une loupe pour
interpréter les données*

« Et si l'évaluation était plutôt une approche contemporaine pour comprendre comment adapter l'enseignement de demain ? »

(Carol Ann Tomlinson, 2003)

Nous arrivons à la pierre d'achoppement de l'innovation pédagogique : celle de l'évaluation. Il s'agit sans doute du point le plus délicat de tout l'itinéraire pédagogique que nous avons à parcourir. Ne s'agit-il pas, pour les pédagogues, d'un domaine jalonné de peurs à vaincre et de deuils à faire pour oser *faire autrement en évaluation* ? C'est d'ailleurs souvent le prétexte utilisé pour maintenir des pratiques évaluatives traditionnelles, mais garantes de sécurité. Les commentaires suivants en font foi…

C'est bien beau de différencier dans le parcours d'apprentissage, mais au moment de l'évaluation, ce n'est pas du tout la même chose. J'ai besoin de conserver des examens à l'intérieur d'un gel d'horaire pour avoir des preuves à donner aux parents.

On ne me fera pas croire que des enfants de cinq ou six ans sont capables de s'évaluer correctement.

Les parents ne se contenteront jamais de travaux d'élèves pour suivre le cheminement de leurs enfants ; ils veulent quelque chose de plus précis, un bulletin avec des notes, par exemple.

À quoi ça sert de changer nos pratiques pédagogiques si nous devons évaluer les élèves de la même manière ?

Un portfolio d'élève n'aura jamais l'efficacité et la crédibilité d'un bulletin structuré. On rêve en couleur si l'on pense que des élèves de huit ans sont capables de présenter eux-mêmes, de façon convenable, leur bulletin ou leur portfolio à leurs parents.

Il n'est pas question que je dispense sept élèves d'un examen écrit, même si je connais déjà leur performance en mathématique.

Très souvent, je suis capable de porter un jugement sur le rendement de mes élèves en compréhension de lecture simplement en les observant ou en analysant leurs travaux. Mais jamais je n'oserai mettre une cote dans le bulletin si celle-ci n'a pas été confirmée par une note d'examen.

Cette liste d'objections – carapace protectrice pour ne pas changer nos pratiques en évaluation – pourrait s'allonger. C'est donc sur ce ton un peu provocateur que débute ce chapitre…

En amorce, je reviendrai sur la définition de l'évaluation, ses caractéristiques ainsi que la démarche qu'elle sous-tend. Puis, je dégagerai les implications, sur le plan pédagogique, d'une évaluation authentique des apprentissages au quotidien. Ensuite, je me pencherai sur la différenciation des moyens de collecte d'informations et de consignation des données. Enfin, j'illustrerai comment l'apprenant peut devenir le centre de l'évaluation. Tout le processus d'engagement de l'apprenant sera touché, incluant le rôle qu'il peut jouer en ce qui a trait aux outils de communication aux parents, Tout au long de ce chapitre, certains outils seront présentés plus en détail, tels le journal de bord pour l'enseignant, l'arbre de connaissances, les brevets d'apprentissage, le passeport pédagogique, le portfolio et la conférence dirigée par l'élève.

L'*évaluation au cœur des apprentissages*

Les nouvelles orientations des programmes de formation en éducation étant axées sur le développement des compétences des élèves en classe, il est inévitable de commencer par établir ce qu'est la compétence. On la définit comme un savoir fondé sur la mobilisation et l'utilisation efficaces d'un ensemble de ressources. Cette affirmation fait état de caractéristiques importantes dont il faudra tenir compte lors des activités d'apprentissage et d'évaluation. La compétence :

- est un savoir-agir, c'est-à-dire une capacité d'action pour résoudre le plus efficacement possible une situation-problème ;

- est complexe, car elle repose sur la capacité de mobiliser de manière originale un ensemble de ressources en vue de réaliser une tâche ou de résoudre un problème ;

- est évolutive, parce que son développement requiert du temps, et qu'il est toujours possible de progresser ;

- est globale et intégratrice en ce sens qu'elle fait appel à une diversité de ressources qui ne sont pas exclusivement de l'ordre des connaissances acquises en contexte scolaire. Il peut s'agir en effet de ressources liées à la personnalité des élèves, à leurs intérêts, à leurs acquis extrascolaires, à leurs capacités, à leurs habiletés et même aux techniques qu'ils utilisent déjà.

Comme l'évaluation doit être cohérente avec les apprentissages faits, c'est-à-dire en lien avec ce qui a été développé, le temps où nous mesurions la maîtrise des connaissances et où nous évaluions l'atteinte des objectifs est révolu. Une ère nouvelle s'amorce : celle du développement et de l'évaluation des compétences.

Sa *définition*

Dans le *Projet de politique d'évaluation des apprentissages*, le ministère de l'Éducation du Québec (2000) définit l'évaluation des apprentissages ainsi : « Une démarche qui permet de porter un jugement sur les compétences développées et les connaissances acquises par l'élève en vue de prendre des décisions et d'agir. Ce jugement doit s'appuyer sur des informations pertinentes et suffisantes. Évaluer une compétence ne peut se faire directement ; cela exige que l'on infère le développement et l'acquisition de la compétence à partir de la réalisation par l'élève de tâches particulières. »

Cela suppose que dans l'accompagnement de l'apprenant dans la construction de son savoir, l'on s'intéresse à tout le processus qu'il vit, puisque l'évaluation sera greffée sur ce dernier. On parlera alors d'**évaluation authentique**.

Ses caractéristiques

Certains principes ont contribué à la définition d'une évaluation. En voici quelques-uns :

- L'évaluation doit être intégrée à la dynamique même des apprentissages de l'élève. Elle n'est donc pas un processus externe, fictif ou séparé de la réalité, mais plutôt une étape pour contribuer au développement des compétences en offrant aux élèves une autre occasion d'apprendre.

- L'évaluation des apprentissages doit favoriser le rôle actif des élèves, augmentant ainsi leur responsabilisation. Leur participation réelle pourra revêtir différentes formes. Elle variera selon les modalités d'évaluation choisies par l'enseignant, par exemple l'utilisation de l'autoévaluation, du journal de bord ou du portfolio.

- L'évaluation des apprentissages doit s'effectuer dans le respect de la diversité et des différences, et dans leur prise en compte lors du choix des actions à poser pour assurer la réussite des élèves. On pourra donc combiner différents moyens d'évaluation permettant de saisir les multiples facettes de l'apprentissage de chacun : observation, entrevue, analyse des productions, discussions en petits groupes, rédaction de synthèses, etc.

- L'évaluation doit se vivre dans un *contexte cohérent avec les démarches d'apprentissage*, avec les approches pédagogiques qui reflètent la philosophie du développement des compétences. Les tâches d'apprentissage, les situations-problèmes, les situations ouvertes vécues individuellement ou en coopération, l'articulation de projets personnels ou d'équipes seront toujours valables pour évaluer le développement des compétences. Toutefois, le choix et la planification des tâches d'évaluation pourra se faire à partir des indices ci-dessous. Les tâches d'évaluation :

  - se rapprochent de la vie courante ;

  - intègrent quelques disciplines ou plusieurs ;

  - sont axées sur des obstacles cognitifs et proposent des défis stimulants ;

  - tiennent compte des intérêts des élèves et de leurs connaissances antérieures ;

  - ne comportent pas de contrainte de temps fixée arbitrairement ;

  - donnent lieu à des productions originales susceptibles d'être présentées à un public, qu'il soit restreint ou vaste ;

  - exigent de la part des élèves la mobilisation de diverses ressources, l'appropriation d'une démarche personnelle, une régulation, un engagement cognitif, et parfois même une forme d'interaction avec les pairs et avec l'enseignant.

Dans la perspective de la gestion d'un cycle, l'évaluation des apprentissages ne peut être envisagée que dans un contexte de collaboration et de collégialité entre les divers partenaires. Cependant, ceux-ci ne doivent pas oublier que l'évaluation fait appel au jugement professionnel des enseignants et que les responsabilités légales des divers agents doivent être respectées.

Parmi les fonctions attribuées à l'évaluation, il est certain que l'*aide à l'apprentissage* doit occuper une place de choix dans nos pratiques, même si la fonction de reconnaissance aura toujours sa place en fin de cycle pour certifier ce qui a été développé et acquis.

Dans une perspective de différenciation, l'évaluation diagnostique sera utilisée au besoin pour constituer des groupes que l'on voudra tantôt homogènes, tantôt hétérogènes. Ces regroupements ne sont pas fixés pour l'année entière, mais évolueront sans cesse d'une période à l'autre. Ils fonctionneront sur le principe des vases communicants, offrant à la fois rigueur et souplesse. L'abus d'évaluation diagnostique pourrait conduire rapidement à la gestion d'une différenciation très mécanique, reléguant ainsi aux oubliettes toute forme de régulation.

L'évaluation, un geste professionnel

S'il est un aspect qui doit ressortir dans cette partie, c'est bien que l'enseignant est un spécialiste de l'éducation et qu'il doit poser certains actes professionnels, au même titre que le médecin, le notaire, l'avocat ou l'ingénieur dans leur discipline respective. Parmi ces gestes se trouve nécessairement l'évaluation, qui requiert le *jugement professionnel*. Quand nous consultons un médecin, celui-ci est très souvent en mesure de poser un diagnostic exact à la lumière des renseignements fournis. Nous ne contestons pas son diagnostic, parce que nous savons que c'est un professionnel et que nous pouvons avoir confiance en lui. Si notre cas est plus complexe et que ce professionnel de la santé est incapable d'interpréter les symptômes pour porter un jugement sur-le-champ, il pourra recourir à des instruments de collecte de données plus sophistiqués, tels le scanner, la médecine nucléaire, la résonance magnétique, etc.

Comment expliquer un écart aussi gigantesque entre la pratique du professionnel de l'éducation et celle du spécialiste de la santé? D'abord, les gens qui œuvrent dans le domaine de la santé ont confiance en leur jugement; ils croient qu'ils possèdent les compétences nécessaires pour accomplir ce genre de travail. Parfois, ils entreprennent des mesures curatives même s'ils ne disposent que de quelques données préliminaires, quitte à réguler en cours de traitement. Le milieu scolaire devrait-il travailler à renforcer ou à construire l'estime de soi de ses enseignants? Comment convaincre ces derniers qu'il ne leur est pas nécessaire de prescrire des examens aux élèves puisqu'ils sont capables d'établir des jugements fiables sans ces examens? Quels arguments devra-t-on employer pour démontrer la nécessité vitale de laisser des traces écrites de ce qu'ils voient ou entendent en classe en regard du développement des compétences?

Quelles stratégies utiliser pour faire la promotion de nouveaux dispositifs d'évaluation plus efficaces que les examens écrits ?

Le jugement professionnel de l'enseignant en matière d'évaluation des compétences est un facteur névralgique, étant donné que cette formation à l'enseignement par compétences exige, à la base, une approche professionnelle. Enseigner en fonction de ce nouveau paradigme des compétences implique le jugement d'un professionnel, qui doit poser un « diagnostic » sur le parcours de l'élève, déterminer un plan d'accompagnement global, évaluer la démarche de l'intervention en vue de régulations et d'améliorations possibles et continues. Cela suppose de la part de l'enseignant-évaluateur beaucoup d'autonomie, une forte estime de soi et, bien sûr, le développement d'une approche professionnelle personnalisée.

La démarche d'évaluation

Dans une conférence prononcée auprès du regroupement des écoles privées de la région de Montréal, en mars 2002, Georges Legault tenait ce discours afin de motiver un plus grand nombre de praticiens à prendre véritablement leur place en tant que professionnels, surtout par rapport à l'évaluation. Pour pouvoir le faire, il faut non seulement être habité par des attitudes favorables, mais aussi maîtriser adéquatement sa démarche d'évaluation. Rappelons que celle-ci compte trois temps, tout comme la démarche d'apprentissage d'ailleurs.

- L'avant-évaluation (la planification) : pour préciser son intention ainsi que ses objets d'évaluation et planifier la tâche destinée aux évalués.

- Le pendant-évaluation : pour aller chercher de l'information, l'interpréter et poser un jugement.

- L'après-évaluation : pour réguler, consolider, intégrer et remédier. On peut parler alors de l'étape de la communication et des actions à poser.

Si nous voulions détailler davantage, nous pourrions affirmer que la démarche d'évaluation comporte cinq étapes : la planification, la collecte d'informations, l'interprétation, le jugement et la communication. C'est d'ailleurs cette formulation que nous trouvons dans le projet de politique d'évaluation des apprentissages du Québec de novembre 2000.

Monsieur Legault, cet enseignant-chercheur en éthique, insistait beaucoup sur les trois phases du **comment évaluer**. L'information à recueillir, l'interprétation des données et le jugement à poser, avec leurs particularités propres, constituent la synthèse de l'acte d'évaluer.

Avant de privilégier certains outils pour organiser la collecte d'informations, le pédagogue devra se poser la question suivante : « Quelle information me permet d'évaluer le développement d'une compétence ? » À cela, il peut répondre par trois qualificatifs révélateurs d'une information valable.

- Même si les informations sont uniquement des indicateurs, elles doivent être le plus **signifiantes** possible.

- Elles doivent être recueillies tout au long du processus de développement, c'est-à-dire représentatives du temps écoulé pendant l'apprentissage (**temporalité**).

- Tout en étant **suffisantes,** elles doivent être **diversifiées** afin de permettre de porter un jugement global sur tout le développement de la compétence.

Il ne faut pas oublier que c'est cette même information qui sera interprétée ultérieurement afin de poser un jugement de qualité. Interpréter, c'est tenter de comprendre ce qui se passe. C'est rendre significatives les informations recueillies en les analysant et en les comparant avec un point de référence. Même si cette analyse des données peut mener à quelques types d'interprétation, nous nous intéresserons surtout à l'interprétation dynamique et critériée, laissant un peu dans l'ombre l'interprétation normative. L'interprétation critériée consiste à comparer les résultats obtenus par un élève et les stratégies qu'il utilise à différents moments de l'apprentissage. Il s'agit donc de constater ses progrès à partir de prises d'information successives sans tenir compte de sa position dans le groupe. L'interprétation critériée consiste à comparer les processus utilisés ou les résultats obtenus par un élève avec ce qui est attendu dans le Programme de formation (MEQ, juin 2000).

Sur le plan de l'interprétation des informations, Monsieur Legault établit des nuances entre interprétation et jugement. L'information doit être traitée d'abord afin d'être interprétée comme « signe » du développement de la compétence complexe, tandis que le jugement est l'évaluation professionnelle du développement de la compétence globale (holistique). Pour établir un pont entre les deux, posons-nous la question suivante : « Qu'est-ce que l'information me dit sur l'acquisition de la compétence ? »

Finalement, émettre un jugement, c'est faire une déclaration officielle sur le statut de l'acquisition de la compétence en cours de cycle (progression de l'élève) ou en fin de cycle.

Le fait de posséder un cadre de référence solide en fonction de la démarche sécurise l'évaluateur, lui permet d'avoir une vision globale du processus, l'amène à distinguer les différents concepts qui composent cette réalité et lui permet de faire des choix plus judicieux quant aux instruments à privilégier. Il faut, en effet, se montrer critique face aux outils de collecte d'informations, de consignation des données et de communication. Ainsi, une fois le jugement fait, nous devons le communiquer à l'apprenant et à ses parents. C'est seulement à ce moment qu'entre en ligne de compte le bulletin ou le carnet scolaire. Pourquoi alors entendons-nous autant des récriminations à l'égard du bulletin lorsque nous abordons l'évaluation des compétences ? Pourquoi voyons-nous les ressources pédagogiques d'une commission scolaire se lancer dans la création d'un nouveau bulletin pour évaluer les compétences des élèves, alors que nous n'avons même pas réfléchi avec les enseignants sur la démarche d'évaluation des compétences, les instruments de collecte d'informations et de consignation de données ? Pourquoi précipiter des enseignants dans l'expérimentation hâtive d'un portfolio, alors qu'ils n'ont apporté aucun changement dans leur façon de gérer les apprentissages et l'évaluation ? C'est comme si nous voulions réduire la dimension de l'acte d'évaluer à la simple transmission d'informations aux parents. Pourtant, c'est beaucoup plus que cela.

Différencier nos outils de collecte d'informations

Plus la différenciation est présente dans notre recherche d'informations, plus nous risquons de répondre aux quatre caractéristiques d'une information de qualité : signifiance, temporalité, variété et suffisance. Pour atteindre l'excellence dans cette collecte d'informations, nous gagnerons à nous faire complices des élèves et des enseignants-collègues d'un même cycle. Nous ferons donc une distinction entre les outils relevant du degré de responsabilité de l'adulte seulement et ceux qui doivent être gérés en partenariat avec les élèves.

La constitution d'une banque d'instruments peut devenir un support motivant pour innover et différencier dans les domaines de collecte d'informations et de consignation de données. Chaque fois que nous avons à faire des choix de dispositifs dans un contexte bien précis d'apprentissage et d'évaluation, nous pouvons y avoir accès et choisir des outils plus adéquats.

Comme nous l'avons déjà mentionné, certains outils relèvent du degré de responsabilité de l'adulte. À titre d'exemple, le référentiel 25 de la page 327 en présente quelques-uns.

D'autres outils nous fournissent un prétexte solide pour établir un partenariat avec les élèves comme en fait foi le référentiel 26 de la page 328.

Différencier nos outils de consignation de données

Comme les compétences doivent être applicables dans différents contextes pédagogiques, nous devons donc aussi en évaluer l'acquisition dans plusieurs contextes. Cela suppose, bien sûr, que l'on conserve des traces significatives des réalisations produites et des comportements observés chez les élèves pendant une certaine période. Si l'enseignant-évaluateur désire interpréter judicieusement toutes les données collectées, il doit se discipliner pour consigner quotidiennement ce qu'il observe. À lui de choisir les outils et les façons de faire qui conviennent le mieux au profil de son groupe-classe et à son style d'enseignement. Les moyens de consignation peuvent se classifier en deux catégories : les moyens informels et formels utilisés par l'enseignant ainsi que les moyens formels utilisés par les élèves.

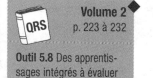

Volume 2
p. 223 à 232

Outil 5.8 Des apprentissages intégrés à évaluer

OUTILS DE COLLECTE D'INFORMATIONS CLASSÉS SELON LEUR NATURE

Gestion par l'enseignant

Discussion	Analyse	Inventaire	Consultation	Tâches d'évaluation
• Entrevue avec un élève pour un entretien méthodologique • Discussion en petits groupes avec les élèves • Discussion avec toute la classe	• Analyse des réponses des élèves • Analyse des méprises • Analyse des productions d'élèves • Analyse des cartes sémantiques élaborées par les élèves • Analyse des portfolios d'élèves • Analyse des blasons des élèves (arbre personnel)	• Inventaires d'habiletés • Inventaires d'opinions • Sondage sur les intérêts • Inventaire des travaux faits à la maison • Inventaire des connaissances ou des compétences figurant sur l'arbre collectif de la classe	• Consultation du passeport de lecture des élèves • Consultation des bilans d'apprentissage • Consultation des différents tableaux d'inscription et de contrôle à la disposition des élèves, élaborés en tant qu'outils pour gérer le temps • Consultation du répertoire de projets personnels des élèves • Notes dans les journaux de bord ou dans les portfolios • Grilles d'observation pour apprécier une production ou pour comprendre le comportement d'un élève par rapport à une tâche	• Tâches d'évaluation orales ou écrites • Tâches d'évaluation kinesthésiques vécues au sein d'un atelier ou d'un centre d'apprentissage avec observation directe de la part de l'enseignant • Utilisation d'échelles de niveaux de compétence pour faciliter l'interprétation de l'information et porter un jugement sur le développement ou le degré d'acquisition d'une compétence • Évaluations de fin de cycle

OUTILS DE COLLECTE D'INFORMATIONS CLASSÉS SELON L'HABILETÉ SOLLICITÉE

Gestion en partenariat avec les élèves

Objectivation	Synthèse	Évaluation	Communication
• Liste de vérification pour rappeler les étapes d'une démarche ou d'une procédure • Grille d'objectivation pour vérifier l'application des exigences dans une production écrite • Grille d'objectivation pour vérifier l'application des règles de communication dans un exposé devant un public • Réflexion autour de pièces témoins pouvant alimenter le portfolio	• Carte sémantique • Rédaction thématique • Synthèse d'un contenu, d'un projet ou d'un apprentissage • Reformulation des contenus	• Sélection et justification des pièces témoins déposées dans le portfolio • Fiche d'autoévaluation mise à la disposition de l'élève • Grille d'évaluation descriptive pour fin de coévaluation • Brevets d'apprentissage à réussir • Création de brevets par les élèves	• Pauses méthodologiques impliquant tous les élèves d'un même groupe dans une discussion sur une problématique spéciale, avec observation de la part de l'enseignant. *Exemple* : « Comment procédons-nous quand nous sommes vraiment capables de faire telle chose ? »

Les moyens de consignation utilisés par l'enseignant

Par moyens informels, on fait référence à des étiquettes, des auto-collants, des pictogrammes, des jetons ou des punaises de différentes couleurs, un système de fichiers ou un coffret d'activités mis à la disposition des élèves pour encadrer une différenciation successive ou simultanée. Les élèves peuvent inscrire tantôt une date de réalisation, tantôt une note personnelle, une observation ou un commentaire sur eux-mêmes ou sur le cheminement d'un autre élève avec qui ils ont travaillé. Toute cette information est précieuse, même si elle est obtenue de façon spontanée. Nous devons avoir les yeux ouverts sur tout ce qui se passe dans la classe.

Parmi les moyens de consignation formels à la disposition de l'*enseignant*, nous trouvons :

- le journal de bord alimenté de feuilles de route diverses ;
- le dossier anecdotique, appelé aussi rapport anecdotique ;
- l'arbre de connaissances du groupe-classe que nous pouvons adapter aux compétences ;
- la contribution de l'enseignant à l'élaboration des portfolios des élèves ;
- le rapport de stage d'un élève fourni par un autre enseignant qui l'a accueilli dans sa classe pour un certain temps ;
- la contribution de l'enseignant à la tenue à jour du passeport pédagogique de fin de cycle appartenant à chaque élève ; etc.

Les moyens de consignation utilisés par l'élève

Les *élèves* ont aussi à leur disposition des outils de consignation qui revêtent les formes suivantes :

- le journal de bord personnel ou le carnet d'apprentissage ;
- le portfolio (de type dossier d'apprentissage, de présentation ou d'évaluation) ;
- l'arbre des connaissances personnelles ou le blason de l'élève ;
- le passeport pédagogique de fin de cycle ; etc.

C'est seulement après toutes ces étapes de collecte d'informations, d'interprétation de données et de formulation d'un jugement professionnel à l'égard du développement des compétences qu'il est nécessaire de parler de *communication* des résultats par le *bulletin scolaire* (livret scolaire ou carnet d'évaluation) ou par toute autre forme de dispositif. Il y a donc une distinction importante à faire entre un instrument de communication et l'évaluation. Même si le bulletin fait partie du processus évaluatif, il ne porte pas en lui-même l'évaluation dans tout son processus. **L'évaluation, c'est tellement plus que le bulletin !**

Quelques outils de consignation

Je désire vous proposer une pause sur certains outils de consignation auxquels je reconnais une certaine richesse et une efficacité probable. Le journal de bord de l'enseignant, la grille d'observation, l'entrevue méthodologique avec l'élève, l'arbre de connaissances du groupe-classe, seront traités plus en profondeur dans les pages suivantes.

Le journal de bord

Le journal de bord est un outil de consignation qui permet à l'enseignant de noter au jour le jour l'information qu'il juge pertinente. Nous pourrions dire qu'il est le remplaçant du traditionnel cahier de notes qui prévalait à l'époque de l'acquisition des connaissances et de l'évaluation de l'atteinte des objectifs. Il équivaut pour l'enseignant à ce que le portfolio représente pour les élèves. L'enseignant bâtit son journal de bord à partir du vécu des élèves et de ses interventions en classe, et ce, dans le but de suivre l'évolution du groupe-classe. Cela ne l'empêche pas pour autant de conserver des données concernant certains élèves en particulier.

En fait, nous avons très souvent intérêt à donner au journal de bord une vocation mixte nous permettant de suivre non seulement l'évolution de notre groupe de base, mais aussi de tout groupe reconstitué que nous avons accompagné pour une période donnée. Cet outil se construit quotidiennement pour un cycle donné, ce qui signifie que d'autres enseignants pourraient remettre au titulaire d'un groupe des renseignements complémentaires à ce qui est déjà consigné. D'autres collègues pourraient manifester le désir de le consulter afin de connaître des informations nécessaires à la gestion d'un sous-groupe d'élèves qui leur est confié pour un certain temps dans le cadre d'une différenciation par le décloisonnement.

Il n'y a pas de règles précises pour définir le contenu d'un journal de bord. Il contiendra différentes pièces qui devront être sélectionnées pour leur signification, leur temporalité, leur suffisance et la variété des informations (voir référentiel 27 page 331). On l'utilise notamment pour noter des observations relative au climat de la classe, pour compiler les sources de motivation des élèves, pour relever les différentes formes d'intelligence observées chez les élèves, pour indiquer des remarques pertinentes sur la démarche d'enseignement ou sur le déroulement d'un scénario d'apprentissage. Il s'agit d'un outil précieux de consignation pour tout enseignant désireux de justifier un jugement à des parents, pour décrire le portrait d'apprentissage d'un élève lors d'une étude de cas, pour soutenir la régulation des actions éducatives et des apprentissages. N'est-ce pas là une aide des plus souples et des plus efficaces pour relever et sélectionner des faits témoignant des acquis ou des non-acquis des élèves ? N'est-ce pas là une solution de remplacement des plus valables aux sempiternels examens ?

GUIDE POUR ÉLABORER
UN JOURNAL DE BORD POUR L'ENSEIGNANT

SUR LE PLAN AFFECTIF

- Compilation des intérêts personnels des élèves de la classe (au moins à deux reprises dans l'année)

- Compilation des intérêts collectifs du groupe-classe (au moins à deux reprises dans l'année)

- Découverte d'intérêts collectifs des élèves appartenant à un même cycle (au moins à deux reprises dans l'année)

- Attentes des élèves face à l'enseignant

- Profil du groupe-classe sur le plan de la motivation. Grille de Hersey et catégories d'élèves

Volume 1
p. 106

Grille de Paul Hersey et plan d'intervention général

- Résultats de sociogrammes ou d'affinités affectives observées naturellement

- Compilation des projets personnels des élèves

- Rapports anecdotiques

- Résumés de discussions tenues en grand groupe ou en petits groupes

- Synthèse de résultats d'entrevues avec un élève

- Comportements et rendement des élèves au sein des ateliers ou des centres d'apprentissage

- Liste des élèves pouvant travailler avec ou sans guidance

- Liste des élèves aptes à gérer le portfolio avec autonomie ; etc.

SUR LE PLAN COGNITIF

- Découverte des styles d'apprentissage

- Découverte des types d'intelligence privilégiés

- Tableau illustrant les approches utilisées par les élèves : simultanée ou séquentielle ; inductive ou déductive

- Grilles d'observation diverses

- Rythmes en lecture, à différents moments de l'année

- Rythmes en écriture, à différents moments de l'année

- Rythmes dans l'apprentissage de certains concepts mathématiques

- Analyses de productions

- Analyse des portfolios d'élèves : forces et faiblesses

- Degré de responsabilisation des élèves face aux travaux personnels

- Forces et faiblesses des élèves en travail d'équipe ou coopératif

- Degré d'aisance à respecter les échéanciers de plans de travail ou de tableaux de programmation

- Liste d'élèves-experts dans diverses disciplines

- Compilation d'auto-appréciation d'élèves en regard d'une compétence plus complexe à évaluer

- Liste des parents présents aux réunions, aux remises de bulletins ou aux conférences dirigées par les élèves

- Liste et coordonnées des parents ayant accepté de partager leurs compétences en classe avec les élèves ; etc.

Pour optimiser l'utilisation du journal de bord, il nous faut établir quelques critères d'efficience.

- Tout d'abord, son utilisation doit être continue pour que l'information recueillie soit toujours d'actualité.

- Pour assurer son aspect intégrateur des composantes de l'apprentissage, un résumé des différentes pièces qu'on y trouve peut figurer en première page ; il s'agit, bien sûr, d'une liste ouverte à compléter au fil du temps. En outre, le fait de prévoir différentes sections dans l'architecture du journal de bord peut faciliter la consignation et la consultation des divers renseignements.

- De plus, un système d'annotation rapide doit être prévu en situation d'observation d'élèves au travail ou d'analyse de réponses données. Une échelle d'appréciation ou une légende d'observation facilite l'utilisation du journal de bord.

- La description la plus objective et précise possible de faits caractérise le journal de bord, mais ne saurait suffire à l'alimenter, d'autant moins qu'il s'agit d'un outil lourd à gérer dans le feu de l'action. Je pense que c'est ici qu'entre en jeu le dossier anecdotique, souvent utilisé avec des élèves présentant des difficultés particulières. Dans ce contexte, une série de faits consignés de façon objective fournira des données plus valables pour porter un jugement qu'une simple observation isolée. Je suggère donc d'inclure, à l'intérieur du journal de bord, une section pour les rapports anecdotiques.

Le concept de journal de bord a été mis au point par des enseignants du préscolaire, des enseignants de classes d'adaptation scolaire à effectifs réduits, puis par des orthopédagogues responsables de l'accompagnement pédagogique d'élèves à risque. Si nous désirons extensionner ce concept à des classes du primaire ou du secondaire, nous devrons le considérer comme une structure vide au point de départ et qui prend forme graduellement par l'ajout de diverses pièces que l'on croit pouvoir mettre au service des apprentissages.

Le journal de bord de l'élève est une source d'observation intéressante pour alimenter le journal de bord de l'enseignant. Le journal de bord de l'enseignant a une vocation différente de celle du journal de bord des élèves, qui a été abordé au chapitre précédent. Alors que l'enseignant l'utilise surtout pour consigner, rappelons que les élèves s'en servent pour exprimer par écrit des prises de conscience, des difficultés, des réussites, des opinions, des synthèses. Ils peuvent s'en servir également pour activer des connaissances antérieures, rédiger des cartes sémantiques ou des schémas organisateurs et parler des démarches vécues et des stratégies utilisées. L'enseignant en définira le cadre général avec les élèves tout en étant conscient que la richesse du contenu sera proportionnelle à la pertinence des interrogations qu'il aura formulées pour déclencher le questionnement pédagogique chez ses élèves. Cet outil appartient d'abord à l'élève. En tant qu'enseignants, nous prendrons soin de vérifier auprès de chacun d'eux s'ils consentent à ce que nous y ayons accès pour prendre connaissance de l'objectivation écrite et pour répondre à ceux qui en auront manifesté le désir. Encore là, certaines conditions s'appliquent : consignes claires pour lancer et promouvoir la communication écrite des élèves, utilisation continue et rigoureuse de l'outil afin de maintenir la signification et l'intérêt, et nécessité de fournir des rétroactions régulières aux élèves qui l'utilisent.

La grille d'observation

Il y a longtemps que nous entendons parler de grilles d'observation par les enseignants du préscolaire, d'éducation physique, d'art dramatique ou de musique. Après avoir conçu ces grilles et les avoir utilisées intuitivement, nous avons su, au fil de l'expérimentation, les faire progresser en termes d'efficacité et de crédibilité. Ces outils permettent d'observer les particularités d'une action, d'un processus, d'une démarche ou d'un produit à partir d'un inventaire de comportements observables et mesurables à l'aide de critères définis et d'une échelle d'appréciation.

« Ce qui compte le plus dans l'observation, précise Perrenoud, c'est moins son instrumentation que les cadres théoriques qui la guident et gouvernent l'interprétation des observables. À cet égard, les observations de l'enseignant sont étroitement dépendantes du cadre de référence sur lequel il prend appui tant pour sélectionner les données qui lui semblent pertinentes que pour les interpréter, c'est-à-dire les mettre en relation les unes avec les autres afin d'en dégager le sens. » Ainsi, pour guider son observation, l'enseignant peut se baser sur les étapes de la démarche scientifique, le cadre des intelligences multiples, les composantes d'une compétence, etc. À titre d'exemple, voici les comportements qu'il pourrait observer pour vérifier la capacité d'un élève à décoder les éléments d'une situation-problème :

- il formule dans ses mots la tâche à réaliser ;

- il distingue les données pertinentes des données superflues ;

- il s'approprie l'information contenue dans le problème ;

- il reconnaît les données implicites de la situation-problème.

Les grilles d'observation sont utilisées pour comprendre le comportement d'un apprenant en regard d'une tâche d'apprentissage ou d'évaluation, ou pour apprécier une production d'élève. Simples et faciles à gérer, ces grilles peuvent avoir différents utilisateurs : l'enseignant, un groupe d'élèves qui évaluent conjointement leurs réalisations ou l'élève qui désire s'observer au travail.

Comme l'échelle d'appréciation est l'élément-clé de la grille qui permet d'évaluer la qualité ou la quantité des comportements décrits, nous devons y prêter une attention particulière. Le ministère de l'Éducation du Québec, dans son projet de *Cadre de référence en évaluation des apprentissages au préscolaire et au primaire* (2000), en mentionne quatre sortes :

- l'échelle graphique, où l'appréciation est notée sur une ligne horizontale qui représente la continuité du processus ou du produit;

- l'échelle numérique, la plus simple puisque l'observateur attribue une cote allant du plus petit au plus grand, par exemple de 1 à 4;

- l'échelle qualitative, dans laquelle les critères sont accompagnés d'une série d'expressions pour aider l'observateur à juger, par exemple, «aucun, pas assez, beaucoup»;

- l'échelle descriptive, dans laquelle les critères sont accompagnés d'une description. Par exemple, le critère «l'élève utilise un choix d'informations variées et pertinentes dans ses productions écrites» pourrait comporter l'échelle descriptive suivante: «toujours variées et pertinentes»; «assez variées et pertinentes»; «parfois uniformes et inadéquates»; «souvent uniformes et inadéquates». Je tiens à souligner la richesse de l'échelle descriptive qui, par sa structure, encadre bien son utilisateur, contribuant ainsi à rehausser la qualité de l'observation et l'objectivité. Par contre, son élaboration requiert plus de temps à cause de la description des critères et du choix d'échelons.

Comme cet ouvrage traite de différenciation, je vous invite à différencier vos grilles d'observation selon les disciplines ciblées, les types de compétences en développement, le nombre d'élèves à observer et le temps disponible pour l'observation. Cependant, pour quelqu'un qui n'est pas très familier avec ce genre d'outil, il peut être sage de commencer l'expérimentation avec une grille simple à construire et à gérer.

L'entrevue méthodologique avec l'élève

L'entrevue avec l'élève se distingue de la rencontre personnelle, qui consiste à questionner verbalement l'élève sans avoir pris rendez-vous avec lui et sans avoir nécessairement établi un cadre de discussion. L'entrevue avec l'élève est, au contraire, une démarche structurée où un dialogue d'ordre pédagogique est établi avec l'élève pour comprendre sa pensée sur un aspect précis d'une compétence.

Pendant cet entretien méthodologique, c'est l'élève qui doit s'exprimer le plus, de façon à se centrer sur son activité cognitive et à nous en parler. Plus l'élève s'exprime, plus l'enseignant a la possibilité de comprendre ce qu'il connaît vraiment, comment il procède pour réussir et quels obstacles l'empêchent d'atteindre ses buts. En parlant, l'élève prend conscience de son savoir-faire, de son savoir-être et de son savoir. Il s'exerce à mettre des mots sur ses apprentissages et sur la façon dont il les a vécus. Il progresse à son rythme tout en marquant des pas de géant en métacognition. Donc, les deux partenaires de l'entrevue en tirent avantage.

Une ambiance favorable à la communication et un sentiment de confiance à l'égard de l'enseignant peuvent contribuer à mettre l'élève à l'aise, augmentant par le fait même l'efficacité de l'entrevue.

Le manque de temps peut faire hésiter à recourir à ce type d'entretien, mais l'avantage extraordinaire que l'entrevue représente en termes d'individualisation de l'évaluation compense largement cet inconvénient.

Nous pouvons adapter cette stratégie de façon à l'utiliser pour des entrevues avec des sous-groupes d'élèves, lorsqu'il est nécessaire d'approfondir le processus d'un projet d'équipe, d'une tâche coopérative ou d'une séquence d'apprentissage vécue par une partie de la classe seulement au sein d'un centre d'apprentissage. Ici encore, nous avons un deuil à faire, celui du questionnement à toute la classe, pour favoriser des entretiens méthodologiques avec un élève ou avec un petit groupe d'élèves. Je termine l'exploration de cet outil en faisant ressortir la valeur de ce dispositif dont les praticiens se privent très souvent. En effet, l'entrevue avec l'élève ne nécessite aucune ressource particulière, si ce n'est du bon vouloir et du temps, que nous pouvons récupérer par l'abandon de pratiques moins fructueuses.

L'arbre de connaissances du groupe-classe

La philosophie des arbres de connaissances, que l'on peut adapter au domaine des compétences, s'appuie sur trois postulats importants :

- tout le monde sait quelque chose ;
- personne ne sait tout ;
- tout le savoir est dans l'humanité.

Élaborés au début des années 1990 par Michel Authier, les arbres de connaissances proposent une démarche de formation qui consiste à permettre aux élèves de découvrir ce qu'ils savent et de construire leurs savoirs à partir de là, contrairement à la méthode traditionnelle qui part de ce que les élèves ne savent pas encore. Par conséquent, l'arbre de connaissances de la classe, constitue un portrait de toutes les connaissances de ce groupe, de cette communauté. L'arbre représente les connaissances de tous les élèves de la classe et il se construit avec eux tout au long du cycle. Cette image est évolutive, donc jamais figée. Bref, l'esprit qui se dégage de ces arbres de connaissances est à la base de la différenciation et de l'apprentissage coopératif, puisque les savoirs des élèves sont inévitablement différents et que ceux-ci seront invités à partager, de façon formelle ou informelle, leurs connaissances respectives avec les autres membres du groupe, et ce, tout au long du cycle.

Le concept des arbres de connaissances peut être défini à partir de trois éléments étroitement liés : l'arbre de connaissances du groupe-classe, les brevets d'apprentissage et le blason de chaque élève, c'est-à-dire son arbre de connaissances personnelles (voir page 337).

« Les arbres de connaissances sont par nature des dispositifs d'évaluation en temps réel. »

(Michel Authier et Pierre Levy)

J'ai eu l'occasion de visiter des classes qui expérimentaient avec succès cet outil depuis quelques années. Voici une procédure de sa mise en place inspirée d'une expérimentation. Au début du cycle, on doit confectionner un arbre énorme avec de grandes branches (voir page 338) ; chaque feuille représente un enfant. Puis, vient le temps pour chaque élève de préciser ses connaissances à partir de la consigne suivante : « Faites la liste de ce que vous savez ou de ce que vous savez faire, autant en classe que dans votre vie personnelle, à la maison. Ainsi, nous pourrons construire l'arbre de toutes les connaissances des élèves du cycle. » Une boîte des savoirs est mise à la disposition des élèves afin de recueillir graduellement l'éventail de leurs savoirs, nombreux et variés, dont voici des exemples :

- *Je sais cueillir les champignons comestibles.*
- *Je sais conduire un véhicule tout-terrain.*
- *Je suis capable de faire de la poterie.*
- *Je sais tourner en patins à roulettes.*
- *Je sais compter jusqu'à mille.*
- *Je connais des mots en espagnol.*
- *Je sais reconnaître des sortes d'oiseaux, etc.*

Après l'inventaire des connaissances, on passe à la construction proprement dite de l'arbre en affichant les différents savoirs selon une procédure de classification[1] proposée par les concepteurs de l'arbre des connaissances. Au fil de l'année scolaire ou du déroulement du cycle, les arbres individuels et collectifs croissent : de nouvelles branches naissent, d'autres s'épaississent, des feuilles poussent, etc. Il peut devenir laborieux de tenir à jour cette information. Aussi, un support informatique s'avérera d'une aide précieuse dans la plupart des cas.

---

1. Voir à ce sujet : Michel AUTHIER et Pierre LEVY, *Les arbres de connaissances*, Paris, Éditions La Découverte, 1999.
   Logiciel *Gingo*, qui facilite la gestion de la liste et du contenu des arbres personnels.

UNE TRILOGIE AU SERVICE DES APPRENTISSAGES

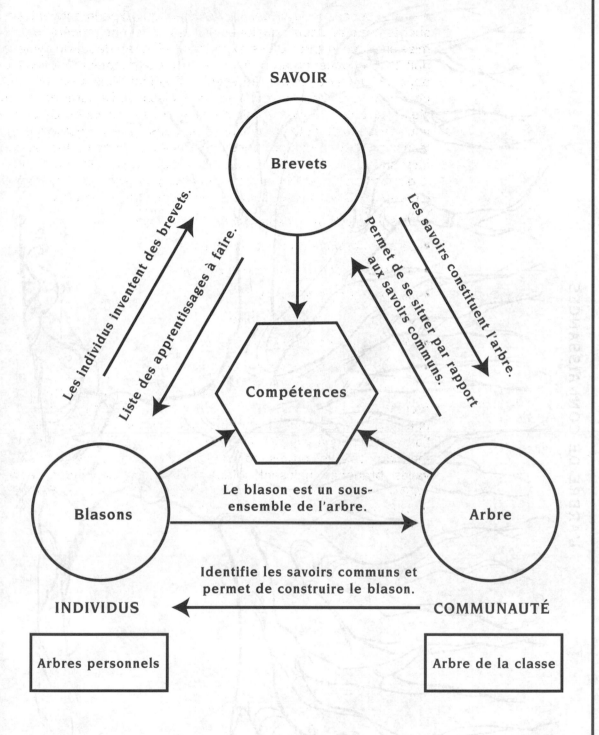

SAVOIR

Brevets

Les individus inventent des brevets.

Liste des apprentissages à faire.

Les savoirs constituent l'arbre.

permet de se situer par rapport aux savoirs communs.

Compétences

Blasons

Le blason est un sous-ensemble de l'arbre.

Arbre

Identifie les savoirs communs et permet de construire le blason.

INDIVIDUS

COMMUNAUTÉ

Arbres personnels

Arbre de la classe

Source : Inspiré de Michel AUTHIER et Pierre LÉVY, et adapté par Olivier PERRENOUD et Marianne PILLOUD (Lutry, Canton de Vaud, Suisse).

Chapitre 9

337

338

Enrichir son coffre à outils, partie 4

L'ARBRE DE CONNAISSANCES

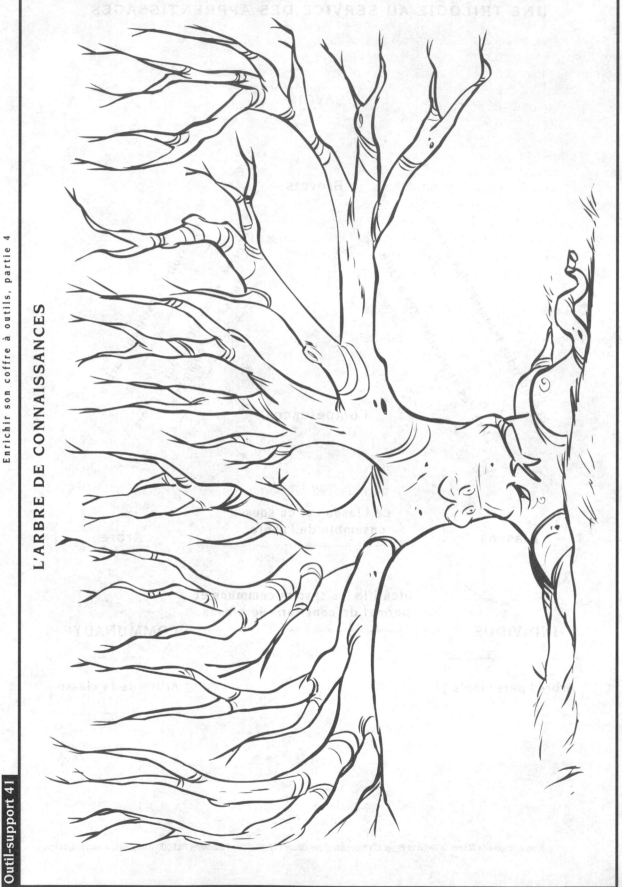

Maintenant, que faire de tous ces savoirs de la communauté d'apprentissage que composent les élèves de la classe ? Cette démarche, loin d'être une finalité, est plutôt un point de départ. Cette visualisation des savoirs motive inévitablement les élèves à faire de nouveaux apprentissages ; ils savent qui peut les renseigner sur un sujet donné et les aider à compléter leurs apprentissages. Cette banque de ressources ouvre donc la porte aux échanges, à l'entraide et à la coopération entre les élèves. Ils savent à qui ils peuvent s'adresser s'ils désirent apprendre à pêcher, à ramasser des champignons, à mieux connaître les chats, à fabriquer une marionnette. Voilà ce qui amène les utilisateurs à élargir l'expérimentation de cet outil en créant des échanges de savoirs entre les élèves, les incitant à parfaire leurs savoirs par l'obtention de brevets personnels leur conférant le titre d'« élèves-experts » et à mettre en place des marchés de connaissances où chacun peut échanger ses savoirs.

■ LES FORCES DE L'ARBRE DE CONNAISSANCES

- Il favorise le dialogue entre les différents partenaires, créant ainsi un climat de communication, d'écoute et d'échange nécessaire à une évaluation authentique. Cet instrument métacognitif ouvert à de multiples adaptations peut jouer différents rôles sur le plan de l'évaluation : outil d'évaluation dynamique, outil d'évaluation formative, outil de régulation des apprentissages et outil de suivi des enfants itinérants dans des milieux scolaires où l'on trouve une clientèle multiculturelle très mobile.

- Il facilite l'implication de l'élève sur le plan de l'évaluation, car spontanément, celui-ci aime bien se situer par rapport aux savoirs communs. Si une branche est vide et une autre surchargée, le déséquilibre est visible et l'élève comprend rapidement où il doit mettre l'accent s'il désire que son arbre personnel soit équilibré. Plus l'élève tendra à une image équilibrée de son arbre, plus l'arbre de la classe sera équilibré lui aussi, d'où une bonne dynamique d'apprentissage.

- Il tient compte des particularités de chaque élève, puisque chacun peut choisir son itinéraire d'apprentissage dans un contexte de différenciation.

- Il offre des points de repère aux élèves, aux parents et aux enseignants en créant des conditions favorables au développement et à la pratique de l'autonomie.

- Il sème discrètement le respect de la diversité en faisant reconnaître la valeur du savoir de chaque personne.

- Il définit les savoirs à acquérir puisque les objectifs nouveaux à atteindre pourraient y être annoncés.

- Il crée un environnement favorable aux apprentissages et rend les élèves acteurs de leur formation en les plaçant, avec leurs processus d'apprentissage, au centre des dispositifs d'enseignement.

- Il contribue à développer l'entraide et l'échange des savoirs entre les élèves à la condition que l'enseignant ne dresse pas des arbres de connaissances pour comparer les élèves, ce qui pourrait déboucher sur une compétition malsaine.

- Il crée un fort sentiment d'appartenance à un groupe : chacun voit les richesses du groupe tout en reconnaissant sa propre richesse au milieu du groupe.

- Il contribue au développement de l'estime de soi puisque chaque savoir peut être reconnu. La mise en commun et la reconnaissance des richesses de chacun de même que la valorisation des efforts consacrés à la maîtrise d'un savoir ne peuvent que contribuer à renforcer l'image positive que chaque élève a de lui-même. Ainsi, un élève éprouvant des difficultés d'apprentissage a la possibilité d'afficher ses compétences extrascolaires, ce qui lui permet de se percevoir plus positivement. Le fait que Justin, par exemple, s'intéresse aux oiseaux, qu'il soit capable de les reconnaître, de distinguer leur chant et de construire des cabanes d'oiseaux avec son papa contribue à le valoriser.

- Enfin, il constitue un antidote puissant pour favoriser l'intégration d'élèves que le groupe-classe est porté à exclure pour des raisons d'intégration sociale, de manque de leadership, d'isolement volontaire ou d'antipathie naturelle. Ainsi, sachant que Justin est exclu et victime de violence verbale (physique parfois) en raison de solides préjugés, l'enseignant peut contribuer à l'intégration de cet élève en proposant à la classe ou à une équipe de faire une recherche sur les oiseaux (la passion de Justin…) tout en prenant soin d'énumérer les ressources dont ils disposent pour accomplir ce travail. Parmi ces dernières devrait figurer le nom de Justin… C'est parfois ainsi que l'intégration commence.

■ LES DANGERS ET LES LIMITES

Les arbres de connaissances ne constituent pas un danger en eux-mêmes ; comme pour tout dispositif, c'est l'utilisation qu'on en fait qui peut devenir pernicieuse.

Au point de départ, l'idée des créateurs est plutôt généreuse ; faire la promotion de la complémentarité des savoirs et inciter à mettre les ressources des élèves à profit. Il est de bon aloi que nous respections cette philosophie et que nous évitions de l'appliquer pour faire naître la compétitivité ou, pis encore, pour dévaloriser un individu ou une collectivité.

Comme les arbres de connaissances ont pour finalité la valorisation de tous les savoirs, l'enseignant ne doit pas exclure les compétences extrascolaires, même s'il est souvent tenté de privilégier les savoirs et les compétences scolaires inscrits dans les programmes de formation. Réaction tout à fait normale, pourvu qu'on s'abstienne de sous-estimer ou de mépriser les autres savoirs, car une compétence n'a de valeur que par rapport à un contexte de réalisation ou un milieu d'utilisation. *Exemple :* si je suis perdu en forêt et que mon oncle m'a déjà appris à m'orienter à partir de la position du soleil, j'ai une corde à mon arc pour me sortir de cette situation pénible. Et à ce moment précis, ce n'est pas la maîtrise de l'accord du participe passé ou la résolution exacte d'équations algébriques qui va me venir en aide...

La menace de faire crouler l'arbre de connaissances sous le poids des apprentissages scolaires est omniprésent : les branches risquent fort de se casser et la motivation des élèves aussi. Voilà que le concept d'objectifs-noyaux pour donner un sens aux apprentissages refait surface et prévaut sur toute la panoplie d'objectifs et de sous-objectifs !

Les arbres de connaissances peuvent contenir des composantes de savoir-être (comportements) et avec cette dimension, la prudence est de mise afin d'éviter les jugements globaux et les généralisations hâtives faits à partir d'une attitude observée une seule fois dans un contexte. *Exemple :* ce n'est pas parce qu'Amélie a manqué d'autonomie au sein d'une équipe coopérative en refusant l'idée d'un autre ou en refusant de partager une tâche qu'elle doit nécessairement enlever sa feuille d'arbre décrivant son savoir de coopération, affichée présentement sur l'arbre des connaissances de la classe.

■ POUR ALLER PLUS LOIN

Comme tout dispositif souple, l'arbre de connaissances peut être, traité et géré différemment. Voici quelques pistes :

• On pourrait y greffer la métacognition, de sorte que l'arbre nous présente non seulement ce que l'élève sait, mais aussi qu'il témoigne du comment l'élève apprend. Il y a sûrement moyen de l'adapter en ce sens tout en n'alourdissant pas sa charge ni le traitement des informations qu'il contient.

• Dans les arbres personnels des élèves, nous trouvons un dossier-arbre qui recense plusieurs arbres correspondant à diverses disciplines et où l'on fait surtout référence à des réalisations sélectionnées à différentes périodes de l'année. Pourquoi ne pas inclure des traces des processus vécus ? Surtout si l'arbre des connaissances personnelles devenait une pièce de choix à verser au portfolio de l'élève.

• Dans une perspective de travail par cycles, de partage de compétences et de différenciation par le décloisonnement des groupes, les arbres collectifs des classes concernées deviennent un cadre de consultation intéressant pour des périodes d'échanges de connaissances et de compétences entre les élèves. Nous pourrions créer le **marché de la semaine,** ouvert à quatre classes d'un même cycle, où des élèves « vendraient et achèteraient » des savoirs sous la gérance des titulaires. Budget illimité ! Intéressant, n'est-ce pas ?

- La plupart des objectifs inscrits dans l'arbre sont imprécis, car ils sont généralement laissés à la discrétion des élèves qui les rédigent. Nous pourrions faire preuve de plus de rigueur sur le plan de leur formulation en sensibilisant les élèves aux composantes d'une compétence et aux critères d'évaluation de son acquisition. Nous devons adopter des cadres de référence sur le vocabulaire précis entourant ces divers concepts pour que les élèves puissent s'y référer aussi souvent qu'ils le désirent et cela, jusqu'à ce qu'ils l'aient intégré dans leur discours quotidien.

Avec la présentation de ce dispositif se termine la présentation de certains outils permettant à l'enseignant de consigner des données qu'il interprétera ultérieurement. Je trouve important de répertorier un certain nombre d'outils à l'intention des élèves. Leur participation active n'est-elle pas fortement sollicitée à l'intérieur des démarches d'apprentissage et d'évaluation du nouveau programme de formation ?

 ### L'apprenant, *centre de l'évaluation*

Parmi les moyens qui peuvent outiller un élève en vue de l'évaluation de ses apprentissages et de la consignation de pièces témoins figurent les dispositifs suivants :

- le journal de bord de l'élève ;

- les brevets d'apprentissage ;

- le blason de l'élève ou l'arbre de connaissances ou de ses compétences personnelles ;

- le portfolio de l'élève ;

- le passeport pédagogique de cycle.

Le journal de bord a été traité dans le chapitre précédent, lorsque nous avons abordé la nécessité de varier les formes d'objectivation.

Nous nous pencherons donc sur les brevets d'apprentissage et le blason des élèves, que nous ne pouvons pas dissocier de l'arbre de connaissances. Afin de donner une perspective générale de ces trois outils de faire ressortir les liens étroits qui les unissent et de vous faire vivre une mise en situation des plus significatives, je vous présente une petite histoire intitulée *Le blason d'Amandine*[2].

> « [...] nous recherchons le moment où un enfant exige ou devrait exiger de lui-même une évaluation parce qu'il en a besoin pour assurer sa propre croissance, son progrès personnel ou parce qu'il a besoin d'une mesure à son action, mesure qu'il ne peut créer lui-même ou simplement qu'il ne perçoit pas encore. »
>
> (Dr Kleine Jena-Plan)

---

2. Michel AUTHIER et Pierre LÉVY, *Les arbres de connaissances*, Paris, Éditions La Découverte, 1999, p. 23-27.

«Son cartable sur le dos, une petite fille rentre de l'école. Elle sonne à la porte de chez elle. Son père lui ouvre.

LE PÈRE.– Ha! c'est toi, Amandine! devine qui est là?

Amandine se précipite dans la pièce de séjour et se jette au cou de la femme qui la regarde en souriant:

AMANDINE.– Tante Françoise!

FRANÇOISE.– Bonjour Amandine, alors ça va bien à l'école?

AMANDINE.– T'es bien un prof, toi! toujours l'école.

FRANÇOISE.– Eh bien, parlons d'autre chose.

AMANDINE.– Ah non! pas aujourd'hui.

LE PÈRE.– Et pourquoi?

AMANDINE.– Parce qu'aujourd'hui, Madame Cami a enfin tiré mon blason.

LE PÈRE.– Viens, fais-moi voir.

FRANÇOISE.– C'est quoi, ce fameux blason?

AMANDINE.– Tiens, regarde.

La petite fille sort de son cartable une grande feuille qu'elle déplie sous le regard étonné de sa tante. On peut y voir en couleurs un arbre aux multiples branches et au beau feuillage vert. Sur le tronc, les branches, les feuilles sont accrochés des sortes d'écussons, tous du même format, qui contiennent des lettres, des signes de calcul, des petits dessins, des figures d'animaux stylisés, une carte de la Bretagne en miniature…

AMANDINE.– Tu vois, ça c'est mon blason. Ça représente tout ce que je sais. Ici, dans le tronc, tu vois mes brevets de lecture, d'écriture, de grammaire, de calcul… Et puis cette branche, là, avec les dessins de baleines, de chevaux et tout, ce sont des brevets que j'ai déposés moi-même sur la connaissance des animaux.

LE PÈRE.– Et celui-là, avec la Bretagne, je ne le connaissais pas.

AMANDINE.– Mais tu sais, quand nous sommes partis en classe de mer à Perros-Guirec…

LE PÈRE.– Oui, bien sûr, et alors?

AMANDINE.– Eh bien, en rentrant, avec d'autres élèves de CM2, on a déposé un brevet sur la Bretagne. La maîtresse nous a aidés, bien sûr, mais je te signale que c'est moi qui ai fait les questions sur la faune.

LE PÈRE.– Bravo!

AMANDINE.– Comme il y a des petits de CM1 qui étaient partis en classe de neige, eux aussi ont déposé un brevet. Tu vois, c'est celui-là avec le dessin de montagne. Nous, on leur a appris ce qu'on savait sur la Bretagne et eux ce qu'ils savaient sur la montagne, et après chacun a passé les brevets que l'autre classe avait déposés.

FRANÇOISE.– Attendez, je suis un peu perdue ! D'abord, qu'est-ce que c'est cet arbre ?

AMANDINE.– Tu ne sais pas ça ? Pour une prof, tu es plutôt nulle !

LE PÈRE.– Reste polie avec ta tante, s'il te plaît !

AMANDINE.– Cet arbre, c'est *l'arbre de connaissances de l'école*. Évidemment, là tu ne vois que les brevets que j'ai obtenus, puisque c'est mon blason. Mais si tu venais à l'école, tu verrais l'arbre de l'école avec tous ses brevets. Ça représente l'ensemble des connaissances de tous les élèves et de tous les maîtres. Comme ça, en regardant l'arbre des connaissances de l'école, on voit tous les brevets qu'on peut passer si on veut devenir plus savant. Et si on sait quelque chose qui n'est pas représenté dans l'arbre, eh bien, on le dit à la maîtresse et elle t'aide à faire le brevet !

LE PÈRE.– Oui, en fait, à chaque brevet correspond une épreuve, une sorte d'examen. Faire le brevet, cela signifie composer l'épreuve qui permet d'obtenir le brevet.

FRANÇOISE.– Mais alors c'est le monde à l'envers puisque, si j'ai bien compris, ce sont les élèves qui définissent les examens dans cette école ?

LE PÈRE.– Pas vraiment, en réalité la plupart des brevets sont déposés par les enseignants, et les enfants sont toujours aidés par un enseignant quand ils en déposent eux-mêmes. Quand ils ont commencé à adopter ce système, l'année dernière, cela a été une véritable bénédiction pour Amandine. Elle avait des notes moyennes un peu partout et catastrophiques en orthographe…

AMANDINE.– C'est pas la peine de raconter tout ça à tout le monde !

LE PÈRE.–… mais tu connais sa passion pour tout ce qui concerne les animaux, tu as vu tous les bouquins et les revues qu'elle lit là-dessus… Alors elle était malheureuse parce qu'elle savait des tas de choses que les autres ne savaient pas, mais qui n'étaient jamais prises en compte, ni reconnues à l'école. Depuis qu'il y a ce système de blasons, de l'arbre et des brevets, elle peut faire reconnaître tout ce qu'elle sait et elle enseigne même aux autres. Du coup, elle est devenue meilleure en orthographe.

AMANDINE.– Même Kamel, qui était nul en tout, a pu déposer un brevet de réparation de mobylette avec son grand frère. Cela a été toute une histoire pour décrire l'épreuve, pour trouver les mots techniques et tout… Mais finalement, il a réussi. Depuis qu'il fait passer son brevet aux autres qui sont intéressés, il est devenu prétentieux…

FRANÇOISE.– Alors ces blasons-là, ça remplace les carnets de notes ?

LE PÈRE.– Exactement. L'équipe pédagogique de l'école pense que ça donne une bien meilleure image des capacités et des acquisitions des élèves. Et puis ceux qui ont acquis un certain niveau en mathématique ou en français, enfin, je veux dire un certain brevet, passent le suivant dès qu'ils peuvent ou sont stimulés à s'intéresser à des défis que peuvent représenter des connaissances différentes rattachées à d'autres brevets. Quant au reste, ils choisissent dans l'arbre des brevets qu'ils veulent et les passent quand ça leur plaît. Ils peuvent même en passer certains en groupe. Finalement, ça fait des parcours plus individualisés pour chaque enfant. Pour passer en sixième, il suffit qu'ils aient des blasons de richesse suffisante avec bien évidemment quelques brevets fondamentaux. Ce qui me plaît particulièrement, c'est que s'ils vont dans un collège qui utilise le même système qu'eux, ils peuvent réimplanter leur blason et continuer ainsi leur cheminement sans piétinement, sans recommencement et sans redoublement.

FRANÇOISE.– Mais comment sait-on qu'un brevet est dans le tronc ou sur une feuille ? Est-ce arbitraire ou bien y a-t-il une convention d'affichage ? Les matières obligatoires sont dans le tronc, d'après ce que j'ai vu…

LE PÈRE.– Ce n'est pas exactement ça. Un micro-ordinateur gère le système, un programme dessine l'arbre automatiquement à partir de l'ordre dans lequel les élèves passent leurs brevets ; diverses fonctions très simples permettent de trouver toutes les informations qu'on souhaite. D'après ce que j'ai compris, les brevets du tronc, ce sont généralement ceux qui ont été passés en premier par les enfants, et les brevets du haut de l'arbre ne sont passés généralement qu'à la fin d'un cycle. Le principe, c'est que les brevets qui engendrent les autres sont plus bas dans l'arbre. Par exemple, le brevet de lecture engendre tous les brevets de grammaire, de conjugaison, d'orthographe, etc. Et le brevet de poésie est sur une feuille tout en haut de l'arbre.

AMANDINE.– Et puis il y a aussi des branches qui poussent. Avant que je dépose tous mes brevets sur les animaux, cette petite branche que tu vois ici n'existait pas. C'est grâce à moi qu'elle a poussé. Les enfants qui ont passé mes brevets sur les animaux ont commencé par les plus faciles, alors ce sont ceux-là qui se sont mis à la base de la branche et les plus difficiles sont devenus les feuilles. Et puis tu vois, il y a une brindille spécialisée dans les chevaux. Elle s'est séparée de la branche principale parce que les filles qui sont passionnées par les chevaux ne s'intéressent pas aux autres animaux. Tu sais, papa, c'est Marie et Raphaëlle, avec qui je fais de l'équitation le samedi.

FRANÇOISE.– C'est intéressant ce système… Je me demande si on ne pourrait pas faire quelque chose avec ça dans mon collège…
J'aimerais bien discuter avec ta maîtresse, Amandine.

AMANDINE.– Tu peux y aller, tu sais. Elle est très gentille, ma maîtresse. »

Les brevets d'apprentissage

Célestin Freinet, qui s'est intéressé aux méthodes actives, avait défini à sa façon les brevets d'apprentissage. Il les mentionnait chaque fois qu'il énumérait des techniques pouvant rendre les élèves plus actifs et autonomes en classe. Déjà, en 1967, ces méthodes actives quittaient l'Europe pour franchir l'océan et arriver au Québec. J'ai eu l'occasion de les expérimenter avec des élèves de quatrième année. À l'époque, j'étais préoccupée par la construction d'un modèle pédagogique et organisationnel qui me permettrait de gérer l'individualisation des apprentissages. Au fil du temps, ce dispositif a évolué grâce au concours d'enseignants soucieux de gérer la différenciation. Voyons ce qu'il en est.

Certains praticiens définissent les brevets d'apprentissage comme étant l'image des savoirs à acquérir représentés clairement à l'intention des élèves ; autrement dit, ils constituent la liste des objectifs fixés par l'enseignant et, parfois, par les élèves de la classe. Nous pourrions donc supposer qu'il serait judicieux que les élèves puissent recevoir en début de cycle une liste précise des compétences à développer, déterminée par l'équipe d'enseignants du cycle à partir du programme de formation. D'ailleurs, cet aspect synthétique du parcours d'un cycle sera repris lors de l'élaboration du passeport pédagogique, qui définit le profil que doivent avoir les élèves à la fin d'un cycle.

Dans la gestion des brevets, le plus important, c'est l'esprit avec lequel on travaille. Il est très facile et sécurisant de remplacer les travaux écrits accompagnés d'une note et même le classement des élèves par une course aux brevets. Ici, il y a toute une culture à instaurer, autant pour les élèves que les parents. Donnons-nous quelques balises à cette fin :

• Tout savoir ne fera pas nécessairement l'objet d'un brevet.

• Nous ne sommes pas tenus d'évaluer tout ce que les élèves savent.

• Il n'y a aucune obligation pour les élèves d'obtenir des brevets. Chacun peut attester d'une connaissance ou d'une compétence par un projet personnel, un exercice d'application significatif, une recherche sur un sujet, un bilan d'apprentissage personnel, une page d'un travail exécuté dans le cahier personnel, une autoévaluation ou l'élaboration d'une carte sémantique ou d'un essai de synthèse. Certains parents pourraient vouloir et même exiger de l'enseignant qu'il évalue tous les apprentissages de fin de cycle uniquement à l'aide de brevets. Il faut savoir résister à cette pression, qui détruirait toute la richesse des brevets, car nous retomberions dans le piège des tests, des examens, à l'exception près que ceux-ci ne seraient pas administrés aux élèves en même temps. Différenciation dans le temps, tout simplement…

■ DÉRIVÉ POSSIBLE

L'accumulation des brevets peut conduire à une évaluation entière-
ment certificative et sélective ramenant les élèves à des échecs,
c'est-à-dire à la case départ : l'absence de différenciation dans les
apprentissages qui ne favorise pas la réussite scolaire d'un plus
grand nombre d'élèves.

Les élèves choisissent librement d'obtenir les brevets disponibles.
Certains d'entre eux ne demandent pas à obtenir les brevets liés à
certaines connaissances ou à certaines compétences, bien qu'ils les
maîtrisent ou qu'ils se sentent à l'aise avec elles ; ils en sont conscients et ils n'ont nullement besoin de validation externe.

Les élèves-experts qui désirent créer des brevets pour leurs camarades sont invités à les ranger dans le classeur des brevets. Il arrive
même que des élèves modifient ou perfectionnent des brevets composés par l'enseignant, parce qu'ils les jugent trop faciles.

348

Brevets élaborés par les enseignants	Brevets élaborés par les élèves
EXEMPLE 1 : Brevet du «photocopieur»	**EXEMPLE 1 :** Brevet de scoutisme
OBJECTIF : Développer son savoir-faire avec le photocopieur de la classe ou de l'école.	Nom des auteurs : _____ _____
TÂCHE : Réalise une photocopie et colle ci-dessous une copie réduite de cette page.	Date : _____
	OBJECTIFS : Savoir allumer un feu avec deux allumettes.
EXEMPLE 2 : Brevet de l'«informaticien»	Citer trois noms de feux et savoir faire ces trois feux.
OBJECTIF : Utiliser le traitement de texte, sauvegarder un fichier et l'ouvrir ; l'imprimer par la suite.	Savoir faire le nœud plat, le nœud carré, le nœud de rosette et le nœud de pêcheur.
TÂCHE : Sers-toi du traitement de texte pour écrire ta dernière production écrite. Sauvegarde ton texte, ouvre un document et imprime ta réalisation. Colle ci-dessous ton produit finalisé.	À partir du *Livre de la jungle,* connaître le nom du tigre, de la panthère noire et du petit homme.
	Apporter cinq bouts de bois secs en classe.
EXEMPLE 3 : Brevet du «grammairien»	Connaître le nom de la personne qui a créé le scoutisme.
OBJECTIF : Écrire des phrases interrogatives de trois manières différentes :	Savoir décoder dans le langage morse les lettres A, E, I, L, T.
• Tu entends les cris des enfants.	**EXEMPLE 2 :** Brevet de portugais
• Il est malade depuis hier.	Nom des auteurs : _____ _____
• Pierre sait où nous allons.	Date : _____
• Nous mangerons avant de rentrer.	**OBJECTIFS :** Compter en portugais de 1 jusqu'à 20.
	Dire et écrire en portugais : Salut ! Bonjour ! Au revoir ! Bon après-midi ! Merci ! S'il vous plaît ! Comment ça va ? Je vais bien.

Source : Classe d'élèves de huit et neuf ans de Lutry, canton de Vaud (Suisse), et les enseignants Olivier PERRENOUD et Marianne PILLOUD.

■ DÉMARCHE D'ÉLABORATION ET DE CONSTRUCTION DE BREVETS

L'élaboration et la construction de brevets par les élèves est une tâche scolaire qui demande :

- de fixer des objectifs ;
- de planifier des situations d'apprentissage à cet effet ;
- d'en évaluer le déroulement ;
- d'apprécier les acquis ;
- d'autoriser la rédaction du brevet d'expert par l'élève qui est à l'aise sur ce plan ou de confirmer à l'élève la compétence ou la connaissance qu'il prétend avoir.

Les brevets ne doivent pas uniquement être liés à des objectifs scolaires ; ils doivent avoir une portée plus générale afin de rejoindre aussi les compétences extrascolaires.

Certains enseignants qui expérimentent les brevets d'apprentissage me confient qu'il est plus facile de fabriquer des brevets de connaissances sur l'outillage à développer avec les élèves, tels l'orthographe, le calcul, la conjugaison, la grammaire. Par contre, il est plus compliqué d'en planifier pour attester du niveau de développement d'une compétence, car la tâche proposée doit être intégratrice des diverses composantes de la compétence. Il est bien évident que cette difficulté s'applique aussi aux élèves-experts qui désireraient rédiger un brevet du même genre. C'est la raison pour laquelle les élèves attestent de leurs compétences en écriture ou en résolution de problèmes dans leur portfolio, surtout par des textes qu'ils ont écrits ou des problèmes qu'ils ont résolus plutôt que d'avoir recours aux brevets.

On peut affirmer que les brevets d'apprentissage ouvrent vraiment la porte à un système de contrats d'apprentissage négociés avec certains élèves. C'est la suite logique de la différenciation, d'abord manifestée pour un élève en particulier que nous devons continuer d'accompagner vers une maîtrise plus grande de la compétence.

J'ajoute aussi que les brevets d'apprentissage doivent être adaptés à la philosophie des nouveaux programmes de formation des divers milieux et des approches éducatives qui les sous-tendent. Il serait dangereux d'en faire une application systématique et de s'engager dans une institutionnalisation radicale des brevets. Bref, nous devons les considérer comme des moyens au service d'un engagement plus grand de l'apprenant et au service d'une différenciation dans l'évaluation des apprentissages.

L'élément le plus novateur des brevets est bien la démarche personnelle de l'apprenant, qui manifeste à son enseignant le désir d'être évalué de manière plus formelle afin de pouvoir exercer son rôle d'expert auprès des autres. C'est un droit qu'il faut reconnaître à certains élèves, tout comme il faut reconnaître à d'autres le droit d'être évalués autrement. Voilà pourquoi il est important d'ouvrir la discussion avec les élèves et les parents au sujet de la gestion de l'évaluation dans un contexte de différenciation. La mise en situation des paragraphes suivants pourra vous inspirer.

Dans une communauté de savoirs, nous avons le loisir de déléguer, d'ouvrir et de responsabiliser. Par contre, comme professionnels de l'éducation, nous avons aussi à répondre de l'évaluation devant les enfants, devant les parents et devant les institutions dirigeantes. Qui exige des preuves ? Pourquoi ? Comment ? Qui certifie les savoirs dans le domaine des loisirs et à la maison ? Comment peut-on prouver aux autres que nous savons vraiment ? Quels moyens pouvons-nous prendre en classe pour laisser des traces, pour fournir des preuves de nos apprentissages ? Autant de pistes qui peuvent alimenter une discussion.

Parmi les éléments de solution apportés par les élèves et les parents, en voici quelques-uns : portfolio, autoévaluation, examens, contrôles, travaux écrits, brevets d'apprentissage (qui pourraient porter non seulement sur les compétences disciplinaires, mais aussi sur les compétences transversales ou extrascolaires, parfois). Ne serait-il pas possible de sélectionner les dispositifs d'évaluation avec nos partenaires ?

Comme mot de la fin, je vous laisse sur un texte de réflexion qui campe la responsabilité première d'un enseignant-évaluateur et qui démontre que l'évaluation doit être vécue dans un climat authentique, où des apprentissages se font naturellement.

Georges Kuppens (1992), affirme que « le rôle premier de l'adulte-évaluateur consiste à rechercher les moments où un enfant, un groupe d'enfants a besoin d'une évaluation et de procéder à celle-ci de la manière la plus simple, la plus naturelle possible. Je n'ai pratiquement jamais constaté qu'un enfant demandait une évaluation par l'adulte en écriture, par exemple. Il peut, en effet, comparer celle-ci à celle de ses camarades, à celle de son enseignant, à celle des modèles écrits qui sont sous ses yeux. Il connaît, par conséquent, la valeur de son manuscrit et n'a pas besoin d'une note pour s'améliorer. Il suffit simplement qu'il admette l'écriture comme moyen de communication, il suffit qu'on le place en véritable situation où il sera lu par un récepteur signifiant, il suffit qu'il veuille être lu et compris pour qu'il s'acharne sur ses écrits.

« Savoir distinguer les situations d'apprentissage propices à une évaluation naturelle de celles qui méritent une évaluation externe par l'adulte, c'est la compétence première à acquérir lorsqu'on souhaite centrer l'évaluation sur la personne de l'apprenant. La seconde compétence réside dans le savoir comment intervenir… ce qui pose la question de la forme et du contenu de la communication de l'évaluation. »

Le blason de l'élève

Toujours inscrit dans la trilogie de l'arbre de connaissances et des brevets d'apprentissage, le blason de l'élève se présente comme l'image du savoir de l'individu appartenant à un groupe. C'est un sous-ensemble de l'arbre collectif puisque l'élève est appelé à construire son arbre personnel tout au long du cycle. Visuellement, il peut ressembler à ceci :

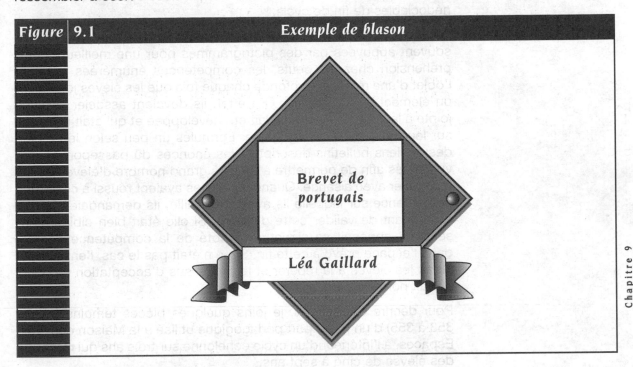

Figure 9.1   *Exemple de blason*

Brevet de portugais

Léa Gaillard

Pour créer son blason personnel, l'élève est invité à respecter la procédure suivante. Un élève qui réussit un brevet ou dont une compétence est confirmée par l'enseignant devient expert dans cette discipline ou dans cette compétence. Il met son nom sur le tableau des experts et les camarades peuvent s'adresser à lui pour recevoir une explication sur ce sujet ou pour faire corriger le même brevet, qu'ils viennent de passer. En même temps, l'élève qui vient d'obtenir un brevet peut ajouter une nouvelle feuille à l'arbre collectif. Parallèlement, il peut mettre une petite étiquette avec le numéro du brevet réussi sur son arbre personnel, rangé à l'intérieur de son portfolio.

Le blason est un outil de consignation des apprentissages conçu pour l'élève. Nous pouvons le comparer à un miroir qui reflète son image ou à une photographie qu'on a prise de lui à une période donnée. Il va sans dire que les blasons de chacun des élèves sont différents et qu'un blason de fin de cycle ne possède pas la même configuration qu'un blason de début de cycle. C'est l'écart entre les deux qui illustre le mieux le cheminement d'un élève pendant un cycle donné. Idée à retenir : avoir dans le portfolio une représentation de l'arbre du départ et une de l'arbre d'arrivée.

Le passeport pédagogique

Lors de mes visites de classes en Suisse et à la Maison des Trois Espaces de Saint-Fons, dans la banlieue de Lyon, j'ai eu l'occasion de voir travailler des enseignants avec leurs élèves sur la mise à jour des portfolios guidée par un outil-synthèse appelé « passeport pédagogique de fin de cycle ». Ce cadre intégrateur à la disposition des élèves rappelait les compétences disciplinaires et transversales non négociables de fin de cycle.

Décrites sous forme de comportements observables et mesurables, souvent appuyées par des pictogrammes pour une meilleure compréhension chez les petits, les compétences énumérées faisaient l'objet d'une réflexion profonde chaque fois que les élèves joignaient un élément à leur portfolio. En effet, ils devaient associer la pièce jointe à la compétence qui avait été développée et qui était nommée sur leur passeport pédagogique. Formulés un peu selon le modèle des anciens bulletins descriptifs, les énoncés du passeport étaient vulgarisés afin de permettre à un plus grand nombre d'élèves de les manipuler avec aisance. Quand les élèves avaient réussi à cibler une compétence sur laquelle ils avaient travaillé, ils demandaient à leur enseignant de valider cette dernière. Si elle était bien ciblée, l'enseignant apposait sa signature à côté de la compétence décrite, dans l'espace prévu à cette fin. Si ce n'était pas le cas, l'enseignant aidait les élèves à la repérer et le processus d'acceptation se poursuivait normalement.

Pour décrire ces propos, je joins quelques pièces témoins (pages 353 à 355) d'un passeport pédagogique utilisé à la Maison des Trois Espaces, à l'intérieur d'un cycle échelonné sur trois ans qui regroupe des élèves de cinq à sept ans.

ÉLÉMENT D'UN PASSEPORT PÉDAGOGIQUE

COMPÉTENCES TRANSVERSALES

JE SAIS...	Structuration de l'espace	An 1	An 2	An 3
lire des représentations simples de la classe.				
me situer dans la classe.				
lire des représentations du quartier.				
me situer dans le quartier.				
lire une carte.				
me situer sur une carte.				

	Structuration du temps	An 1	An 2	An 3
Je connais les jours de la semaine.				
Je connais les mois de l'année.				
Je connais les saisons.				
Je sais utiliser le calendrier de la classe.				
Je sais utiliser un calendrier institutionnel.				

Source : Inspiré de la Maison des Trois Espaces, Saint-Fons (France), octobre 2000.

JE LIS	L'organisation d'une page	An 1	An 2	An 3
Je reconnais une **lettre** et je sais montrer :	la date — la signature			
Je reconnais une **fiche de bricolage** et je sais montrer :	les outils — la procédure de réalisation			
Je reconnais une **recette** et je sais montrer :	les ingrédients — la procédure de réalisation			
Je reconnais un **poème.**				
Je reconnais une **chanson.**				

Source : Inspiré de la Maison des Trois Espaces, Saint-Fons (France), octobre 2000.

354

Enrichir son coffre à outils, partie 4

ÉLÉMENT D'UN PASSEPORT PÉDAGGIQUE

JE SAIS...	Expression écrite	An 1	An 2	An 3
écrire une phrase.				
écrire une question.				
rédiger une lettre.				
reconstituer un texte à partir de phrases dans le désordre.				
anticiper des mots dans un texte.				
rédiger une histoire.				
rédiger un texte documentaire.				
créer un poème				

JE SAIS...	Organisation de formes géométriques	An 1	An 2	An 3
faire un puzzle à… pièces.				
reproduire : – une mosaïque simple				
– une mosaïque complexe.				
reproduire une pyramide : – de cubes simple (2 dimensions)				
– complexe (3 dimensions)				
– avec des éléments cachés.				
faire un tangram.				

Source : Inspiré de la Maison des Trois Espaces, Saint-Fons (France), octobre 2000.

Au premier abord, nous pourrions être tentés de percevoir le passeport pédagogique comme un bulletin, ce qui n'est pas le cas. Pourquoi?, me direz-vous.

Tout d'abord, dans le cadre de l'observation que j'ai pu faire auprès d'enseignants novateurs dans ce domaine, les bulletins étaient moins longs, moins détaillés, moins élaborés dans la description de leurs indicateurs. Leur aspect visuel, parfois coloré rendait possible une lecture rapide par les parents. Si les renseignements donnés n'étaient pas suffisants, les élèves, guidés par leurs enseignants, avaient recours à leur passeport pédagogique ou à leur arbre de connaissances pour fournir les informations demandées. De plus, des pièces justificatives appuyant les jugements portés figuraient à l'intérieur des portfolios. Des preuves et des traces des acquis des élèves, il y en avait suffisamment même si l'enseignant n'avait pas administré d'examens traditionnels.

J'ai été à même de trouver d'autres utilisations au passeport pédagogique. Si un élève déménage en cours de cycle, son bulletin scolaire est expédié à la direction de sa nouvelle école, mais il y a plus! Cet élève se présente en classe avec son portfolio, dans lequel figurent son passeport pédagogique et son blason personnel (ou les deux). L'enseignant-titulaire est alors en mesure de situer rapidement les acquis de cet élève et s'inscrire d'ores et déjà dans la continuité de ses apprentissages.

De plus, dans un contexte de différenciation par le décloisonnement de groupes au niveau d'une équipe-cycle d'enseignants, les passeports pédagogiques s'avèrent un excellent outil pour l'accompagnement des élèves que l'on reçoit pour un stage de trois jours ou pour une séance de remédiation d'une semaine dans un cadre de modules d'apprentissage, ou encore pour la réalisation d'un projet collectif au sein d'un cycle ou de tout un établissement. La plus grande réticence à faire éclater les groupes de base pour partager des élèves entre professionnels se traduit souvent par des propos du genre : «Comment vais-je faire pour savoir ce sur quoi mes élèves ont travaillé dans une autre classe? Comment vais-je déceler les acquis des élèves qui seront sous ma responsabilité pour un certain temps? Comment confirmer au titulaire du groupe de base les compétences développées dans le cadre d'un projet axé surtout sur les compétences transversales? Derrière cette insécurité se dissimule un vif besoin de consignation des données et à mon avis, ce n'est pas au bulletin de jouer ce rôle puisque celui-ci est avant tout un outil de communication destiné aux parents. Les professionnels de l'éducation ont besoin d'outils de liaison pour accepter de travailler avec des élèves qui ne sont pas les leurs, comme nous l'entendons assez souvent dans le discours populaire. Et le passeport pédagogique contribue à installer cette sécurité pédagogique, car il est structuré pour des suivis individuels, tandis que le journal de bord de chaque enseignant offre des pistes de suivi de groupe.

Dans une perspective de gestion interclasses, nous devons être créatifs pour concevoir de nouveaux dispositifs d'espaces-temps de formation et je pense que le passeport pédagogique en représente un. Toutefois, il ne saurait être question de demander à chaque enseignant d'investir temps et efforts pour produire ce genre d'outil tout seul. Je crois que la création de ce dispositif peut devenir un excellent prétexte à des chantiers pédagogiques à l'échelle d'une commission scolaire ou d'une école.

Le portfolio de l'élève

Depuis le début des années 1990, le portfolio a suscité un vif intérêt aussi bien auprès des praticiens qu'auprès des auteurs. Comme les livres de référence traitant du portfolio sont à la fois nombreux et d'excellente qualité, j'ai fait le choix de ne pas le présenter dans sa globalité, mais plutôt d'outiller les enseignants sur quelques-uns de ses éléments m'apparaissant plus délicats sur le plan de la gestion dans un contexte de différenciation.

Nous savons tous qu'un portfolio est une compilation de traces d'apprentissage qui témoigne des divers processus et de la réalisation de différents produits, illustrant parfois les efforts, très souvent les progrès et le cheminement d'un élève sur une période déterminée. Cet outil permet à l'élève d'assumer une plus grande responsabilité dans le développement de ses compétences en le faisant participer au processus d'évaluation par la formulation d'objectifs et de critères ainsi que par l'objectivation et l'autoévaluation des apprentissages réalisés.

Comme le portfolio n'est pas une fin en soi, mais plutôt un moyen de favoriser l'apprentissage chez l'élève et lui permettre de se voir évoluer constamment, il ne saurait se substituer à l'enseignement dispensé en classe. Il doit être vu par les enseignants non pas comme une mode passagère rattachée à un nouveau programme de formation, mais comme une tendance reflétant un changement plus global des paradigmes de l'apprentissage, de l'enseignement et de l'évaluation. Puisque cet outil présente un portrait de l'apprentissage des élèves à travers des activités diversifiées et significatives, guidées par la réflexion et la collaboration, **il faut que l'environnement éducatif leur fournisse des *occasions d'apprentissage* diversifiées et signifiantes et des *occasions de réflexion et de collaboration* diversifiées et signifiantes aussi.** La différenciation nous préoccupe toujours puisque nous sommes en train d'enrichir notre coffre à outils afin de faire des pas plus grands du côté de la gestion des différences en regard de l'évaluation. Ce sera notre toile de fond pour traiter du portfolio.

Comme premier geste à poser en fonction de la création ou de l'utilisation du portfolio en classe, il m'apparaît essentiel de cibler au préalable les raisons qui justifient une telle intention. L'outil-support de la page suivante vous attend...

« Un portfolio est un portrait soigneusement confectionné avec des connaissances, avec des attitudes et avec des habiletés propres à une personne. Par l'entremise de celui-ci, l'élève raconte une partie de son histoire personnelle : l'aventure emballante du développement de ses compétences. »
(Black, 1993)

LA DIFFÉRENCIATION DANS L'INTENTION DE CRÉER OU D'UTILISER UN PORTFOLIO

Voici les raisons qui justifient ce choix :

- ☐ Encourager les élèves à prendre en charge leur apprentissage ;

- ☐ Illustrer la croissance et les progrès des élèves sur une période donnée ;

- ☐ Impliquer les élèves dans l'autoévaluation de leurs apprentissages ;

- ☐ Développer la métacognition des élèves en les amenant à prendre du recul par rapport à leurs apprentissages afin de réfléchir sur ce qu'ils viennent d'apprendre et comment ils l'ont appris ;

- ☐ Permettre aux élèves et à l'enseignant d'établir et d'énoncer des buts communs ;

- ☐ Tendre vers une évaluation adaptée des apprentissages des élèves ;

- ☐ Fournir aux élèves d'autres occasions réelles d'apprentissage lorsqu'ils doivent sélectionner des travaux, justifier leurs choix et présenter leur portfolio à leur enseignant, à leurs parents ou à leurs pairs ;

- ☐ Tracer l'évolution dans le temps d'une ou de plusieurs productions ou réalisations ;

- ☐ Démontrer la progression de l'appropriation d'un ou plusieurs concepts par les apprenants ;

- ☐ Créer une collection de travaux préférés ayant une importance particulière pour un élève ;

- ☐ Objectiver et évaluer les pratiques d'enseignement et d'évaluation ;

- ☐ Communiquer de façon plus personnalisée avec les parents ;

- ☐ Créer un outil de liaison, d'information et de suivi entre les enseignants d'un même cycle qui échangent des élèves afin de faciliter la différenciation des apprentissages ;

- ☐ S'assurer d'une transition harmonieuse ou d'une continuité pour les apprenants d'une année à l'autre, d'un cycle à l'autre ou d'un ordre d'enseignement à un autre ;

- ☐ S'en servir pour fin d'évaluation diagnostique ;

- ☐ Mieux vivre l'évaluation formative ;

- ☐ Développer une pratique nouvelle en évaluation sommative.

Autres raisons :

_____

_____

_____

Des indices de différenciation à l'intérieur du portfolio

La différenciation dans la création du portfolio se traduira dans :

1 Les *types de portfolios* : d'apprentissage, de présentation, d'évaluation.

2 Les *types de présentation* : chemise de classement, chemise accordéon, classeur à anneaux («cartable»), cahier spicilège, pochette de présentation, boîte, plateau amovible, album de découpures ou contenant du portfolio créé par les élèves.

3 Les *différentes disciplines* touchées : mathématique, français, histoire, géographie, science, anglais, technologie, arts ou autres.

4 Les *processus observés* : écriture, lecture, recherche, résolution de problèmes, processus scientifique, design ou autres.

5 Les *modèles pédagogiques* ciblés : le projet, le thème, le module d'apprentissage, la situation-problème, la situation ouverte ou autre

La différenciation dans la gestion du portfolio tiendra compte des neuf éléments suivants :

1 Les *personnes qui auront à choisir* des pièces à insérer au portfolio : seulement les élèves, seulement l'enseignant, les élèves avec leur enseignant, l'orthopédagogue de l'école, les enseignants-spécialistes de musique, de langue, d'arts plastiques ou d'art dramatique ; autres personnes.

2 Les divers *critères de sélection* qui seront considérés avec les élèves. L'outil-support 44 de la page 360 en regroupe un certain nombre.

3 Les *fiches de sélection* accompagnant les pièces témoins sont des dispositifs importants dans la gestion efficace du portfolio. Il y a lieu de concevoir une fiche de sélection ou un coupon de justification à l'intention des élèves-évaluateurs qui ont à justifier le choix des pièces déposées au portfolio. Avec plusieurs pratiques de sélection et avec des dispositifs adéquats (banque de critères et fiche de sélection), les élèves font rapidement preuve d'autonomie dans la gestion de leur portfolio. Pour évoquer certaines images mentales en fonction de ce dispositif, vous pouvez consulter l'outil-support 45 de la page 361.

CRITÈRES DE SÉLECTION À CONSIDÉRER AVEC LES ÉLÈVES

- Un travail dont je suis fier
- Un travail qui indique que j'ai progressé
- Un travail pour lequel j'ai réussi à relever un défi
- Un travail où j'ai éprouvé des difficultés que j'ai surmontées
- Un travail où j'ai éprouvé des difficultés insurmontables
- Un travail que j'ai commencé mais qui a été abandonné en cours de route à cause d'une baisse de motivation
- Un travail qui illustre mes intérêts
- Un travail qui a fait appel à une forme d'intelligence prédominante chez moi
- Un travail qui a fait appel à une forme d'intelligence que j'ai tenté de développer
- Un travail qui a été réalisé en coopération avec d'autres élèves
- Un travail qui indique le chemin que j'ai parcouru pour arriver à ce résultat
- Un travail qui témoigne des difficultés sur lesquelles je désire travailler à nouveau
- Un travail indiquant que j'ai réinvesti ou transféré un de mes savoirs
- Un travail que j'ai créé pour aider un autre élève à apprendre
- Un travail que j'ai produit pour aider mon enseignant dans sa tâche
- Un travail qui a été ou sera diffusé auprès des autres élèves de l'école
- Autres critères :

  _____

  _____

  _____

  _____

  _____

EXEMPLES DE FICHES DE SÉLECTION

EXEMPLE 1

Nom de l'élève: _____

Date: _____

Discipline: _____

Compétence: _____

Référence au passeport pédagogique s'il y a lieu.

Voici des points de repère pour m'aider à dire pourquoi je choisis ce travail. J'encercle le pictogramme qui représente ce que je pense.

- Un travail dont je suis fier.
- Un travail que j'ai réalisé avec un autre élève.
- Un travail qui révèle mes progrès.
- Un travail qui fait connaître mes intérêts.
- Un travail où j'ai éprouvé des difficultés.
- Un travail que j'ai abandonné en cours de route.

EXEMPLE 2

Nom de l'élève: _____

Date: _____

Discipline: _____

Compétence: _____

Référence au passeport pédagogique s'il y a lieu.

J'ai choisi cette pièce parce que _____

Maintenant, je me propose de _____

EXEMPLE 3

Nom de l'élève: _____

Date: _____

Discipline: _____

Compétence: _____

Référence au passeport pédagogique, s'il y a lieu.

J'ai choisi cette pièce parce qu'elle démontre _____

J'aimerais que vous remarquiez comment j'ai _____

Voici quelque chose de nouveau ou de différent que j'ai appris en faisant ce travail. _____

Maintenant, je me propose de _____

361

4 Les éléments qui peuvent alimenter un portfolio sont de nature différente. Le référentiel 29 de la page 363 démontre la *variété des éléments* pouvant y être déposés.

5 Le choix des pièces témoins peut être fait en vertu de divers caractères. Parmi les contenus possibles énumérés à la page 363, y aura-t-il des éléments *obligatoires, semi-obligatoires* ou *facultatifs* à déposer au portfolio de l'élève?

Exemple: un enseignant pourrait décider que le passeport pédagogique, le dernier plan d'action préparé avec l'élève et ses parents à la dernière remise de bulletins ainsi qu'une carte sémantique et un travail non réussi doivent figurer obligatoirement au portfolio de tous les élèves pour la prochaine période.

Par contre, certains élèves pourraient être invités à joindre des réalisations témoignant de leurs progrès et de leurs efforts, tandis que le profil d'apprentissage, le relevé des projets personnels, le passeport de lecture et bien d'autres éléments demeureraient des choix à la discrétion des élèves.

6 Les *situations de réflexion et d'analyse* entourant la présentation du portfolio peuvent se vivre différemment par l'élève lui-même, entre pairs, avec l'enseignant, avec les parents.

7 Les *interventions à poser* auprès de l'apprenant en phase d'appropriation du portfolio peuvent revêtir plusieurs formes. Pour développer chez les élèves la compétence qui consiste à sélectionner judicieusement leurs réalisations, l'enseignant doit intervenir différemment auprès d'eux:

- modeler devant eux le processus de sélection (leur démontrer les étapes par lesquelles ils doivent passer pour en arriver à faire un bon choix);

- donner des exemples de contenus, de réalisations, de pièces pertinentes à sélectionner;

- discuter avec eux des raisons pour lesquelles on choisirait tel élément plutôt qu'un autre et faire les liens nécessaires avec les critères de sélection examinés préalablement avec eux;

- donner du temps aux élèves pour:
  - consulter leur portfolio à partir de la table des matières et des onglets de plastique servant d'indices de repérage pour faciliter sa mise à jour,
  - élaguer le portfolio, le modifier en enlevant certaines pièces qui ne leur conviennent plus et en rajoutant de nouvelles pièces qui témoignent davantage de leur portrait actuel;
  - réfléchir sur les travaux faits afin d'en faire la sélection à l'aide de la banque de critères préétablis et de la fiche de justification,
  - classer les informations retenues grâce à des séparateurs ou à des feuilles de couleurs variées identifiant les différentes sections.

ÉLÉMENTS POUVANT ALIMENTER UN PORTFOLIO

- productions retenues par les élèves en fonction des critères définis dans la classe
- réalisations d'élèves en cours d'apprentissage
- réflexions personnelles sur des réalisations et sur des non-réalisations
- arbre de connaissances personnelles ou blason de l'élève
- contrats d'apprentissage
- grilles d'objectivation
- listes de vérification
- journal de bord de l'élève
- grilles d'autoévaluation
- brevets d'apprentissage
- projets personnels ou d'équipes
- passeport de lectures
- relevé des projets personnels vécus
- passeport pédagogique de fin de cycle
- grilles descriptives de coévaluation
- disquettes
- photographies
- commentaires des parents ou des pairs
- graphiques d'évaluation ou de progrès
- vidéos
- enregistrements
- plans d'action comportant la liste des forces et des défis
- résultats d'entrevues ou d'entretiens avec les élèves
- cartes sémantiques ou schémas organisateurs

- essais de synthèses
- bilan d'apprentissage pour un projet à long terme ou pour une période définie
- dessins
- observations de l'enseignant
- brouillons accompagnant des travaux finis
- feuilles de route indiquant les ateliers ou les centres d'apprentissage fréquentés
- grille de planification hebdomadaire conçue à partir du plan de travail ou du tableau de programmation
- relevé des intérêts personnels
- résumés de lecture ou de recherche
- profil personnel d'apprentissage défini en regard des styles d'apprentissage ou des formes d'intelligence
- rapports anecdotiques
- remue-méninges
- examens ou tests
- plans de communication orale ou écrite
- recherches
- lettres
- sondage d'attitudes
- autres pièces :

_____

_____

_____

_____

_____

_____

_____

Suggestion : si nous choisissons d'inscrire à l'horaire hebdomadaire une période de collecte de pièces témoins et de traitement du portfolio, nous pourrions très bien la jumeler avec une période de projets personnels, de recherche autonome ou de contrats de lecture. Cela servirait les élèves et l'enseignant puisque chaque élève se sentirait plus respecté dans son rythme de mise à jour de portfolio et que l'enseignant-accompagnateur serait moins sollicité par tout le monde en même temps.

- consacrer du temps en classe à la présentation du portfolio, par des situations de pratique en dyades, en équipes permanentes de travail coopératif ou auprès de l'enseignant. Les élèves ont besoin de se familiariser avec le contenu de leur portfolio et avec la démarche de présentation avant d'être projetés dans une présentation formelle à leurs parents.

8 Les utilisations du portfolio peuvent être influencées par les *profils différents* des apprenants. Pour développer chez les élèves la compétence métacognitive qui se rattache à l'évaluation par le portfolio, différentes avenues peuvent leur être offertes, car ils présentent des profils différents dans l'utilisation de cet outil. Encore une fois, les différences jouent et les stratégies de réflexion et de sélection doivent s'ajuster au rythme et au style de chacun :

- L'élève choisit un document, il en justifie le choix à partir d'un critère et d'une fiche de sélection, et il le range dans son portfolio. Il procède ainsi pour chacune des pièces qu'il sélectionne (approche séquentielle).

- L'élève place plusieurs documents dans son portfolio à partir de son expérience d'apprenant et par la suite, il justifie ses choix et commente leur pertinence (approche simultanée).

- L'élève dresse un bilan de tous les apprentissages faits pendant une période donnée puis réfléchit sur son cheminement actuel (« Quelles sont maintenant mes forces ? mes faiblesses à ce moment-ci ? »). Il tente de comparer son bilan avec son cheminement antérieur (« Quelles sont les différences entre les deux ? Quels sont les écarts de rendement ? Quels sont les progrès marquants ? »). Finalement, il décide d'ajouter des pièces manquantes, s'il y a lieu, ou élabore un plan d'action pour la prochaine période (approches analytique et déductive).

- L'élève consulte son portfolio pour visualiser toutes les pièces qui y figurent et tente de découvrir les changements et les transformations qui ont pu s'opérer chez lui par rapport à son métier d'étudiant. Il essaie de dégager ce qui caractérise son portfolio actuellement et met en évidence les pièces qui témoignent de ses progrès majeurs ou de ses apprentissages les plus essentiels. Il peut aussi rédiger un court texte décrivant son cheminement actuel et même futur par les élèves plus visionnaires (approches synthétique et intrapersonnelle).

Mise en garde : il est bien évident que l'âge des apprenants de même que le degré et la fréquence d'utilisation du portfolio doivent être considérés quand vient le temps de suggérer aux élèves différentes stratégies pouvant engager ou faciliter leur réflexion ou leur mise en mots.

9 La présence de critères d'évaluation peut faciliter la *régulation* du portfolio et contribuer à *enrichir son contenu*. L'enseignant se donne des points de repère pour évaluer et valider la richesse du contenu ou du fonctionnement des portfolios. Parmi les critères possibles, en voici certains.

- Du point de vue du contenu du portfolio :
  - la quantité des informations qu'on y trouve ;
  - la qualité de chaque pièce déposée ;
  - la variété des éléments ;
  - la concordance entre la pièce déposée et le motif qui justifie sa sélection ;
  - la variété des critères de sélection qui sous-tendent le choix des différentes pièces ;
  - la qualité et la profondeur de la réflexion de l'apprenant ;
  - la préoccupation de l'élève de laisser des traces de ses processus, de ses démarches et de ses stratégies d'apprentissage tout en laissant la possibilité d'y glisser aussi des productions ou des réalisations ;
  - la façon de classer les éléments à l'intérieur du portfolio.

- Du point de vue du processus d'appropriation du portfolio :
  - l'évolution des performances de l'élève, dont font foi les pièces incluses ;
  - les changements apparents dans l'attitude ou le comportement de l'élève, qui est censé devenir de plus en plus responsable de ses apprentissages (préoccupation de faire des liens entre le cheminement avec le portfolio et les activités quotidiennes de la classe) ;
  - l'évolution des traces de synthèse et d'autorégulation des apprentissages à l'intérieur du portfolio. L'élève est en train de développer une pratique réflexive de son métier d'étudiant ; il a intégré plusieurs critères de sélection et est même capable de s'en détacher pour introduire consciemment des pièces faisant appel à ses habiletés mentales supérieures ou à ses propres critères. Les cartes sémantiques, les bilans d'apprentissage et les autoévaluations de compétences sont de plus en plus cohérentes tout en étant présentes ;
  - l'élève gère sa période de travail avec le portfolio plus rapidement et plus efficacement qu'avant ;
  - l'élève réussit à communiquer avec beaucoup d'aisance l'essentiel de son portfolio ;
  - l'élève a développé le réflexe de commencer la présentation en faisant un retour sur les défis identifiés lors de la dernière présentation ;

- l'élève est capable de réussir une présentation intéressante et satisfaisante ;
- l'élève ressent naturellement le besoin de rédiger un plan d'action avec ses parents après chaque présentation de portfolio.

Parmi les faiblesses observées dans les classes sur le plan de la gestion du portfolio se trouvent très souvent le manque de variété dans les pièces illustrant le travail fait en lecture et en écriture ainsi que l'absence ou la représentation faible de pièces en lien avec la mathématique.

■ LA DIVERSIFICATION DE PIÈCES TÉMOINS EN FRANÇAIS CONTRIBUE À ENRICHIR LE CONTENU D'UN PORTFOLIO

Comme la classe est un lieu de langage, comme un langage est nécessaire pour communiquer au sujet de la langue et comme les pratiques linguistiques sont nombreuses et variées en communication verbale et écrite, il faudrait bien qu'on laisse des traces de toutes ces pratiques dans le portfolio. Inspirés d'un atelier donné par Jocelyne Giasson sur la gestion du portfolio en français dans le cadre du congrès de l'AQETA, en 1997, voici des paramètres nous ramenant au respect de la diversité dans cette discipline :

1 Les *pratiques d'écriture* doivent être *nombreuses et variées* : situations d'écriture significatives, ateliers d'écriture, jeux poétiques, projets d'écriture, écriture libre, journal de bord, carnet d'apprentissage, rédaction thématique, correspondance interscolaire, etc.

Actuellement, le contenu du portfolio en témoigne-t-il ?

2 Les *pratiques de lecture* doivent être *nombreuses et variées* : coin ou salon de lecture attrayant, cercles de lecture, journal de lecture, lecture libre, lecture aux élèves, promotion de la lecture, contrat de lecture, passeport de lecture, palmarès du livre, livres-vedettes de la semaine ou de la quinzaine, activités d'animation à partir de livres de bibliothèque, bataille des livres, etc.

Actuellement, le contenu du portfolio en témoigne-t-il ?

3 *La diversité des textes produits par les élèves* doit se refléter dans des productions :

- relevant de différents genres, tels que poèmes, contes, chansons, lettres, récits personnels, règles du jeu, recherches documentaires, rapports de sciences, etc. ;
- portant sur différents sujets ou thèmes ;
- s'adressant à différents destinataires, tels qu'amis, enseignants, parents, personnes-ressources de l'école, organismes publics, etc. ;

- provenant de différentes intentions de communication: pour s'exprimer, pour divertir, pour informer, pour persuader, pour réfléchir, etc.;

- issues de différentes situations de la classe d'enseignement de la langue maternelle, mais aussi greffées sur les autres disciplines et sur le vécu des activités extrascolaires.

Actuellement, le contenu du portfolio en témoigne-t-il ?

4 Les traces d'écriture jointes au portfolio doivent nous permettre d'observer le *processus rédactionnel de l'élève* en illustrant les différents états d'un texte, comme des textes achevés (la version définitive, la copie au propre), des versions de travail (des tempêtes d'idées sur le sujet d'écriture, des schémas organisateurs d'idées, des canevas de plans de rédaction et des brouillons, etc.).

Actuellement, le contenu du portfolio en témoigne-t-il ?

5 Pour rendre compte de l'évolution des élèves en tant que scripteurs, il faut inclure des *textes réalisés à différents intervalles durant l'année*.

Actuellement, le contenu du portfolio en témoigne-t-il ?

6 Afin de mieux refléter le processus de production de textes produits par les élèves, des *exemples d'outils de travail* ayant servi à leur préparation, à leur rédaction et à leur révision peuvent être insérés dans le portfolio: plans, documentation de départ, inventaires de mots ou constellations d'idées, grilles de révision, codes de correction, listes de vérification, aide-mémoire résumant les caractéristiques d'un genre littéraire, tableaux de grammaire ou de ponctuation, etc.

Actuellement, le contenu du portfolio en témoigne-t-il ?

7 Comme le portfolio doit rendre compte de l'*activité métacognitive* des élèves sur leur propre comportement en tant que scripteurs, il faut y inclure des traces d'autoévaluation: réflexions sur leur attitude face à l'écriture, analyse de leurs stratégies de planification et de révision, bilan des progrès accomplis, résumé des objectifs qui restent à atteindre, etc.

Actuellement, le contenu du portfolio en témoigne-t-il ?

■ LA PRÉSENCE DE PIÈCES TÉMOINS DE LA MATHÉMATIQUE CONTRIBUE À ENRICHIR LE CONTENU D'UN PORTFOLIO

Des enquêtes sur les croyances populaires des enseignants selon lesquelles certaines disciplines se prêtent davantage au travail avec le portfolio ont démontré que les travaux dans les disciplines en question étaient présents dans les portfolios dans les pourcentages suivants.

- Écriture : 95 %
- Lecture : 75 %
- Mathématique : 39 %
- Sciences humaines : 31 %
- Sciences pures : 24 %

Afin de donner davantage de place à la mathématique moins présente dans le portfolio, voici quelques pistes supplémentaires inspirées des propos de Jean Dionne, tenus lors d'un atelier sur la gestion du portfolio en mathématique dans le cadre du congrès de l'AQETA, en 1997 :

1 Tout d'abord, comme l'accent doit être mis en mathématique sur les stratégies de résolution de problèmes, nous pourrions habiliter les élèves à identifier davantage ce qu'ils vivent quand ils tentent de résoudre un problème, pour qu'ils soient en mesure de laisser des traces des cinq étapes suivantes :

- étape de l'explorateur (pour comprendre le problème) ;
- étape de l'architecte (pour planifier la résolution) ;
- étape du réalisateur (pour exécuter le plan établi) ;
- étape du vérificateur (pour examiner de près le travail accompli) ;
- étape du communicateur (pour transmettre la solution aux autres).

Actuellement, le portfolio témoigne-t-il du processus au complet ?

2 La résolution de problèmes située dans un contexte de communication débouche sur des productions tout comme en écriture (français). La difficulté majeure rattachée à cette idée de production en mathématique est le fait que les élèves n'ont pas pris l'habitude systématique de laisser des *traces écrites de leur cheminement*, étant encore obsédés par la recherche de la bonne réponse ou par le souci du produit final. Il faut donc les habiliter à noter leur raisonnement, les essais infructueux, les dessins et diagrammes, les calculs et opérations, les étapes suivies, les explications nécessaires et, la solution finale. À la suite de cette procédure rigoureuse, on peut les engager à généraliser les résultats obtenus, à formuler de nouveaux problèmes, à élaborer des hypothèses de réinvestissement, à construire des argumentations et à faire la preuve de la maîtrise des procédures, etc.

Actuellement, le portfolio témoigne-t-il du processus au complet ?

3 Pour enrichir les critères de sélection des pièces témoins du portfolio en matière d'apprentissage de la mathématique, rappelons aux élèves des résultats d'apprentissage possibles sur lesquels ils peuvent réfléchir pour ensuite mettre en mots *leur objectivation* :

- la capacité à résoudre des problèmes, à en formuler, à généraliser des résultats ;

- la compétence à raisonner et à communiquer en saisissant les idées mathématiques, en les exprimant, en échafaudant des hypothèses, en construisant des argumentations pertinentes, etc ;

- la compréhension des concepts, c'est-à-dire la capacité de les définir avec ses propres mots, à créer des exemples et des contre-exemples, etc. Faire expliciter alors les concepts utilisés et les habiletés mises à contribution dans les problèmes qu'ils ont résolus.

- la connaissance des procédures, qui nous permet de les expliquer, de les utiliser de façon fiable, de les adapter aux situations inédites, etc. ;

- la confiance des élèves en eux-mêmes dans le recours à la mathématique, à leur capacité de résoudre des problèmes, de raisonner et de communiquer. Bref, les élèves ont intérêt à développer des attitudes positives face à cette discipline en classe et dans la vie personnelle. Offrons donc aux élèves des occasions de décrire ce qu'ils ressentent quand ils font de la mathématique, d'identifier les raisons de leurs succès ou de leurs insuccès, d'exprimer leurs opinions sur la nécessité des connaissances acquises et des compétences développées.

Faisons-leur apprécier l'apport de la mathématique dans leur développement scolaire et personnel, notamment son potentiel en termes d'expression. À cette fin, faisons préparer de brefs rapports à intervalles réguliers dans lesquels les élèves précisent ce qu'ils jugent avoir appris au cours de la semaine ou du mois en mathématique.

Actuellement, le portfolio témoigne-t-il du processus d'évaluation de la démarche vécue ?

Voici qui termine cet enrichissement sur deux disciplines qui pourraient faire meilleure figure au sein du portfolio : le français, avec toute la dimension de ses composantes, et la mathématique, porteuse d'expression et d'habiletés, d'attitudes et de connaissances propres à développer la compétence à résoudre des problèmes.

En guise de conclusion à cette partie traitant du portfolio, je vous présente un cadre de référence pouvant servir de grille de vérification ou de canevas de planification quand arrive le temps de donner naissance à un portfolio ou de valider son utilisation (voir outil-support 46, pages 370 à 372).

CADRE DE PLANIFICATION OU DE VALIDATION DU PORTFOLIO

À l'étape de la conception

1. J'ai déterminé l'objectif du portfolio.   Oui ☐ Non ☐

2. J'ai fait un choix quant au type de portfolio à privilégier.

☐ Portfolio de travail ou dossier d'apprentissage
ou dossier progressif
☐ Portfolio de présentation ou dossier de présentation
☐ Portfolio-bilan de cycle ou portfolio d'évaluation

3. J'ai précisé aux élèves à qui appartiendra le portfolio.

☐ À l'élève
☐ À l'enseignant
☐ Aux parents

4. J'ai ciblé avec les élèves les personnes qui auront
accès à ce portfolio.

☐ L'élève
☐ L'enseignant
☐ Les pairs
☐ Les parents
☐ L'orthopédagogue
☐ Les enseignants-spécialistes, au besoin
☐ L'accès à différentes personnes (combinaison des possibilités)

5. J'ai décidé avec les élèves de la présentation
matérielle du portfolio.   Oui ☐ Non ☐

6. J'ai planifié avec les élèves la table des matières
et les divisions internes du portfolio.

☐ Par thèmes ou par projets
☐ Par disciplines
☐ Par compétences
☐ Par processus
☐ Par formes d'intelligence
☐ Autres possibilités : _____

7. J'ai décidé avec les élèves que le portfolio serait
représentatif du développement des compétences
transversales.   Oui ☐ Non ☐

Si oui, lesquelles ? _____

_____

Enrichir son coffre à outils, partie 4

8. J'ai discuté avec les élèves de la manière dont le portfolio servira d'outil d'évaluation différenciée. Oui ☐ Non ☐

9. J'ai planifié avec les élèves la mise en œuvre et le début de l'expérimentation du portfolio dans la classe. Oui ☐ Non ☐

Si oui, quand ? _____

_____

À l'étape de la mise en œuvre et de l'expérimentation

10. J'ai déterminé avec les élèves qui choisira les pièces à insérer au portfolio.

☐ L'élève
☐ L'enseignant
☐ L'élève avec l'enseignant

11. J'ai conçu avec les élèves une banque de critères de sélection susceptibles de les guider dans le choix des pièces témoins du portfolio. Oui ☐ Non ☐

Si oui, quels sont-ils ? _____

_____

12. J'ai conçu une fiche de sélection ou un coupon de justification à joindre aux pièces témoins et je l'ai rendu disponible aux élèves. Oui ☐ Non ☐

13. J'ai privilégié des éléments spécifiques qui devront figurer obligatoirement au portfolio pour une période déterminée. *Exemples:* le passeport pédagogique, l'arbre de connaissances personnelles, le relevé de projets personnels, le carnet d'apprentissage, le journal de bord, le passeport de lectures personnelles, des brouillons de travaux, des copies définitives, des traces de processus ou de stratégies. Oui ☐ Non ☐

Si oui, lesquels ? _____

_____

14. J'ai trouvé avec les élèves l'endroit de la classe où seront entreposés les portfolios. Oui ☐ Non ☐

Si oui, où ? _____

_____

15. J'ai décidé avec les élèves quand et comment seront ajoutées au portfolio les pièces témoins choisies.

☐ À la fin d'un thème ou d'un projet
☐ Après l'étude d'un concept
☐ À une période hebdomadaire inscrite à l'horaire où les élèves réfléchissent sur leurs travaux et procèdent à la sélection et à la justification des pièces
☐ À la discrétion des élèves
☐ Au moment où ils en ressentent le besoin
☐ Dans un contexte où tous les écrits doivent être déposés au portfolio
☐ Autres possibilités :

_____

À l'étape du bilan et de la présentation

16. J'ai choisi avec les élèves la ou les personnes à qui l'on présenterait le contenu du portfolio pour la présente période.

☐ À des pairs
☐ À l'enseignant
☐ Aux parents

17. J'ai mis au point avec les élèves des outils de réflexion et d'autoévaluation pour les outiller en vue du bilan préparatoire à la communication du contenu du portfolio.   Oui ☐ Non ☐

Si oui, lesquels ? _____

_____

18. J'ai identifié avec les élèves des critères d'évaluation de l'utilisation du portfolio afin de les aider à en diversifier et à en enrichir le contenu et le processus.   Oui ☐ Non ☐

Si oui, lesquels ? _____

_____

19. J'ai préparé les élèves à la présentation du portfolio en pratiquant avec eux des procédures et des stratégies de communication.   Oui ☐ Non ☐

Si oui, lesquelles ? _____

_____

20. Autres pistes : _____

_____

_____

Il est sage de se rappeler que la compétence qui consiste à travailler avec un portfolio n'est pas innée, mais qu'elle se développe progressivement et plus facilement si nous tenons compte de ses différentes composantes. Si nous faisons construire des portfolios à contenu identique par les élèves, nous faisons dévier cet outil d'évaluation différencié de sa vocation première, le réduisant à un recueil de réalisations. La marge est importante entre ces deux dispositifs de consignation, n'est-ce pas ? Si nous tenons pour acquis que le portfolio sera présenté, nous n'avons pas le choix de nous pencher sur la conférence dirigée par l'élève, aboutissement normal de son implication tout au long de la construction de ses savoirs.

Des outils de communication

Même s'il existe trois types de rencontres mettant en interaction les enseignants, les parents et parfois les élèves – la remise traditionnelle du bulletin, la rencontre à trois (élève, enseignant et parents) et la conférence dirigée par l'élève –, je suis tentée, pour soutenir une fois de plus le constructivisme dans les apprentissages, de m'intéresser surtout à la conférence dirigée par l'élève.

La conférence dirigée par l'élève

Cette nouvelle façon de faire sous-entend la participation active de l'élève qui, de concert avec ses parents et son enseignant, examine son apprentissage et y réfléchit. Une telle rencontre diffère d'une rencontre traditionnelle, axée sur la transmission des résultats d'apprentissage et à laquelle seuls les parents et l'enseignant participent pour discuter des progrès de l'élève. Aux enseignants désireux de rompre avec cette présentation formelle de bulletin aux parents, je suggère l'étape transitoire de la rencontre à trois avant de plonger dans la conférence dirigée par l'élève. Toutefois, il ne saurait être question d'une rencontre où l'élève doit agir comme témoin, subissant le dialogue entre enseignant et parents sur les résultats d'apprentissage et vivant ce moment d'échange dans un climat d'insécurité ou d'anxiété, n'ayant été aucunement impliqué dans sa préparation.

Étant donné que la conférence dirigée par l'élève s'inscrit dans l'extension naturelle du portfolio, j'en tracerai un canevas de planification et d'animation, préférant aborder les deux autres types de rencontres lorsque je traiterai du bulletin.

■ SA DÉFINITION

La conférence dirigée par l'élève est la présentation formelle du portfolio aux parents, en classe, sous la présence discrète de l'enseignant, qui est susceptible d'intervenir de façon informelle. Il s'agit d'une tâche authentique d'évaluation, très efficace puisque l'élève en

« Ces enfants dirigeaient leurs rencontres avec passablement de confiance. Ils pouvaient discuter de ce qu'ils connaissaient à leur propre sujet avec des gens qui se souciaient de leurs apprentissages : *leurs parents.* »
(Une enseignante d'une école francophone de la Colombie-Britannique)

est l'acteur principal et qu'il développe des compétences d'analyse, de synthèse, de communication et d'évaluation lorsqu'il prépare et anime ce moment de présentation.

Habituellement, cette conférence a lieu deux fois par année scolaire. Elle peut s'insérer entre les remises de bulletins afin de donner un portrait plus global, plus réaliste et plus juste du cheminement de l'élève. Il est possible d'inviter l'élève à faire deux autres présentations de portfolios à la maison, surtout s'il a eu l'occasion d'en vivre quelques-unes auparavant sous la supervision de son enseignant.

■ SA RICHESSE

Une rencontre centrée sur l'élève permet à tous les participants d'appuyer collectivement l'apprentissage de l'élève et de favoriser ainsi son développement. Chacun retire des gains intéressants de cette pratique, surtout si elle est vécue dans le cadre d'un dialogue ouvert, honnête et respectueux.

■ GAINS POUR L'ÉLÈVE

La conférence dirigée par l'élève entraîne les effets bénéfiques suivants :

- elle cultive chez l'élève concerné la connaissance de soi ;
- elle renforce l'estime de soi ;
- elle le fait participer à sa propre évaluation en mettant l'accent sur la réflexion, l'objectivation, l'autoévaluation et l'autorégulation de ses apprentissages ;
- elle l'aide à assumer la responsabilité de son apprentissage en l'orientant vers un travail de qualité et un souci d'amélioration continue ;
- elle renforce sa capacité à communiquer et son sens de l'organisation ;
- elle l'habilite à se fixer des objectifs personnels significatifs en l'incitant à faire des bilans personnels afin d'identifier les forces qu'il possède et les défis qui pourraient faire partie d'un plan d'action pour la prochaine période. Ainsi, grâce à la conférence dirigée par l'élève, l'apprenant rentabilise l'utilisation de son portfolio.

■ GAINS POUR LES PARENTS

Ce genre de rencontre est extrêmement profitable pour les parents :

- elle fournit l'occasion d'établir une communication positive entre les parents, l'élève et l'enseignant ;
- elle les incite à participer au processus de transmission des résultats plutôt que de simplement y réagir ;

- elle démontre qu'ils comprennent vraiment leur enfant et s'y intéressent ;
- elle les sensibilise à la capacité de leur enfant d'assumer la responsabilité de son propre apprentissage ;
- elle accroît leur compréhension du processus d'apprentissage ;
- elle leur donne l'occasion de voir leur enfant s'organiser et communiquer dans un cadre différent de celui de la maison ;
- elle les aide à démystifier les processus d'évaluation et de transmission des résultats ;
- elle les place en situation d'engagement puisque leur enfant est invité à préparer un plan d'action en complicité avec eux à la fin de sa présentation.
- elle leur procure l'occasion de voir interagir l'enseignant et leur enfant s'il s'agit d'une conférence à trois personnes.

■ GAINS POUR L'ENSEIGNANT

L'enseignant bénéficie également de ce genre de rencontre :

- elle lui permet de mieux comprendre l'élève ;
- elle est une occasion de partager le champ de responsabilités de la mise en valeur du profil de l'élève, étant appuyé par l'élève lui-même et par ses parents ;
- elle véhicule les nouvelles pratiques d'évaluation en classe et, par surcroît, elle vient les appuyer et même les renforcer ;
- elle permet à l'enseignant d'être témoin de l'interaction de l'élève avec ses parents ;
- elle lui donne l'occasion de fournir une rétroaction positive à l'apprenant en partant toujours du cheminement actuel de l'élève pour l'amener à aller plus loin. Parfois, les parents témoins tirent avantage du modelage fait par l'enseignant, car ils enregistrent ces modèles de rétroaction positive ;
- elle renforce la qualité des communications entre la maison et l'école[3].

■ SON ORGANISATION

Comme tout processus d'apprentissage, la conférence dirigée par l'élève sera subdivisée en trois temps : la pré-conférence, la conférence elle-même et l'après-conférence. Cette démarche ne peut pas être improvisée et intuitive ; elle exige que l'élève et les parents soient vraiment préparés.

---

3. L'ensemble des gains s'inspire d'une expérimentation relatée dans le guide d'évaluation intitulé *Rencontres centrées sur l'élève*, ministère de l'Éducation de la Colombie-Britannique, février 1994.

La pré-conférence

- Informer et impliquer les parents dès le début de l'année

Lors de la soirée d'information aux parents en début d'année, le portfolio et la conférence dirigée par l'élève figurent à l'ordre du jour.

Si une expérimentation se vit à l'échelle de toute une école, la direction envoie de l'information écrite expliquant le rôle du portfolio et de la conférence dirigée par l'élève. Les parents sont invités à participer avec leur enfant à la réalisation de ces deux dispositifs par des échanges fréquents à la maison sur le contenu du portfolio et les travaux réalisés en classe, et par l'ajout de notes personnelles, de remarques, de commentaires pouvant être déposés au portfolio, si l'enfant le désire. Cette démarche peut être vécue par une équipe-cycle ou par un seul enseignant, selon l'ampleur du projet.

L'enseignant concerné envoie aussi une lettre aux parents pour appuyer la direction de l'école et pour les prévenir qu'ils recevront une invitation écrite de leur enfant les incitant à participer à la conférence dirigée par l'élève.

- Préparer les élèves au déroulement de la conférence

Deux semaines avant la conférence, l'élève rédige une lettre d'invitation à l'intention de ses parents indiquant la date, le lieu et l'heure. Une carte de réponse est jointe à cette lettre pour les inciter à se libérer afin d'y participer et pour confirmer leur présence à leur enfant.

L'enseignant planifie l'horaire des rencontres parents-élèves à partir des disponibilités des parents et des moments de rencontre offerts par l'école ou par l'équipe d'enseignants. Pour s'assurer d'une participation maximale des parents, il est important d'offrir différents moments de rencontre : pendant la journée, après les heures de classe ou en soirée. Différencier nos moments de rencontre ne peut être que profitable aux élèves et aux parents, qui sont après tout nos clients et qui ont des disponibilités différentes.

L'élève prend du temps en classe pour vérifier ses derniers ajouts de pièces témoins, pour classer les données recueillies dans les diverses rubriques et pour s'assurer que son portfolio est complet, c'est-à-dire qu'il correspond aux critères retenus.

L'enseignant amorce avec les élèves une discussion collective sur la procédure et les stratégies de présentation du portfolio. Ensemble, ils élaborent un aide-mémoire visuel décrivant les différentes étapes de la présentation du portfolio. Ils peuvent même concevoir une feuille de route «soutien» à l'intention des parents qui se verraient dans l'obligation de dépanner momentanément l'élève dans un moment plus nébuleux de sa présentation de portfolio.

L'enseignant organise un horaire de répétitions formelles où chaque élève présente son portfolio à un camarade jouant le rôle d'un parent. Ce camarade remplit même une fiche de rétroaction amicale, puis on échange les rôles.

- Au cours de la semaine précédant la conférence, l'enseignant rencontre chaque élève pour réviser les réflexions qu'il a notées et les défis qu'il s'est donnés afin de vérifier si ceux-ci sont réalistes. C'est à ce moment que l'enseignant évalue plus formellement le contenu de chaque portfolio.

- La journée même de la conférence, l'enseignant encourage chaque élève, les réconforte et leur propose un rappel des éléments essentiels à une présentation réussie.

La conférence

- L'enseignant voit aux derniers détails organisationnels entourant le déroulement de la conférence :

  - *aménagement de la classe* en îlots privés de discussion ou choix de locaux adjacents à la classe pour plus d'intimité ;

  - *précisions sur le temps alloué et sur la procédure entourant chaque présentation* avec répartition des étapes : l'accueil des invités, la présentation du portfolio et le moment du retour.

    Le temps alloué à chaque rencontre peut varier : trente minutes, quarante-cinq minutes ou une heure. Le fait de rencontrer simultanément quatre parents est différent du fait de rencontrer tous les parents, la moitié, le tiers ou le quart du groupe. Cette décision a une influence sur la durée de la présentation et elle appartient à l'enseignant, qui chemine dans cette nouvelle façon de faire ;

  - *prévision du matériel nécessaire* aux élèves pour la tenue de leur conférence : portfolio, banque de critères, arbre de connaissances, fiche de réflexion à l'intention des parents, feuille pour plan d'action, pancarte-synthèse, passeport pédagogique.

  À titre d'exemple, l'outil-support 47 de la page suivante fournit des balises pour encadrer la conférence dirigée par l'élève.

CANEVAS POUR ENCADRER LA CONFÉRENCE DIRIGÉE PAR L'ÉLÈVE

Avant la rencontre : étape du bilan personnel

1. Voici ce que j'ai appris de plus important au cours de cette période :

2. Voici ce que j'ai développé au cours de cette période :

3. Voici ce que j'ai amélioré au cours de cette période ; je joins des éléments de preuve :

4. Voici mes forces, avec éléments de preuve :

5. Voici des domaines à retravailler ou à approfondir ; avec éléments de preuve :

6. Maintenant, je me sens capable d'élaborer mon plan d'action avec l'aide de mes parents et de mon enseignant :

Après la rencontre : étape du retour

1. Je viens de participer à une rencontre avec mes parents. Voici l'aspect de cette présentation que j'ai aimé particulièrement :

2. Voici ce que j'ai trouvé difficile ou pénible dans cette rencontre :

3. Je pense que mes parents ont participé
   ☐ Suffisamment
   ☐ Pas assez
   Pourquoi ?

4. Je pense que la présence de mon enseignant aurait pu être :
   ☐ Plus grande
   ☐ Moins grande
   Pourquoi ?

5. Voici ce que je ferai pour améliorer ma prochaine conférence :

- L'*accueil des parents* doit être soigné, car très souvent, il a une incidence sur tout le reste de la rencontre. Voici quelques suggestions : ambiance de fête avec musique douce, fleurs ou décorations, table dressée pour le goûter, signature du carnet des invités, activité culturelle intégrée, tels petit spectacle, mini-pièce de théâtre, chants, présentation de réalisations, bilan de projets.

  S'il s'agit d'une première expérience pour les parents et les élèves, demander à quelques élèves d'expliquer la procédure afin de sécuriser les personnes et de les situer dans le respect des échéanciers.

- Tous ces préalables assurés, la présentation du portfolio peut commencer. Pour appuyer ses partenaires et rentabiliser la conférence, l'enseignant peut fournir l'instrumentation suivante : feuille de route pour l'élève ou affichage de la procédure dans le local, cartes remises aux parents pour prise de notes pendant la présentation, fiche de réflexion et crayon pour la rédaction d'une lettre d'appréciation par les parents à l'intention de leur enfant ou canevas de plan d'action pour la prochaine période préparé conjointement par les parents et l'enfant.

  La lettre doit être remise à l'élève avant qu'il quitte les lieux. Le plan d'action doit être rédigé et accepté par les deux parties puis remis à l'enseignant, qui en discutera avec l'élève lors d'une prochaine période de travail sur le portfolio.

  On acceptera que certains élèves dont les parents ne sont pas disponibles puissent présenter leur portfolio à d'autres personnes qui jouent un rôle éducatif auprès d'eux, comme leurs grands-parents, une tante-gardienne, un grand frère aidant aux devoirs et aux leçons, etc.

L'après-conférence

- L'enseignant dirige une discussion collective sur le déroulement de la conférence afin de connaître les états d'âme des élèves, le degré de satisfaction, les difficultés éprouvées et les suggestions pour améliorer la prochaine présentation.

- Les élèves sont invités à relire la lettre d'appréciation remise par leurs parents ou à revoir les éléments du plan d'action, qui a déjà été validé auprès de l'enseignant. Toujours dans le but de mieux réussir la prochaine conférence, nous pouvons inviter les élèves à remplir une feuille de réflexion sur cette activité d'échange avec leurs parents ou à inscrire un commentaire général, qui peut être noté dans leur journal de bord ou versé au portfolio.

- Les élèves rédigent et envoient un mot gentil à leurs parents ou à leur personne invitée, question de les remercier pour leur présence, leur lettre ou leur collaboration à la construction de leur plan d'action[4].

---

4. D'après Doris ROBICHAUD et Sylvie DOMPIERRE, *Le processus du portfolio et de la conférence dirigée,* Ottawa, Centre franco-ontarien de ressources pédagogiques, 2000.

Même si nous sommes convaincus du bien-fondé du portfolio et de la conférence dirigée par l'élève, nous ne pouvons faire abstraction du bulletin scolaire et de ses remises officielles. Ce qui veut dire que nous terminons ce chapitre traitant des outils d'évaluation en regardant quelques facteurs pouvant harmoniser les bulletins officiels et le développement des compétences transversales et disciplinaires.

Un bulletin à gérer

Évaluer, c'est aussi communiquer le jugement posé à partir de l'information recueillie. Cette communication constitue une étape importante de la démarche d'évaluation. Parmi les formes de communication connues et utilisées, on trouve le bulletin scolaire. Même s'il s'agit d'une communication officielle prescrite dans le régime pédagogique, elle n'occupe plus le monopole exclusif dans le domaine de la communication aux parents : le portfolio, le journal de bord, les travaux annotés, le passeport pédagogique, l'arbre des connaissances personnelles ont gagné beaucoup de terrain sur le plan des pratiques d'évaluation depuis la fin des années 1990.

Dans les pages suivantes, je me contenterai de témoigner d'une démarche novatrice de conception de bulletins au primaire et de jeter un regard critique sur les pratiques des enseignants en fait de remises de bulletins aux parents.

Des nouveaux programmes de formation ont obligé bien des enseignants, des parents et des institutions à réfléchir sur la cohérence entre, d'une part, le contenu du bulletin et son utilisation et, d'autre part, les nouvelles pratiques pédagogiques qui placent l'élève au cœur des apprentissages et qui intègrent l'évaluation authentique au processus des apprentissages. Dans la foulée de cette vision, une commission scolaire du Québec[5] a conçu un guide pratique pour l'élaboration d'un bulletin scolaire au primaire dans une perspective de différenciation. Il s'agit d'un document de travail qui se situe dans un contexte d'application graduelle du nouveau programme de formation. Voici quelques-unes des traces pouvant contribuer à l'éclosion d'une nouvelle culture de l'évaluation.

■ UNE EXPÉRIENCE À PARTAGER

Tout d'abord, une définition originale du bulletin qui s'articule ainsi : « outil de communication aux parents qui formule un jugement de synthèse relatif à l'état du développement des compétences de l'élève ». Cette nouvelle formulation vient alléger considérablement le format du bulletin tout en mettant en évidence l'importance des autres moyens de communication dont nous avons traité tout au

---

5. COMMISSION SCOLAIRE DES PREMIÈRES-SEIGNEURIES et SOCIÉTÉ GRICS, *Guide pratique pour l'élaboration d'un bulletin scolaire au primaire*, Document de travail dans un contexte d'application graduelle du programme de formation, Beauport, avril 2001,

long de ce chapitre. En effet, le bulletin ne saurait constituer le seul outil de communication de l'évaluation.

Le bulletin, dont on parle tant, constitue seulement une sorte de résumé, soit à la dernière étape de la démarche d'évaluation; il est censé concorder avec tout ce qui a été vécu au cours des étapes précédentes. Ainsi, cette synthèse communiquée aux parents ne devrait pas leur réserver d'énormes surprises s'ils ont accompagné leur enfant dans la réflexion sur les apprentissages et la consignation des pièces témoins.

Édité par la Commission scolaire des Premières-Seigneuries (région de Beauport) et la société Grics, ce guide identifie huit étapes importantes à franchir pour élaborer un bulletin scolaire:

- « Planifier les travaux de conception et de mise en œuvre;
- déterminer les compétences disciplinaires à inscrire sur le bulletin;
- déterminer les compétences transversales à inscrire sur le bulletin;
- définir les indicateurs pour les compétences retenues;
- choisir des échelles d'appréciation;
- établir le format de présentation du bulletin;
- préparer l'information pour les parents;
- préciser les modalités de mise à jour du bulletin scolaire. »

Ce guide fournit une grille d'élaboration rigoureuse tout en favorisant la différenciation des productions de bulletins parmi les équipes-écoles, chacune ayant une culture pédagogique qui lui est propre. Chaque école peut donc créer un bulletin scolaire présentant un profil particulier et afficher ainsi «sa couleur», qui n'est jamais fondamentalement différente de celle des autres milieux. «Nous travaillons tous avec le même programme de formation, nous empruntons tous la même démarche d'évaluation des apprentissages, mais nous laissons à chaque équipe-cycle la liberté de choisir les outils de gestion des apprentissages qui leur conviennent: matériel didactique, grilles d'observation et d'évaluation, outils de consignation, moyens de communication aux parents. Nous adhérons difficilement à la croisade du bulletin unique pour le moment. Toutefois, nous avons la préoccupation d'assurer une cohérence minimale au sein d'un établissement, et même d'un établissement à l'autre, en cette période d'appropriation et d'expérimentation d'un nouveau programme de formation. D'ailleurs, nous pensons qu'une souplesse du genre et une certaine marge de manœuvre font partie des conditions facilitant le changement des pratiques pédagogiques», affirme une personne concernée par l'expérimentation de cette démarche de conception de bulletins scolaires. Elle ajoute que «d'ici deux ou trois ans, par le jeu des échanges entre les écoles, il est possible que les milieux concernés en arrivent spontanément à l'émergence progressive et libre d'un bulletin uniforme. Mais ce n'est vraiment pas un objectif fixé au départ et, le cas échéant, ce bulletin uniformisé surgirait du terrain même plutôt que de l'intervention, si experte soit-elle, d'une administration centrale[6]. »

■ DES PRATIQUES À REVOIR

Concevoir un bulletin est une chose, l'utiliser en est une autre. Nous examinerons donc cet aspect dans la perspective de créer un partenariat avec les élèves quand arrive le moment de communiquer le contenu du bulletin aux parents. Nous parlerons seulement de « rencontres à trois » et de « remise de bulletins rafraîchie », puisque la conférence dirigée par l'élève a été scrutée de près dans les pages précédentes.

Ces deux formules de remises de bulletins intègrent doucement la participation de l'élève et le préparent à l'expérimentation de la conférence dirigée par l'élève.

• La rencontre à trois

Les enseignants qui désirent rompre avec la remise traditionnelle de bulletins sont assez à l'aise avec la formule de communication à trois. Il s'agit de la présentation officielle du bulletin scolaire faite par l'élève et à laquelle participe aussi l'enseignant. Cette présentation est souvent étoffée de travaux ou d'examens témoins qui ne sont pas nécessairement encadrés par la structure du portfolio.

Normalement, les élèves ont déjà reçu leur bulletin en classe et ont analysé les performances qui y figurent de façon à connaître leurs forces et leurs faiblesses. Ils ont consulté des travaux venant témoigner des résultats qui apparaissent sur leur bulletin. Autrement dit, ils se sont préparés à cette rencontre sous l'œil averti de leur enseignant.

Pendant la rencontre, l'élève, les parents et l'enseignant participent activement aux échanges puisque le bilan d'apprentissage de l'élève fait partie intégrante du processus de discussion. Il incombe à l'élève de présenter oralement son bilan à l'aide de son bulletin et des pièces qu'il juge nécessaires. L'enseignant joue le rôle de régulateur et de superviseur auprès de l'élève et des parents en répondant à une question plus complexe, en complétant une information, en réorientant la discussion, en formulant des pistes de réflexion, même en prenant des notes susceptibles d'alimenter son journal de bord. Vers la dernière partie de la rencontre, l'élève fait part de ses prochains objectifs, identifie les défis qu'il désire relever. Ses parents et son enseignant réagissent à ses propositions en validant ses intentions, en lui soulignant des pistes intéressantes, en l'aidant à doser l'ampleur de ses défis et en l'accompagnant dans la rédaction de son plan d'action ou d'un rapport de rencontre.

---

6. Propos recueillis par Paul FRANCŒUR, « Éloge de la différence », *Vie pédagogique*, Québec, septembre-octobre 2001, p. 38-39.

Ce qui distingue la conférence dirigée par l'élève de la rencontre à trois, c'est que l'enseignant participe formellement à la rencontre avec l'élève et les parents ; de plus, l'élève ne travaille pas nécessairement avec un portfolio dans la classe. Néanmoins, ce dispositif de rencontre favorise la participation active de l'apprenant sur trois plans : dans la préparation immédiate de la présentation, dans la communication aux parents et dans l'élaboration d'un plan d'action ou d'un rapport de rencontre.

- **Une remise de bulletins rafraîchie**

Quant à notre dernière formule de présentation des bulletins, elle s'apparente beaucoup à la rencontre à trois, sauf que l'enseignant ne participe pas directement aux échanges qui se déroulent entre l'élève et ses parents. Toutefois, il est à la disposition de ces derniers ou d'autres équipes de discussion puisque cette formule de présentation offre l'occasion à l'enseignant de recevoir en même temps quelques sous-groupes de discussion, ce qui n'est pas le cas pour la rencontre à trois. En effet, dans cette réflexion à trois autour du bulletin, sa présence est monopolisée tout le temps, ce qui l'empêche d'orchestrer des présentations simultanées.

Peu importe la forme de remise de bulletins privilégiée, la place de l'apprenant est grandissante de même que l'engagement des parents. Il est souhaitable que l'enseignant ait de moins en moins à porter seul le lourd fardeau des apprentissages à faire par chacun des élèves. Voilà pourquoi j'ai tenu à démontrer qu'il n'y pas une seule façon de faire, même dans un domaine aussi traditionnel que celui de la remise du bulletin !

Forts de notre coffre à outils de différenciation, qui s'est enrichi au cours des quatre derniers chapitres, nous pouvons oser espérer atteindre la destination des cycles d'apprentissage. Comme première épreuve de parcours de l'appropriation des cycles, nous aurons à traverser sur l'autre rive... Des degrés aux cycles, un passage urgent à faire !

Pour enrichir ses connaissances

- Pour faciliter la transition entre une évaluation traditionnelle et une évaluation authentique, prenez connaissance du parallèle élaboré par Rosée Morissette et Micheline Voynaud dans l'ouvrage *Accompagner la construction du savoir,* à la page 151.

- Pour plus de renseignements sur les arbres de connaissances, utilisez un moteur de recherche pour naviguer dans Internet. Vous pourrez accéder à de nombreuses informations très pertinentes.

- Pour vous documenter davantage sur la conférence dirigée par l'élève, consultez l'ouvrage *Le processus du*

portfolio et de la conférence dirigée, de Doris Robichaud et Sylvie Dompierre, édité par le Centre franco-ontarien de ressources pédagogiques d'Ottawa.

- Afin de valider certaines démarches que vous avez entreprises en lien avec la gestion d'un portfolio en classe, référez-vous à l'objectivation des pratiques de trois enseignantes dans ce domaine. L'ouvrage *Le portfolio : engager l'élève dans l'évaluation de ses apprentissages*, de Louise Dore, Nathalie Michaud et Libérata Mukarugagi peut vous soutenir dans votre processus d'appropriation de cet outil d'évaluation.

Pour prolonger les apprentissages

- Élaborez votre journal de bord en vous basant sur le guide de contenu et sur le cadre organisationnel proposés aux pages 331 et 332 du présent chapitre.

- Pour objectiver votre utilisation du portfolio en classe, faites un retour en arrière à l'aide des trois pistes suivantes : la différenciation dans votre intention d'utiliser le portfolio, dans l'élaboration de ce dernier et dans sa gestion au quotidien. Les pages 357 à 373 vous fourniront quelques bâlises intéressantes.

- Pour engager davantage l'élève dans la présentation de son portfolio ou

de son bulletin, revoyez les textes liés à la conférence dirigée par l'élève aux pages 373 à 380. Qu'est-ce que vous pouvez conserver ? Que pouvez-vous améliorer ? Que devez-vous introduire de nouveau ?

- Faites le bilan de vos instruments de collecte d'informations. Comparez votre bilan avec la banque suggérée aux pages 327 et 328. Les outils utilisés présentement sont-ils gérés uniquement par vous ? Quels sont ceux que vous avez développés en partenariat avec vos élèves ?

 # CHAPITRE 10

D'une rive à l'autre : des niveaux aux cycles !

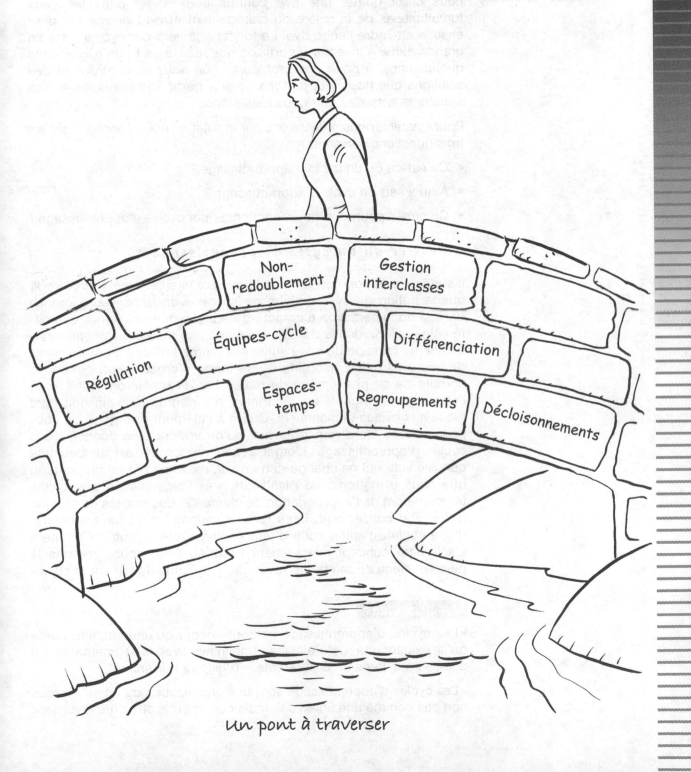

Un pont à traverser

« Conduire tous les alpinistes à une altitude minimale, supposée à leur portée ; conduire chacun aussi haut qu'il peut aller… »
(Philippe Perrenoud)

Le développement des compétences définies et échelonnées à l'intérieur de cycles d'apprentissage pluriannuels est omniprésent dans les nouveaux programmes de formation. Cette nouvelle vision des cycles d'apprentissage représente un défi de taille parce qu'il nous oblige à faire le deuil d'une organisation par niveaux au profit de nouveaux espaces-temps de formation. C'est un peu comme s'il nous fallait quitter une rive connue pour nager dans les eaux tumultueuses de la rivière du changement et de l'innovation, pour ensuite atteindre l'autre rive. Le fonctionnement par cycles reste en grande partie à inventer à partir de nos réflexions et de nos actions quotidiennes, à partir des problèmes que nous rencontrons et des solutions que nous y apportons ; bref à partir des pratiques et des structures actuelles que nous réajustons.

Pour l'instant, nous réfléchirons sur le sujet en nous penchant sur les trois questions suivantes :

- Qu'est-ce qu'un cycle d'apprentissage ?
- À quoi sert un cycle d'apprentissage ?
- Comment pourrions-nous fonctionner par cycles d'apprentissage ?

 ## Qu'est-ce qu'un cycle d'apprentissage ?

Il suffit de parcourir plusieurs volumes sur le sujet pour s'apercevoir que la notion de cycles d'apprentissage évoque plusieurs images dans la documentation à caractère pédagogique. Toutefois, ces différentes façons de les définir véhiculent une même philosophie rattachée au principe de base suivant : comme les enfants apprennent de manières différentes, il faut une forme d'organisation qui tienne compte de ce phénomène de maturation et d'hétérogénéité. Voilà l'élément convergent ! La répartition par degrés annuels doit faire place aux cycles pluriannuels. Quant à l'élément divergent, on l'observera dans les diverses formes qu'on voudra bien donner à ces cycles d'apprentissage. L'organisation par cycles est un peu une coquille vide qui ne change rien en soi, mais qui fait foi du contenu que nous y mettons. La planification et l'organisation par cycles témoigneront de l'appropriation de chacun et des réalités de chaque milieu. Par conséquent, leurs formes varieront d'un pays à l'autre, d'une école à l'autre, voire d'une équipe-cycle à l'autre. Comme il s'agit d'un concept relativement nouveau pour nous, prenons la peine d'effectuer une petite revue de la documentation sur le sujet.

Des définitions

« Les cycles d'apprentissage ne sont encore qu'une intuition parce qu'ils exigent une rupture claire et définitive avec la segmentation du cursus en années de programme. » (Philippe Perrenoud)

« Les cycles d'apprentissage sont une organisation du travail, perçus non pas comme une fin en soi, mais comme une structure favorisant une pédagogie différenciée, le suivi des élèves sur plus d'une année et la continuité des stratégies d'enseignement de même que la coopération des enseignants. La notion de cycle est une notion pédagogique fonctionnelle étroitement liée à l'évolution des apprentissages de chaque enfant, à la continuité dans le cheminement et à l'évaluation authentique de ses acquis. Ce concept de cycle apparaît comme une piste prometteuse pour lutter efficacement contre l'échec scolaire puisqu'il permet de gérer d'une manière plus souple le temps et l'espace d'apprentissage disponibles. » (Claude Lessard)

« Le cycle d'apprentissage se présente d'abord comme la réunion de plusieurs degrés consécutifs, comme un cycle d'études dans lequel on aurait atténué, voire effacé les degrés annuels. Le cycle se définit davantage par les apprentissages qu'il vise, comme une étape de scolarité associée à des compétences de base visées par l'ensemble du cursus. Les cycles ont d'abord la même fonction que les degrés: constituer des marches, des étapes. Mais la différence, c'est que les étapes sont pluriannuelles. » (Monica Gather-Thurler)

« Un cycle d'apprentissage n'est pas un cycle d'enseignement: il regroupe quelques ou plusieurs années scolaires; sa durée est déterminée à partir des apprentissages que les élèves doivent maîtriser à la fin du cycle. Le concept du cycle d'apprentissage n'est pas encore stabilisé et il est difficile de penser cette organisation sans réinventer les degrés dans les représentations, dans les pratiques. » (Perraudeau)

« Un cycle d'apprentissage constitue une étape unifiée dans le parcours scolaire de l'élève, cette étape n'est pas divisible en années et elle contient des objectifs d'apprentissage définis d'une manière spécifique en rapport avec la fin du cycle concerné. Autrement dit, un cycle d'apprentissage est une étape pluriannuelle dans le parcours scolaire d'un élève, dont la durée est déterminée à partir des objectifs d'apprentissage que ce dernier doit maîtriser à la fin du cycle. » (Jacques Tardif)

La recherche d'un fonctionnement par cycles est un long voyage à entreprendre vers le pays de l'innovation. Il faut le considérer un peu comme un processus constructiviste négocié avec les divers partenaires et s'étalant sur plusieurs années.

Il n'est pas possible de livrer à quiconque « clés en main » le modèle idéal de gestion de cycles. Celui-ci doit être créé au fil du temps, de façon contrôlée, afin de ne faire courir aucun risque aux élèves qui vivront pour la première fois ces parcours pluriannuels d'apprentissage.

388

À quoi sert un cycle d'apprentissage ?

« Une organisation scolaire en cycles d'apprentissage devient incontournable à partir du moment où les programmes d'études sont définis en termes de compétences.

Le développement des compétences et la construction des connaissances qu'elles mobilisent exigent des interventions pédagogiques et didactiques de longue durée, perspective offerte par les cycles d'apprentissage.

Les cycles d'apprentissage constituent une organisation favorisant la mise en œuvre d'une pédagogie hautement différenciée : divers regroupements des élèves, différents modèles de planification d'apprentissages, divers outils d'évaluation et de consignation, dispositifs organisationnels ouverts à la différenciation, etc.

Les cycles d'apprentissage permettent le développement de situations d'apprentissage beaucoup plus complexes que dans le cadre d'une organisation en étapes pluriannuelles.

La gestion du parcours des élèves dans des étapes pluriannuelles contribue à ce que les enseignants octroient plus de temps aux apprentissages des élèves que dans le cadre d'une organisation en étapes annuelles.

Les cycles d'apprentissage suscitent le partage de l'expertise professionnelle, pédagogique et didactique des enseignants d'une même équipe, voire d'une même école[1] ».

Comment fonctionner par cycles d'apprentissage ?

« Les cycles tiendront ou non leurs promesses en fonction de ce que les acteurs en feront. »
(Philippe Perrenoud)

Après avoir exploré la définition des cycles ainsi que les raisons qui justifient leur présence, voyons maintenant les changements majeurs qu'ils exigent et les bienfaits rattachés à leur utilisation. Nous ferons ensuite un inventaire des gestes à poser pour les intégrer au cœur de nos pratiques.

Les implications pédagogiques

1 La présence de cycles vient confirmer cet urgent besoin de *différenciation* dans les apprentissages, nécessaire pour amener un plus grand nombre d'élèves à connaître des réussites optimales.

2 La gestion des parcours d'apprentissage par cycles suppose qu'on ait de la créativité pour élaborer des scénarios de *répartition d'élèves* différents du traditionnel classement par niveaux. Nous pouvons même trouver des scénarios différents à l'intérieur d'une même école, puisque la décision est prise par une équipe d'enseignants d'un cycle donné.

1. Document préparé par Jacques TARDIF, *Rencontre avec les directions des écoles ciblées,* 1999.

3 La différenciation présente au cœur des cycles entraîne l'obligation de créer des *dispositifs de différenciation* pour gérer un groupe de base ou un groupe reconstitué : contrats d'apprentissage, brevets d'apprentissage, fonctionnement par sous-groupes, ateliers vocationnels, centres d'apprentissage, outils pour gérer le temps, etc.

4 La gestion des cycles nous oblige à différencier à l'interne, mais aussi *à l'externe*. On y arrive par le décloisonnement des groupes et la formation de regroupements tantôt homogènes, tantôt hétérogènes, tantôt axés sur des besoins, des projets, des intérêts, des niveaux, des méthodes ou des approches, etc.

5 Dans ce contexte de différenciation, les enseignants auront à concevoir ou à roder des outils touchant autant à la gestion de leur classe qu'à la *gestion interclasses*.

6 Dans une perspective de continuité échelonnée sur deux, trois ou quatre ans, il est de première importance de créer des *instruments de consignation et de communication* à la fois rigoureux et faciles d'utilisation : journal de bord avec feuilles de route pour l'enseignant, passeport pédagogique de cycle, arbre de connaissances, de compétences personnelles, portfolio d'élève, bulletin scolaire harmonisé avec le développement des compétences, etc.

7 Les cycles suscitent un important questionnement sur le *non-redoublement* au sein d'une culture scolaire qui autorise encore, et valorise dans certains cas, le recours à cette pratique.

8 Cette répartition des compétences par cycles justifie l'urgence de former des *équipes de travail* par cycles, car la gestion du cycle est désormais assumée par une équipe d'enseignants plutôt que par une seule personne.

9 Comme il s'agit d'un concept relativement nouveau *pour les parents*, les enseignants ont intérêt à inventorier et à utiliser des stratégies d'information pertinentes pour démystifier, d'une part, le fonctionnement par cycles et, d'autre part, pour en faciliter l'appropriation.

10 Pour rentabiliser au maximum le fonctionnement par cycles, la continuité des apprentissages doit se manifester au cours d'un cycle, mais aussi *entre les cycles.* Le cycle devient une organisation entre adultes qui se mobilisent, se concertent et collaborent autour d'un *projet d'établissement* axé sur la progression maximale des élèves.

« Un cycle d'apprentissage n'est qu'un moyen de faire mieux apprendre et de lutter contre l'échec scolaire et les inégalités. »
(Philippe Perrenoud, 1998)

ÉQUIPE COLLÉGIALE : professionnels de l'éducation qui travaillent dans un contexte de partenariat, de coopération, de concertation et de cohérence pour gérer les différents parcours des élèves appartenant à un même cycle dont ils partagent la responsabilité.

Les gains escomptés

Au cours de la dernière décennie, la plupart des pays désireux d'apporter des changements majeurs à leur système scolaire ont adopté le développement des compétences échelonné sur des cycles ; cette orientation pédagogique n'est pas le fruit du hasard, et ne résulte pas d'un souci d'être à la mode ou d'un manque de profondeur dans les réflexions. Il y a assurément des gains intéressants à faire à l'intérieur de ces structures organisationnelles. En cibler les avantages est de première importance pour nous, les praticiens, car ils constituent un noyau central auquel il faudra nous raccrocher en cas d'insécurité, de tourmente ou d'obstacles.

1 Le fait que chaque élève puisse poursuivre sa scolarité d'une manière continue et à son rythme, sans redoublement à l'intérieur d'un cycle d'apprentissage constitue un premier avantage.

2 L'ensemble des élèves bénéficient de temps pour réaliser les apprentissages indispensables à la construction de leur savoir en ce qui a trait à des cadres de référence comme les socles de compétences, que l'on trouve en Belgique présentement, par exemple.

3 Pour les élèves à risque, qui présentent des profils et des besoins différents, le fonctionnement par cycles est fort bénéfique, car il officialise leur grand besoin de différenciation. Ces élèves ne sont plus perdus dans la masse ; ils existent au même titre que les élèves qui ont de la facilité. Ils sont capables d'apprendre et de réussir si l'on cesse de leur demander de s'adapter à nos exigences et que l'on s'adapte plutôt à leur cheminement.

4 Le fonctionnement par cycles brise la solitude professionnelle, l'individualisme et la compétition en institutionnalisant le travail par **équipes collégiales** à l'intérieur des cycles. Le système scolaire peut ainsi rentabiliser des ressources humaines longtemps méconnues, sous-estimées et non utilisées. Tout comme les élèves, les enseignants jouissent actuellement d'un contexte exceptionnel pour cultiver leur solidarité et leur coopération.

5 La réalité des équipes-cycles sollicite la complicité et la collaboration de certaines personnes-ressources vivant parfois en retrait de l'action quotidienne des groupes de base et de leurs titulaires. Enseignants du préscolaire, enseignants-spécialistes, orthopédagogues et personnes responsables de mesures d'appui ou de toute autre forme de services jouent également un rôle capital dans le développement des compétences. Personne ne doit se tenir à l'écart en pensant que sa contribution est minime par rapport à celle des titulaires et que c'est surtout dans la classe que tout se joue. Tous les intervenants doivent s'impliquer et s'associer afin de devenir de véritables partenaires dans l'orchestration des parcours de cycles d'apprentissage.

6 L'arrivée de ce nouveau modèle organisationnel réveille la créativité des élèves, des enseignants et des dirigeants, qui s'était endormie avec temps sous le pouvoir analgésique des manuels scolaires et des cahiers d'exercices utilisés à profusion et de manière uniforme.

7 L'obligation de favoriser un modèle cohérent et continu à l'intérieur d'un cycle, mais aussi entre les divers cycles, renforce la nécessité d'un solide projet d'établissement axé sur la réussite de chacun des élèves.

8 La présence des cycles nous amène à différencier nos relations avec les parents, qui ne sont pas, d'emblée, prêts à accepter ce fonctionnement et à soutenir l'action de l'école dans ce sens. C'est le prix à payer pour faire évoluer nos pratiques, modifier nos structures et adopter de nouvelles stratégies de collaboration avec nos partenaires. Nous avons beaucoup à gagner dans ce domaine.

9 La complexité de la gestion des cycles relance la responsabilité professionnelle des enseignants ainsi que leur scénario de formation continue. Créer un modèle novateur d'organisation suppose des compétences nouvelles qui certes, s'amplifient au quotidien, mais qui doivent être nourries et construites de l'intérieur par un accompagnement pédagogique (chantiers pédagogiques, suivi individuel ou de sous-groupes) différent de ce que l'on a connu jusqu'à maintenant.

10 Ce défi rappelle l'importance du profil d'un directeur d'école : à la fois leader, animateur et gestionnaire. Or, cet aspect est de première importance, puisqu'une équipe peut rarement aller plus loin que là où son chef l'amène.

Les cadres scolaires (directeurs d'école, coordonnateurs, directeurs des services éducatifs) en poste devront faire le point sur leurs capacités et leurs interventions, tandis que les autorités chargées d'embaucher de nouveaux employés rechercheront sans doute davantage un candidat qui :

- sait partager une vision inspirante des changements ;

- communique de manière convaincante et respectueuse ;

- rallie ses troupes autour d'analyses de situations, de bilans institutionnels, de consensus d'équipes, de priorités et de plans d'action ;

- compose avec les différences et se place lui-même en situation de différenciation auprès des enseignants engagés sur la voie de la gestion des cycles ;

- met en place des conditions et un environnement favorable à l'éclosion d'un modèle participatif et responsabilisant pour chacun de ses partenaires en éducation : élèves, enseignants, parents et personnes-ressources ; etc.

Les risques qui nous guettent

Même si nous pouvons retirer de multiples avantages de cette forme d'organisation, il faut être conscients de certaines difficultés auxquelles nous pouvons être confrontés. En voici une liste[2].

1 Perpétuer le mode organisationnel par degrés en gérant les cycles comme de simples niveaux élargis, d'autant plus s'il s'agit de cycles de seulement deux ans, comme au Québec. Déjà, lors des visites de classes que j'ai effectuées au cours des deux dernières années au Québec, certains enseignants me confiaient ce besoin impérieux de se réunir en équipe-cycle et de se répartir entre eux dans une planification ordonnée par étapes des compétences couvrant tout le cycle.

2 Dans un contexte de travail soi-disant collégial, vivre d'une manière assez fréquente des relations professionnelles tendues, des chocs culturels causés par des conflits de valeurs ou de croyances relatives à l'enseignement.

3 Sur le plan de la planification des situations d'apprentissage, continuer à privilégier la gestion des connaissances au détriment de celle des compétences.

4 Dans la gestion de l'évaluation authentique, dissocier les situations d'évaluation de celles d'apprentissage, immortalisant ainsi une évaluation artificielle, détachée des contextes d'apprentissage.

5 Attendre que le temps produise les effets escomptés sur les apprentissages des élèves, sans s'investir soi-même ni apporter de changement aux pratiques actuelles.

6 Croire que changer correspond à faire *un peu plus* de la même chose sur les plans pédagogique et didactique, plutôt que d'accepter l'idée que changer, c'est faire autrement, en vivant certains deuils et en surmontant certaines peurs.

7 Maintenir une dépendance assez forte à l'égard du matériel scolaire, établissant ainsi des dispositifs rigides au lieu de mettre en place des structures souples, évolutives et adaptées au profil des élèves ; développer du matériel pédagogique (uniforme ou pas) à l'échelle d'une commission scolaire sans consulter les enseignants.

8 Privilégier encore un enseignement morcelé, découpé, planifié en fonction d'objectifs isolés plutôt que de travailler sur le développement de la compétence avec ses composantes dans toute sa globalité.

9 En tant qu'équipe de professionnels de l'éducation, sauter l'étape de la mise en commun des perceptions des concepts-

---

2. D'après un document préparé par Jacques TARDIF, *Rencontre avec les directions des écoles ciblées*, 1999.

noyaux des changements proposés par le nouveau programme de formation : le développement des compétences transversales et disciplinaires, le fonctionnement par cycles d'apprentissage, la constitution d'équipes-enseignants partageant une responsabilité commune face à un cycle, le changement de paradigme (de la transmission des connaissances à leur construction), l'évolution des pratiques (pour se centrer davantage sur l'apprenant, pour différencier les parcours des élèves).

10 Gérer les parcours des élèves à partir de critères non définis, ou encore définis à partir d'une norme ou d'une moyenne, dans un laps de temps où la fréquence d'évaluation est insuffisante. La tentation de revenir à des notes peut même nous assaillir.

11 À l'échelle d'un établissement scolaire, vivre le passage difficile des relations sociales aux relations professionnelles, qui exigent les attitudes et les habiletés suivantes : une communication authentique, un respect des idées, des opinions et des pratiques, une capacité à exprimer ses divergences d'opinions, à construire une argumentation solide pour appuyer un point de vue ou un projet, à dégager un consensus d'équipe parfois incompatible avec des intentions personnelles.

12 Même avec une volonté sincère de collégialité, s'accommoder au quotidien d'une autonomie individuelle au détriment d'une autonomie collégiale ou encore ignorer complètement l'interdépendance professionnelle nécessaire à une équipe rattachée à un cycle d'apprentissage.

Parmi les difficultés organisationnelles propres aux cycles, ne pas minimiser l'impact des réalités suivantes : le manque de souplesse des conventions collectives, la mobilité du personnel dans certaines écoles ou commissions scolaires, certaines incohérences véhiculées dans les divers milieux éducatifs ainsi que le manque de ressources humaines et financières pour l'accompagnement pédagogique des enseignants. Il s'agit d'embûches sur lesquels nous avons peu de pouvoir actuellement, mais qui peuvent évoluer pour le mieux. En éducation, il est sage de ne jamais tenir une solution pour acquise ou finale, mais plutôt de la considérer comme la solution du présent.

Conscients des dangers qui nous guettent sur l'itinéraire menant à l'application des cycles, nous allons aborder les facteurs facilitant leur mise en œuvre.

Les conditions favorables

Passer le cap de l'organisation scolaire par niveaux pour accéder à celui des cycles est un défi colossal ; aussi bien mettre toutes les chances de notre côté...

1 Laisser aux enseignants le temps d'apprivoiser les changements proposés, éviter d'imposer un plan de perfectionnement ou une vitesse de croisière trop rapide aux enseignants qui, eux aussi, ont un rythme d'apprentissage dont il faut tenir compte. Il faut se préparer mentalement à un long parcours, qui devra se vivre avec sagesse et précaution afin d'éviter les surcharges de travail. Une nouvelle culture doit être implantée auprès des élèves, des parents et des enseignants ; cela ne peut se faire en quelques années. Apprendre à vivre avec les cycles et la différenciation est un projet à long terme qui mérite d'être respecté, tout comme le cheminement qu'il nécessite.

2 Se donner une vision commune et partagée des changements préconisés par les nouveaux programmes de formation, ce qui veut dire :

– réfléchir sur les raisons qui motivent de tels changements et déceler les enjeux intéressants que ces changements comportent ; examiner alors ses propres croyances à l'égard des cycles d'apprentissage et de la différenciation pédagogique, et les partager avec les membres de l'équipe-école ou de l'équipe-cycle ;

– identifier les véritables paramètres des réformes scolaires proposées afin de s'approprier les fondements sur lesquels les programmes ont été élaborés ;

– comprendre le processus de changement et d'apprentissage dans lequel les pédagogues se trouvent actuellement ; plus spécifiquement, anticiper les difficultés, cibler celles sur lesquelles ils exercent un certain pouvoir, et attribuer à leurs gestes de changement des éléments de signification et d'approbation.

3 Favoriser la construction et l'appropriation de ces deux concepts-clés (les cycles et la différenciation) en permettant aux enseignants de les vivre plutôt que de se contenter d'en parler. Comment, me direz-vous ? En introduisant la différenciation au cœur de la supervision pédagogique et de la formation continue.

Dans le premier cas, les enseignants doivent percevoir que la direction de leur école est convergente dans ses orientations, mais divergente dans les moyens. *Exemple :* pour différencier les rythmes d'apprentissage, les dispositifs sont variés. Une équipe d'enseignants pourrait s'engager à l'unisson avec leur direction d'école dans ce processus tout en ayant le privilège de choisir les moyens de différenciation les plus compatibles avec leur style d'enseignement et le profil d'apprentissage de leurs élèves.

Dans le second cas, le modelage pourrait faire toute la différence. Même si les directions d'école ont appris au cours des dix dernières années à différencier les contenus de formation et à offrir des choix aux enseignants, elles n'ont pas tellement touché les processus. *Exemple :* à l'intérieur des scénarios de formation continue, retrouve-t-on une banque de stratégies de formation pour différencier les processus ou sont-ils encore axés uniquement sur des formations collectives où tout le monde explore le même contenu ou doit apprendre de la même manière? Où peut-on situer la différenciation? Dans les dispositifs d'animation et d'accompagnement pédagogiques, peut-être! Un grand pas a été fait dans ce domaine, il faut en convenir, mais il reste du chemin à faire.

4 Cerner des portes d'entrée possibles pour agir en vue de la différenciation dans sa classe et dans son équipe-cycle; revoir même avec la direction de l'école les structures actuelles, les politiques et les procédures au cas où elles entraveraient les petits pas que nous avons l'intention de faire. Des obstacles comme une grille-horaire fermée, peu propice à la différenciation, un matériel didactique lourd, rigide et uniforme, des informations de piètre qualité, complexes ou fournies peu fréquemment aux parents sur nos perspectives d'innovation, des bulletins scolaires non harmonisés avec les pratiques des enseignants, tout cela peut refroidir la motivation pour des projets pourtant développés avec cœur.

5 Explorer différents scénarios pour gérer les cycles d'apprentissage et la différenciation des parcours d'élèves. Plusieurs avenues sont envisageables (quelques possibilités sont présentées et détaillées aux pages 396 à 404 du présent chapitre).

Toutes ces conditions favorables sont autant de points d'ancrage qui motivent les troupes à agir en tant que professionnels de l'éducation tout en les guidant sur les sentiers sinueux de l'innovation. Prétendre qu'on attend le moment propice pour changer ou qu'on veut s'y préparer ne sont que des excuses pour éviter de passer à l'action. Un changement, ça se vit au quotidien et, comme l'écrit si bien Jankélévitch, il faut avoir le courage des commencements. Quel est donc le prétexte qui nous rassemblera autour d'une cible commune, nous donnant le goût de travailler en équipe et de transformer graduellement nos pratiques? Un projet commun de cycles, si petit soit-il, ouvre la porte à plusieurs autres projets qui nous conduiront parfois à des changements d'envergure.

Le premier pas consiste à accepter que les degrés n'existent plus et à agir en conséquence. Pour ce faire, il faut se donner une vision d'ensemble du cheminement d'un enfant sur deux ans, de savoir d'où il part et vers où nous le conduisons. Faire le deuil des degrés exige du temps, mais suppose surtout que nous puissions développer la maîtrise nouvelle d'une autre forme d'organisation scolaire. C'est d'abord dans le langage et dans la tête que la création d'une nouvelle représentation commence. «Non, je n'enseigne plus en quatrième année. L'an prochain, j'accompagne mes élèves dans la dernière année de leur deuxième cycle.»

Un bon jour, nous ne ferons plus référence aux degrés dans les formulaires d'inscription des élèves, dans les bulletins scolaires ou dans les carnets d'évaluation, dans la formation des classes et des groupes, dans les fichiers et statistiques, dans l'attribution des tâches des enseignants, etc. Nous ne pouvons adopter un nouveau paradigme tout en continuant d'entretenir un discours ambigu. C'est souvent là que se produisent l'incohérence et l'inefficacité.

Comme le dit le groupe de pilotage de Genève, un élève appartient officiellement à un cycle auquel il est intégré en fonction de son âge, même s'il vient d'un autre système scolaire. La référence aux degrés devrait peu à peu disparaître des méthodologies et des moyens d'enseignement officiels mis à la disposition des écoles.

Soucieux de travailler sur les cycles et sur la différenciation, donnons-nous un scénario de formation continue à cet effet. En élaborant ce scénario à partir de la situation actuelle tout en se projetant dans trois ans, par exemple, on peut contribuer à lui donner de la profondeur. Privilégions à l'intérieur de ce scénario des mesures d'appui dispensées de manière continue et validons cette planification avec notre direction d'école.

Les scénarios possibles pour organiser les cycles

L'organisation par cycles peut être réalisée de plusieurs manières. Chaque école et, éventuellement, chaque équipe-cycle choisit celle qui convient le mieux à sa réalité (élèves, enseignants, culture de l'établissement, projet éducatif de cycle ou d'école, etc.).

Dans les visites de classes que j'ai récemment effectuées, j'ai été témoin de diverses formules d'organisation des cycles d'apprentissage de différentes durées :

- Au Québec, dans une école ciblée par la réforme scolaire : des cycles de deux ans gérés dans un contexte monoâge avec décloisonnement à l'interne et occasionnellement à l'externe, avec une autre classe de même niveau ou avec des classes d'un même cycle ;
- Dans le Canton de Genève, en Suisse : des cycles de quatre années gérés très souvent dans des contextes multiâges et se traduisant autant par le décloisonnement à l'interne que par celui des groupes de base ;
- À la Maison des Trois Espaces, à Saint-Fons, en France : des cycles de trois années gérés majoritairement dans un contexte multiâges et dans un décloisonnement à l'interne et à l'externe, par l'éclatement des groupes de base ;
- Dans le Canton de Vaud, en Suisse : des cycles de deux ans gérés progressivement avec ou sans contexte multiâges, avec décloisonnement à l'interne ou à l'externe ;
- En Belgique, plus spécialement à Liège, à Huy et à Namur : des cycles de deux ans gérés très souvent dans des contextes monoâges et par des décloisonnements à l'interne ou à l'externe.

Peu importe le type d'organisation que nous choisissons, le mieux-être des élèves et leur réussite doivent influencer nos options et nos décisions. Pour nous aider à articuler notre fonctionnement par cycles, voici quelques questions susceptibles d'orienter ou de corriger notre trajectoire d'implantation.

■ QUESTIONS DE VALIDATION

- Le scénario d'organisation retenu respecte-t-il la philosophie et les principes sous-jacents aux cycles d'apprentissage? Favorise-t-il le progrès continu? Aide-t-il à lutter contre l'échec scolaire, à contrer le redoublement?

- Le scénario d'organisation retenu s'associe-t-il surtout à une forme d'organisation verticale de l'enseignement, par opposition à une forme horizontale, utilisée plus abondamment dans le passé? Présuppose-t-il aussi une forme de décloisonnement des échelons et des groupes?

- Le scénario d'organisation retenu fait-il émerger d'autres critères de classement que celui de l'âge?

- Le scénario d'organisation retenu fournit-il aux intervenants une occasion de mobiliser toutes leurs énergies autour d'une cible commune afin d'accroître la coopération entre professionnels d'un même établissement?

- Le scénario d'organisation retenu joue-t-il le rôle de cadre intégrateur, accentuant ainsi les bienfaits des pédagogies de soutien (approches nouvelles, enseignement individualisé, méthodes actives)? Facilite-t-il la gestion de l'évaluation formative et la différenciation des apprentissages?

Un cadre de référence axé sur l'actualisation des cycles doit constamment nous accompagner et éclairer notre exploration des formes d'organisation possibles afin que nous fassions le meilleur choix pour le mieux-être de nos élèves.

■ FORMES D'ORGANISATION POSSIBLES

Hypothèse 1 (Voir ci-dessous)

Les élèves sont répartis dans des groupes-classes selon les âges (indépendamment de leurs performances, de leurs habiletés scolaires ou de leur niveau), sous la gouverne d'une seule personne, pour une période d'une année seulement.

D'une ressemblance frappante avec le modèle que nous avons connu jusqu'à maintenant, celui-ci en diffère en ce sens que l'enseignant doit assumer totalement, pour une année, l'hétérogénéité de sa classe. Celle-ci doit être gérée dans une perspective de différenciation et de continuité en fonction du cycle d'apprentissage. Dans ce contexte, la délégation du groupe d'élèves à un autre enseignant doit s'appuyer sur d'excellents outils de consignation afin d'harmoniser la transition d'une année à l'autre.

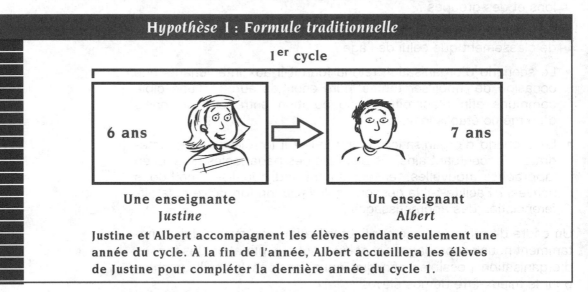

Hypothèse 1 : Formule traditionnelle

1er cycle

6 ans — Une enseignante *Justine*

7 ans — Un enseignant *Albert*

Justine et Albert accompagnent les élèves pendant seulement une année du cycle. À la fin de l'année, Albert accueillera les élèves de Justine pour compléter la dernière année du cycle 1.

Hypothèse 2 (Voir page 399)

Pour une partie d'un cycle (une année seulement), deux enseignants se voient confier la responsabilité d'un groupe-classe plus nombreux, intégré à partir de deux groupes d'élèves de même âge.

Cette proposition de classement permet à deux personnes de partager la responsabilité du groupe, d'intervenir auprès des élèves selon une formule de **team teaching** et de mettre à la disposition des élèves leurs compétences respectives. Il s'agit d'une variable de l'hypothèse 1 qui s'inspire également d'un souci de différenciation pédagogique, de transition harmonieuse et de continuité de cycle. La collégialité se développe peu à peu et on commence à décloisonner à l'intérieur de son groupe de base, plus nombreux que la moyenne des autres groupes de l'école. À cette hypothèse, nous pourrions rattacher la possibilité que cette équipe de *team teaching* assume la progression des élèves pour un cycle donné.

TEAM TEACHING : forme d'enseignement en équipe se vivant à l'intérieur d'un même local avec le ratio équivalent de deux classes d'élèves sous la responsabilité de deux enseignants ; cela favorise le décloisonnement du grand groupe et l'animation de groupes restreints.

Hypothèse 2 : *Formule du* team teaching

1er cycle

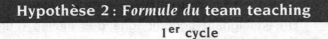

6 ans
Deux enseignants
Justine et Albert

7 ans
Deux enseignants
Margot et Olivier

Justine et Albert sont responsables d'un groupe de 42 élèves de six ans tandis que Margot et Olivier sont titulaires d'un groupe de 48 élèves de sept ans. Ces enseignants utilisent le *team teaching* et ils cheminent avec ces élèves pendant une année seulement. L'an prochain, Margot et Olivier accueilleront les élèves de Justine et Albert pour les aider à compléter leur dernière année du cycle 1.

Hypothèse 3 (Voir ci-dessous)

Un enseignant accompagne des élèves pour la durée totale du cycle.

Dans cette pratique, communément appelée le ***looping***, la continuité pédagogique au cours du cycle est assurée par l'unicité de l'enseignant, responsable d'une cohorte d'élèves pendant un cycle complet.

LOOPING : formule d'organisation scolaire visant à travailler dans une perspective de cycle, c'est-à-dire dans des espaces-temps de formation de durée plus grande que les étapes annuelles rattachées aux degrés. Dans cette formule d'organisation, il est possible pour un enseignant de cheminer avec les mêmes élèves pour toute la durée du cycle, c'est-à-dire deux ans ou plus.

Hypothèse 3 : *Formule du* looping

1er cycle

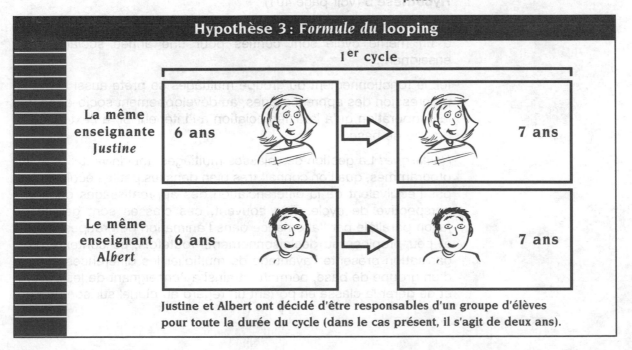

La même enseignante *Justine* **6 ans** → **7 ans**

Le même enseignant *Albert* **6 ans** → **7 ans**

Justine et Albert ont décidé d'être responsables d'un groupe d'élèves pour toute la durée du cycle (dans le cas présent, il s'agit de deux ans).

Hypothèse 4 (Voir ci-dessous)

Un enseignant accompagne des élèves d'âges différents pour la durée totale d'un cycle.

Chaque année, il voit donc partir un certain nombre d'élèves de son groupe de base et en même temps, il retrouve des élèves déjà familiers avec le vécu de la classe. L'autre partie du groupe est constituée de nouveaux élèves.

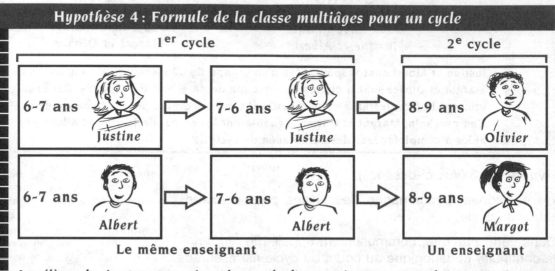

Hypothèse 4 : *Formule de la classe multiâges pour un cycle*

1er cycle

2e cycle

6-7 ans — Justine → 7-6 ans — Justine → 8-9 ans — Olivier

6-7 ans — Albert → 7-6 ans — Albert → 8-9 ans — Margot

Le même enseignant — **Un enseignant**

Les élèves de six et sept ans vivent leur cycle d'apprentissage au complet avec Justine et Albert. Par la suite, Olivier et Margot les reçoivent pour entreprendre le second cycle.

Hypothèse 5 (Voir page 401)

Des élèves d'âges différents mais n'appartenant pas nécessairement à un même cycle sont confiés pour une année scolaire à un enseignant.

Ici. le fonctionnement du groupe multiâges se prête aussi bien à la progression des apprentissages, au développement socio-affectif, à la coopération qu'à la différenciation à l'intérieur ou à l'extérieur du groupe de base.

Remarque : La gestion des classes multiâges, multiniveaux et multiprogrammes, que l'on connaît très bien dans les petites écoles, n'est pas l'équivalent de la différenciation des apprentissages dans une perspective de cycle. Très souvent, ces classes sont gérées de façon parallèle par l'alternance dans l'animation de groupes stables et peu propices au décloisonnement. Toutefois, ce contexte d'organisation présente l'avantage de multiplier les différences au sein d'un groupe de base, permettant ainsi à l'enseignant de les côtoyer et de gérer la classe en portant un regard au pluriel sur son groupe.

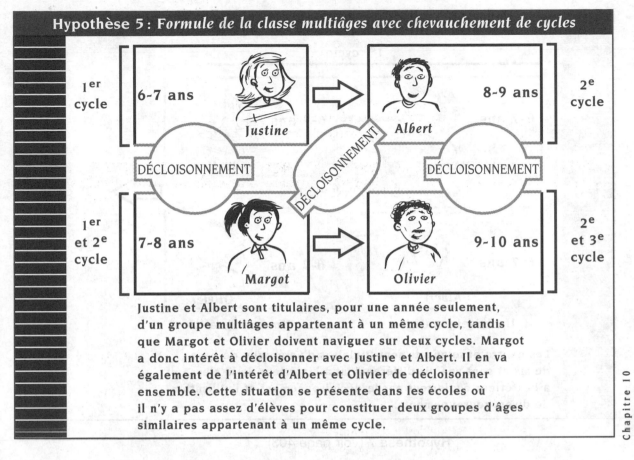

Hypothèse 5 : *Formule de la classe multiâges avec chevauchement de cycles*

1er cycle — 6-7 ans — Justine → Albert — 8-9 ans — 2e cycle

DÉCLOISONNEMENT — DÉCLOISONNEMENT — DÉCLOISONNEMENT

1er et 2e cycle — 7-8 ans — Margot → Olivier — 9-10 ans — 2e et 3e cycle

Justine et Albert sont titulaires, pour une année seulement, d'un groupe multiâges appartenant à un même cycle, tandis que Margot et Olivier doivent naviguer sur deux cycles. Margot a donc intérêt à décloisonner avec Justine et Albert. Il en va également de l'intérêt d'Albert et Olivier de décloisonner ensemble. Cette situation se présente dans les écoles où il n'y a pas assez d'élèves pour constituer deux groupes d'âges similaires appartenant à un même cycle.

Hypothèse 6 : (Voir page 402)

Un enseignant accompagne des élèves d'âges différents pour la durée totale du cycle dans un contexte de décloisonnement par cycle.

Des groupes de base sont d'abord constitués à partir du critère de l'âge ou de l'appartenance à un cycle et sont confiés à des enseignants-titulaires. Puis, des échanges de services d'enseignement et des décloisonnements entre des classes d'un même cycle sont vécus régulièrement. Grâce à un éclatement des groupes organisé pour certaines disciplines ou certains projets, les enseignants concernés travaillent non seulement avec leur groupe de base, mais aussi avec des groupes reconstitués autour de besoins, d'intérêts, de projets, d'approches, de méthodes ou de niveaux, etc. L'échange de compétences entre les enseignants d'un même cycle est souhaité et valorisé. Une telle équipe-cycle porte un «regard au pluriel» sur les élèves pour assurer un développement optimal et une meilleure continuité à travers un parcours différencié.

Hypothèse 6 : Formule « éclatement des groupes de base » au sein d'un cycle

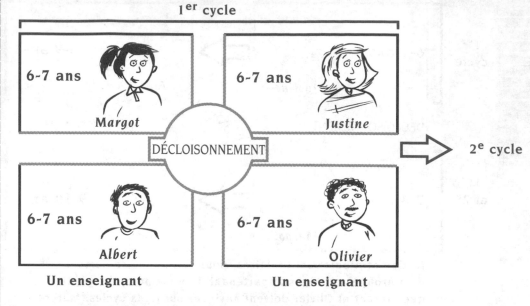

1er cycle

6-7 ans
Margot

6-7 ans
Justine

DÉCLOISONNEMENT

2e cycle

6-7 ans
Albert

6-7 ans
Olivier

Un enseignant   Un enseignant

Les quatre enseignants sont titulaires d'un groupe de base de six et sept ans. Ils différencient à l'intérieur de la classe et à l'extérieur également par le décloisonnement et l'utilisation de divers regroupements.

Hypothèse 7 (Voir page 403)

L'enseignant accompagne des élèves d'âges différents pour la durée totale du cycle dans un contexte de décloisonnement à l'échelle d'un établissement.

Pour cette variante de l'hypothèse 6, tous les enseignants des divers cycles d'apprentissage d'un établissement adoptent le modèle organisationnel décrit précédemment. Le décloisonnement des groupes vise autant les compétences transversales que disciplinaires. Un partenariat s'installe entre direction, enseignants, enfants, parents et personnes-ressources. Ce partenariat procure une grande richesse : celle de ne plus se sentir seul face à la responsabilité d'un groupe d'élèves, face aux difficultés de chacun.

Lors de ces périodes d'échanges de ressources humaines, l'approche par projets, par ateliers, par centres d'apprentissage est souvent privilégiée. Et que dire du tutorat, qu'on peut pratiquer de façon structurée tout en bénéficiant d'un cadre naturel de planification et d'organisation ! Il ne s'agit plus de l'activité marginale de la classe que l'on persiste à maintenir, compte tenu de l'intérêt marqué des élèves pour ce genre d'activité. Cette organisation de travail permet à de petites écoles rurales de gérer les cycles dans une perspective de différenciation et de collégialité parce qu'autrement, élèves et enseignants seraient confinés à leur classe. Parfois, le cycle au

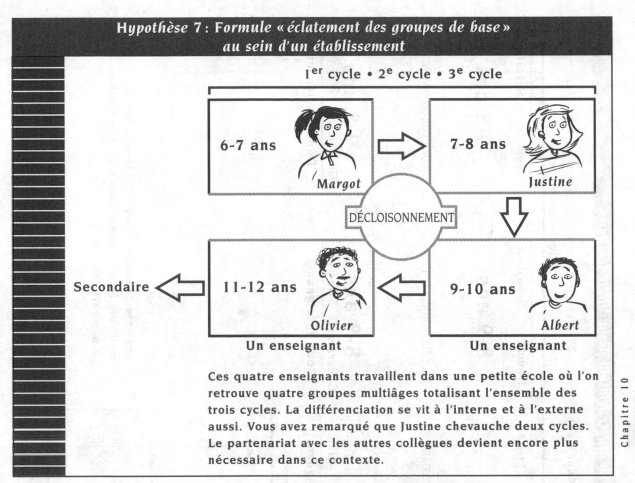

**Hypothèse 7 : Formule « éclatement des groupes de base »
au sein d'un établissement**

1er cycle • 2e cycle • 3e cycle

6-7 ans — Margot

7-8 ans — Justine

DÉCLOISONNEMENT

11-12 ans — Olivier

9-10 ans — Albert

Secondaire

Un enseignant

Un enseignant

Ces quatre enseignants travaillent dans une petite école où l'on retrouve quatre groupes multiâges totalisant l'ensemble des trois cycles. La différenciation se vit à l'interne et à l'externe aussi. Vous avez remarqué que Justine chevauche deux cycles. Le partenariat avec les autres collègues devient encore plus nécessaire dans ce contexte.

complet est représenté par une seule classe regroupant des élèves de six à huit ans, sans compter le chevauchement de deux cycles que peuvent vivre certains enseignants.

Hypothèse 8 (Voir page 404)

Dans ce modèle, nous gérons « la différenciation de la différenciation », puisque chaque équipe-cycle choisit la meilleure forme d'organisation pour rentabiliser le parcours des élèves. Cela suppose, bien sûr, que l'on connaisse les différents modèles existants. Cette remarque s'applique autant aux élèves et aux parents qu'aux enseignants.

Exemple :
Le cycle « un » pourrait privilégier un classement multiâges avec possibilité de décloisonnement à l'extérieur des groupes de base. Le cycle « deux » pourrait opter pour des regroupements multiâges avec *team teaching* à l'intérieur des groupes de base ou des groupes reconstitués. Quant au cycle « trois », il pourrait adopter un classement monoâge avec possibilité que chaque enseignant-titulaire pratique le *looping*, gardant ainsi ses élèves pendant le cycle. Le décloisonnement des groupes et l'échange des compétences ne sont évidemment pas exclus de cette structure organisationnelle.

Hypothèse 8: Formule « la différenciation de la différenciation »

1er cycle • Classe multiâges avec décloisonnement

2e cycle • Classe multiâges, *team teaching* et décloisonnement

3e cycle • Looping avec décloisonnement

Les enseignants de chaque cycle adoptent la meilleure forme d'organisation pour rentabiliser le parcours des élèves.

En terminant, il m'aurait été possible de présenter d'autres formules organisationnelles en combinant différentes hypothèses, telles que le *team teaching*, le regroupement monoâge ou multiâges, etc. J'aurais également pu m'inspirer de modèles américains pour suggérer d'autres façons de faire telles que le classement des élèves en fonction de la diversité de leurs habiletés, de leur degré d'autonomie, des niveaux en lecture, en écriture ou en mathématique, etc. J'ai cependant voulu offrir des points de départ et une ouverture aux cycles tout en respectant la philosophie du programme de formation de l'école québécoise ainsi que la culture qui y prévaut. Les critères de classement mentionnés ci-dessus serviront plutôt à la formation de sous-groupes de travail, à l'interne comme à l'externe.

Cette liste d'hypothèses d'organisation s'allongera sûrement à la suite des expérimentations et des applications générées par la créativité des enseignants... et c'est tant mieux !

Une pause sur le non-redoublement et la naissance des équipes-cycles

La présence des cycles d'apprentissage dans notre environnement pédagogique suscite des remous importants et des changements majeurs dans nos croyances, nos habitudes et nos pratiques. Dans le présent chapitre, nous avons énuméré une dizaine d'implications pédagogiques rattachées à la présence des cycles. Quatre d'entre elles ont déjà été traitées précédemment : les composantes théoriques de la différenciation, la diversité des instruments de consignation, les regroupements d'élèves et les dispositifs de différenciation. Nous allons maintenant cerner l'essentiel du non-redoublement et des équipes-cycles. Quant aux quatre dernières implications, elles seront abordées au cours des deux prochains chapitres.

Le non-redoublement

Traditionnellement, le redoublement a été considéré comme une aide aux élèves qui n'avaient pas atteint les résultats escomptés dans le cadre de leur année scolaire. Actuellement, nous pourrions envisager cette aide sous une forme de continuité plutôt que de redoublement ; à l'issue d'un cycle de formation, on vérifie si les élèves ont bien réalisé les apprentissages indispensables et on se demande s'il faut leur donner un temps additionnel pour les compléter. C'est donc en référence aux savoirs essentiels de fin de cycle que les enseignants porteront leur jugement.

Dans pareil dilemme, mieux vaut diagnostiquer avec justesse pour prendre une décision ou pour choisir des remédiations adaptées. Philippe Meirieu (1997, page 17) distingue deux types d'élèves en situation de non-réussite : « [...] ceux qui sont en difficulté et ceux qui sont en échec. Ce parallèle met en évidence que les élèves en diffi-

« Quand on fait vivre à des enfants en échec deux stratégies différentes : celle du redoublement et celle du non-redoublement, on constate à long terme que les enfants qui n'ont pas redoublé réussissent mieux. Ils n'ont pas vécu l'échec aussi intensément et ils ont mûri tout autant que ceux qui ont doublé. »

(J. De Ryck, Brabant-Bruxelles)

culté pourraient parvenir à suivre l'enseignement tel que dispensé en classe si l'on y passait plus de temps, si l'on revenait sur les apprentissages dont la compréhension est imparfaite, si l'on facilitait l'appréhension des concepts en prenant le temps de les nuancer ; bref, si l'on faisait "un peu plus de la même chose", c'est-à-dire si l'on renforçait le même type d'enseignement qui profite aux élèves sans problèmes particuliers. Cela pourrait sans doute fonctionner, mais ce n'est peut-être pas la meilleure solution pour eux.

« Au contraire, les sujets en échec semblent rejeter ce style d'enseignement dont ils ne savent pas tirer profit : ils cherchent à écourter le plus possible le temps passé au contact de celui-ci ; la structuration des apprentissages n'est pas adéquate pour leur permettre de progresser avec suffisamment de sécurité, mais ils ne peuvent s'en détacher, leur degré d'autonomie dans l'exécution des tâches étant trop faible. Pour eux, il ne sert à rien de faire "un peu plus de la même chose" : il faut faire "autre chose" !

« L'aspect intéressant de cette typologie permet de diagnostiquer un genre de difficultés que rencontre l'élève, donc de déterminer les situations didactiques qui lui sont défavorables, et ainsi de pronostiquer celles dont éventuellement il tirerait profit. Il s'agit là d'un instrument permettant de personnaliser les procédures didactiques de remédiation. »

Éclairés par ces nuances, pouvons-nous, comme pédagogues avertis, imposer le redoublement à des élèves en situation d'échec, sachant pertinemment que l'enseignant qui les gardera ou les recevra n'est nullement préoccupé par la différenciation des apprentissages et la continuité du cycle ? Le fait-on vraiment pour leur bien, comme se plaisent à rétorquer les adeptes du redoublement ? Ils invoquent les raisons suivantes : « Cela permet aux élèves de mûrir, de souffler, de trouver un rythme d'apprentissage compatible avec le leur, de connaître enfin des réussites et de reprendre confiance en eux. » Comment se fait-il que ces mêmes enseignants ne sont pas intervenus plus tôt en ce sens, préférant attendre d'être acculés à la solution du dernier recours, le redoublement ? De quelles adaptations de contenus, de processus, de productions ou de structures, de quels dispositifs de différenciation, de quelles interventions de remédiation ces élèves ont-ils bénéficié tout au long de leur parcours d'apprentissage ? Et si l'on s'attaquait à certaines croyances, à certains mythes[3] bien ancrés dans notre culture depuis l'époque de la pédagogie napoléonienne (basée sur la sanction, paraît-il) ?

---

3. D'après un extrait de « Mon enfant redouble, c'est grave, docteur ? », synthèse réalisée par B. DUCHESNE et E. HUYGHEBAERT, *Dossier pédagogique*, n° 11, Belgique, mai-juin 2000.

■ DES MYTHES À DÉTRUIRE

- **Premier mythe :** Le redoublement permet aux élèves en difficulté d'améliorer leurs résultats scolaires et de mieux réussir par la suite.

  D'après des statistiques européennes, deux ans après la reprise d'année, les résultats des élèves redoublants sont aussi faibles que les résultats des élèves faibles qui, eux, avaient été promus, et ce, même si les doubleurs étaient plus âgés que les autres.

- **Deuxième mythe :** Le redoublement aide les élèves immatures, surtout ceux du préscolaire et du premier cycle.

  On peut se demander si, en mettant les élèves immatures avec les plus jeunes, on les aide vraiment à acquérir de la maturité.

- **Troisième mythe :** Les cas de redoublements sont peu nombreux ; on ne fait doubler que dans des cas exceptionnels.

  Toujours selon les mêmes statistiques, près d'un élève sur quatre termine l'enseignement primaire et arrive au secondaire en ayant déjà repris au moins une année.

- **Quatrième mythe :** Le redoublement améliore l'estime de soi chez les élèves en difficulté.

  Généralement, les élèves qui redoublent obtiennent de bons résultats. Mais, au fond d'eux-mêmes, ils savent qu'il est normal qu'ils réussissent mieux que les autres puisqu'ils refont les activités de l'année précédente. Par ailleurs, le sentiment d'échec que vivent les élèves lors de la décision du redoublement est pénible. Leur sentiment de ne pas être bons est accentué par leur honte de devoir l'annoncer à l'entourage et à la famille.

- **Cinquième mythe :** Si les élèves sont jeunes lorsqu'ils redoublent, ils ne seront pas marqués par cette expérience.

  Alors que les adultes voient dans le redoublement une mesure d'aide, les élèves y voient plutôt une punition entraînant l'ennui, le déjà connu, la dévalorisation, l'incapacité, le rejet ou l'exclusion. Avec le temps, le redoublement accroît les risques de décrochage scolaire. D'ailleurs, selon les statistiques québécoises des dernières années, la majorité des décrocheurs ont repris leur première année du primaire.

Cette courte réflexion sur le redoublement avait pour but de nous aider à analyser nos pratiques à l'égard des élèves en difficulté ou en situation d'échec. Face à leur vécu scolaire, certaines questions doivent trouver des éléments de solution porteurs de réussite pour eux.

Comme une organisation par cycles exclut le redoublement, il faut être créateur et envisager d'autres mesures de soutien. Comme professionnels, il nous faut donc prendre les meilleures décisions pour cet élève qui n'a pas terminé son parcours de cycle. L'outil-support 48 de la page suivante peut nous éclairer au moment d'une prise de décision.

DES PISTES DE RÉFLEXION POUR FACILITER UNE PRISE DE DÉCISION

- Où est rendu cet élève dans le parcours de son cycle d'apprentissage?

- Quels constats pouvons-nous faire en regardant ses bilans d'apprentissage? ses plans d'action? son portfolio?

- Pourquoi cet élève n'a-t-il pas atteint le niveau de compétences que ses camarades de classe ont pu atteindre?

- Est-il conscient de ses difficultés? Est-il capable d'autoréguler et d'autoévaluer ses apprentissages?

- Quelles sont ses difficultés d'apprentissage?

- Quelles sont sa motivation et ses dispositions personnelles face au progrès et à la réussite?

- Est-il suffisamment soutenu dans sa famille? Retrouve-t-il un cadre de vie sécurisant et favorable à l'épanouissement de sa personne et à la conservation de sa motivation existentielle?

- Quelles informations possédons-nous sur son profil d'apprentissage?

- S'agit-il d'un élève en difficulté? d'un élève en situation d'échec? d'un élève qui est déjà décroché de l'école?

- Quels moyens ont été employés pour l'aider à surmonter ses difficultés? Avons-nous remédié auprès de lui par des mesures de **consolidation**, de **récupération** ou de **rééducation**?

- A-t-il déjà bénéficié du support de plans d'intervention personnalisés? Le cas échéant, quels ont été les résultats? Pourquoi cela n'a-t-il pas fonctionné selon les prévisions?

- Peut-on planifier d'autres dispositifs de soutien pour lui: la participation à des groupes axés sur les besoins, un programme de tutorat, l'utilisation de tâches coopératives, l'apprentissage par modules, la mise en place d'un contrat d'apprentissage, l'exploitation d'un plan de travail à éléments ouverts, la réalisation d'un stage de courte durée dans une autre classe, etc.?

- Doit-on offrir une année additionnelle à cet élève pour lui permettre de compléter son cycle d'apprentissage? Est-il possible qu'il ait besoin de moins de temps qu'une année? Quelle serait la meilleure formule pour lui? Comment allons-nous gérer ce temps additionnel que l'école lui accorde?

CONSOLIDATION: intervention d'un enseignant visant à apporter de l'aide particulière à un élève ou à un groupe d'élèves en formation de base dans l'appropriation de nouveaux savoirs.

RÉCUPÉRATION: intervention d'un enseignant visant à minimiser ou à pallier les retards pédagogiques légers d'un élève ou d'un groupe d'élèves par l'ajout de dispositifs particuliers adaptés au profil des apprenants concernés.

RÉÉDUCATION: processus de soutien apporté par un spécialiste de l'apprentissage à un élève éprouvant des difficultés graves dans la construction de ses apprentissages. Ce soutien vise à permettre à l'élève de compenser une déficience ou de résorber des troubles importants dans son développement intellectuel ou social.

Il est facile de conclure que dans une perspective de cycle, il ne saurait être question d'envisager ou de tolérer le redoublement ou même d'en parler, puisque celui-ci est le symptôme le plus criant de l'échec du système scolaire. Les cycles ayant été introduits pour construire la réussite scolaire des élèves, il est logique de vouloir rompre avec ce que nous pourrions appeler l'indifférence aux différences. Notre responsabilité première est de concevoir et de faire évoluer des dispositifs de différenciation à l'intention des élèves en difficulté et en situation d'échec dont ils bénéficieront tout au long de leur cycle. Si, malgré toutes ces interventions professionnelles, il arrivait qu'un élève ne réussisse pas à maîtriser les concepts essentiels rattachés à un cycle donné, nous pourrions envisager de lui permettre de poursuivre son parcours, qui pourrait même s'échelonner sur une période de moins de dix mois. Cet élève ne redoublerait pas puisqu'il ne recommencerait pas une année ; il continuerait tout simplement à parfaire ou à construire ses apprentissages. Toute une nuance, n'est-ce pas ?

Construire les équipes-cycles

Parmi toutes les exigences du développement des compétences professionnelles et de la formation initiale ou continue des enseignants figure toujours la capacité à travailler au sein d'une équipe, avec toutes les contraintes que cela comporte. Que l'on se réfère au cadre de référence de Philippe Perrenoud (*Dix nouvelles compétences pour enseigner),* aux compétences professionnelles exigées des futurs enseignants du Québec ou encore aux cadres de formation continue élaborés par certaines commissions scolaires pour baliser la formation continue dans leur milieu, la compétence du travail en coopération est toujours présente. De plus, si cette compétence fait partie des compétences transversales prescrites par les programmes de formation à l'intention des jeunes, c'est que le fait de travailler en équipe est devenu un élément quasi incontournable dans notre vie de tous les jours.

Je consacrerai donc la fin de ce chapitre à l'articulation d'un cadre de développement à l'intention des équipes-cycles. Ensemble, nous explorerons les sept avenues suivantes :

1 Découvrir les richesses de ses collègues ;

2 Développer la collégialité ;

3 Apprivoiser la structure de travail ;

4 Gérer le temps ensemble ;

5 Se donner des modalités de fonctionnement ;

6 Partager la responsabilité du cycle dans le quotidien ;

7 Mettre à contribution les expériences d'acteurs en retrait.

« Pour agir à long terme sur les systèmes éducatifs, il est urgent de se mobiliser tout de suite, sans pour autant s'agiter dans tous les sens, ni verser dans l'activisme. »
(Monica Gather-Thurler)

■ **DÉCOUVRIR LES RICHESSES DE SES COLLÈGUES :**
UN PREMIER PAS

Alors que l'aptitude à travailler en équipe relève plutôt d'une nécessité liée à l'évolution du métier d'enseignant que d'un choix personnel ; alors que la présence des cycles fait en sorte que l'on confie des groupes d'élèves à un certain nombre d'enseignants pour une durée de deux, trois ou quatre ans ; alors que l'on constate que la coopération et l'entraide ne sont pas nécessairement des valeurs ancrées dans notre culture scolaire ; alors que nous déplorons nous-mêmes, comme adultes, notre manque d'expérience et de savoir-faire face au travail en coopération, voilà que se pose le défi inéluctable de construire son équipe-cycle.

Comment y arrive-t-on ? Comment sauvegarder sa marge d'auto-nomie en matière de conception, de planification ou de réalisation tout en travaillant ensemble ? Comment développer certaines com-pétences liées à l'élaboration d'un projet d'équipe, à l'animation de groupes de travail, à la conduite de réunions, à la formation ou au renouvellement d'une équipe pédagogique, à l'analyse ou à la ges-tion de situations complexes, de problèmes professionnels ou de crises, ou à la résolution de conflits ? Comment aborder ce défi de taille ?

Même si nous savons tous, rationnellement, qu'il serait opportun de traiter prioritairement des questions stratégiques débouchant sur l'éclosion d'un cadre organisationnel de travail en équipe (le pourquoi, le quoi, le comment et le quand), nous nous lancerons d'abord dans une démarche affective : la découverte des richesses qui se cachent derrière les différences de potentiel humain com-posant l'équipe-cycle actuelle ou future. Quels sont les plaisirs, les attraits, les bénéfices que nous pourrions retirer de cette mer-veilleuse aventure synergique ? Avant de penser aux contraintes, aux exigences et aux difficultés rattachées au fonctionnement d'une équipe, penchons-nous sur l'étape de l'apprivoisement de nos col-lègues. Nous la vivrons selon trois dimensions :

- Quels sont nos champs d'intérêt, nos compétences personnelles en matière de loisirs, de sports, d'activités manuelles ou culturelles ? (Voir pages 411 à 413.)

- Quels sont nos talents personnels, nos traits de personnalité ou encore nos profils d'apprentissage ? (Voir pages 415 à 417.)

- Quels sont nos champs de compétences, c'est-à-dire les disci-plines scolaires inscrites au programme d'études où nous sommes le plus performants ? (Voir pages 418 à 419.)

L'INVENTAIRE DES COMPÉTENCES DE VIE

Nom de l'enseignant : _____

Fonction professionnelle : _____

Date de l'inventaire des ressources : _____

J'identifie les domaines dans lesquels j'ai développé une compétence que je pourrais partager avec mes collègues ou avec des élèves de mon école.

1. Sur le plan de l'intelligence kinesthésique

- ❏ Natation
- ❏ Ski alpin
- ❏ Judo
- ❏ Golf
- ❏ Baseball
- ❏ Patinage
- ❏ Randonnée pédestre
- ❏ Danse
- ❏ Ski de randonnée
- ❏ Patin à roulettes
- ❏ Soccer

- ❏ Hockey
- ❏ Curling
- ❏ Tennis
- ❏ Football
- ❏ Tennis sur table
- ❏ Camping
- ❏ Équitation
- ❏ Alpinisme
- ❏ Course
- ❏ Canot ou kayak
- ❏ Athlétisme

- ❏ Création de mini-spectacles :
  - ❏ Activités liées au cirque (jonglerie, funambulisme, monocycle)
  - ❏ Compétitions athlétiques
- ❏ Autres domaines
  _____
  _____

2. Sur le plan de l'intelligence musicale

- ❏ Chant
- ❏ Animation de chorale
- ❏ Piano
- ❏ Guitare
- ❏ Violon
- ❏ Batterie

- ❏ Saxophone
- ❏ Composition de musique
- ❏ Composition de paroles
- ❏ Organisation d'une matinée musicale

- ❏ Autres domaines
  _____
  _____
  _____
  _____

3. Sur le plan de l'intelligence spatiale

- ❏ Dessin
- ❏ Peinture
- ❏ Sculpture
- ❏ Batik
- ❏ Vitraux
- ❏ Travaux sur cuir
- ❏ Émaux sur cuivre
- ❏ Poterie

- ❏ Montage de maquettes
- ❏ Préparation d'expositions
- ❏ Conception de publicité
- ❏ Montage d'un journal
- ❏ Création de murales

- ❏ Confection de costumes
- ❏ Fabrication de décors
- ❏ Autres domaines
  _____
  _____
  _____

Chapitre 10

411

4. Sur le plan de l'intelligence naturaliste

- ❏ Horticulture
- ❏ Intérêt pour les oiseaux
- ❏ Vécu à la ferme
- ❏ Expérience de vie avec
  - ❏ le chat
  - ❏ le chien
  - ❏ le cheval
- ❏ Connaissance
  - ❏ des arbres
  - ❏ des fleurs
  - ❏ des plantes
- ❏ Montage d'un herbier
- ❏ Rallye dans un boisé
- ❏ Visite au zoo
- ❏ Installation d'un aquarium
- ❏ Mini-excursion de pêche
- ❏ Intérêt pour la vie des gibiers
- ❏ Autres domaines

_____

_____

5. Sur le plan de l'intelligence linguistique

- ❏ Poésie
- ❏ Art oratoire
- ❏ Ligue d'improvisation
- ❏ Responsabilité du journal scolaire
- ❏ Jeu de *Scrabble*
- ❏ Mentorat pour élèves écrivains
- ❏ Chronique sur site Internet
- ❏ Préparation de procès-verbal
- ❏ Message publicitaire pour l'école
- ❏ Lettre aux parents
- ❏ Bilan annuel d'activités éducatives
- ❏ Animation de *Génies en herbe*
- ❏ Texte pour pièce de théâtre
- ❏ Animation de l'heure du conte
- ❏ Publicité de livres-vedettes
- ❏ Autres domaines

_____

_____

_____

6. Sur le plan de l'intelligence logico-mathématique

- ❏ Tenue du budget de cycle
- ❏ Conception d'expériences scientifiques
- ❏ Création de situations-problèmes?
- ❏ Organisation d'Expo-sciences
- ❏ Conception d'olympiades mathématiques
- ❏ Création de problèmes du jour
- ❏ Prise en charge d'activités de financement
- ❏ Club d'échecs
- ❏ Création d'activités d'enrichissement pour les élèves
- ❏ Vulgarisation de la démarche et des stratégies de résolution de problèmes
- ❏ Responsabilité de diverses statistiques
- ❏ Compilation de données d'enquêtes
- ❏ Autres domaines

_____

_____

_____

7. **Sur le plan de l'intelligence interpersonnelle**

- ❏ Animation de réunions
- ❏ Ressources pour sketch ou pièce de théâtre
- ❏ Animation du conseil étudiant
- ❏ Délégation pour défendre un dossier
- ❏ Médiation lors de résolution de conflit entre élèves
- ❏ Participation à des sous-comités de travail
- ❏ Prise en charge des relations publiques avec le milieu
- ❏ Formation d'élèves-médiateurs
- ❏ Prise en charge de la gestion de la banque de ressources des parents et du milieu
- ❏ Animation du local de réflexion pour les élèves
- ❏ Autres domaines

_____
_____
_____

8. **Sur le plan de l'intelligence intrapersonnelle**

- ❏ Création de texte pour sketch ou pièce de théâtre
- ❏ Analyse de situations complexes
- ❏ Création de pistes d'objectivation pour les élèves
- ❏ Création de grilles d'autoévaluation pour les élèves
- ❏ Amélioration des fiches de réflexion
- ❏ Création de grilles de vérification pour diverses tâches
- ❏ Animation de rencontre-entrevue avec un élève
- ❏ Autres domaines_____

_____
_____
_____

9. **Sur le plan des formes d'intelligence intégrées, plus spécifiques**

- ❏ Tricot
- ❏ Cuisine
- ❏ Couture
- ❏ Macramé
- ❏ Artisanat
- ❏ Collection de timbres ou autres objets
- ❏ Autres domaines_____

_____
_____
_____

Chapitre 10

413

L'inventaire des traits de personnalité

Dans la construction d'une équipe-cycle, il est fondamental de miser sur le capital humain des enseignants, car les entreprises qui réussiront le plus au cours des prochaines décennies seront celles qui valoriseront et utiliseront de façon optimale le potentiel de leurs ressources humaines. Voilà pourquoi je juge essentiel d'outiller les praticiens en vue de cette phase de partage de compétences.

Pour cette deuxième étape d'apprivoisement, je me suis référée à un groupe-conseil en mobilisation d'équipes, Regain[4], qui a développé une approche unique et vivante alliant des théories de management participatif à la magie des personnages du bédéiste Hergé. Grâce à ce modèle, chaque personne apprend à mieux se connaître et à mieux reconnaître le potentiel des autres membres de son équipe de travail. Pour vous donner un aperçu de cette approche qui crée une grande ouverture par rapport aux différences en faisant ressortir les forces de chacun, je vous présente la synthèse que le Groupe Regain propose sur les particularités des personnages de la célèbre bande dessinée *Tintin* en lien avec les divers potentiels humains et leurs rythmes de développement. (Voir tableau 10.1, pages 415 et 416.)

---

4. Pour en savoir plus sur l'approche préconisée par cette firme de formation spécialisée en mobilisation d'équipe, vous pouvez communiquer avec Madame Renée Rivest aux coordonnées suivantes :
   - (418) 681-8113
   - 912, chemin St-Louis, 2e étage, Sillery, G1S 1C5
   - regain.equipe@videotron.ca

| Tableau | 10.1 | Le *tableau-synthèse des personnages de* Tintin |

Personnage	**Ses particularités**	**Contexte d'apprentissage à créer**
Tournesol Ses grands talents : ❏ Curiosité (aime apprendre) ❏ Autonomie (travaille bien seul) ❏ Esprit de recherche ❏ Perfectionnisme (apprécie creuser) Ces talents émergeront seulement si : il a de l'intérêt.	• Peu de concentration lorsqu'il sort de sa zone d'intérêt. • S'il est dans sa zone d'intérêt, il cherchera à devenir expert. • Parfois distrait. • Parfois semble désordonné, lui seul semble s'y retrouver. • Déteste être traité de zouave. • Il n'apprécie pas qu'on envahisse son espace (sa bulle).	• S'assurer qu'il a un intérêt pour l'apprentissage en cours. • Éviter les distractions. • Un seul sujet à la fois. • Lui laisser trouver ses solutions. • Il faut parfois le ramener à l'ordre (il peut se perdre dans les détails). • Si peu d'intérêt, il faut utiliser un médium qui le stimulera (*exemple :* correspondre avec lui par courriel, s'il est un mordu d'informatique). • Partir de ses connaissances. • On attire son attention en lui lançant des défis qui accrochent sa curiosité.
Dupondt Ses grands talents : ❏ Collaboration ❏ S'adapte facilement ❏ Recherche le consensus ❏ Sensible aux autres Ces talents émergeront seulement si : il y a de l'harmonie autour de lui (pas ou peu de conflits interpersonnels).	• Il cherche à développer une relation chaleureuse avec son éducateur. • Il aime avoir du plaisir. • Il respecte habituellement les personnes en autorité et les règles établies. • Son degré d'apprentissage est souvent relié au degré d'appréciation de son éducateur envers lui ou au climat de la classe. • Son éducateur peut devenir rapidement un modèle à imiter. • Il a parfois de la difficulté à nommer ses limites ou ses besoins surtout s'il y a un risque de décevoir l'autre ou de créer des tensions relationnelles.	• Établir un contact chaleureux (a besoin de se sentir aimé). • Nommer CLAIREMENT nos attentes et les objectifs d'apprentissage. • Démontrer de la patience et de la gentillesse à son égard. Cela n'exclut absolument pas d'être ferme au besoin mais il est essentiel de conserver auprès de lui une attitude de contact. • Créer des climats de classe où les conflits sont traités rapidement dans le respect de chacun.
Haddock Ses grands talents : ❏ Détermination à atteindre des résultats rapidement ❏ Spontané ❏ Fonceur ❏ Concret ❏ Énergique Ces talents émergeront seulement si : on lui fait confiance et on le met dans l'action.	• Il a besoin de concret (action). • Il peut se décourager s'il n'a pas de succès rapidement. • Apprend par ses erreurs même s'il déteste en faire. • Il déteste être pris en défaut devant les autres. • Il n'est pas toujours conscient de ses attitudes. • Peut être colérique et impatient. • Peut manquer de concentration si l'apprentissage est trop théorique. • Il apprécie les personnes franches.	• Créer un contexte dynamique. • Utiliser l'humour (métaphores). • Lui proposer des choix (OUI ou NON). • Le mettre dans l'action et l'aider à faire sa propre lecture après l'action. • Mettre des limites CLAIRES. • Entrer rapidement dans le vif du sujet. • Rencontres brèves. • Établir un plan de développement basé sur des activités précises et à court terme. • Lui donner de la rétroaction rapide à la suite de l'action. • L'amener avec vous dans l'action.

Suite page 416

D'une rive à l'autre : des niveaux aux cycles !

| Tableau | 10.1 (suite) *Le tableau-synthèse des personnages de* Tintin |
| | |

Personnage	Ses particularités	Contexte d'apprentissage à créer
Milou Ses grands talents : ❏ Esprit d'analyse ❏ Minutieux, structuré ❏ Nuancé ❏ Objectif ❏ Capacité de recul Ces talents émergeront seulement si : il connaît le cadre de référence, le plan de match.	• Besoin de structure. • Difficulté à s'autoanalyser. (Introspection plus difficile, il a tendance à rationaliser.) • Peut avoir de la difficulté à risquer de nouvelles expériences. (S'il doute, il prend un recul et analyse, il a besoin d'analyser les différents impacts possibles.) • Plus axé sur le comment que sur les résultats. • Plus théorique que pratique. • Peut se perdre dans les explications et les questionnements. • S'il a un doute, prend le temps d'analyser. • Il a besoin de beaucoup d'informations pour décider ou faire un travail. • Il est plutôt de nature prudente (n'aime pas beaucoup prendre des risques).	• Structurer avec lui un plan écrit de développement. • Bien lui expliquer son rôle, les attentes et les objectifs poursuivis. • Lui donner du temps pour réfléchir, analyser. • Lui demander de résumer, de reformuler. • L'amener à faire des choix, à prioriser. • Éviter les détails superflus.
Tintin Ses grands talents : ❏ S'engage dans les projets auxquels il croit. ❏ Recherche la cohérence. ❏ Recherche des solutions. ❏ Cherche à s'améliorer comme personne ou à contribuer à faire évoluer quelque chose. Ces talents émergeront seulement si : il comprend et croit à ce qu'il fait (en conformité avec ses valeurs et son idéal).	• Doit voir l'objectif de son développement (SENS, le POURQUOI). • Il peut arrêter d'agir si l'action va à l'encontre de ses valeurs ou manque de sens. • Il peut tester les valeurs et la cohérence de son enseignant (il ne craint pas vraiment les personnes en autorité). • Il donne parfois peu d'importance aux détails du quotidien.	• Partir de l'objectif global et le décortiquer en actions. • Lui démontrer l'importance de son développement sur son avenir, sur les autres, etc. • Lui signifier, lors de succès, l'impact de sa contribution. • Le faire travailler avec d'autres personnes (pour lui permettre d'influencer).

Notes: • Nous portons tous à l'intérieur de nous les cinq subpersonnalités, ce qui donne accès à un GRAND potentiel d'apprentissage et conserve la dignité et tout l'aspect dynamique de l'être humain.

• L'utilisation des personnages de *Tintin* est régie par des droits d'auteurs très strictes. Madame Rivest a obtenu les droits exclusifs de développer et de diffuser cette méthodologie.

Source : Reproduit avec l'autorisation de Renée Rivest (Regain groupe-conseil).

Qui est votre sosie ? À qui ressemblez-vous le plus ? Quel est le personnage dont vous avez le plus besoin pour réussir ? Avec quel personnage aurez-vous le plus de plaisir à travailler ? Avec quel personnage aurez-vous le plus à négocier pour construire un projet commun ? Qu'aimeriez-vous avoir comme profil de direction d'école ? Voilà autant d'indices que vous pouvez utiliser lors de l'exploration des traits de personnalité de chacun des personnages.

Que nous soyons experts comme Tournesol, de type relationnel comme Dupont, concrets comme Haddock, rationnels comme Milou ou porteurs d'une mission comme Tintin, nous comprenons assez rapidement que notre force n'est pas autosuffisante et que pour réussir, nous avons besoin des talents des autres personnages pour mener à bien le projet dont nous sommes responsables. Il en est de même au sein de notre équipe-cycle.

Il se peut que nous ayons trouvé ce jeu d'identification de personnalité original, amusant, humoristique et non menaçant. Tant mieux ! Cependant, nous devons rester très prudents dans son utilisation, car ce modèle se veut évolutif. Même si nous avons besoin de nous situer par rapport à nous-mêmes et par rapport aux autres, il faut résister à la tentation de cataloguer les autres et s'en servir avec intelligence et prudence.

L'inventaire des compétences pédagogiques

Comme nous travaillons à des entreprises d'ordre pédagogique, nous devons également faire le bilan de nos forces dans ce domaine, autant au point de vue des contenus que des stratégies d'intervention. Pour ce faire, nous nous servirons tout simplement d'une liste de vérification (voir outil-support 50, page suivante).

L'INVENTAIRE DES COMPÉTENCES PÉDAGOGIQUES

1. Quelles sont les disciplines où je me sens davantage expert ?

☐ Les langues : français, anglais, espagnol, allemand ou autre langue
☐ La mathématique
☐ La science
☐ La technologie
☐ L'informatique
☐ L'histoire
☐ La géographie

☐ L'éducation à la citoyenneté
☐ Les arts plastiques
☐ L'art dramatique
☐ La danse
☐ La musique
☐ L'éducation physique
☐ L'éducation à la santé
☐ L'enseignement moral
☐ _____

2. Dans quels volets de ces disciplines mes compétences sont-elles les plus fortes ?

Exemples :

- En français, je suis très à l'aise avec la poésie.
- En mathématique, je maîtrise bien la géométrie.
- En science, je peux agir à titre de ressource lors d'expériences avec les élèves ainsi que pour la rédaction des rapports de laboratoire.
- En histoire, je suis un fin connaisseur de l'histoire contemporaine du Québec.
- En géographie, je suis familier avec les réalités de l'Ouest canadien, ayant vécu cinq ans dans ce coin de pays.
- En technologie, je connais les rudiments de l'électricité.
- En art dramatique, je peux mettre à profit mon expérience de deux ans dans une troupe de théâtre amateur.
- En parascolaire, en arts plastiques, je peux offrir des ateliers d'aquarelle à des élèves puisqu'il s'agit de l'une de mes passions.
- En danse, il m'est possible de former une troupe de folklore à l'école.
- En musique, à cause de mon vécu de choriste dans un chœur de chant, j'aimerais bien m'occuper de la chorale de l'école.
- En éducation à la santé, je peux structurer un projet sur la nutrition, car j'ai déjà suivi des cours dans ce domaine.

_____
_____
_____
_____
_____

Reproduction autorisée © Les Éditions de la Chenelière inc.

3. Sur le plan des approches éducatives, moyens de locomotion des apprentissages :

- Avec quelles approches éducatives suis-je déjà familier ? _____
- Quelles sont les approches éducatives que j'applique déjà dans ma classe ? _____
- Quelles approches éducatives suis-je capable d'intégrer et de personnaliser ?_____

4. Sur le plan des stratégies d'enseignement pour différencier :

- Avec quelles modalités organisationnelles suis-je à l'aise dans ma classe ?
  - ❏ Les ateliers
  - ❏ Les centres d'apprentissage
  - ❏ Le fonctionnement par sous-groupes
  - ❏ Le plan de travail à éléments ouverts
  - ❏ Le tableau de programmation
  - ❏ Le contrat d'apprentissage
- Quels sont les pratiques et les outils pédagogiques que je privilégie ?
  - ❏ La planification par projets
  - ❏ – par modules
  - ❏ – par situations-problèmes
  - ❏ – par situations ouvertes
  - ❏ Le journal de bord pour l'élève
  - ❏ Le coffre à outils
  - ❏ Les grilles d'autoévaluation
  - ❏ Le portfolio pour l'élève
  - ❏ Le journal de bord pour l'enseignant
  - ❏ Les grilles d'observation
  - ❏ Les échelles descriptives

5. Quelles pièces de mon portfolio professionnel ai-je le goût de présenter à mes collègues ?

Exemples :

- La compilation des évaluations des parents présents à la célébration des apprentissages tenue en juin dernier avec les élèves.
- La planification d'un module d'apprentissage centré sur le français, l'histoire et les arts.
- Mon projet éducatif de classe de l'année dernière.
- Le canevas d'un contrat d'apprentissage négocié avec un élève en situation d'échec.
- Des photographies d'un camp d'automne vécu avec les élèves qui a donné des résultats épatants sur le plan de la consolidation du groupe et de l'harmonisation des relations interpersonelles.

_____

_____

_____

_____

Ce triple inventaire ouvre la porte à des échanges très riches entre enseignants. Nous mettons en commun nos valeurs, nos croyances, notre philosophie de l'éducation et de l'enseignement, notre conception de l'apprentissage et de l'évaluation. Nous nous interrogeons sur notre rôle d'accompagnateurs d'élèves-apprenants en train de construire leurs apprentissages. Enfin, nous partageons notre vision de la gestion des cycles et de la différenciation des apprentissages.

Par la suite, en équipe-cycle, par exemple, nous envisageons de nous impliquer différemment pendant deux périodes de la prochaine semaine : Paul animera un atelier de poésie en enrichissement, Marie et Julie consolideront en *team teaching* des concepts de géométrie, tandis que Julien et Maryse démarreront un projet de maquette sur le milieu. Quelle richesse, ces différences !

■ DÉVELOPPER LA COLLÉGIALITÉ : UN DEUXIÈME PAS

Parce que nous devenons responsables d'un cycle d'apprentissage, nous échangeons nos responsabilités individuelles pour des responsabilités collectives.

Parce que de nos jours, nous ne pouvons être experts dans tous les domaines, nous troquons nos compétences mutuelles.

Parce que les cycles impliquent un besoin criant de différenciation, nous nous mettons à l'œuvre tous ensemble pour concevoir et utiliser les dispositifs nécessaires.

Parce que nous savons que tous les élèves d'une même classe ne peuvent pas être rejoints avec la même intensité par la personnalité d'un seul enseignant, nous acceptons de partager nos différences humaines avec d'autres élèves, avec d'autres classes.

Parce que dans ce troisième millénaire, il est reconnu que pour éduquer un enfant, nous avons besoin de plus d'une personne.

Parce que nous avons compris que l'école ne peut plus aller de l'avant si elle continue de perpétuer une culture individualiste, nous acceptons de relever le défi de faire naître graduellement dans nos établissements une culture empreinte de solidarité et de collégialité.

Parce que le mandat de développer les compétences de nos élèves est un processus à la fois riche et complexe, nous trouvons impératif de conjuguer nos différents «savoir-faire».

Parce que les problèmes que doivent surmonter nos élèves sont de plus en plus complexes, nous ressentons le besoin de travailler dans un contexte de partenariat avec les ressources du milieu, mais aussi avec les autres enseignants de notre école, qui portent un regard au pluriel sur ces enfants.

Parce que de nouveaux enseignants entrent chaque année dans nos écoles avec un désir de s'intégrer et de collaborer à la réussite éducative des élèves, nous désirons leur manifester notre bonne volonté à coopérer de plus en plus avec eux par des échanges d'expériences réciproques.

Parce que nos bilans institutionnels démontrent qu'une perte d'énergie extraordinaire découle d'un manque évident de concertation entre professionnels, nous proclamons haut et fort que cette situation ne peut plus durer et que pour construire quelque chose de solide, **il faut faire un bout de chemin ensemble**.

Nous avons à travailler ensemble avec les mêmes élèves, à assurer la continuité des progressions individuelles, à recomposer avec souplesse de nouveaux groupes axés sur les besoins, les projets, les intérêts, les approches, les méthodes, etc., et à expliquer aux parents tous ces nouveaux modèles de fonctionnement tout en les associant à ce défi collectif. Nous devons donc apprendre à nous écouter, à nous parler, à intégrer les points de vue des collègues à nos façons de faire ; à prendre des décisions ensemble et à les assumer collectivement par la suite.

Ces quelques réflexions pourraient donner naissance à une charte de collégialité. Qu'en pensez-vous ? Alors, qu'attendons-nous pour entreprendre la construction ou la consolidation de nos équipes-cycles ?

■ APPRIVOISER LA STRUCTURE DE TRAVAIL : UN TROISIÈME PAS

La représentation mentale du travail d'équipe porte à confusion, autant dans l'esprit des enseignants que dans celui des élèves. Philippe Perrenoud (1999, pages 80-81) a d'ailleurs cru bon d'établir des distinctions entre le travail d'équipe et la coopération ; c'est ce que nous révèlent les lignes qui suivent.

« La coopération n'implique pas toujours un projet commun. Même lorsque chacun suit sa route et " fait ce qu'il a à faire ", il arrive que son intérêt lui commande de construire des alliances, des arrangements, des collaborations ponctuelles sans pour autant s'embarquer durablement dans la même galère. Savoir coopérer est donc une compétence qui dépasse le travail d'équipe. S'entendre avec des parents pour faire face à l'absentéisme ou à l'indiscipline de leur enfant, ou avec des collègues pour surveiller les récréations en alternance, ce n'est pas encore former une véritable équipe.

« On peut définir une équipe comme un groupe réuni par un projet commun dont l'accomplissement passe par diverses formes de concertation et de coopération. Les projets peuvent être tout aussi divers que les situations et les actions possibles dans ce métier d'enseignant.

« J'en distinguerai deux types, dit-il : les projets qui se nouent autour d'une activité pédagogique précise et qui sollicitent obligatoirement la coopération parce qu'il s'agit alors d'une tâche que personne n'a la force ou l'envie de conduire tout seul. Et cette coopération momentanée s'achève au moment où la réalisation est terminée.

« Les projets dont la coopération elle-même est l'enjeu, et qui n'ont pas d'échéances précises, puisqu'ils visent à instaurer une forme de professionnalité interactive (Gather-Thurler, 1996) qui s'apparente à un mode de vie et de travail plutôt qu'à un détour pour atteindre un but précis. »

À partir de cette définition et de ces deux types de projets, il est plus facile de se situer comme membres d'une équipe de travail. Nous pensons que la majorité des enseignants ont vécu, un certain jour, une occasion de s'engager dans un projet particulier. Qu'il s'agisse de planifier une journée de carnaval pour l'école, de préparer un rallye, d'intégrer les compétences des parents à des ateliers complémentaires, de jumeler des élèves de deux classes dans une organisation de parrainage ou de préparer une semaine promotionnelle sur la lecture, nous nous reconnaissons facilement.

Nous avons plus de vécu par rapport aux projets de type « un » et le défi qui s'offre à nous s'apparente vraiment au projet de type « deux ». Nous pouvons toujours sursauter de surprise et nous demander de quel projet mobilisateur il peut bien s'agir. Le projet ultime est assurément l'actualisation du nouveau programme de formation à l'intention des jeunes. Comme il s'agit d'un objectif à long terme, nous risquons de nous démobiliser si nous n'allons pas vers quelque chose de plus défini. Le développement des compétences, la gestion des cycles, la différenciation des apprentissages sont encore des notions importantes à assimiler. Si nous nous dirigeons du côté de l'implication de l'élève dans la construction et la présentation de son portfolio, du côté de la planification de quelques situations-problèmes pouvant alimenter des ateliers de formation de base, du côté de l'harmonisation de l'outillage cognitif à développer au niveau d'un cycle, du côté de l'articulation de procédures communes pour la gestion des travaux à la maison, nous trouvons facilement le prétexte pour nous placer immédiatement en situation de travail d'équipe.

Une équipe, ça se construit dans l'action... avec des essais, des erreurs, des tâtonnements, des compromis, des négociations. Le fait d'établir des modalités de travail peut minimiser les difficultés et augmenter le degré d'efficacité de l'équipe. Il n'en demeure pas moins que le moteur de tout ce processus réside dans le cœur et dans la tête des participants qui ont décidé de travailler ensemble parce qu'ils ont cerné un besoin essentiel commun et parce qu'ils savent qu'il est avantageux pour eux ou pour les élèves de trouver des solutions ensemble.

■ GÉRER LE TEMPS ENSEMBLE : UN QUATRIÈME PAS

Pour faciliter tout ce cheminement collégial, il nous faudra établir des modalités de gestion du temps et des groupes de travail.

L'élément majeur est sans aucun doute la disponibilité pour travailler en équipes-cycles. Pour se réserver des temps de travail pour la collaboration, on peut penser à différentes possibilités :

• Dans les écoles desservant une forte population étudiante, la direction pourrait planifier des plages de travail communes aux titulaires à l'échelle d'un cycle pour aménager la grille-horaire et assigner les tâches des enseignants spécialistes.

• Dans d'autres milieux, les enseignants, appuyés par leur direction d'école et par le conseil d'établissement, ont opté pour un horaire hebdomadaire comprimé, c'est-à-dire échelonné sur quatre jours et demi, récupérant ainsi une demi-journée par semaine ou par mois pour les rencontres des équipes-cycles. Là encore, il faut être appuyé par le service de transport des élèves, qui dessert parfois plus d'une école.

• Un excellent compromis à cette façon de faire est d'économiser du temps chaque jour de la semaine par un horaire semi-comprimé afin de se composer une plage de travail commune que l'on placera en fin d'après-midi. Terminer à 14 heures le mercredi après-midi, par exemple, permet d'établir une bonne période de travail d'équipe toutes les deux semaines ou mensuellement sans trop perturber les services dispensés aux élèves.

• Nous pouvons également lorgner du côté des journées pédagogiques pour réserver l'équivalent d'une journée de travail d'équipe à chaque arrêt pédagogique. Maintenant que la sensibilisation au renouveau pédagogique et son implantation s'achèvent au primaire, pourquoi ne pas couper un peu dans toutes ces journées réservées collectivement pour des réunions de tout genre ou des formations en série ? Les enseignants ont besoin de temps pour digérer et intégrer toute la théorie qu'ils ont reçue depuis les trois dernières années. Sans cela, il n'y aura pas de réforme pédagogique.

• Même si le temps investi en dehors des heures d'enseignement par les enseignants est considérable, je me permets de rappeler aux directions d'école de vérifier si l'écart entre la tâche d'enseignement et la tâche éducative globale de chaque enseignant est utilisé au complet à l'école. Est-il pensable de rentabiliser tout ce temps actuellement, même si l'on doit rompre avec certaines habitudes historiques ? Sinon, il faudrait faire des recommandations dans ce sens aux personnes concernées lors de la prochaine ronde de négociations.

• Toujours dans le domaine des conditions de travail des enseignants, les futures demandes devraient porter davantage sur des privilèges professionnels que sur des augmentations salariales, à mon avis. *Exemples:* que chaque titulaire engagé dans le renouveau pédagogique puisse bénéficier d'une banque de trois journées par année pour du développement pédagogique auprès de son équipe-cycle ou de son établissement; qu'après dix années de service, un enseignant bénéficie d'une semaine de ressourcement pédagogique ou professionnel. Présentement, il y a une incohérence flagrante entre les orientations en vue d'une école nouvelle et l'état traditionnel et stagnant des conditions de travail. Comment peut-on innover alors que les orientations de travail ne cadrent pas avec la gestion des cycles et la différenciation des apprentissages gérées par une équipe collégiale d'enseignants? Gros morceau que celui-là... La balle de la créativité et de la souplesse vient d'être lancée sur le terrain syndical.

• Enfin, je suggère la formule du travail gratuit, que plusieurs enseignants n'ont jamais comptabilisé et que j'ai pu observer lors de visites d'écoles effectuées au cours de l'année qui a précédé la rédaction de ce guide. Dans des écoles du Québec ou de Belgique, à la Maison des Trois Espaces, dans des écoles du Canton de Genève ou de Vaud, des équipes d'enseignants acceptaient de se rencontrer en dehors des heures de classe au moins une fois par mois, sachant que c'était une façon efficace de récupérer du temps par la suite.

■ **SE DONNER DES MODALITÉS DE FONCTIONNEMENT: UN CINQUIÈME PAS**

Il ne suffit pas d'avoir du temps devant soi, encore faut-il le rentabiliser. Cette préoccupation doit être présente à toutes les périodes consacrées au travail en collaboration. Voici un canevas organisationnel pour la tenue de ces rencontres:

• Établir un calendrier annuel de rencontres minimales obligatoires dès le mois de septembre. Planifier les réunions suffisamment tôt et à long terme. Déterminer la fréquence et les dates de rencontres.

• Se nommer un responsable de l'équipe-cycle qui se chargera de rappeler à ses collègues les dates et les heures de rencontres.

• Établir l'ordre du jour de chaque réunion.

• Assurer la convivialité des réunions. *Exemples:* s'installer confortablement, s'assurer d'une bonne visibilité entre les participants, prévoir du café, des jus ou de l'eau, etc.

• Établir des règles de fonctionnement d'équipe claires permettant d'éviter les sentiments de perte de temps, les frustrations personnelles ou les digressions. Ces procédures devraient favoriser une animation à la fois souple et rigoureuse sur les plans de l'expression et de l'écoute de chacun. Elles devraient optimiser la communication, la participation, l'émergence d'idées, la synthèse et le travail en sous-groupes.

- Approfondir le partenariat de l'équipe en sollicitant les compétences de chacun au profit de la vie collégiale par l'assignation de responsabilités personnelles. Mettre à profit les forces de chacun dans l'attribution des rôles d'animation, de secrétariat ou de gestion du temps ou de matériel. On pourra s'inspirer pour cela, du jeu d'association avec des personnages de *Tintin* (voir page 415 et 416).

- Se donner un cadre pédagogique de discussion qui pourrait s'articuler autour des trois temps de la démarche de la récréation du savoir, modèle de Gérard Artaud :

  - *Le temps du savoir d'expérience,* qui est orienté sur l'ouverture aux états d'âme, le partage de communications diverses ou de points administratifs, le vécu dans la classe ou dans l'école, ou le retour sur des mandats précédents.

  - *Le temps du savoir théorique,* où l'on réfléchit ensemble sur une formation reçue ou sur une lecture, sur des pratiques pédagogiques et évaluatives, sur la vie d'équipe, sur la préparation d'activités concrètes, sur le visionnement d'une vidéo à caractère pédagogique ou sur du matériel didactique. C'est ici que l'on peut songer à recevoir de la formation à l'interne par un pair ou par une ressource externe.

  - *Le temps du savoir intégré,* où l'on arrive à des consensus, où l'on établit des priorités de travail, où l'on élabore des cartes sémantiques, des discussions, où l'on planifie des gestes d'expérimentation, où l'on cible des besoins de formation ou d'accompagnement, où l'on se délègue des tâches.

- Conserver des traces écrites de chacune des réunions. Choisir les outils de consignation qui conviennent le mieux à l'équipe : procès-verbal, journal de bord de l'équipe-cycle, recueil de cartes sémantiques, portfolio de l'équipe-cycle, échéancier des rencontres avec liste des sujets traités et dépôt d'une pièce témoin en lien avec le thème de la rencontre, etc. L'important, c'est de prendre l'habitude de laisser des traces afin d'être en mesure de les consulter à n'importe quel moment de l'année.

- Prendre du temps pour mesurer les progrès que nous faisons, ce qui nous permettra de cultiver une vision positive de soi en tant qu'intervenant auprès des élèves et membre d'une équipe-cycle. On devrait mettre au point des indicateurs de réussite de même que des grilles d'auto-évaluation et d'intervision.

- En plus d'évaluer notre propre cheminement professionnel, nous avons à évaluer le contenu et le déroulement de nos réunions afin de réguler, si nécessaire, leur organisation ou leur fonctionnement.

- Placer la planification de la formation continue parmi les priorités annuelles. Divers projets de perfectionnement sont envisagés, autant individuellement que collectivement. De plus, pour garantir la qualité des apprentissages que feront les élèves, l'équipe-cycle identifie des domaines précis que l'on creuse davantage par des démarches d'intervision et d'autoévaluation. Normalement, le choix de ces cibles doit être en lien avec les expérimentations et le temps qu'on leur aura consacrés à l'intérieur de nos classes et avec les regroupements vécus.

■ PARTAGER LA RESPONSABILITÉ DU CYCLE DANS LE QUOTIDIEN : UN SIXIÈME PAS

Une fois le modèle d'organisation de cycle choisi et explicité en fonction des caractéristiques locales, une fois la mobilisation du personnel assurée, une fois la cohésion de l'équipe-cycle garantie, nous pouvons faire preuve d'esprit d'initiative pour élaborer des mesures de fonctionnement et d'actualisation de la structure choisie. Le groupe de pilotage de Genève[5] s'est beaucoup penché sur cette question et le canevas de travail offert à leurs écoles en réforme m'apparaît de grande qualité. Voilà pourquoi je vais m'y référer parfois.

• « Planifier l'enseignement, les situations d'apprentissage en fonction des objectifs-noyaux, des concepts essentiels, des principes de base. Cette planification donne une trame composée de situations d'apprentissage en lien avec les compétences et l'évaluation qui permet ensuite de réguler finement en fonction des besoins constatés et des projets émergents. »

• « Organiser la division des tâches de conception et d'animation des situations d'apprentissage qui sont préparées plus immédiatement au niveau des diverses équipes de travail. Par après, une autre subdivision du travail est prévue dans le but d'alléger la tâche de chaque enseignant et de fournir une animation de qualité au sein de chaque regroupement. »

• « Établir un horaire hebdomadaire avec des moments "groupe-classe" fixes et de larges plages disponibles pour mener des activités complexes par classe ou par décloisonnement. »

• « Élaborer un calendrier annuel des activités en précisant également l'affectation des locaux. Les disciplines comme l'éducation physique, les activités créatrices et musicales, l'apprentissage des langues secondes sont traitées comme les autres disciplines scolaires dans une logique de temps regroupé et de temps fractionné. Comme la référence à un horaire hebdomadaire ou de cycle de six ou neuf jours n'est plus suffisante, la planification des activités larges doit être inscrite dans un calendrier annuel, mais avec une vision de l'ensemble du cycle. »

• « Prévoir des plages libres en plus de celles qui sont déjà planifiées afin de répondre à des besoins nouveaux de régulation, de structuration de projets interdisciplinaires ou d'activités libres

---

5. GROUPE DE PILOTAGE DE LA RÉNOVATION, *La gestion des groupes, du temps et des espaces dans les cycles d'apprentissage*, Genève, Département de l'instruction publique, enseignement primaire, juin 1999, p. 23-24.

nécessitant une organisation souple. Ces moments peuvent se dérouler au sein du groupe-classe, au sein d'un regroupement avec un autre cycle, d'une activité culturelle offerte par l'école ou d'une sortie éducative, etc. »

- « Individualiser les parcours des élèves au sein de chaque groupe-classe par le biais d'outils prévus à cette intention, comme le portfolio d'élèves, le passeport pédagogique de fin de cycle, l'arbre de connaissances, des compétences personnelles. Malgré les regroupements et les échanges d'élèves, c'est l'enseignant titulaire de chacun des groupes qui passe en revue régulièrement les itinéraires d'apprentissage de chacun des élèves. »

- « Instituer pour les élèves des structures de concertation et d'échange au niveau du groupe-classe et du cycle, tels un conseil coopératif de classe et un conseil de concertation de cycle. Dans le premier cas, ce sera le lieu où sont gérés les problèmes relationnels et les questions organisationnelles inhérentes à la classe ». Cette structure déjà connue par beaucoup d'élèves et d'enseignants doit s'ouvrir maintenant à la gestion interclasses. Comme les élèves d'une classe donnée sont appelés à travailler avec d'autres enseignants et d'autres élèves dans le contexte du cycle, il est fort probable que, sur l'ordre du jour d'un conseil de coopération, figurent des problèmes débordant les murs de la classe ou certaines informations ou demandes émanant des autres groupes d'élèves appartenant à ce même cycle. Sur le plan de la logistique, orchestrer les périodes consacrées au conseil de coopération en fonction d'un cycle peut faciliter la gestion des allées et venues de certains élèves qui doivent prendre la parole au conseil d'une autre classe.

Volume 1
p. 149 à 151

Outil 3.5 Le conseil
de coopération en classe

Un conseil de cycle ouvert à la participation des élèves peut prendre l'allure du conseil étudiant d'une école à effectifs réduits, c'est-à-dire formé de quelques élèves délégués par chacune des classes d'un même cycle. Il peut se composer également d'élèves délégués siégeant au même titre que des enseignants délégués par l'équipe-cycle. Dans ce domaine, toutes les options sont permises puisqu'il s'agit d'une structure nouvelle pour établir une tribune propre aux cycles. La porte est donc ouverte à la créativité et à la prise de risques...

- « Organiser la concertation des enseignants pour la progression des élèves dans des séances planifiées à l'avance. Celles-ci peuvent être incluses dans le calendrier opérationnel des rencontres tout comme elles peuvent être ajoutées à la programmation. Cette concertation peut se vivre par cycle ou par sous-groupes, s'il s'agit d'un cycle comportant un effectif d'enseignants assez élevé. Elle doit se tenir à plusieurs reprises au sein d'une année scolaire. C'est souvent à partir de ces bilans généraux que se greffe la régulation pour les prochaines semaines, étant donné qu'on a déjà aménagé des plages structurées et des plages libres à cette intention. »

Nous avons fait une certaine exploration de la situation actuelle des équipes-cycles. Je n'ai toutefois pas la prétention d'avoir nivelé toutes les difficultés : nous sommes tous en situation d'apprentissage et nous nous inscrivons nous-mêmes dans un processus de développement de compétences à partir de nos réalités propres. J'ai voulu faire quelques propositions de travail simplement dans le but de témoigner de ce qui se fait déjà, de sécuriser certaines personnes, d'en mobiliser d'autres, de susciter une remise en question des pratiques ou encore de propulser des pédagogues avertis vers la création de solutions plus économiques et plus rentables.

Avant de terminer ce chapitre sur la gestion des cycles d'apprentissage, je tiens à souligner les particularités de certaines fonctions dont la contribution au développement des équipes-cycles est un peu laissée pour compte. Je pense aux enseignants du préscolaire, aux orthopédagogues ainsi qu'aux enseignants spécialisés au primaire.

■ LA CONTRIBUTION D'ACTEURS EN RETRAIT AU DÉVELOPPEMENT DES ÉQUIPES-CYCLES : UN SEPTIÈME PAS

Le préscolaire

Ma première interrogation s'adresse au ministère de l'Éducation du Québec, qui a pris la décision d'exclure le préscolaire des ordres d'enseignement et des cycles d'apprentissage. Cette orientation a été une surprise de taille pour plus d'un intervenant scolaire et tout comme Jacques Tardif, qui verbalisait ouvertement son désaccord face à cette décision dans la revue *Vie pédagogique* de février-mars 2000, j'aimerais partager ma vision avec ceux qui me lisent.

À mon avis, le préscolaire relève beaucoup plus de l'éducation que du service à l'enfance et des affaires sociales. D'autres pays l'ont déjà intégré au premier cycle du primaire, officialisant ainsi l'apport précieux du préscolaire à l'ordre primaire, officialisant aussi la nécessité de décloisonner les murs des classes d'élèves de cinq, six ou sept ans. Comment peut-on parler de continuité, de transition harmonieuse entre le préscolaire et le primaire si l'on vit de part et d'autre en vase clos, isolé ? Comment allons-nous différencier les apprentissages des élèves dans une organisation aussi compartimentée ? Comment tenir compte de tous ces écarts de profils qui se multiplient dans nos classes actuellement ? Maintenir cette situation telle quelle, c'est proclamer haut et fort devant les parents que chacun de nous est capable de gérer toutes ces différences dans sa propre classe. Que faisons-nous des enfants qui arrivent au préscolaire et qui lisent déjà ? des enfants qui entreprennent le premier cycle et qui ont besoin de travailler des concepts de base de l'éveil à la mathématique ? des enfants qui, après six mois d'interventions en lecture, n'ont pas encore saisi pourquoi il leur serait profitable d'apprendre à lire ?

J'ai envie de réagir à ces interrogations en vous relatant quelques expériences observées dans des classes de l'École Freinet de Liège, en Belgique, dont les responsables n'hésitaient pas à poser les gestes qu'il faut pour différencier.

J'ai vu, en octobre, des élèves de six ans se joindre à l'enseignante du préscolaire pour travailler à des centres d'apprentissage avec des élèves de cette classe, trois fois par semaine pendant que le menu était ouvert, c'est-à-dire pendant quarante minutes.

J'ai été témoin, en février, du fait que des élèves de cinq ans participent à des groupes multiâges de six et sept ans, trois fois par semaine pour entreprendre la merveilleuse aventure de l'apprentissage de la lecture.

Enfin, j'ai vu des élèves de cinq, six et sept ans travailler sur un projet de cirque à partir d'un décloisonnement des groupes, d'une inscription individuelle à cinq activités suggérées et d'un échange de compétences des enseignants, à raison de deux périodes d'une heure par semaine. C'est ainsi que soixante-quinze élèves travaillaient sur les présentations suivantes puisque ce projet débouchait sur un spectacle présenté aux parents des élèves du cycle :

- la structure d'un orchestre dans un atelier de musique ;

- la parade de chevaux savants dans un atelier d'art dramatique ;

- la création d'une murale inspirée de tableaux de Picasso, dans un atelier de peinture ;

- les prouesses des lions apprivoisés dans un atelier de psychomotricité ;

- les gestes souples des funambules et des acrobates constructeurs de pyramides, dans un atelier de gymnastique.

Que doit-on conclure de tout cela ? Je pense que la réponse est suffisamment claire et qu'il se trouvera de plus en plus de directions d'école, d'enseignants et d'éducateurs capables de prendre les décisions les plus appropriées au mieux-être des élèves. Nous n'avons pas besoin de décret, de référendum ou de réforme pour innover. La Vie a placé tout le potentiel nécessaire à l'intérieur de chaque être humain qui désire évoluer et faire évoluer les choses.

Les services d'orthopédagogie

La venue des cycles d'apprentissage supportée par la différenciation des parcours des élèves entraîne inévitablement un questionnement sur les dispositifs prévus pour les élèves éprouvant des difficultés scolaires. Parmi ces mesures d'appui, la liste des services d'orthopédagogie figure en tête. Au fil des ans, ces services ont connu différentes transformations. Nous avons connu d'abord un modèle de dénombrement flottant, c'est-à-dire le retrait des élèves de la classe et les interventions de récupération et de rééducation par un enseignant-orthopédagogue dans un contexte de relation duale ou de petits groupes.

Puis, dans les années 1990, avec l'arrivée du projet PIER (projet d'intervention auprès des élèves à risque), les interventions se faisaient surtout dans le milieu de vie des élèves, c'est-à-dire à l'intérieur de leur groupe-classe.

Dans les deux formules mentionnées précédemment, la gestion de ces mesures d'appui relevait essentiellement de la direction de l'établissement, qui prenait une décision avec le professionnel en adaptation scolaire à partir des besoins et des attentes décelés par l'équipe-école. Très souvent, une politique-école venait encadrer l'utilisation et le fonctionnement de ces services donnés à l'élève, non seulement pour l'année en cours, mais pour des périodes plus longues pendant lesquelles l'orientation des services n'était pas remise en question.

Dans plusieurs milieux, nous sommes passés d'un extrême à l'autre : du retrait systématique des élèves à une intervention directe en classe. La formule mixte d'intervention a cependant été retenue par des pédagogues soucieux de différencier leurs interventions à partir des besoins des élèves et du contexte de la classe. Comment intervenir de façon différenciée auprès de quatre élèves dans une classe pendant une période de quarante-cinq minutes, alors que tous les élèves se retrouvent dans une approche collective où tout le monde fait la même chose en même temps ? Quand nous leur posions la question suivante : « Intervenez-vous en classe ou à l'extérieur du local ? », certains spécialistes des élèves à risque nous répondaient ceci : « Cela dépend de la classe et de l'enseignant... Vous savez, je dois m'adapter. » Derrière cette réponse, nous pouvons deviner ce message : « Pour que je puisse entrer dans la classe, il faut que l'enseignant-titulaire accepte ma présence d'abord, et ensuite, qu'il soit rendu à l'étape d'ouvrir son menu pour rompre avec un enseignement magistral et une gestion collective des élèves. Autrement, comment puis-je être utile et intervenir de façon adéquate ? »

Mais voilà qu'avec les changements d'envergure proposés par les programmes de formation des jeunes, tous les intervenants du milieu scolaire sont devant un fait accompli : ils doivent dorénavant aborder l'apprentissage de manière différente et, par conséquent, voir différemment les difficultés d'apprentissage. Les orthopédagogues avaient déjà commencé à revoir leur rôle ainsi que leur façon d'intervenir. Les nouvelles orientations proposées par la réforme comme par l'Association des Orthopédagogues du Québec viennent officialiser le fait que les enseignants des mesures d'appui sont membres à part entière des équipes-cycles et que c'est au sein de chacune de ces équipes que se définiront les modalités d'intervention auprès des élèves à risque. Si nous extrapolons quelque peu, nous pourrions trouver plusieurs modèles différents d'intervention à l'échelle d'un établissement, puisque l'orthopédagogue accompagne les élèves et les enseignants dans le cheminement qu'ils ont privilégié ensemble et il y participe.

C'est heureux qu'il en soit ainsi parce que, grâce à sa formation et son expertise, l'orthopédagogue est un spécialiste du processus d'apprentissage ainsi que des stratégies qui s'y rattachent. À l'école Bienville de la commission scolaire de Montréal, l'une des dix-huit écoles ciblées par le ministère de l'Éducation du Québec pour expérimenter le programme au primaire, les enseignants de cette école, avec la complicité de leurs orthopédagogues, se sont penchés sur le renouvellement du rôle de l'orthopédagogue. Dans un article de *Vie pédagogique*[6], on décrit ce nouveau rôle ainsi :

- s'engager personnellement au sein de chaque équipe-cycle ;

- soutenir la transformation des pratiques pédagogiques des enseignants ;

- aider à différencier la pédagogie ;

- favoriser le développement de la métacognition ;

- soutenir les élèves à risque : en étant aux aguets pour déceler les nouvelles formes de difficultés, en contribuant à la détection rapide des difficultés ou des risques, en tenant compte des élèves à risque par un soutien à l'enseignant dans le choix et la mise en place des activités en classe, en contribuant à maintenir des exigences à la fois élevées et réalistes, et finalement, en soutenant l'enseignant dans l'accompagnement des élèves à risque intégrés dans la classe régulière.

Le fait que les orthopédagogues devraient idéalement jouer un rôle-clé dans l'actualisation des réformes pédagogiques est sûrement un réconfort pour les titulaires, qui se voient presque octroyer une ressource supplémentaire pour les aider à gérer le changement des pratiques axées sur le développement des compétences, la gestion des cycles et la différenciation des apprentissages.

Les enseignants-spécialistes

Une autre catégorie de professionnels regroupe des effectifs assez imposants à l'échelle d'une commission scolaire : les enseignants-spécialistes. Alors qu'on leur a surtout attribué jusqu'à maintenant le rôle de spécialistes à part entière, qu'on a mis en place pour eux une organisation qui ressemble à celle du secondaire, qu'on recherche des avenues possibles pour les intégrer au défi de la réforme, je ne peux terminer ce chapitre portant sur les équipes-cycles sans penser à eux.

Une dose d'ouverture et de créativité assez grande sera nécessaire pour promouvoir une alliance de travail entre les enseignants-spécialistes et les enseignants-titulaires. Les démarches innovatrices dans ce domaine sont assez rares ou méconnues. Je propose

6. D'après Jean ARCHAMBAULT et Lina FORTIN, « Élèves en difficulté ou école en difficulté ? Le nouveau rôle des orthopédagogues dans la réforme de l'éducation », *Vie pédagogique*, Montréal, septembre-octobre 2001, p. 9-11.

donc tout simplement aux enseignants-spécialistes des pistes pour nourrir la réflexion sur le sujet. J'ose espérer qu'elles donneront lieu à des idées nouvelles porteuses de réussite. Je vous en confie l'enrichissement...

- M'est-il possible, en tant que spécialiste, de m'associer à un enseignant-titulaire pour créer avec lui un projet interdisciplinaire ou transdisciplinaire? Comment concilier les compétences de ma discipline avec celles du français, de la mathématique, de la science et de la technologie, de l'univers social des jeunes? Quels liens pouvons-nous établir?

- Puis-je m'associer avec un enseignant-titulaire et m'engager dans la gestion des tâches d'enrichissement en classe à l'intention des élèves qui ont de la facilité? Actuellement, la promotion de ma discipline est-elle faite en dehors de mes périodes d'enseignement et de mon local?

- Comment puis-je gérer les situations vécues par certains élèves performants qui parlent couramment l'anglais, jouent brillamment d'un instrument de musique ou encore qui sont inscrits à des clubs de compétitions sportives? Mis à part l'aide qu'ils apportent à leurs camarades, quelle motivation les nourrit présentement à l'intérieur de mes cours?

- Puis-je consulter le journal de bord des titulaires, les feuilles de route de l'enseignant d'un groupe d'élèves que j'ai du mal à rejoindre? Qu'est-ce que je connais de ces élèves sur le plan des intérêts, des sources de motivation ou des profils d'apprentissage?

- Les élèves ont-ils la possibilité de placer des pièces témoins de ma discipline à l'intérieur de leur portfolio? Suis-je au courant du contenu de ce dernier, des critères utilisés, du mode de justification?

- Ai-je la préoccupation de consulter l'équipe-cycle afin de concevoir des outils d'objectivation et d'autoévaluation cohérents avec ceux des titulaires de classe?

- Mon horaire est-il assez souple pour me permettre de temps à autre d'utiliser des plages (structurées ou libres à l'horaire) afin de m'associer au vécu d'une équipe-cycle qui a évalué et régulé des dispositifs de remédiation et d'enrichissement ou planifié un projet particulier?

- Quelles sont mes stratégies pour présenter aux parents le contenu de ma discipline, mes stratégies d'enseignement et d'évaluation? Suis-je vraiment en retrait des titulaires sur ce plan?

- Où se situe ma discipline à l'intérieur du bulletin scolaire ou du livret d'évaluation? Ma démarche est-elle cohérente avec ce qui se passe dans d'autres disciplines?

- Quelle est ma contribution à la remise de bulletins ou des présentations de portfolios par les élèves à leurs parents? Ceux-ci ont-ils l'occasion de me parler?

- Quelle est ma place dans la sensibilisation et l'implantation de la réforme ? Quelle est ma participation lors des journées qui y sont consacrées ? Qu'est-ce que j'en sais ? Ai-je déjà commencé à apporter des changements à ma pratique ?

- Lors des journées de formation sur les approches nouvelles, suis-je content de me joindre aux titulaires afin de réfléchir sur des façons d'innover ensemble ?

- Quelle est ma réaction à l'idée de m'associer de plus près à une équipe-cycle de mon école pour la durée d'un cycle afin de vivre avec les élèves et les enseignants un processus d'innovation ?

- Suis-je favorable à l'idée d'intervenir occasionnellement dans une discipline autre que la mienne où je possède des compétences, pour animer un volet ou une activité au moment d'un décloisonnement de groupes ?

S'imprégner de la philosophie des cycles est une lourde tâche ; nous venons à peine de commencer. Il faut nous faire confiance et miser sur le temps pour s'approprier cette nouvelle façon de vivre et de travailler. Plusieurs décisions sont à prendre : dans l'école, dans le cycle auquel nous appartenons et dans la classe.

C'est sur cette ouverture que nous nous dirigeons vers la différenciation à l'intérieur de la classe.

Pour enrichir ses conaissances

- Relisez le dossier « Les cycles d'apprentissage : un chantier ouvert » qui a été présenté dans *Vie pédagogique* en février-mars 2000. Il s'agit du numéro 114 de cette revue.

- Soyez attentif à la parution, en novembre 2002, du prochain avis du Conseil supérieur de l'éducation du Québec sur l'organisation du primaire en cycles d'apprentissage.

- Consultez le site Internet *www.unige.ch/fapse/SSE/groups/life*. Vous y trouverez plusieurs articles intéressants sur les cycles d'apprentissage, dont *De la gestion de classe à l'organisation du travail dans un cycle d'apprentissage*, par Philippe Perrenoud. Le site LIFE est chapeauté par l'Université de Genève.

- Les pages 37 à 106 de l'ouvrage *Les cycles et la différenciation pédagogique* de Michel Perraudeau peuvent vous aider à vous approprier davantage ce nouveau paradigme des cycles d'apprentissage.

Pour prolonger les apprentissages

- Avec votre équipe-cycle, explorez les diverses implications pédagogiques liées à l'arrivée des cycles d'apprentissage en relisant les pages 388 et 389 du présent guide. Tentez ensemble d'en arriver à un consensus sur l'émergence de quelques priorités de travail.

- Selon vous, est-il important pour les membres d'une équipe-cycle de découvrir les richesses personnelles de chacun et chacune ? Quelle avenue vous intéresse davantage : les compétences de vie ? les traits de personnalité ? les compétences pédagogiques ? Qu'avez-vous l'intention de suggérer à vos partenaires comme première avenue d'apprivoisement ?

- À l'aide des données sur la gestion du temps et des modalités de fonctionnement des pages 423 à 426, tentez de découvrir les forces et les faiblesses organisationnelles des rencontres vécues avec votre équipe-cycle. Partagez vos constats avec vos équipiers.

- Lors d'une prochaine étude de cas pour élaborer un plan d'intervention personnalisé, utilisez la grille d'objectivation de la page 408 du présent guide. Ces pistes de réflexion faciliteront sans doute vos prises de décision relatives à cet élève à risque.

CHAPITRE 11

Du rêve à la réalité : différencier au quotidien

Des pratiques
nouvelles à
maîtriser

Les fleurs que j'ai
coupées sont fané___.

J'ai rêvé pendant fort longtemps d'une classe parfaite, sans différences, sans écarts...

J'ai rêvé aussi d'un jour où je serais capable de vivre harmonieusement dans un monde de différences...

Enfin, j'ai rêvé d'un matin nouveau où les différences seraient pour moi une source d'inspiration et une fontaine de richesses pour les élèves...

Et voilà que ce rêve est maintenant à ma portée, ne demandant qu'à se transformer en certitude...

Nous le savons maintenant, l'organisation par cycle est au service d'un projet : elle peut jouer un rôle déterminant dans l'atteinte de la réussite pour tous les élèves. Pour atteindre cet objectif de réussite, les organisations scolaires sont invitées à mettre en place un dispositif basé sur un fonctionnement par cycles permettant à chaque élève de parcourir sa scolarité d'une manière continue, à son rythme et sans redoublement. En revanche, nulle part, en aucun moment, la manière de définir et d'articuler ce dispositif en cycles n'est précisée. Cela relève des choix de chaque enseignant, de chaque cycle et de chaque école.

Étant donné que chaque élève appartient d'abord à un groupe de base avant d'être intégré à un groupe reconstitué ; que chaque enseignant doit prendre position face à ce nouveau mode de fonctionnement ; que chaque praticien doit intervenir à partir de ce qu'il est présentement et non pas à partir de ce que l'on voudrait qu'il soit ; étant donné qu'il existe des écarts de rythme dans le processus de changement et d'innovation des intervenants ; que la différenciation des apprentissages a tout autant sa place à l'intérieur de la classe qu'à l'extérieur ; que le projet d'une équipe collégiale se construit à petits pas par la concertation, la collaboration et la coopération ; nous explorerons en premier lieu la différenciation à l'intérieur de la classe avant de plonger dans l'éclatement des groupes et la formation de nouveaux regroupements de travail à l'échelle d'un cycle ou d'un établissement.

 ## Des choix à faire

L'enseignant-titulaire dispose d'options en matière de gestion des cycles. Il ne peut demeurer indifférent ou stationnaire. Il doit prendre position, s'engager et choisir la formule qui s'harmonise le mieux à son propre cheminement et à celui de ses élèves. Et ce choix, il doit le faire en sachant qu'il devra régulièrement le remettre en question. En effet, il ne saurait être question de privilégier un modèle pendant cinq ou dix ans. Ce serait contraire à l'esprit des cycles : un processus dynamique, évolutif et ouvert à une régulation constante.

À diverses périodes de sa carrière, l'enseignant examine de plus près les trois grandes formules d'organisation possibles :

1 L'enseignant accompagne les élèves pendant le cycle au complet.

2 L'enseignant est titulaire d'une classe horizontale (élèves du même degré ou du même âge) et travaille en étroite collaboration avec les titulaires des autres classes du cycle. Ici, nous retrouvons le modèle habituel, où chaque enseignant garde sa classe pour une année, comme dans le passé, mais une concertation indispensable s'établit entre les enseignants d'un même cycle dans la planification et l'évaluation des apprentissages ainsi que dans le suivi pédagogique à apporter à chaque élève au moment de la régulation. La transmission des groupes d'élèves se vit dans une transition harmonieuse assurant davantage la continuité des apprentissages (d'une classe à une autre, d'une année à une autre).

3 L'enseignant est responsable d'une classe verticale (élèves de degrés ou d'âges différents) soit tout le temps, soit pour certaines activités. Il utilise le décloisonnement, différencie les structures à l'interne et à l'externe. Il partage ses compétences avec ses collègues et apprend à gérer des groupes axés sur les besoins, les projets, les intérêts, les approches, les méthodes, etc.

Chaque option comporte des avantages et des inconvénients ; l'essentiel est d'exercer des choix professionnels en fonction du mieux-être des élèves plutôt que de l'aisance des adultes.

Les trois formules regardées à la loupe

1 La *première formule* assure une continuité maximale sur le plan des apprentissages puisque l'enseignant dispose de deux années ou plus pour construire avec les élèves les compétences définies par le programme de formation. De plus, cette formule favorise une économie de temps et d'énergie pour l'enseignant et les élèves, qui s'apprivoisent, définissent leur cadre de vie conjointement et se familiarisent avec les modalités de travail dès les premiers mois. Pour illustrer ce dernier avantage, j'ose affirmer que l'équivalent de deux mois d'apprentissage pour certains élèves est récupéré ainsi sur un cycle de deux ans.

Par contre, cette formule comporte aussi des inconvénients : l'enseignant et certains élèves peuvent se sentir moins à l'aise ensemble et ils éprouvent des difficultés à travailler, et ce, pendant deux ans. Aussi, le risque est grand de perpétuer un travail professionnel solitaire : chacun s'isole dans le sanctuaire de sa classe, se privant ainsi des richesses d'une équipe collégiale.

2 La *deuxième formule* est un gage de sécurité pour les élèves, les enseignants et les parents, qui continuent de vivre avec un modèle déjà connu. L'ouverture que l'on crée par la concertation entre les différents titulaires des classes d'un même cycle est un peu comme une semence que l'on dépose en terre dans l'espoir de récolter un jour des germes de coopération et d'ouverture plus grands.

Toutefois, cette façon de travailler prive les enseignants d'un certain temps d'enseignement, si l'on compare avec la première formule, puisque la période d'accueil et d'apprivoisement des élèves de même que la définition des règles de vie, des procédures de travail et des démarches d'apprentissage doivent être reprises chaque année. Le fait de conserver un modèle déjà établi empêche des enseignants de plonger dans une ambiance de renouveau et de créativité, que peut engendrer le décloisonnement pour la formation de nouveaux groupes de travail et la différenciation des apprentissages par la gestion interclasses.

3 La *troisième formule* permet aux élèves de progresser plus vite… ou, au contraire, plus lentement ! Sans même s'en rendre compte, la gestion des différences devient la façon habituelle de vivre et des dispositifs de différenciation permettent aux élèves de cheminer sur la voie de leur propre réussite. Les nombreuses structures de travail exploitées dans la gestion d'un groupe multiâges provenant d'une ou de plusieurs classes favorisent l'entraide, la collaboration et la coopération ; elles préparent le chemin pour différentes formes de tutorat. Les enseignants adoptant ce modèle découvrent rapidement les gains du travail par cycles et arrivent plus facilement à passer de la solitude à la solidarité professionnelle.

En revanche, l'enseignant se trouve constamment devant un groupe hétérogène, ce qui représente pour lui un travail plus complexe, qui exige une planification et une organisation plus rigoureuses, une excellente gestion de classe ainsi qu'une bonne dose de créativité. En même temps qu'il apprend à travailler autrement dans l'accompagnement des élèves, il doit s'investir énormément et y mettre du temps pour apprendre lui-même à travailler en concertation avec ses collègues dans une perspective de cohérence et de continuité.

Attention ! Une organisation par cycles ne doit, en aucun cas, servir de prétexte à la formation de groupes de niveaux permanents (forts, moyens et faibles). Ces regroupements vont à l'encontre de l'esprit des réformes proposées, témoignent de la difficulté ou du refus de gérer l'hétérogénéité des classes et constituent ainsi un contournement des objectifs d'une école centrée sur la réussite de tous.

Les groupes basés sur les niveaux figent les élèves dans des catégories et contribuent à élargir les écarts. Différentes études menées en ce sens convergent vers la même observation : des élèves performants qui fréquentent des classes hétérogènes progressent aussi bien que leurs camarades forts qui vivent en vase clos. Par contre, les classes hétérogènes favorisent l'évolution et le dépassement des élèves faibles sans pour autant causer de préjudices notables aux élèves qui ont de la facilité, dans la mesure où l'enseignant met à leur disposition des structures et des stratégies de différenciation.

Des groupes monoâges ou multiâges ?
Une question qui ne date pas d'hier !

Nous pouvons définir les groupes multiâges ainsi : rassemblements d'élèves d'âges différents ayant lieu soit dans une classe, soit lors de décloisonnements. Ce mode de répartition représente une rupture par rapport à la structure habituelle de classement régie par les années scolaires ou l'âge.

Volume 2
p. 423 à 430

Outil 7.8 Un défi à relever : la gestion des classes multiprogrammes

L'existence des classes multiâges, multiprogrammes et multiniveaux ne date pas des dernières décennies ; j'ai vécu dans les années 1950 toute ma scolarité primaire dans une classe à sept niveaux. Au cours du siècle dernier, au Québec du moins, c'était la façon habituelle de dispenser la scolarité aux enfants fréquentant de petites écoles situées en milieu rural. Le développement du réseau routier et du système de transport aidant, ces écoles de rang ont cédé la place à de plus grosses institutions gérées en classes monoâges.

Donc, avec le temps, on trouve les groupes multiâges presque exclusivement dans les petites communautés, mais on y a réduit le nombre de niveaux par classe. De sept degrés, ils sont passés à deux ou à trois parfois. Toutes les communautés francophones du Canada situées à l'extérieur du Québec ont connu également une augmentation considérable de ces classes, que ce soit en raison d'un nombre insuffisant d'élèves pour constituer un groupe avec un ratio enseignant-élèves équilibré, d'un nombre inadéquat d'élèves pour constituer deux groupes différents ou de parents d'élèves refusant que leurs enfants soient transportés en dehors du quartier d'origine pour fréquenter une école où des places sont disponibles.

Simultanément, dans les milieux urbains, qui devaient faire face à la dénatalité et par le fait même, à la diminution de la population scolaire, les classes multiâges, multiprogrammes et multiniveaux ont fait peu à peu leur apparition, et cela, au grand désarroi des enseignants, des parents, des directions d'écoles et des administrateurs scolaires. Au point de départ, ceux-ci étaient aveuglés par les inconvénients rattachés à ce mode de classement, d'organisation et de gestion. Peu à peu, ils se sont intéressés à découvrir les nombreux avantages que ce mode de regroupement d'élèves pouvait représenter.

En même temps que ce phénomène prenait de l'expansion, plusieurs écoles alternatives faisaient le choix de recourir à des groupes multiâges pour actualiser le projet éducatif particulier qu'elles s'étaient donné. Parents et enseignants reconnaissaient alors de nombreuses raisons de nature pédagogique justifiant le recours à ce fonctionnement.

Plusieurs études ont été faites pour voir comment se vivaient les classes multiâges au Québec, pour cibler des conditions de réussite inhérentes à leur mise en place et à leur exploitation, celles pour qui l'on souhaitait un avenir prometteur en milieu urbain comme en milieu rural.

En 1995, un rapport détaillé sur les petites écoles primaires au Québec était publié dans le cadre de la «Chaire Desjardins», dont le mandat général était de favoriser une meilleure compréhension de la problématique du développement social et économique des petites collectivités humaines. On y affirmait que le tiers des écoles primaires du Québec comptaient au moins une classe multi-programmes, et qu'au cours des années 1991 et 1992, il y avait 1554 classes multiniveaux réparties dans 680 écoles.

Dans une autre enquête datant de 1991, menée à partir d'une étude pancanadienne sur ces classes, on affirmait qu'un élève sur cinq fréquentait une classe multiprogrammes au Canada, et qu'une école sur sept fonctionnait de cette façon. Après avoir eu l'occasion de travailler dans quelques cantons de la Suisse, je peux dire que le profil décrit s'apparente au processus de croissance que les classes suisses ont pu connaître.

En même temps qu'on publiait les résultats de ces deux études, divers milieux commençaient à s'intéresser aux effets favorables de ce genre de classe. Le rapport de la «Chaire Desjardins» conclut que les élèves apprennent et se développent sur le plan cognitif autant avec ce modèle organisationnel que dans une classe à degré unique. L'aspect intéressant de cette étude porte sur le développement psychosocial: 80 % des sujets rencontrés (personnel enseignant et directions d'écoles) prétendent que le rendement des élèves touchés par cette structure de travail est aussi bon, sinon meilleur, que celui des classes ordinaires. Ces personnes font allusion aux attitudes et habiletés suivantes: l'autonomie, la fiabilité, la confiance en soi, la responsabilité, la collaboration, l'image de soi favorable, les relations interpersonnelles, la capacité de vivre en société, les habitudes de travail personnel et l'attitude positive envers l'école.

Avec l'arrivée de l'an 2000, l'idée des groupes multiâges s'impose à nouveau dans la perspective d'une organisation scolaire par cycles d'apprentissage! Peut-on dire que les mentalités ont évolué par rapport à leur utilisation? Peut-on dire que les réticences et les craintes que nous pouvons entretenir à leur égard ont disparu? Peut-on dire que le nombre de personnes volontaires pour gérer ce genre de classe a grimpé en flèche? Les classes multiâges sont-elles encore l'apanage d'enseignants peu expérimentés ou en quête d'une permanence ? Sont-elles attribuées dans un contexte de non-négociabilité ? Il y a lieu d'analyser la situation et de voir comment nous pouvons faire la promotion de ces regroupements. À des raisons qui étaient jadis purement administratives et organisationnelles se sont ajoutées des raisons pédagogiques, valables autant pour les élèves que pour les enseignants.

Des choix organisationnels conduisant à des choix d'ordre pédagogique

Le fait d'avoir des programmes d'études axés sur le développement des compétences transversales et disciplinaires qui couvent l'ensemble du primaire et du secondaire réduit la complexité de la gestion des groupes multiâges. Nous avons dorénavant des élèves d'âges différents qui construisent à leur rythme respectif leurs apprentissages pendant un cycle donné sous la supervision d'un enseignant ou d'une équipe d'enseignants. Vu la transversalité des compétences, l'idée du multiprogrammes doit disparaître. Il y a fort à parier qu'à la prochaine réforme en éducation, nous aurons fait le saut vers un programme de formation davantage intégré, un peu à l'image du programme du préscolaire.

Pour nous décider à adopter un modèle organisationnel qui nous insécurise, il faut vaincre certaines peurs rattachées très souvent à des croyances ou à des mythes. Il nous faut aussi acquérir des pratiques nouvelles pour être en mesure de faire des deuils. Le deuil de la classe monoâge n'échappe pas à cette métamorphose nécessaire pour aboutir à la classe multiâges. Dans cette perspective, je vais dégager les avantages et les exigences de la classe multiâges.

■ DES GAINS, DES GAINS, ET ENCORE DES GAINS

1 Les groupes multiâges, dans un contexte de cycles d'apprentissage, poussent l'enseignant à délaisser, du moins en partie l'enseignement frontal et collectif. Étant donné la présence de différences plus grandes, il doit troquer obligatoirement son rôle de dispensateur de connaissances pour celui d'animateur, de guide et de médiateur. Cela l'amène à mettre l'accent davantage sur l'apprentissage et sur l'apprenant plutôt que sur l'enseignement et celui qui le dispense.

2 Les groupes multiâges placent directement l'enseignant dans un contexte qui l'amène à côtoyer régulièrement les différences, à les percevoir comme une source de richesses et qui lui fournit de multiples occasions de développer et d'expérimenter des outils de différenciation.

3 Ils offrent à l'enseignant plusieurs possibilités de regroupements d'élèves quand arrive le temps de rompre avec l'enseignement magistral pour passer à du travail en sous-groupes (au sein de la classe ou avec d'autres classes).

4 La gestion des groupes multiâges permet de développer l'autonomie des élèves, puisque l'enseignant n'est pas toujours disponible pour répondre aux besoins de chacun à chaque instant.

5 Ce mode de regroupement offre un champ plus vaste, une palette d'intérêts plus large à l'enseignant pour la planification d'activités variées, l'établissement de critères de formation des sous-groupes de travail et le partage des responsabilités avec les élèves.

6 Les élèves fréquentant ce genre de classe développent de façon naturelle certaines compétences transversales d'ordre personnel, social ou de l'ordre de la communication, grâce à un modèle de gestion de classe centré sur la participation des élèves et sur les nombreuses interrelations des élèves entre eux.

7 L'entraide, la collaboration et la coopération entre les élèves sont particulièrement sollicitées. Que ce soit dans le cadre de dyades de dépannage, de monitorat, de tutorat, de travail d'équipe ou de travail coopératif, les élèves comprennent très bien qu'ils ont un rôle important à jouer sur le plan de leurs apprentissages et que l'enseignant n'est plus l'unique ressource de leur classe.

8 Le contexte de différenciation que procurent les groupes multiâges permet davantage aux élèves d'avancer à leur rythme. À titre d'exemple, imaginons la scène suivante : ils se retrouvent tantôt dans un sous-groupe de lecture moins rapide afin de consolider leurs acquis, tantôt dans une clinique de géométrie pour partager leurs compétences d'experts en la matière avec des camarades ou dans un projet personnel qu'ils ont l'occasion de faire avancer étant donné que leurs travaux obligatoires sont déjà faits.

9 Les élèves évoluant à l'intérieur d'un groupe multiâges acquièrent nécessairement le sens de l'effort et de la débrouillardise, l'esprit d'initiative et des habitudes de travail personnel.

10 La collaboration entre les élèves de différents âges contribue à faire disparaître des préjugés, des comparaisons et des compétitions pouvant exister entre les enfants. Comme les différences sont reconnues et valorisées à l'intérieur du groupe, chacun se sent respecté dans sa spécificité. C'est donc la culture des différences et de ses complémentarités qui s'implante peu à peu dans la classe.

Pour conclure cette première partie de chapitre, disons que le titulaire d'une classe se retrouve devant différentes possibilités quand arrive le moment de l'organisation scolaire en prévision d'une nouvelle année, que ce soit pour commencer, poursuivre ou compléter l'itinéraire d'un cycle. Le *looping,* la classe verticale, la classe horizontale, la classe monoâge, la classe multiâges, voilà des options à analyser, à soupeser de façon à en privilégier une ou quelques-unes.

LOOPING **: formule d'organisation scolaire visant à travailler dans une perspective de cycle, c'est-à-dire dans des espaces-temps de formation de durée plus grande que les étapes annuelles rattachées aux degrés. Dans cette formule d'organisation, il est possible pour un enseignant de cheminer avec les mêmes élèves pour toute la durée du cycle, c'est-à-dire deux ans ou plus.**

Pour quiconque veut jongler avec ces options et acquérir des pratiques nouvelles en matière de répartition des élèves, il est primordial de s'engager dans un processus de formation continue afin de polir et de repolir les compétences nécessaires à l'actualisation des défis que posent les cycles et la différenciation.

Des compétences à polir

Nous savons tous que la gestion des cycles d'apprentissage pose le défi d'intervenir autrement auprès des élèves et d'apprendre à travailler ensemble comme éducateurs. Il n'en demeure pas moins que, même sans la présence de ces deux mandats, le métier d'enseignant en ce troisième millénaire exige une évolution, un renouveau, une mutation vers la maîtrise de nouvelles compétences et vers une professionnalisation du métier.

Si l'on se réfère au cadre de Philippe Perrenoud ou à celui des compétences professionnelles à l'intention des enseignants du Québec sur le mouvement du métier d'enseignant, on retrouve la nomenclature des compétences que tout enseignant doit posséder d'une part, et d'autre part, la liste de quelques compétences mises à contribution dans un processus de différenciation.

- Compétence 1 : Gérer l'hétérogénéité au sein d'un groupe-classe.
- Compétence 2 : Décloisonner, élargir la gestion de la classe à un espace plus vaste, celui de la gestion interclasses.
- Compétence 3 : Concevoir et faire évoluer des dispositifs de soutien autant à l'égard des élèves en facilité que des élèves en difficulté.
- Compétence 4 : Développer et utiliser des stratégies d'entraide et de coopération auprès des élèves pour que ceux-ci deviennent des ressources entre eux.

Certaines de ces compétences ayant été traitées précédemment dans ce guide, nous allons nous concentrer sur des sujets inexplorés, telles que les compétences mises à contribution dans un contexte de différenciation. C'est ainsi que nous abordons de façon plus particulière les dimensions suivantes :

1 Gestion différenciée des stratégies propices à la création d'un climat de classe sain et motivant : l'accueil des élèves et l'éducation à l'autodiscipline.

2 Gestion différenciée des structures organisationnelles supportant la différenciation : enseignement magistral, enrichissement, remédiation.

3 Gestion différenciée des stratégies d'accompagnement des élèves à risque : guidance de l'élève, dosage du temps, partenariat avec l'orthopédagogue et contextes d'utilisation de l'ordinateur en classe.

4 Gestion différenciée de nos relations avec les familles.

5 Gestion de différents scénarios d'expérimentation de la différenciation à l'intérieur de la classe.

Installer la différenciation sur le plan du climat

L'arrivée des cycles d'apprentissage ne vient pas balayer du revers de la main tous nos dispositifs efficaces de gestion de classe. Au contraire, nos interventions de différenciation en classe ou à l'externe présupposent des conditions de travail et d'apprentissage à la fois harmonieuses et fécondes.

L'accueil

Volume 1
p. 58 à 63

Outil 2.2 Comment puis-je t'accueillir dans la classe

Outil 2.3 Une classe à baptiser

Volume 1
p. 91 à 111

Comment créer un climat motivant dans ma classe

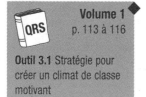

Volume 1
p. 113 à 116

Outil 3.1 Stratégie pour créer un climat de classe motivant

Pour créer une ambiance susceptible de susciter ou d'entretenir la motivation scolaire chez les élèves, nous accordons une attention toute particulière à nos stratégies d'accueil du début de l'année et à celles qui s'échelonnent tout au long de l'année scolaire. *Exemples :* l'enfant auditif apprécie particulièrement qu'on lui adresse un « bonjour » personnalisé dans lequel il prend plaisir à entendre son prénom. L'élève visuel aime bien voir un sourire sur le visage de son enseignant quand celui-ci lui fait des salutations d'usage. Quant à notre kinesthésique, il s'attend sûrement à ce qu'on aille le visiter à son bureau avant le début du cours ou qu'on se montre disponible à l'accueillir tout près de nous. Il a sûrement quelque chose à nous montrer ou à nous raconter. Un clin d'œil complice, une tape dans le dos, un regard sur sa nouvelle coiffure ou un commentaire sur sa tenue vestimentaire soignée sont des occasions de nous occuper de lui. Sinon, il risque d'attirer notre attention autrement pendant la présentation de la leçon ou de l'activité qui vient.

Dans l'ouvrage *Quand revient septembre*, j'ai fait ressortir l'importance de l'accueil et suggéré plusieurs activités pouvant l'alimenter. Cette fois-ci, j'ai élaboré une grille d'objectivation pour nous aider à valider la pertinence de notre scénario d'accueil.

Les activités d'accueil choisies répondent-elles aux caractéristiques déterminées ou mèneront-elles aux résultats escomptés ? Pourquoi voulons-nous faire vivre ces activités aux élèves ? Quelles intentions pédagogiques ou éducatives se cachent derrière ce paravent de socialisation ?

GRILLE D'OBJECTIVATION POUR VALIDER
LE SCÉNARIO D'ACCUEIL

LES INDICES DE QUALITÉ	LE DISCOURS INTÉRIEUR DES ENFANTS
Pour promouvoir les différences	
1 Les activités d'accueil ouvrent l'esprit des jeunes à la présence des différences entre eux et font ressortir la richesse de ces dernières dans le vécu d'une communauté d'apprentissage. La référence à la pizza des intelligences multiples (voir page 289) pour planifier les activités d'accueil est une excellente sensibilisation aux différents modèles d'apprentissage.	*Même si cet élève n'est pas de la même couleur que moi, même si nous ne parlons pas le même langage, même si nos forces sont différentes, je pense qu'il peut devenir un excellent ami pour moi.*
2 Elles sont orientées sur l'accueil des élèves appartenant à un groupe de base, mais aussi sur l'accueil d'une équipe-cycle. Comme enseignants, avons-nous planifié certaines activités de regroupement à cette fin ?	*J'ai beaucoup aimé travailler à la construction et au partage de mon portfolio affectif avec les élèves de ma classe, mais je meurs d'envie de faire une visite au musée maritime avec les élèves des trois autres classes qui se joindront à nous de temps à autre cette année. Sans parler de la conférence de presse que donneront les quatre enseignants de notre cycle à tous les élèves concernés par ce regroupement. Ainsi, nous aurons l'opportunité de les interroger sur toutes les facettes de leur vie.*
3 Elles prônent dans la classe une ouverture à la tolérance parmi les membres de notre famille scolaire.	*Je sais qu'il est important d'écouter les autres, de les respecter et d'être tolérant quand je me sens contrarié ou que cela ne tourne pas rond autour de moi. Est-il possible pour moi de comprendre les comportements des autres avant de porter un jugement de valeur ?*

Chapitre 11

445

LES INDICES DE QUALITÉ	LE DISCOURS INTÉRIEUR DES ENFANTS
Pour valoriser la communauté d'apprentissage	
4 Les activités d'accueil véhiculent des priorités : coopérer avec les autres élèves, voir en l'autre un futur partenaire, assurer la constitution et la cohésion d'une communauté d'apprentissage.	*Je pense que j'aimerais beaucoup travailler avec Bernard. Par contre, travailler avec Sophie sera peut-être plus difficile, car elle semble avoir le même caractère que moi. Toutefois, elle est bonne en informatique et j'aurais intérêt à travailler avec elle pour en apprendre sur le sujet.*
5 Elles cultivent chez les jeunes un esprit de solidarité et d'appartenance nécessaire à l'entraide.	*Je suis déjà attaché à mon enseignant, à ma classe, à mes amis. Je sens que nous allons être bien et que nous allons vivre de beaux projets ensemble.*
Pour développer un leadership confiant	
6 Elles représentent pour les élèves un aspect sécurisant.	*Étant nouveau dans cette école ou dans cette classe, je me sens vraiment accueilli et déjà, mes enseignants m'inspirent confiance.*
7 Elles fournissent aux élèves l'occasion d'être transparents et authentiques.	*J'accepte de me dévoiler aux autres en tant que personne. Je suis capable de leur parler autant de mes défauts que de mes qualités.*

446

Du rêve à la réalité : différencier au quotidien

LES INDICES DE QUALITÉ	LE DISCOURS INTÉRIEUR DES ENFANTS

Pour développer certaines compétences

8 Les activités d'accueil revêtent aussi un caractère pédagogique puisqu'elles font appel à certaines compétences transversales que possèdent déjà les élèves. De plus, elles ouvrent la porte à l'écoute, à la communication orale et écrite, au langage artistique.	*Je vais présenter mon chat à l'aide d'un dessin, je mimerai mon sport préféré et ferai une causerie sur mon futur métier.*
9 Elles favorisent la créativité sous toutes ses formes. Énergies, initiatives et talents des élèves sont sollicités chez tous les élèves.	*Je suis content de pouvoir apporter ma guitare à l'école afin de participer au petit spectacle des Jeunes talents locaux. J'ai aussi hâte de découvrir les surprises que les autres élèves nous réservent.*

Pour réinvestir encore

10 Elles présupposent une planification rigoureuse, une organisation adéquate, une objectivation de qualité et une évaluation ouvrant la porte aux régulations ultérieures.	*J'ai apprécié l'accueil parce qu'il était différent de celui des autres années. C'était bien organisé, c'était efficace, car maintenant je sais qui est qui. Finalement, je peux dire, en mon nom personnel et en celui des élèves de ma classe, que tout en étant simple et pas compliqué, c'était tout un succès.*

Chapitre 11

447

Accueillir les élèves n'est pas une chose banale, car très souvent, tout le reste de l'année s'en ressent. Dans une perspective de cycles d'apprentissage, de décloisonnement des groupes, d'échanges de compétences et de fonctionnement par regroupements, l'accueil et l'apprivoisement mutuels trouvent tout leur sens. Comment peut-on animer des cliniques de remédiation, guider des élèves qui ont de la facilité vers des projets personnels ou organiser des ateliers de consolidation ouverts aux élèves appartenant à un même cycle si nous n'avons pas établi avec chacun des enfants une relation significative?

L'accueil peut constituer un excellent prétexte pour entreprendre la construction de notre équipe-cycle. Tout en nous réservant des moments privilégiés avec notre groupe de base, pourquoi ne pas planifier des activités d'accueil intergroupes afin de favoriser la connaissance mutuelle de chacun des groupes, d'apprivoiser le travail collégial entre titulaires d'un même cycle, de faire ressortir certaines valeurs essentielles à l'entraide et de construire une charte de coopération avec les élèves d'un même cycle?

L'éducation à l'autodiscipline

Tout enseignant sait pertinemment que l'apprentissage de l'auto-discipline repose sur la qualité du climat, mais aussi sur la façon de définir les règles avec les élèves en début d'année. Au même titre que nous sommes habitués d'entendre que dans l'éducation du jeune enfant, tout se joue avant six ans, je suis tentée d'affirmer qu'au point de vue disciplinaire, dans une classe, tout se joue avant octobre...

Dans le contexte des cycles d'apprentissage, la définition des procédures d'ordre social et relationnel, l'établissement des règles de vie et la mise en place d'un conseil de coopération s'avèrent essentiel pour chaque groupe de base. En effet, comment espérer faire équipe avec d'autres classes, échanger des élèves, fréquenter des locaux inhabituels, modifier des horaires et des aménagements conventionnels et utiliser des dispositifs différents si les élèves ne bénéficient pas d'un cadre leur assurant sécurité et cohérence?

Pour actualiser la différenciation, une pédagogie de l'autonomie figure parmi les prémisses de base. Nous vivons à une époque où certains élèves ont besoin d'apprendre les bons comportements à l'école tout comme ils doivent apprendre à rédiger un texte argu-mentatif. À cette fin, nous devons revoir nos pratiques de gestion de classe afin de concevoir des stratégies d'intervention pour respon-sabiliser les élèves, autant face à leurs comportements que face à leurs apprentissages. Nous en récolterons les fruits dans diverses situations: pendant un cours magistral, lors de décloisonnements à l'intérieur de notre groupe de base ou lors de regroupements externes avec d'autres classes. D'ailleurs, avant d'entreprendre le décloisonnement avec d'autres titulaires et d'autres élèves, des consensus ont avantage à être faits si nous ne voulons pas que notre rêve de collégialité se transforme rapidement en cauchemar. J'approfondirai le sujet au prochain chapitre.

■ DES MOYENS DIFFÉRENTS POUR DES ÉLÈVES DIFFÉRENTS

Quand nous parlons de maturité de comportement en classe, nous nous apercevons rapidement que, là comme ailleurs, les profils des élèves sont différents. Certains élèves sont capables de s'autodiscipliner sans que nous ayons à intervenir; d'autres ont besoin qu'on leur rappelle les consignes, les règles ou les procédures; plusieurs apprécient particulièrement les balises définis au moment du conseil de coopération; une partie du groupe a besoin d'intégrer les bons comportements avec le support d'outils ou de dispositifs de réparation; et enfin, le comportement de quelques-uns nécessite qu'on applique des mesures plus exigeantes, tels le plan d'urgence, le plan d'intervention personnalisé ou le contrat négocié. Tenir compte de ces différences signifie que nous, éducateurs, devons concevoir et faire évoluer plusieurs dispositifs variés et complémentaires de sorte que l'élève soit discipliné. D'une approche parfois contrôlante, nous passons à la construction d'une autodiscipline chez les élèves, sous la guidance de l'enseignant.

■ UN REGARD SUR NOS MOYENS

Dans le but de reconnaître les attitudes gagnantes que nous adoptons et les moyens adéquats dont nous disposons pour l'éducation à l'autonomie comportementale, nous nous poserons certaines questions:

1 Avons-nous des moyens préventifs? Sommes-nous surtout préoccupés par le « curatif »? *Exemple:* une procédure d'entrée en classe le matin et le midi établie conjointement avec les élèves joue un rôle préventif tandis qu'une fiche de réflexion est un support de type curatif.

2 Nos moyens sont-ils surtout collectifs et appliqués de façon à gérer l'ensemble des comportements des élèves? Sommes-nous capables de porter un regard au pluriel sur les comportements, développant ainsi des stratégies particulières et gérant de façon différenciée le parcours éducatif de certains élèves? *Exemple:* le cadre disciplinaire établi avec les élèves au sujet des règles de vie et des conséquences d'application est une structure collective qui n'est pas suffisante pour guider certains élèves à risque sur le plan comportemental. Des responsabilités spéciales débouchant sur la négociation d'un contrat peuvent appuyer mieux un élève qui est en train d'apprendre certains bons comportements à son rythme.

3 Nos moyens disciplinaires sont-ils appliqués de façon permanente et stable, sans aucune régulation pendant une période assez longue, parfois même pendant une année ? Avons-nous la créativité nécessaire pour découvrir des dispositifs axés sur une situation particulière ? *Exemple :* un conseil de coopération est une structure permanente, même si nous devons adapter son fonctionnement au vécu des élèves en cours de route. Il se pourrait que parallèlement à ce dernier, nous devions favoriser temporairement chez certains élèves l'appropriation d'une démarche de résolution de conflits.

4 Nos moyens disciplinaires sont-ils orchestrés ou sommes-nous à la merci de quelques dispositifs éparpillés qui jouent un rôle accessoire ou à faible portée auprès des élèves ? *Exemple :* un enseignant qui compte encadrer le comportement des élèves par l'utilisation de contes ou d'allégories ou par le partage des états d'âme est vite déçu. Ces moyens sont plutôt de nature accessoire et ont avantage à être insérés à l'intérieur d'une structure de base conçue pour l'apprentissage de l'autodicipline.

Pour illustrer l'intégration de ces quatre paramètres disciplinaires, je propose un symbole visuel : l'escalier de l'autodiscipline. À chaque palier, nous retrouvons des dispositifs tantôt préventifs, tantôt curatifs ; tantôt temporaires, tantôt permanents ; tantôt individuels, tantôt collectifs ; tantôt accessoires. Cet escalier représente l'équipement de base que chaque enseignant devrait avoir la sagesse de construire, partiellement ou en entier.

■ L'ESCALIER DE L'AUTODISCIPLINE

- Palier 1 : Établir des rituels, des routines, des procédures d'ordre social, relationnel et didactique en début d'année. Les bonifier au fil du temps et les remplacer parfois.

- Palier 2 : Mettre en place un conseil de coopération en prenant soin de l'adapter au profil et au vécu du groupe concerné par cette structure.

- Palier 3 : Par l'entremise du conseil de coopération, élaborer progressivement (tout au long de l'année) des règles de vie contextualisées avec les élèves, c'est-à-dire répondant à un besoin.

- Palier 4 : Décréter simultanément des possibilités de réparation pour chacune des règles de vie établies. Miser sur des conséquences logiques, éducatives, naturelles, ayant un lien avec la nature du geste posé. C'est là le sens de la réparation. Laisser dans l'ombre les conséquences agréables (principalement orientées vers des récompenses) et les conséquences désagréables (considérées plutôt comme des sanctions).

- Palier 5 : Élaborer au besoin avec certains élèves un plan d'urgence qui vient leur offrir une mesure d'encadrement supplémentaire. À surveiller ! Les paliers du plan d'urgence respectent-ils le degré d'engagement de l'élève à travers les différentes étapes du plan d'urgence et la progression des mesures retenues pour le faire réfléchir encore une fois ?

- Palier 6 : Privilégier la rencontre-entrevue entre l'élève et l'enseignant concerné par une discussion réflexive sur le bon comportement à adopter. C'est l'occasion idéale pour articuler les résultats de cette rencontre personnalisée en un contrat négocié entre les deux parties. Cette mesure très accessible aurait avantage à être exploitée plus souvent par les éducateurs.

- Palier 7 : Organiser une rencontre entre l'élève et la directrice ou le directeur de l'école. Cela peut être une occasion pour l'élève d'exprimer son point de vue différemment à une personne qu'il rencontre sur un terrain neutre et de qui il attend un point de vue objectif et constructif. Malheureusement, dans certaines écoles, cette mesure est utilisée beaucoup trop hâtivement et trop fréquemment, sans que l'on ait pris le temps de franchir toutes les étapes éducatives rattachées au contexte de la classe. Les directions d'écoles rendraient service à de nombreux enseignants, en refusant de traiter un problème courant de discipline tant et aussi longtemps que les étapes préliminaires de l'éducation à l'autodiscipline n'ont pas été parcourues par l'élève avec son enseignant, dans la classe.

- Palier 8 : Planifier une rencontre avec l'élève, l'enseignant ou les enseignants, les parents, la direction de l'école et les personnes-ressources, s'il y a lieu, pour construire un plan d'intervention personnalisé. Deux éléments-clés sont à retenir pour rentabiliser cette rencontre entre partenaires : la présence de l'élève et l'engagement de chacun des partenaires face aux mesures de soutien retenues.

- Palier 9 : Envisager le retrait du groupe pour l'élève qui refuse de se plier aux conditions de vie de la communauté d'apprentissage. Ce retrait peut être vécu dans la classe même, dans une autre classe ou dans un local prévu à cette fin. L'élève demeure présent dans l'établissement, car il est toujours membre à part entière de son école, mais il ne peut bénéficier des avantages sociaux du groupe. Le climat, les attitudes et les interventions entourant ce retrait temporaire du groupe sont d'importance capitale si nous désirons en récolter des effets bénéfiques.

- Palier 10 : Recourir à des mesures plus draconiennes si les techniques et les moyens d'intervention de base n'ont pas permis d'atteindre les résultats escomptés. Le retrait temporaire de l'élève de son école est parfois rentable. Encore faut-il user de jugement pour choisir ce qu'il y a de mieux pour cet élève. Cette suspension temporaire doit être vécue dans un climat sain où les modalités et les conditions de retour sont précisées préalablement. Je pense que le retrait définitif de l'école ne devrait pas faire partie d'un processus régulier d'éducation à l'autodiscipline. Il s'agit d'une mesure exceptionnelle, retenue seulement quand nous sommes vraiment sûrs que, en tant qu'établissement éducatif, nous avons tenté l'impossible pour cet élève.

À cet escalier, ajouter deux rampes : l'une pour l'enseignant et l'autre pour les élèves. La *rampe de gauche* pourrait représenter les techniques d'intervention rapide à l'intention de l'enseignant ; la *rampe de droite* illustrerait la démarche et les stratégies de résolution de conflits à l'intention des élèves.

Ces notions ont été exposées en détail dans les volumes *Quand revient septembre*. Il peut être utile de les consulter à nouveau pour réajuster certains dispositifs disciplinaires.

■ QUELQUES HABITUDES À REVOIR

Sur le plan disciplinaire, il est facile d'adopter des routines, des habitudes que l'on répète et que l'on perpétue, année après année, même si elles ne nous satisfont pas vraiment. C'est un domaine où nous avons également des deuils à faire. Lors des nombreuses visites de classes que j'ai effectuées au cours des 15 dernières années, j'ai pu constater certaines incohérences dans l'introduction d'un cadre de vie responsabilisant pour les élèves. Je vous les formule donc en termes d'habitudes de vie à questionner et à réajuster.

Pour nous aider à réguler…

1 J'ai l'habitude d'échafauder avec mes élèves toutes les règles de vie, le 2 septembre au matin, qu'il y ait besoin ou pas.

2 J'ai l'habitude d'inscrire ces règles de vie sur une affiche bien à la vue des élèves. Cette liste demeure là, au même endroit, toute l'année, que les règles de vie aient été intégrées ou pas.

3 J'ai l'habitude d'exiger que tous les élèves de la classe respectent l'ensemble des règles de vie tout le temps, peu importe leur nombre et leur niveau d'exigence.

4 J'ai l'habitude de formuler cinq règles de vie pour les petits et dix règles de vie pour les plus grands. Je ne dépasse jamais ce maximum même si d'autres besoins d'encadrement apparaissent en novembre, en février ou en mai.

5 J'ai l'habitude de trouver des conséquences-cadeaux faisant suite au respect des règles de vie, car je veux travailler sur la motivation des élèves. Autrement, je pense que les conséquences ne sont pas suffisantes pour inciter les élèves à respecter les règles de vie.

6 J'ai l'habitude d'avoir recours à des conséquences désagréables susceptibles d'amener les élèves à ne pas récidiver. J'ai de la difficulté à trouver des conséquences en lien avec les exigences. Faute de mieux, j'utilise la copie, la retenue, la perte de privilège, la réflexion dans un coin, etc.

7 J'ai l'habitude d'envoyer les élèves au bureau de la direction ou au local de retrait prévu à cette fin. Je me dis que j'ai le droit d'enseigner sans être dérangé et que je ne peux pas perdre trop de temps à discuter des comportements en classe.

8 J'ai l'habitude d'animer moi-même le conseil de coopération, car je trouve que c'est plus sécurisant pour les élèves. C'est aussi très rentable et en plus, je récupère passablement de temps que je peux consacrer à autre chose. D'une part, la majorité des élèves ne tiennent pas à en faire eux-mêmes l'animation ; d'autre part, ceux qui me le demandent régulièrement acceptent facilement que je leur confie d'autres responsabilités.

9 J'ai l'habitude de faire travailler les élèves en sous-groupes sans préciser de règlements ni de procédures propres au travail d'équipe. Il me semble que le référentiel disciplinaire du début de l'année est assez éloquent, car il leur indique tout ce qu'ils ont à faire. Quoi qu'il en soit, les difficultés que j'éprouve à ce sujet ne touchent pas à l'encadrement disciplinaire. J'ai la ferme conviction que des enfants de sept ans sont tout simplement incapables de coopérer ainsi, car ils sont trop jeunes et ne savent pas comment faire.

10 J'ai l'habitude d'envoyer des élèves en enrichissement et en ateliers sans trop avoir à insister sur le cadre de vie. Je leur demande tout simplement de se prendre en main, de s'occuper et de faire de leur mieux. Très souvent, je demande à un élève responsable de s'occuper des petits problèmes et de venir me prévenir quand ça ne va pas.

Inutile d'allonger la liste ; ces expériences portent à la réflexion puisqu'elles nous procurent l'occasion d'améliorer la qualité de nos interventions. Comment pouvons-nous transformer ces habitudes pour qu'elles deviennent plus cohérentes avec le processus éducatif de l'autodiscipline ? Comment gérer cette différenciation indispensable afin de tenir compte de plus en plus des divers profils comportementaux et des divers parcours d'élèves qui sont sous notre responsabilité ?

Pourquoi ne pas remettre en question ces habitudes et échanger sur ce sujet avec un collègue qui partage une tâche d'enseignement, avec un enseignant qui désire fonctionner en *team-teaching,* avec des partenaires qui désirent expérimenter le décloisonnement des groupes ? Ensemble, vers la même direction, nous pouvons aller plus loin que si nous cheminons seuls ou en sens inverse.

Cet atout qu'est la responsabilisation des élèves est majeur lorsque nous arrivons à fonctionner dans une organisation de classe plus ouverte. Le fait de savoir que nos élèves sont capables d'autonomie peut amoindrir les peurs qui nous empêchent parfois d'avoir recours à des dispositifs de différenciation.

TEAM-TEACHING : **forme d'enseignement en équipe se vivant à l'intérieur d'un même local avec le ratio équivalent de deux classes d'élèves sous la responsabilité de deux enseignants ; cela favorise le décloisonnement du grand groupe et l'animation de groupes restreints.**

Marier différenciation et organisation de classe

Une fois le climat établi, il nous faut passer à l'organisation de la classe. Nous avons besoin d'une organisation ouverte à la différenciation. Je m'en tiendrai aux dispositifs de base pour débuter : le rôle du cours magistral dans la différenciation, la gestion de l'enrichissement pour les élèves qui ont de la facilité et les mesures d'appui offertes en classe aux élèves éprouvant des difficultés d'apprentissage.

Quand le cours magistral s'ouvre aux différences

Depuis le début de ce guide, je m'évertue à répéter que pour différencier, il faut rompre avec le cours magistral et l'approche collective. Au premier abord, nous pouvons penser que le fait de traiter du rôle de l'enseignement magistral dans la différenciation est paradoxal, mais ce n'est pas le cas. Cette modalité d'organisation ne doit pas être évacuée totalement de nos pratiques puisque la non-différenciation fait partie de la différenciation, comme l'écrit Carol Ann Tomlinson (2003). C'est à l'enseignant que revient la responsabilité de cibler ces moments précis où, en présence de besoins très hétérogènes, il doit faire éclater le groupe pour travailler avec des dispositifs de différenciation. L'essentiel, bien sûr, est de ne pas abuser du cours magistral et de ne pas réduire la différenciation à cette modalité organisationnelle.

Soucieux de faire des choix plus éclairés, il est normal que l'on se pose les deux questions suivantes :

• Quand avons-nous intérêt à utiliser le cours magistral ?

• Comment pouvons-nous nous servir de ce moyen organisationnel pour nous ouvrir progressivement à la différenciation ?

Les regroupements collectifs sont très utiles pour lancer des mises en situation, vivre des moments forts de médiation, effectuer des retours sur les apprentissages, développer de l'outillage cognitif indispensable à chacun des élèves, planifier un projet commun d'apprentissage, aborder le contenu d'un objectif-noyau ou d'un savoir essentiel et présenter l'encadrement d'une recherche, d'une sortie éducative ou de toute autre activité.

Étant donné qu'il s'agit du modèle que nous appliquons dans nos classes depuis quelques décennies, il est normal que nous le trouvions sécurisant et que nous en apprécions la facilité de préparation et de gestion. Par contre, pour être honnêtes, nous devons reconnaître que ce modèle organisationnel offre très peu de possibilités de différenciation. On doit y associer, au moment des activités d'application, des dispositifs comme le plan de travail, le projet personnel, le tableau d'enrichissement ou le contrat d'apprentissage pour l'ouvrir quelque peu à la différenciation. Voici quelques suggestions :

- Nous pouvons utiliser le fonctionnement collectif en différenciation successive (que nous avons scrutée de plus près au chapitre 4, pages 89 à 91). L'enseignant conserve la gouverne du grand groupe et utilise successivement des outils et des supports différents en espérant que chaque élève soit rejoint. C'est ce que très souvent nous associons à la pédagogie variée.

- De plus, il est possible de différencier à certains moments cruciaux rattachés au cours magistral : mises en situation, interventions d'objectivation et stratégies d'apprentissage de base que nous voulons approfondir avec les élèves à partir d'un dialogue à caractère pédagogique. Le chapitre 8 porte d'ailleurs sur la différenciation de ces gestes pédagogiques fondamentaux.

- Enfin, il est possible de gérer de façon uniforme le cours magistral au moment des explications générales. Prévoir de petites ouvertures à la différenciation au moment de mettre en branle les activités éducatives est une façon prudente d'apprivoiser la gestion des différences. Comme les possibilités d'agencements d'outils sont multiples, nous avons intérêt à retourner explorer le coffre à outils organisationnels du chapitre 7 afin d'effectuer des choix adaptés aux profils des élèves et à notre cheminement.

  Une suggestion : la différenciation peut s'ouvrir, en tout premier lieu, aux rythmes des élèves. Donc, la tâche qui est habituellement proposée à l'ensemble de la classe rejoint principalement les élèves de rythme moyen. Nous avons donc à penser ensuite à nos élèves rapides pour qu'ils continuent d'avancer, ce qui nous permet par la suite d'être plus disponibles pour nos élèves en difficulté. Ce sera d'ailleurs notre prochain sujet : les élèves qui ont de la facilité et les élèves en difficulté.

- Dans la gestion du cours magistral et des applications qui en découlent, certains enseignants ont acquis le réflexe de planifier à trois dimensions. Une tâche initiale est proposée à l'ensemble de la classe ; si des différences majeures apparaissent, une tâche enrichie est disponible à l'intention des élèves plus performants, et l'enseignant a déjà prévu comment il peut adapter la tâche initiale aux élèves plus à risque. Ce dispositif présente l'avantage de s'intégrer facilement au fonctionnement habituel de la classe, que ce soit sur le plan de l'aménagement de l'espace, du temps ou des groupes de travail. Très souvent, chacun continue de travailler à son pupitre ou à sa table de travail. La seule différence à laquelle l'enseignant doit s'habituer, c'est de voir ses élèves travailler sur trois tâches différentes en même temps et en vue d'un même objectif. Il est possible aussi de proposer une seule tâche pour laquelle on aurait des exigences différentes selon les élèves. Toutefois, il n'est pas exclu que l'on doive apporter des modifications sur les plans de l'espace, du temps et des groupes de travail. Merveilleuses pratiques pour l'apprivoisement de la différenciation simultanée !

Volume 1
p. 313 et 314

Outil 5.1 Une préparation de classe de l'an 2000

Alimenter le travail des élèves rapides

Dans chacune de nos classes, nous trouvons des élèves qui sont en situation d'aisance par rapport au développement de leurs compétences disciplinaires. Habituellement, ce sont des élèves qui ont un rythme de travail assez rapide, une motivation forte pour apprendre et un désir vigoureux de produire. Il s'ensuit que ces élèves sollicitent fréquemment l'attention de l'enseignant pour réclamer du travail supplémentaire. Le cas échéant, ils trouvent eux-mêmes une façon de s'organiser ou de s'occuper, qui ne correspond pas toujours aux visions de l'enseignant. Les élèves qui ont de la facilité ne sont pas une clientèle à négliger. Autrement, comment trouver le temps d'accompagner de manière plus soutenue les élèves en difficulté ?

Alimenter des élèves rapides ne veut pas dire qu'il faille leur faire gagner du temps afin qu'ils terminent leur cycle ou leur scolarité plus tôt. Cela ne veut pas dire non plus les diriger sur la voie de la productivité ou de l'accomplissement d'une plus grande quantité de travail. L'essentiel, c'est de faire en sorte qu'ils conservent le goût d'apprendre et qu'ils vivent à l'école des journées emballantes exemptes de tout ennui, de toute répétition ou de tout moment dépourvu d'apprentissage. Déjà, dans l'ouvrage *Quand revient septembre*, j'ai suggéré des avenues différentes pour gérer l'enrichissement.

Volume 1
p. 406 à 427

Outil 6.9 Des avenues différentes pour l'enrichissement

Cette fois, j'irai plus loin en tentant de définir des critères pour sélectionner ou construire des tâches d'enrichissement. À maintes reprises, j'ai été sollicitée par des enseignants pour élaborer des banques d'activités d'enrichissement. Comment aurais-je pu acquiescer à cette demande, sachant que la phase du « Va plus loin » s'inscrit toujours dans une planification plus vaste, que ce soit une séquence didactique, un scénario d'apprentissage ou un projet d'intégration ? Sans cette boussole qu'est la planification à plus long terme, l'enrichissement demeure aléatoire ou relatif : ce qui est de l'enrichissement aujourd'hui ne sera pas nécessairement de l'enrichissement pour demain. De plus, ce qui est de l'enrichissement pour certains élèves n'en est pas nécessairement pour d'autres. Donc, se donner un cadre de référence pour mieux planifier et gérer l'enrichissement s'avère une avenue des plus prometteuses pour rendre justice à des élèves qui ont des appétits plus voraces.

■ DES CRITÈRES POUR MIEUX SÉLECTIONNER OU PLANIFIER L'ENRICHISSEMENT

Quand arrive le temps de choisir des propositions de travail à l'intention des élèves rapides, nous avons besoin de balises pour faciliter ces choix et les rendre plus pertinents. Le référentiel 31 des pages suivantes en suggère quelques-unes.

DES BALISES POUR ORIENTER L'ENRICHISSEMENT

1. Des tâches où les élèves ont l'occasion de développer leurs *compétences transversales*. Le fait que l'on soit performant sur le plan des disciplines n'implique pas nécessairement que l'on soit à l'aise avec chacune des compétences d'ordre personnel et social, d'ordre intellectuel, d'ordre méthodologique et de l'ordre de la communication.

2. Des tâches qui font appel aux *processus mentaux supérieurs*, telles l'analyse, la synthèse, l'évaluation et la créativité. S'enrichir veut dire être engagé dans des tâches plus complexes. Des situations ouvertes mobilisent facilement les élèves en quête d'autonomie et de créativité. Le chapitre 6 contient des exemples de ces situations mobilisatrices (pages 180 à 184).

3. Des tâches qui amènent les élèves à développer des *formes d'intelligence différentes de celles qu'ils utilisent habituellement*. La référence à la théorie des intelligences multiples ouvre la porte à des propositions intéressantes à cet effet.

4. Des tâches qui mettent à profit les *intérêts personnels* des élèves et qui peuvent enrichir l'environnement éducatif de la classe. Projet personnel, recherche autonome et contrat de lecture, recherche d'éléments culturels sont des options stimulantes pour cette catégorie d'élèves.

5. Des tâches qui sollicitent les compétences des élèves pour la *construction de matériel* qui sera mis par la suite à la disposition des autres élèves : matériel-maison de manipulation, texte troué, banque de résolution de problèmes, préparation de synthèses pour la révision et création de tâches d'enrichissement sont des défis qui plaisent à des élèves présentant un intérêt à « jouer à l'enseignant ».

6. Des tâches qui plongent les élèves dans les *domaines généraux* de formation comme l'ouverture à la vision du monde, à la protection de l'environnement, à l'éducation à la consommation, au pouvoir et aux possibilités des médias, au développement de la vie en société et de la citoyenneté, etc.

7. Des tâches qui valorisent les *différents savoirs* des élèves tout en favorisant aussi leurs *relations interpersonnelles*. L'exercice du monitorat à l'intérieur d'une clinique de consolidation, le tutorat avec des élèves de la classe, d'une autre classe du même cycle ou d'un autre cycle permettent à des élèves de mettre à profit leurs compétences mais aussi de progresser.

8. Des tâches qui sont greffées autour des repères culturels, donc autour du *plaisir de lire* et de *s'exprimer*. Lire par plaisir, lire pour s'informer, écrire pour s'exprimer et écrire pour être lu à son tour par d'autres personnes constituent des enjeux intéressants pour certains élèves. Il suffit de construire avec eux un outillage qui leur permet d'être autonomes tout en leur procurant des cadres de travail : passeport de lecture, démarche de recherche, démarche de rédaction d'un livret, banque de techniques d'expression, promotion d'œuvres personnelles, etc.

9. Des tâches rattachées à un *projet collectif*, à un *projet d'équipe* ou à un *projet personnel*. Celles-ci viennent toujours chercher les élèves sur le plan de la motivation parce qu'elles touchent très souvent autant leur cœur que leur tête. Une instrumentation a été fournie à cette fin au chapitre 6, qui porte sur l'encadrement du projet personnel (pages 148 à 153).

10. Des tâches qui plongent les élèves dans le monde de l'*apprentissage par le jeu*, qu'il s'agisse de jeux commerciaux, de jeux maison ou de jeux à créer. Bien sûr, la définition des compétences visées par le recours à ce dispositif en constitue la clé de réussite. Sans cela, nous risquons de tomber rapidement dans des activités purement divertissantes.

11. Des tâches qui placent les élèves en *contact avec l'ordinateur* et *ses périphériques*. Comment être indifférents au monde de l'informatique alors que nous baignons dans un univers envahi par les technologies de l'information et des communications ? Les élèves n'y sont pas indifférents non plus.

12. Autres critères :

_____

_____

_____

_____

_____

_____

458

En guise de complément à ces balises, je sens le besoin de faire quelques rappels de base concernant la mise en œuvre et la gestion de l'enrichissement en classe.

Remarque : Aux quelques élèves intéressés par les choses purement «scolaires» et qui réclament continuellement à l'enseignant des pages à faire ou des fiches supplémentaires, suggérer de travailler dans des volumes de base à la disposition du cycle d'apprentissage. Les orienter alors vers les pistes d'enrichissement déjà prévues par les auteurs ou encore les laisser naviguer à travers les différents savoirs propre au cycle concerné. Il est difficile pour un éducateur de dire à un élève : «Arrête d'apprendre, tu es rendu assez loin», ce qui ne nous empêche pas de lui faire découvrir d'autres avenues inexplorées de l'enrichissement.

■ QUELQUES RAPPELS

- Les tâches d'enrichissement ne sont pas des tâches de consolidation pour retravailler du «déjà vu» de façon plus amusante ou plus originale. Elles ne sont pas non plus des tâches divertissantes permettant seulement aux élèves d'être en action, autrement dit, d'être occupés pendant quelque temps sans que nous ayons la garantie qu'ils vont en retirer des apprentissages de qualité.

- Une tâche d'enrichissement a intérêt à être facultative étant donné qu'elle s'adresse très souvent à des élèves qui ont déjà complété leur travail obligatoire et semi-obligatoire. Le seul élément non négociable est que les élèves doivent avoir complété toute tâche d'enrichissement avant d'en entreprendre une autre.

- Dans une autre optique, l'enrichissement peut être offert à tous les élèves de la classe par l'entremise d'un plan de travail combiné (obligatoire et facultatif), d'un tableau de programmation ou d'un contrat d'apprentissage. Si nous nous sommes assurés de la qualité de l'enrichissement offert aux élèves, nous acceptons plus facilement que des élèves inscrivent sur leur grille de planification quotidienne des activités d'enrichissement alors que leurs tâches obligatoires ne sont pas toutes complétées.

- Un inventaire des intérêts des élèves en matière d'enrichissement peut faciliter la création ou la sélection de matériel ou de tâches destinés à alimenter ce volet de l'apprentissage. En le faisant au moins quatre fois par année, on tient compte non seulement des intérêts permanents, mais aussi de ceux qui sont plus temporaires. De plus, ce geste préventif peut nous épargner une situation plutôt frustrante : concevoir des activités situées aux antipodes des préoccupations des élèves et courir le risque qu'elles ne soient pas choisies par les élèves.

- Dans une perspective de cycles d'apprentissage, la planification des tâches d'enrichissement prend une toute autre orientation, puisque c'est l'équipe-cycle qui conjugue ses énergies pour créer des tâches susceptibles d'être choisies et exécutées par des élèves de différentes classes. Dans le cadre d'un chantier pédagogique, la conception et la sélection du matériel d'enrichissement apparaissent moins lourdes que si elles reposaient sur les épaules d'un seul enseignant.

• Toujours dans la perspective du cycle d'apprentissage, c'est une bonne idée d'offrir à quelques reprises durant l'année scolaire de l'enrichissement alimenté par les compétences personnelles des enseignants du cycle ou même par celles des parents. Dans un décloisonnement interclasses, par exemple, Justine anime un club d'échecs, Maxime initie les élèves à la peinture à l'huile, Sophie guide les élèves dans un projet de correspondance scolaire, Pascal travaille sur la présentation d'une matinée musicale, Julien prépare des olympiades sportives tandis que Geneviève est au laboratoire informatique pour produire avec les élèves des cartes d'invitation destinées aux parents. Tous les élèves du cycle bénéficient de l'enrichissement, grâce à une différenciation simultanée et grâce aussi à la mise en commun des compétences de leurs titulaires et des deux enseignants-spécialistes, qui ont accepté de décloisonner au moment de leurs cours respectifs. Même si le prétexte au décloisonnement est l'enrichissement, ces élèves vont développer des compétences transversales et, inconsciemment, ils mettront à profit certaines compétences disciplinaires intégrées. Il s'agit de planifier en conséquence, d'évaluer en cours de route et de réguler par la suite.

• Quand les élèves travaillent sur des tâches d'enrichissement, ils sont sensibles aux rétroactions. Celles-ci peuvent prendre la forme de forces et défis donnés soit par des pairs, par des parents ou par des enseignants.

• Le volet enrichissement n'est pas exclus du contenu du portfolio, d'autant plus que les travaux faits dans ce domaine sont très souvent sélectionnés en s'appuyant sur des critères de fierté, de satisfaction, d'efforts fournis, de réussite et de valorisation personnelle. C'est un élément dont il faut discuter avec les élèves, au même titre que les pièces qui devront témoigner de la consolidation et de la remédiation.

Pour clore cette partie qui traite de la différenciation de l'enrichissement, je vous propose de vous référer aux outils suivants, susceptibles de faciliter la mise en œuvre de l'enrichissement en classe : « Quand le salon de lecture s'anime » et « Apprendre avec Ordino ».

Enfin, je vous présente des pistes d'enrichissement axées sur le milieu de vie de l'élève. Ces pistes présentent l'avantage de ne pas nécessiter une somme imposante d'énergie et de temps avant d'être proposées aux élèves. La planification de l'enrichissement ne doit pas être synonyme de lourdes corvées de travail pour les enseignants.

Volume 2
p. 380 à 397

Outil 7.4 Quand le salon de lecture s'anime...

Volume 2
p. 369 à 379

Outil 7.3 Apprendre avec Ordino

■ EXEMPLES DE SITUATIONS DE VIE DÉBOUCHANT SUR L'ENRICHISSEMENT

Piste 1 : Ma situation de mathématique[1]

À partir de causeries libres ou dirigées, les élèves sont invités à relever des faits d'ordre mathématique, scientifique ou linguistique à travers les divers échanges. Dans le cas présent, l'accent a été mis sur la mathématique.

Voici la démarche proposée aux élèves à partir de cette situation de vie :

1 J'identifie et j'écris le thème sur lequel je viens de m'exprimer ou encore le thème qui a retenu mon attention quand les autres élèves s'exprimaient à leur tour.

2 J'élabore une carte d'exploration à partir de ce thème.

3 Je retiens par la suite les idées et les éléments que j'ai le goût de conserver et sur lesquels je veux construire quelque chose.

4 Je bâtis mon activité ou mon jeu de mathématiques.

5 Je tente de résoudre mon activité ou de rendre mon jeu fonctionnel.

6 Je trouve l'objectif d'apprentissage qui se cache derrière ma situation de mathématique.

7 Je présente ma situation à un autre élève pour obtenir son point de vue et vérifier si je suis sur la bonne voie.

8 Je transcris cette activité ou ce jeu sur une fiche.

9 Je prépare le corrigé de ma situation ou les directives du jeu. Je l'intègre discrètement à ma fiche de travail.

10 Je soumets mon produit fini à mon enseignant, qui valide ce que j'ai fait et qui m'invite par la suite à déposer ma fiche à l'intérieur du coffret d'activités après avoir fait les corrections demandées, s'il y a lieu.

Piste 2 : Notre coffret d'activités en mathématique

Voici la démarche proposée à partir du coffret d'activités disponible pour les élèves de la classe ou du cycle :

1 Je choisis une activité dans le coffret et je tente de la réaliser.

2 J'essaie de l'exploiter, de l'élargir, d'aller plus loin, de construire une nouvelle activité en m'inspirant des opérations suivantes :

   a) en améliorant ;

   b) en poursuivant ;

---

1. Jacqueline CARON et Ernestine LEPAGE, *Vers un apprentissage authentique de la mathématique*, Victoriaville, Éditions NHP, 1985.

c) en modifiant ;

d) en faisant des liens avec d'autres situations d'apprentissage ;

e) en changeant un ou deux éléments ;

f) en complétant ;

g) en précisant ;

h) en faisant ressortir des contrastes.

3 Je tente de réaliser l'activité.

Pour les autres étapes, je me réfère aux points 6, 7, 8 et 9 de la piste 1, intitulée «Ma situation de mathématique».

4 Je soumets mon produit fini à mon enseignant qui valide ce j'ai fait et qui m'invite par la suite à corriger certains aspects, au besoin, et à déposer ma fiche dans le coffret numéro 2 d'activités enrichies.

5 Puis, dans une étape ultérieure, nous pouvons analyser les nouvelles réalisations en petits groupes de travail :

- Nous pouvons tenter de classifier les fiches selon les diverses compétences ou composantes, selon les branches de la mathématique ;

- Nous pouvons relever les modifications les plus courantes et les plus rares qui ont été faites à partir des opérations suggérées ;

- Nous pouvons demander aux élèves si le contenu de nos coffrets de situations de mathématique est suffisant pour développer toutes les compétences mathématiques au programme du cycle. Que nous manque-t-il ? ;

- À mesure que nous devenons plus compétents en mathématique, avons-nous plus de facilité à reconnaître les situations de vie dans la classe pouvant nous placer en apprentissage ? Avons-nous plus de facilité à construire des situations de mathématique ? Faisons-nous des liens entre nos nouveaux savoirs et les autres disciplines ?

Piste 3 : La boîte magique[2]

La boîte magique est une formule d'initiation à la recherche qui rejoint davantage les élèves ne maîtrisant pas encore le processus d'écriture ainsi que les élèves scolarisés mais rébarbatifs au papier et surtout à l'écriture. Elle leur permet de vivre une démarche de recherche plus ouverte et plus différenciée.

C'est dans cette boîte que les élèves rangent les éléments pertinents à leur recherche et qui sont en lien direct avec leur sujet d'étude. En prenant connaissance du contenu avec eux, on perçoit la logique de

---

2. Formule inspirée des principes de Treffinger, de Renzulli, de Huer, de Koprowiez et d'Harris à l'intention d'élèves doués.

la démarche à travers ce qui peut nous sembler être un fouillis au premier coup d'œil. Ainsi, on découvre comment ils ont mené leur exploration, ce qui les ont guidés dans leur collecte de données, comment ils justifient leurs choix, ce qui les rend fiers et ce qu'ils souhaitent partager avec leurs pairs.

Cette boîte magique se prête à différentes utilisations :

- Habituellement, ce sont les élèves qui définissent le contenu de leur boîte magique. Certains ont besoin d'être supportés par des critères, des indices de recherche ou une liste d'éléments susceptibles d'être exploités.

- En cours de route, un élève peut décider de s'attarder à un fait précis, à un problème intéressant sans pour autant l'intégrer à sa boîte magique. Dans cette optique, nous pouvons dire que celle-ci aura été simplement un élément déclencheur ;

- Par ailleurs, il est possible que le contenu de la boîte magique d'un élève débouche sur un projet d'équipe ou sur un projet personnel qui a été inspiré à un élève par la présentation du contenu d'une boîte magique ;

- Ainsi, un élève peut emprunter la boîte magique d'un autre élève pour faciliter le démarrage d'une nouvelle recherche ;

- À l'intention des personnes visuelles, voici à quoi peut ressembler le contenu d'une boîte magique construite autour du thème des oiseaux : une carte d'exploration, une cassette audio sur le langage des oiseaux, un petit nid d'oiseau, des illustrations ou des photographies, des plumes d'oiseaux, des échantillons de nourriture pour oiseaux, le croquis d'une cabane d'oiseaux, un livre d'histoires sur les cigognes, de la publicité sur une volière, une série de cinq questions, etc. Autant de contenus différents que d'enfants différents !

Maintenant que nous sommes mieux outillés pour alimenter les élèves rapides et que ceux-ci se trouvent devant des défis à leur mesure, nous venons de récupérer du temps pour accompagner davantage nos élèves en difficulté. Regardons donc de plus près les dispositifs qui sont à notre portée pour les aider à progresser.

Soutenir des élèves à risque

Forts d'une structure axée sur la responsabilisation et l'encadrement des élèves autonomes, nous pouvons nous rendre plus disponibles aux élèves en difficulté. Les possibilités sont nombreuses :

- guidance par l'enseignant, par l'orthopédagogue ou par l'enseignant d'appui, par un élève moniteur ou par un élève tuteur ;

- adaptation des tâches en termes de longueur, de complexité, d'exigences et d'échéancier ;

- support de points de repère visuels, de matériel de manipulation, de jeux éducatifs, de l'ordinateur ;

- mise au point d'outillage cognitif par l'enseignant-titulaire, par l'orthopédagogue ou par un autre enseignant du cycle ;

- utilisation de l'atelier sous toutes ses formes ;

- exploitation de centres d'apprentissage ;

- menu ouvert pour l'ensemble des élèves avec utilisation d'un outil adapté pour gérer le temps (contrat d'apprentissage ou plan de travail à éléments ouverts) ;

- proposition de cliniques animées en petits groupes, au sein du groupe de base ou au sein d'un groupe reconstitué ;

- travaux proposés à partir du **classeur de remédiations** ;

- possibilité d'un stage intensif dans une autre classe appartenant au cycle.

Certains de ces dispositifs ont été traités dans le chapitre 7 (ateliers, centres d'apprentissage, plans de travail à éléments ouverts, contrats d'apprentissage, cliniques en sous-groupes de travail, tutorat et monitorat) tandis que d'autres seront abordés dans le chapitre 12 (stages intensifs, utilisation du classeur de remédiations, travail par modules de remédiation). Par conséquent, pour apporter des éléments nouveaux, voici comment j'oriente notre exploration des mesures de soutien à l'égard des élèves à risque :

- stratégies d'accompagnement : guidance à accorder et temps à doser ;

- partenariat à cultiver avec l'orthopédagogue ;

- utilisation « plurielle » de l'ordinateur ;

- partenariat à cultiver avec les parents.

De la guidance à accorder

Les élèves sont aussi différents quant au degré de structuration de l'apprentissage nécessaire à leur fonctionnement, qu'au degré d'incertitude qu'ils peuvent accepter et tolérer sans qu'il y ait risque de décrochage de leur part. Certains demandent à l'enseignant plus d'informations et de supports structurants : un dessin ou un schéma organisateur, par exemple, une plus grande précision sur les objectifs, une reformulation des consignes ou des explications supplémentaires. D'autres sont moins à l'aise pour choisir des travaux pour un plan de travail ou leur portfolio. Un certain nombre d'élèves éprouvent des difficultés à évaluer leur travail, à organiser leur journée ou les moments de travail personnel qui leur sont accordés et à dégager des défis pour une étape ultérieure. Enfin, un certain pourcentage d'élèves répondent rapidement et spontanément en commettant souvent des erreurs, tandis qu'une autre partie a besoin de plus de temps pour réfléchir et pour réagir. Devant toutes ces réalités, un enseignant apprend à doser ses interventions en fonction d'élèves qui cheminent différemment dans la construction de leur savoir.

Pour voir plus clair dans le degré de guidance à accorder au moment de l'exécution d'une tâche, référons-nous aux trois temps de la démarche d'apprentissage[3] :

1 Annonce de l'utilité de la tâche et des retombées de cette dernière par l'enseignant ou découverte par l'apprenant.

Deux réactions possibles :

- Intolérance à l'incertitude : les élèves ont besoin de connaître précisément les objectifs et les comportements que l'on attend d'eux ;

- Tolérance à l'incertitude : les élèves doivent découvrir eux-mêmes les objectifs tout en formulant et vérifiant des hypothèses successives.

2 Supports d'accompagnement imposés en cours de travail ou liberté laissée à l'élève ou au groupe.

Deux réactions possibles :

- Les élèves ont besoin de régulation : ils réclament des mécanismes de rappel et veulent bénéficier de situations leur offrant une forte dose de guidance (procédures, fiches, démarches, banque de stratégies) ;

- Les élèves ont besoin d'indépendance : ils progressent plus rapidement et plus facilement si on les laisse cheminer librement, sans interrompre leurs activités par des rappels de tout genre.

3 Corrections partielles et fréquentes ou correction globale à la fin d'une tâche.

Deux réactions possibles :

- Les élèves progressent par petits pas : ils ont besoin de se valider aux différentes étapes de leur démarche ;

- Les élèves sont spontanés et confiants : ils font un premier jet d'idées qu'ils critiquent eux-mêmes, qu'ils retouchent. Ils acceptent de commettre des erreurs qu'ils corrigeront plus tard.

Comme postulat d'intervention, nous pouvons nous baser sur notre réponse à la question suivante : « Nos élèves à risque ont-ils plus besoin de guidance que les autres ? » Si oui, ces interventions ne sauraient être le fruit du hasard : nous avons intérêt à observer très souvent ces élèves au travail afin de déterminer le degré de guidance nécessaire pour épauler chacun d'eux dans l'exécution d'une tâche

---

3. Inspiré de Philippe MEIRIEU, « Différencier la pédagogie », *Cahiers pédagogiques*, 1986.

PRIMARITÉ : caractère de la fonction primaire qui est dominante chez un individu qui est porté à réagir spontanément.

SECONDARITÉ : caractère de la fonction secondaire qui est dominante chez un individu qui ne réagit pas immédiatement aux circonstances présentes, préférant se reporter à son passé ou à son avenir.

sans pour autant les rendre dépendants. Agir ainsi, c'est travailler de façon préventive et c'est également ouvrir la porte à des différenciations ultérieures. Où se situe le profil de nos élèves à risque à l'intérieur de la grille descriptive que nous venons d'explorer ?

Du temps à doser

Les élèves sont sensibles aussi à l'échéancier proposé pendant qu'ils sont en train d'exécuter une tâche. Leur engagement pour le travail se traduit donc différemment dans le déroulement d'une séquence de travail[4].

Étape 1

La mise en train au travail, l'explication des consignes et le décodage d'attitudes ressentie ou pressenties.

Deux réactions possibles :

- **Primarité :** les élèves réagissent tout de suite aux stimulations, mais le retentissement à long terme est assez faible.

- **Secondarité :** les élèves ont besoin d'un temps d'attente, de flottement ; la réponse se fait attendre, mais le retentissement personnel est plus fort.

Étape 2

La transmission d'informations avant la tâche ou tout au long de la tâche.

Deux réactions possibles :

- Mobilisation préalable de l'information : les élèves ont besoin de tout savoir pour agir ; le seuil décisionnel est élevé, mais il y a assez peu de réponses et assez peu d'erreurs.

- Intégration progressive de l'information : les élèves ont besoin de peu d'informations pour plonger dans l'action ; le seuil décisionnel est bas, mais il y a plus de réponses, plus d'erreurs.

Étape 3

L'option de s'engager dans un temps de travail long avec peu de tâches différentes et celle de s'engager dans des temps de travail courts avec plusieurs tâches différentes.

Deux réactions possibles :

- Préférence pour un travail massé : les élèves sont capables de se consacrer longuement à une tâche et sont perturbés si on les oblige à changer fréquemment d'activité.

- Préférence pour un travail segmenté : les élèves aiment bien travailler sur des tâches de courte durée et apprécient le changement fréquent d'activités.

---

4. Inspiré de Philippe MEIRIEU, « Différencier la pédagogie », *Cahiers pédagogiques*, 1986.

Comme nous pouvons le constater, nous avons intérêt à nous questionner sur le profil des élèves par rapport à l'exécution d'une tâche dans un laps de temps déterminé. Cette donnée préliminaire jouera un rôle déterminant sur les dispositifs que nous choisirons par la suite. Ainsi, un élève est placé dans des conditions optimales de réussite lorsqu'il est plongé dans un module d'apprentissage, dans un projet à long terme ou dans un stage intensif avec une autre classe. Alors que pour un autre, le travail avec des ateliers-carrousel conviendra mieux. Un élève se sent à l'aise de travailler à partir d'un contrat d'apprentissage, tandis qu'un autre se plaît à travailler à partir d'un plan de travail à éléments ouverts, surtout si on lui offre la possibilité de changer d'activité en cours de période ou à chaque période.

Si nous avons placé ces deux facteurs de réussite (la guidance de l'élève dans une tâche et le dosage du temps) à la base de nos interventions auprès des élèves à risque, c'est que nous sommes persuadés que la connaissance du profil d'un élève, d'un sous-groupe ou d'un groupe peut nous fournir un éclairage efficace pour le choix des structures organisationnelles les plus adéquates. À mon avis, il faut savoir, comme pédagogues, pourquoi nous utilisons, cette année, un tableau de programmation plutôt qu'un plan de travail. De même, il faut savoir pourquoi il est plus profitable, ce mois-ci, de se consacrer à des centres d'apprentissage dans la classe plutôt qu'à un tableau d'enrichissement. Il en va de même pour les ateliers : « Pourquoi ai-je fait le choix d'utiliser des ateliers-arbre (de régulation) au lieu des **ateliers-organigramme** (de projets) à cette période de l'année ? » Il peut être dangereux de réduire la différenciation à l'utilisation de structures nouvelles non alimentées par des finalités pédagogiques. Comme les contenus, les processus et les produits font partie des « quoi » différencier au même titre que les structures, c'est souvent leur juxtaposition ou leur combinaison qui nous assurent d'une rentabilité optimale.

Dans l'accompagnement des élèves à risque, nous disposons de différentes stratégies d'intervention. Le degré de guidance à privilégier, la transmission de l'information et de la répartition du travail, les structures organisationnelles, le recours à divers moyens d'enseignement et le scénario de différenciation retenu, doivent être choisis, planifiés et gérés de façon consciente, réfléchie et professionnelle.

Les élèves en difficulté sont au cœur de la mise en œuvre des cycles et de la différenciation, puisqu'ils sont censés être les premiers bénéficiaires de ces structures organisationnelles davantage porteuses de réussites pour eux. En plus de susciter de nombreuses interrogations chez les enseignants, ces élèves les confrontent au devoir de rechercher et d'actualiser des solutions adaptées à leurs divers besoins.

Il convient donc de considérer les élèves en difficulté dans toute la globalité de leur personne, de respecter leur singularité et leur

ATELIERS-ORGANIGRAMME : type d'ateliers directement liés à la démarche de projet et offrant la possibilité d'en décortiquer les étapes à l'intérieur de structures de travail orchestrées par un organigramme précisant aux élèves l'ordre des étapes à respecter.

unicité. Il est dangereux de se limiter à considérer seulement leurs difficultés, oubliant ainsi les richesses qui les habitent, comme il est malsain de les tirer constamment en avant sous prétexte de les faire réussir. Souvent étiquetés ou stigmatisés par les exigences d'un système ou par certains gestes irrespectueux, les élèves en difficulté se replient sur eux-mêmes et attendent patiemment que leur scolarisation dite obligatoire prenne fin. Proclamant leur droit d'exister, ils veulent être traités comme les autres élèves, espérant que l'on valorise davantage leurs acquis et leurs compétences, espérant aussi que l'on soit honnête et juste à leur égard en ne masquant pas ou en ne minimisant pas les problèmes qu'ils éprouvent à l'intérieur de leur itinéraire pédagogique. Ils sont capables de composer avec la réalité en autant qu'ils puissent voir de la lumière au bout du tunnel... qu'ils essaient parfois de traverser depuis plusieurs années !

Du partenariat à cultiver avec l'orthopédagogue

Dans la guidance des élèves à risque, nous ne pouvons ignorer la présence des orthopédagogues ou des enseignants d'appui au sein des classes. En effet, depuis la fin des années 1990, la tendance à intervenir directement en classe auprès des élèves à risque s'est intensifiée, détrônant ainsi l'ancienne formule du dénombrement flottant où l'on retirait les élèves de leur classe pour intervenir individuellement ou en petits groupes dans un local réservé à cette fin.

Avec l'arrivée des cycles et de la différenciation, l'alliance de travail entre les titulaires et les personnes responsables des mesures d'appui revêt une importance capitale. Le fonctionnement par équipes-cycles ramène à l'interne l'établissement des orientations en matière de soutien aux élèves ainsi que des modalités d'intervention dans les classes d'un même cycle. Le rôle de l'orthopédagogue et celui des titulaires de classes s'inscrit de plus en plus dans un contexte de partenariat.

La remédiation n'est plus l'affaire d'un seul titulaire qui investit beaucoup dans sa classe pendant qu'un enseignant d'appui intervient ailleurs, dans un contexte externe et souvent détaché de la réalité de la classe. C'est conjointement avec les élèves que titulaires et enseignants-ressources travaillent à la construction des savoirs.

Consolidation, récupération, rééducation et remédiation sont des dimensions du soutien qui méritent d'être clarifiées et classifiées en champs de responsabilité spécifiques et complémentaires. *Exemple :* ne pourrait-on pas parler de formules mixtes d'intervention devant le défi de la gestion des cycles et de la différenciation des apprentissages ? La consolidation, qui relève vraiment de l'enseignant régulier, peut très bien s'effectuer à même le groupe de base par une différenciation simultanée permettant à des élèves de travailler sur des besoins de consolidation ou des pistes d'enrichissement. Par contre, la récupération peut être supportée par l'orthopédagogue dans une perspective d'éclatement du grand groupe cédant la place à des groupes axés sur les besoins et dirigés vers des ateliers-arbre (de régulation). Quand arrive le décloisonnement des groupes d'un cycle, l'orthopédagogue peut travailler avec une certaine clientèle d'élèves sur des connaissances et des habiletés préalables à la lecture dans une perspective de rééducation pendant que les quatre titulaires travaillent différemment sur d'autres contenus ou sur d'autres processus.

Pour bâtir graduellement cette complicité de travail, jetons un coup d'œil au tableau 11.1 de la page suivante qui présente des petits pas à faire en classe dans un climat de collégialité.

À la lumière de ces pistes de franche collaboration, on prend conscience que le temps de l'enseignement en vase clos est chose du passé, et ce, peu importe le type d'intervenant que nous sommes. C'est une des conditions essentielles dont nous devons tenir compte si nous désirons amener un maximum d'élèves à la réussite.

Tableau **11.1** *Partenaire avec l'orthopédagogue dans le quotidien*

1. Le réinvestissement d'un outil pédagogique conçu avec un élève lors d'une intervention de l'orthopédagogue est sollicité fréquemment par le titulaire de façon à ce qu'il y ait des rappels, des liens significatifs et vraisemblablement des transferts dans la vie scolaire de cet élève.

2. L'orthopédagogue s'avère une ressource importante au moment de constituer un coffre à outils avec les élèves d'une classe ou d'un cycle. Puisque l'orthopédagogue est sensé être un spécialiste du processus, des démarches et des stratégies d'apprentissage, son point de vue ne peut qu'être profitable.

3. La participation de l'enseignant responsable des mesures d'appui peut donner un coup de main important au titulaire quand arrive le temps d'aider les élèves à identifier leur style d'apprentissage ou leur forme d'intelligence.

4. Dans l'appropriation des démarches d'apprentissage fondamentales, telles la démarche de résolution de problèmes, la démarche scientifique et la démarche de recherche, l'orthopédagogue peut aider les élèves à risque à s'approprier ces outils cognitifs en les accompagnant et en les rendant conscients des étapes qu'ils vivent.

5. L'orthopédagogue peut encadrer le cheminement très différencié d'un élève par la négociation d'un contrat d'apprentissage, par le suivi de ce dernier et par l'évaluation des résultats obtenus.

6. L'accompagnement par l'orthopédagogue de certains élèves éprouvant des difficultés à sélectionner des pièces témoins et à les justifier pour les joindre par la suite à leur portfolio peut sécuriser l'enseignant-titulaire qui entreprend une expérimentation dans ce domaine. À l'intérieur d'une relation duale, l'orthopédagogue peut aider des élèves à développer leur esprit critique et à prendre conscience de leur progression, ce qui facilitera par la suite l'étape de sélection des travaux.

7. La création d'un atelier de remédiation par l'orthopédagogue et l'enseignant-titulaire à l'intention de quelques élèves ne maîtrisant pas certains concepts peut rendre cette période de rattrapage plus stimulante qu'une traditionnelle explication donnée à un petit groupe. De plus, la présence de la personne-ressource n'est pas nécessairement requise au moment où le dispositif est utilisé.

8. Lors des rencontres en vue de la planification d'un programme d'intervention adapté ou d'un plan d'intervention personnalisé, la présence de l'orthopédagogue apporte une dimension supplémentaire, surtout s'il a accompagné et observé fréquemment l'élève ciblé dans la classe. L'enseignant-titulaire, l'élève et les parents bénéficient alors d'informations privilégiées.

9. L'enseignant-ressource peut se charger de l'animation d'un sous-groupe de travail lorsque l'enseignant-titulaire fait éclater le grand groupe en groupes restreints. Les élèves ayant besoin de davantage de guidance peuvent travailler sous la supervision des deux enseignants, tandis que les deux autres sous-groupes fonctionnent par eux-mêmes, étant donné qu'ils sont constitués d'élèves autonomes.

10. Pour l'accompagnement dans les travaux à faire à la maison, l'orthopédagogue peut suggérer un outillage-support à l'intention de certains élèves ou de certains parents se sentant démunis sur ce plan. Cette intervention peut être effectuée dans un contexte de classe ou de cycle.

D'autres ressources : l'ordinateur et ses périphériques

L'ordinateur exerce un attrait certain auprès des élèves. Nul besoin d'argumenter longuement sur ce sujet, car on lui reconnaît depuis longtemps de grands pouvoirs de motivation, d'individualisation et – pourquoi pas ? – de différenciation.

L'élève-expert qui navigue dans Internet, l'élève qui utilise le traitement de texte ou le novice qui n'en est qu'à ses premiers pas dans ce domaine, tous trouvent dans cet outil technologique une source d'apprentissage et de mobilisation. De plus, lorsque vient le temps de différencier dans la classe par des structures organisationnelles, l'ordinateur s'impose rapidement. Qu'on fonctionne par ateliers, par centres d'apprentissage ou par sous-groupes, l'ordinateur réussit à alimenter et à encadrer un certain nombre d'élèves. Déjà, dans le second volume de *Quand revient septembre*, j'ai défini un cadre organisationnel pour promouvoir l'intégration de l'ordinateur en classe.

Aujourd'hui, je veux faire ressortir les possibilités de différenciation offertes par l'ordinateur. En plus de permettre de différencier les contenus, les processus, et les productions, l'ordinateur peut se présenter aux élèves sous différents visages.

La différenciation s'inscrit aussi dans les nombreuses possibilités qu'offre le monde de l'informatique. Rapidement, nous sommes passés de l'ordinateur-jeu à l'ordinateur-penseur. Les étapes de l'ordinateur-professeur, l'ordinateur-fichier, ont été vite enrichies de l'ordinateur-dialoguant, de l'ordinateur-outil et de l'ordinateur-programmeur. Quand nous pensons que des élèves du primaire sont capables de concevoir des sites Web et de naviguer dans Internet de façon sélective et autonome, nous n'avons pas le choix de considérer l'informatique comme un élément puissant pour soutenir la construction du savoir.

L'ordinateur fait donc partie des ressources disponibles à l'enseignant pour soutenir différemment des élèves à risque. À ces élèves souvent peu attirés par le papier, les cahiers et les manuels, cet outil procure parfois l'occasion de se réconcilier avec les apprentissages et avec l'école. Puisque l'ordinateur permet de tenir compte du rythme des élèves et qu'il leur permet de connaître des réussites à leur mesure, il est perçu par ces élèves comme un dispositif leur présentant non pas une tâche lourde, mais plutôt leur procurant un privilège dont ils bénéficient.

Pour exploiter au maximum cet outil, nous avons à planifier son utilisation au fil du temps dans notre quotidien et à l'associer à d'autres structures organisationnelles, puisqu'il n'est pas rare de retrouver quatre appareils dans une classe pour quelque trente élèves. Il y a fort longtemps que l'ordinateur en classe attend pour ouvrir la porte à la différenciation... En fait, nous évitons ce changement de cap depuis une vingtaine d'années,

ayant plutôt opté pour le laboratoire où tous les élèves sont invités à travailler à l'ordinateur en même temps. Encore faut-il penser à des projets d'apprentissage différents, à moins qu'il ne s'agisse d'un temps réservé à l'exploration d'un logiciel outil.

 ## *Différencier dans nos relations avec les familles*

Ce n'est un secret pour personne: toute réforme pédagogique, tout changement éducatif suppose que nous nous assurions de l'étroite collaboration des parents tout en sachant bien qu'ils ne sont pas également préparés à soutenir l'action de l'école.

Dans certains cas, les familles travaillent dans la même ligne de pensée que l'école et nous assurent d'une continuité sur les plans de l'éducation et du développement. Dans d'autres cas, il s'agit presque d'une rupture en termes de culture, de valeurs et d'approche éducative. Alors que certaines familles s'engagent fortement dans la gestion de la scolarité de leurs enfants, d'autres restent à l'écart, se sentant incompétentes à collaborer ou à influencer les décisions que prend l'école. Parfois, les enseignants eux-mêmes perçoivent l'intervention des familles comme une forme d'ingérence dans leur milieu de travail ou comme une forme de contrôle de leurs choix d'ordre pédagogique ou de leurs modèles organisationnels. La plupart du temps cependant, les enseignants souhaitent un engagement plus fort des parents sous forme de partenariat avec l'école et d'accompagnement de leur enfant dans la construction de ses savoirs.

Donc, encore une fois, nous nous retrouvons devant des différences dont nous devons tenir compte et que nous devons apprendre à gérer. Cela fait même partie d'un élément non négociable parmi les responsabilités professionnelles qui incombent aux enseignants. Comme il est du devoir des professionnels de l'éducation d'informer convenablement les parents, d'inventorier et d'utiliser des moyens pour les sensibiliser à la cause de l'école et au cheminement de leur enfant, nous devons adopter à leur égard des stratégies différenciées pour les rejoindre et les mobiliser. Ces interventions concernent autant les relations individuelles que nous avons avec eux que les relations collectives.

Développer un partenariat avec les parents

L'association étroite des parents à la vie de l'école et leur engagement dans les apprentissages de leurs enfants constituent des atouts majeurs de la réussite éducative. Cette affirmation s'appuie sur les multiples recherches qui ont montré à quel point le soutien et l'encadrement éducatif des familles jouent un rôle déterminant dans le cheminement des élèves. Cette affirmation s'appuie également sur l'idée que l'école n'est efficace que si les familles, en tant que collectivité, adhèrent au même idéal d'équité et se mobilisent pour son actualisation, c'est-à-dire la maîtrise des compétences de base par tous les élèves.

Il n'en demeure pas moins que la relation parents-enseignants n'est pas si simple que cela. On se sent parfois loin du véritable partenariat, de la complicité souhaitée et de la confiance réciproque. Des peurs, des craintes, des soupçons, des méfiances, des jugements sévères et des paroles agressives viennent souvent assombrir le tableau de la collaboration et de la coopération. Pourtant bien disposé à vouloir communiquer, croyant fermement en l'importance de cette complémentarité éducative entre l'école et la famille, on arrive difficilement, dans les faits, à atteindre ces objectifs. S'agit-il là d'objectifs que l'on pourrait qualifier d'inaccessibles ou d'irréalistes ?

Nous regarderons de plus près quatre facteurs qui pourraient contribuer à accroître le partenariat entre la famille et l'école : le déroulement et le contenu de nos soirées d'information, l'utilisation des compétences des parents à l'école ou en classe, la gestion des travaux personnels à la maison, la remise du bulletin ou du carnet d'évaluation aux parents.

Tout d'abord, commençons par reconnaître les parents, si nous voulons être reconnus par eux. Cela suppose, de part et d'autre, que nous partons avec des attitudes saines. D'un côté, nous croyons au potentiel des parents et nous croyons également qu'il est possible de resserrer notre partenariat avec eux. De l'autre, nous croyons que les enseignants sont des professionnels de l'éducation et qu'ils sont désireux de favoriser un plus grand partenariat avec les parents.

Cela étant dit, précisons que le partenariat, c'est accepter de se donner un projet commun partagé ; c'est partager le pouvoir et les responsabilités à l'intérieur de structures participatives que nous aurons élaborées conjointement ; c'est aussi construire quelque chose ensemble dans une relation d'égalité. Pas facile, n'est-ce pas ? Nous avons du chemin à parcourir avant d'en arriver là. Ce partenariat s'opérera mieux et plus rapidement si l'école accepte d'en prendre l'initiative, sans pour autant monopoliser la parole ; si l'école est capable de composer avec une certaine dose d'incertitude ou parfois même de conflit et si l'école reconnaît la nécessité de s'adapter, de se réajuster aux besoins et aux attentes des parents.

■ EXPLIQUER L'ÉCOLE D'AUJOURD'HUI

Comment les familles peuvent-elles collaborer à la vie scolaire si elles ne comprennent pas ce qui se vit à l'école présentement ? Les discours qui ont circulé dans l'opinion publique à propos d'une rénovation pédagogique ou du renouvellement des pratiques ont été tenus par des spécialistes de l'éducation, au langage très souvent pompeux et pas toujours soucieux de la compréhension des nouveaux paradigmes présentés. En fin de compte, qu'est-ce que les parents ont compris à tout cela ? Pour calmer leur insécurité, leurs craintes ou leurs doutes, pourquoi ne pas vulgariser tout ce langage et leur expliquer, en toute simplicité, le nouveau curriculum que le ministère de l'Éducation propose? Cernons l'essentiel et amenons-les à faire un parallèle entre l'école d'hier et celle d'aujourd'hui. Le référentiel 32 de la page suivante présente un exemple de synthèse qui pourrait être utilisée pour démystifier la philosophie des nouveaux programmes d'études.

■ INFORMER LES PARENTS

Connaître et comprendre les orientations du Ministère, de la commission scolaire ou de l'école en matière d'éducation et d'enseignement est un excellent point de départ pour les parents. Mais cela ne garantit pas pour autant leur adhésion à ce projet éducatif de société. L'école a le droit et le devoir d'user de son pouvoir d'influence et d'information auprès des parents. D'ailleurs, c'est souvent ce qu'ils attendent de nous. Comment cela va-t-il se passer concrètement au quotidien? Comment va-t-on actualiser, dans les classes, les valeurs et les croyances énoncées? Qu'est-ce que les enfants vont en retirer? Comment les parents pourront-ils suivre le développement des compétences de leurs enfants? Quel est l'avis des professionnels sur les changements prévus?

On a donc intérêt à investir davantage dans l'information. À ce sujet, je vous invite à consulter le référentiel 33 de la page 476. Quant aux soirées d'informations aux parents, il faut reconnaître qu'il existe déjà de bons documents de référence sur ce sujet, je me contenterai donc de faire ressortir les faiblesses qui pourraient être corrigées en fonction de leur préparation et de leur déroulement. Les pistes de l'outil-support 51 des pages 477 et 478 nous aideront à objectiver nos pratiques actuelles.

PARALLÈLE ENTRE L'ÉCOLE D'HIER ET CELLE D'AUJOURD'HUI

Hier	Aujourd'hui
Elle est centrée sur l'acquisition de connaissances.	Elle est centrée sur le développement des compétences disciplinaires et transversales.
Les élèves sont spectateurs : ils écoutent, ils mémorisent, font des exercices et essaient de retenir jusqu'à l'examen.	Les élèves sont les artisans de leurs apprentissages : ils sont en situation de projet, ils agissent, ils établissent des liens et ils réfléchissent sur leur action.
L'enseignant est transmetteur de connaissances. Il est quelqu'un qui doit enseigner à quelqu'un.	L'enseignant est un médiateur : il intervient pour que les élèves demeurent toujours en contact avec l'apprentissage. Il aide les élèves à construire eux-mêmes leurs apprentissages et il se soucie de les amener jusqu'au transfert.
Les objectifs des programmes sont définis et répartis par degrés, par niveaux d'une durée annuelle. De façon générale, les élèves travaillent avec un seul enseignant, mis à part les spécialistes de matières.	Les compétences sont définies et échelonnées dans une perspective de cycle d'apprentissage réparti sur deux, trois ou quatre ans, selon le système que l'on a adopté. Une équipe-cycle est responsable du cheminement de chacun des élèves.
Une approche plutôt mécanique est utilisée et l'enseignant planifie surtout à partir des objectifs des programmes. Il se sert beaucoup des manuels scolaires et des cahiers d'exercices.	L'approche socio-constructiviste est privilégiée et l'enseignant planifie en fonction du vécu des élèves, des compétences identifiées dans les programmes de formation et des moyens d'enseignement dont il dispose.
Tous les élèves passent dans le même moule et, à la fin de l'année, les élèves sont promus ou doivent redoubler.	On se soucie de la gestion des différences au moment de la planification et de l'évaluation des apprentissages. Les intérêts, le rythme et le style sont pris en considération. Les élèves bénéficient de plus de temps pour apprendre, car ils seront évalués de façon sommative seulement à la fin de leur cycle.
L'évaluation est effectuée de façon technique et sommative. Elle est détachée de l'apprentissage et sert surtout à contrôler afin de pouvoir informer les parents et à sanctionner les acquis.	L'évaluation se vit dans un contexte le plus authentique possible, intégrée au processus d'apprentissage. Elle s'inscrit dans un processus formatif et régulatif.
Le principal moyen utilisé pour mesurer les connaissances est l'examen écrit.	Les élèves sont invités à y jouer un rôle actif au moyen de l'autoévaluation et du portfolio.
L'outil de communication aux parents est le bulletin, qui est généralement présenté par l'enseignant aux parents.	Les élèves présentent eux-mêmes leur portfolio ou leur bulletin à leurs parents.

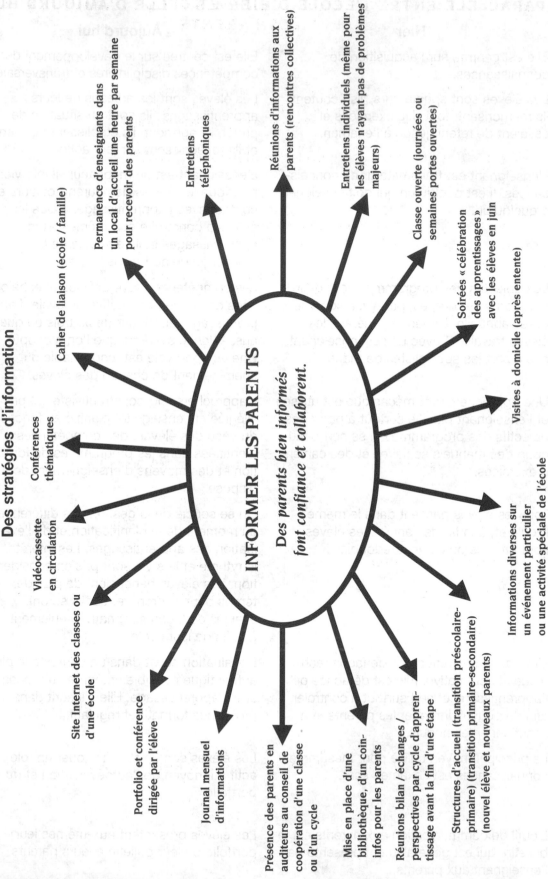

INVESTIR DAVANTAGE DANS L'INFORMATION

Des stratégies d'information

INFORMER LES PARENTS

Des parents bien informés font confiance et collaborent.

- Permanence d'enseignants dans un local d'accueil une heure par semaine pour recevoir des parents
- Entretiens téléphoniques
- Réunions d'informations aux parents (rencontres collectives)
- Entretiens individuels (même pour les élèves n'ayant pas de problèmes majeurs)
- Classe ouverte (journées ou semaines portes ouvertes)
- Soirées « célébration des apprentissages » avec les élèves en juin
- Visites à domicile (après entente)
- Informations diverses sur un événement particulier ou une activité spéciale de l'école
- Structures d'accueil (transition préscolaire-primaire) (transition primaire-secondaire) (nouvel élève et nouveaux parents)
- Réunions bilan / échanges / perspectives par cycle d'apprentissage avant la fin d'une étape
- Mise en place d'une bibliothèque, d'un coin-infos pour les parents
- Présence des parents en auditeurs au conseil de coopération d'une classe ou d'un cycle
- Journal mensuel d'informations
- Portfolio et conférence dirigée par l'élève
- Site Internet des classes ou d'une école
- Vidéocassette en circulation
- Conférences thématiques
- Cahier de liaison (école / famille)

DES PISTES DE RÉFLEXION RELATIVES À LA COMMUNICATION AVEC LES PARENTS

Avant la rencontre

Oui Non

- En début d'année, offre-t-on des soirées d'information aux parents autant à l'intérieur des classes du préscolaire, du primaire que dans les groupes-matières du secondaire? Est-ce non négociable ou facultatif? ☐ ☐

- Laisse-t-on aux enseignants une marge de manœuvre quant au moment choisi pour tenir ces réunions, quant à la durée nécessaire pour les rentabiliser? ☐ ☐

- Se sert-on de la présence de ces enseignants pour attirer un plus grand nombre de parents aux assemblées générales? ☐ ☐

- Offre-t-on des rencontres à des heures qui conviennent au rythme de vie et de travail des parents? Est-on disponible autant en soirée que durant les heures qui suivent la fermeture des classes? ☐ ☐

- Pense-t-on à cerner les attentes des parents avant de dresser le menu de cette rencontre? ☐ ☐

- Quel ton donne-t-on à la lettre d'invitation? Est-elle plutôt protocolaire, technique ou impersonnelle? S'agit-il d'une lettre chaleureuse, invitante et motivante? ☐ ☐

- Peut-on associer les élèves à la préparation et l'animation de cette soirée? ☐ ☐

- A-t-on aménagé la classe ou le local de manière à favoriser les contacts, les échanges, les interactions parmi les personnes présentes? ☐ ☐

Pendant la rencontre

- A-t-on un ordre du jour détaillé à remettre aux parents en début de réunion? ☐ ☐

- Le fait de se faire connaître des parents au point de vue humain et au point de vue pédagogique est-il important? A-t-on un projet éducatif de classe ou de matière à présenter? ☐ ☐

- A-t-on prévu de cerner les attentes des parents à propos de l'école et de l'enseignant pour la présente année scolaire? ☐ ☐

- Les attentes de l'enseignant, les formes de collaboration souhaitées sont-elles verbalisées, transposées à l'écrit et remises aux parents, par la suite? ☐ ☐

- Donne-t-on aux parents la possibilité de discuter, d'échanger avec l'enseignant, de travailler en équipe avec les autres parents? ☐ ☐

477

→

	Oui	Non

- Les parents sont-ils limités à écouter, à recevoir de l'information ? ☐ ☐

- Les aspects visuel et kinesthésique sont-ils présents dans les stratégies d'animation ? La présentation est-elle attrayante : extrait de vidéos, montage de diapositives, album de photographies, tableaux de référence, démonstration de matériel, animation d'une leçon ou mobilisation autour d'une expérience ? ☐ ☐

Après la rencontre

- Les parents ont-ils l'occasion d'évaluer le contenu et le déroulement de la rencontre ? Le fait-on oralement ou par écrit ? ☐ ☐

- Laisse-t-on des traces de cette évaluation au dossier « Information aux parents » dans le but d'améliorer la prochaine réunion ? ☐ ☐

- Comment réagit-on à l'absence de certains parents malgré l'invitation expédiée ? Est-ce qu'on se contente de la déplorer tout simplement ? ☐ ☐

- Peut-on relancer les parents par téléphone, pour leur exprimer notre désir profond de les rencontrer ? ☐ ☐

- Est-on disposé à investir du temps supplémentaire, afin de les rencontrer individuellement ou en petit groupe ? ☐ ☐

Volume 1
p. 229 à 236

Outil 4.1 Ma philosophie
de l'éducation et de
l'enseignement

Volume 1
p. 159 à 175

Outil 3.7 Redécouvrir
les soirées d'information
aux parents

■ DES PARENTS VÉRITABLEMENT ENGAGÉS

À la compétence professionnelle qui consiste à « informer les parents » se jumelle celle de les engager dans la construction des savoirs. Quand on échange avec des parents sur les dispositifs de collaboration et de coopération privilégiés par l'école pour leur faire une plus grande place, on sent vite leur déception ou leur amertume. Vendre du chocolat ou tout autre produit, faire des sandwiches ou des petits fours, accompagner les élèves dans les sorties de fin d'année, tout cela ne leur suffit plus : ils souhaitent participer différemment, et je leur donne raison, ici.

Certains aspirent à autre chose de plus gratifiant ; peut-on les blâmer de penser ainsi ? Si l'on considère la scolarité de certains parents, leur bagage culturel et leurs expériences de vie, on s'aperçoit vite que l'école sous-estime leurs compétences. Il est facile d'alléguer que les parents ne veulent plus s'engager, qu'ils n'ont plus les disponibilités pour le faire ou qu'ils ne possèdent pas le bagage nécessaire. Pendant ce temps-là, l'école vit dans la quiétude, n'ayant ni à faire de compromis, ni à négocier, ni à régler des conflits. Par contre, elle se prive du support, de la complicité et des richesses des parents : c'est chèrement payé pour conserver l'isolement, la solitude et l'individualisme institutionnel.

Il serait malhonnête d'affirmer qu'aucune école et aucun enseignant n'a innové dans ce domaine. Plusieurs se sont mobilisés pour se rapprocher des parents et pour tenter de développer un plus grand partenariat avec eux. Si on leur donnait la parole ?

Ces milieux ont créé des structures de participation qui ont été offertes, par la suite, aux parents. C'est bien beau de vouloir participer, mais encore faut-il savoir comment on peut le faire et avoir les possibilités de le faire. C'est ainsi que l'on a vu des parents heureux de s'investir de manières différentes :

- Des parents se sont portés volontaires pour faire partie d'un comité de classe, travaillant en étroite collaboration avec l'enseignante pour actualiser tous les projets de la classe.

- Des parents ont accepté de mettre leurs compétences au service de l'école après les avoir inventoriées dans une banque de ressources du milieu. Ils interviennent avec les enseignants dans la construction des savoirs. *Exemples :* animer une recherche collective traitant des crustacés, alors que l'on est un pêcheur d'expérience ; donner une clinique sur le jeu d'échecs, alors que l'on détient plusieurs records ; témoigner de sa profession dans le cadre d'un cours de « choix de carrières » ; exposer le matériel nécessaire à la fabrication du miel, alors que l'on est un apiculteur ; donner un atelier de poésie à des élèves désireux d'agrémenter un projet personnel dans ce sens, alors que l'on est soi-même poète à ses heures. La liste pourrait s'allonger, vu la richesse de ce bottin de ressources.

- Des parents ont fabriqué une quarantaine de jeux éducatifs qui ont servi à alimenter des ateliers de récupération en classe. L'école a investi dans ce projet l'argent qu'un organisme local avait versé

Volume 2
p. 124 à 132

Outil 4.10 Les parents, des atouts essentiels à la réussite éducative

Volume 2
p. 398 à 410

Outil 7.5 Apprendre dans la vraie vie

pour les jeunes de la région. Les enseignants ont remis aux parents bénévoles la liste et le contenu des jeux. Les parents étant en chômage, ils ont pu consacrer trois demi-journées par semaine au projet. Un local leur a été réservé et le budget alloué a servi à acheter le matériel nécessaire à la fabrication des jeux.

- Des parents ont aidé un groupe-classe à réaliser son projet principal de l'année: un voyage culturel à Québec. Certains se sont occupé des activités de financement, d'autres ont accepté de seconder l'enseignante dans la planification à long terme et à court terme de ce voyage et un certain nombre d'entre eux ont accepté de devenir parrains ou marraines d'un sous-groupe de quatre élèves pour la durée du voyage (cinq jours). Ils ont même prévu des vacances personnelles, afin de se libérer de leur travail, et se rendre disponibles.

- Des parents intéressés par le théâtre ont aidé un groupe-classe à monter la pièce du *Petit Prince*. Ils se sont réparti les différentes tâches selon leur champ de compétences (décors, costumes, aspect musical, réalisation, répétitions, publicité).

- Deux parents ont soutenu une équipe d'élèves qui s'intéressaient à la robotique. Par la suite, ceux-ci ont communiqué le goût de la robotique à leurs camarades de classe.

- Trois parents ont guidé une classe dans la réalisation d'un film racontant leur projet sur le carnaval de Québec.

- Une maman a secondé une enseignante de premier cycle et aidé chaque enfant de la classe à identifier son style d'apprentissage. Le dispositif utilisé étant un jeu à superviser dans un contexte individuel, la présence de deux adultes dans la classe pour un certain nombre de périodes était requise.

- Une spécialiste de la musique a sollicité l'aide de parents pour l'aider à préparer une matinée musicale présentée aux parents par les enfants à la fin d'une année scolaire.

- Un enseignant d'éducation physique a travaillé avec des parents pour réaliser un spectacle thématique sur «le cirque» présenté en public par la suite.

- Une enseignante du préscolaire a été assistée par des parents lorsque ses élèves ont travaillé à leur portfolio affectif, outil utilisé pour apprendre à se connaître, pour entrer en relation avec d'autres élèves et pour interagir avec leur environnement. La démarche consistait pour les élèves à habiller une boîte en y collant des gravures ou des photographies ayant un lien affectif avec la vie personnelle des élèves. À l'intérieur de leur boîte, les élèves étaient invités à déposer de petits objets personnels leur rappelant un souvenir ou une anecdote. La fabrication terminée, les élèves étaient jumelés chaque jour avec un camarade différent afin de présenter leurs trésors.

J'espère que les exemples cités vous donne le goût de faire davantage appel aux parents pour leur présenter vos besoins et ceux de vos élèves. Ensemble, nous pouvons construire davantage. Le référentiel 34 de la page suivante peut éveiller en vous une envie irrésistible d'essayer.

■ AXER LES COMMUNICATIONS SUR LES ÉLÈVES ET LES PARENTS

La question des bulletins a toujours soulevé des polémiques, des controverses, des débats de tout genre. Quelle est la meilleure formule de bulletin à utiliser ? Le bulletin descriptif doit-il remplacer le bon vieux bulletin traditionnel, avec ses notes ? Doit-on fonctionner avec des notes ou avec une légende d'appréciation, construite à partir de lettres ? Quelle doit être la fréquence de remise de bulletins au cours d'une année scolaire ? Est-il mieux de prendre rendez-vous avec les parents pour faciliter le déroulement des entretiens ? Est-il avantageux de remettre le bulletin aux parents, en présence de leur enfant ? Comment concilier l'utilisation du portfolio avec celle du bulletin ? Toutes ces questions décrivent bien l'importance qui est accordée à cet outil de communication entre les familles et l'école.

Étant donné que la majorité des milieux éducatifs est en mutation, en recherche, en réajustement en regard du bulletin scolaire, je soulignerai certains faits à caractère pédagogique, certaines expériences susceptibles d'alimenter tout ce processus de changement.

Tout d'abord, l'évaluation n'est pas seulement une affaire de remise de bulletins aux parents. Derrière ce dispositif d'information pour les parents se cache toute une démarche d'évaluation que l'on ne maîtrise pas et que l'on ne respecte pas toujours. Un des premiers gestes à poser serait de consolider notre formation avec des personnes compétentes dans ce domaine. Par la même occasion, on pourrait réviser également la liste des instruments d'évaluation et de consignation qui s'inscrivent vraiment dans la philosophie d'une démarche formative.

Ensuite, il serait peut-être pertinent de remettre en question le rôle du bulletin de même que les caractéristiques à respecter quant à son élaboration et à son utilisation, si l'on veut qu'il soit vraiment significatif et efficace pour les destinataires. La dimension fonctionnelle, l'aspect visuel, la simplicité du langage devraient retenir notre attention.

Dans la gestion du bulletin, il serait profitable d'accorder une place à l'apprenant. Que ce soit sous forme d'autoévaluation, de formulation de forces et de défis ou de commentaires généraux, les élèves ont sûrement un mot à dire à ce sujet, d'autant plus que l'on est censé travailler à l'intérieur d'une démarche constructiviste.

Le geste routinier de la remise des bulletins est aussi à évaluer. Se fait-elle par l'entremise du courrier postal ? Les élèves sont-ils les premières personnes à y avoir accès ? Est-ce que les parents ont un rôle à jouer à ce moment-là ? Sont-ils de simples récepteurs qui doivent approuver ce qu'on leur présente et qui doivent apposer leur signature et un commentaire ?

Dans certains milieux, ces réflexions ont déjà été faites et ont contribué à l'instauration de nouvelles pratiques en évaluation :

les élèves sont les premières personnes à recevoir les bulletins, en classe ; l'enseignant leur accorde du temps à l'intérieur de l'horaire pour qu'ils analysent le contenu de leur bulletin. Ils doivent en dégager des forces qu'ils possèdent, des faiblesses éprouvées au cours de l'étape et des défis qu'ils aimeraient bien relever dans les prochains mois. En fin de compte, ils se conscientisent par rapport à leur cheminement personnel et se préparent à présenter eux-mêmes leur carnet d'évaluation à leurs parents, qui seront invités à l'école à cette fin.

Les parents reçoivent donc une lettre d'invitation qui leur propose un rendez-vous de trente minutes à l'école pour rencontrer l'enseignant et assister à la présentation qui sera faite par leur enfant. Parfois même, quatre stations d'accueil sont prévues dans la classe afin de recevoir un plus grand nombre de parents et d'élèves à l'intérieur de la période allouée. Pendant que les élèves s'exécutent, l'enseignant demeure disponible pour circuler à travers les îlots de discussion afin de répondre à certaines questions, de clarifier certains éléments ou de compléter une information. Il est bien évident que ce n'est pas le moment de régler les problèmes personnels. Un rendez-vous ultérieur sera accordé aux parents qui le désirent. C'est vraiment le moment ultime où les élèves étalent devant leurs parents le cheminement de leur vécu à l'école.

Ce moment de présentation est scindé en deux phases : celle de la présentation elle-même et celle du plan d'action et des commentaires. Avec la complicité de leurs parents, les élèves sont invités à identifier leurs priorités en matière de développement et de travail pour la prochaine étape. Ces plans d'action seront validés par la suite avec l'enseignant et les élèves.

Des milieux encore plus novateurs ont introduit l'utilisation du portfolio et de la conférence dirigée par l'élève. La grosse nuance entre cette avenue et la précédente, c'est que l'élève est impliqué tout au long du processus, puisqu'il devra choisir des pièces de travail pour étoffer son portfolio. Dans le cadre d'une conférence animée par l'élève, celui-ci fera une présentation formelle de son dossier d'apprentissage à ses parents. Cette conférence pourrait avoir lieu deux fois par année et s'insérer entre les remises de bulletins afin de donner un portrait plus global, plus réaliste et plus juste du progrès et du cheminement de l'élève. Cette tâche est motivante pour l'élève, stimulante pour l'enseignant et généralement très appréciée par les parents.

Il n'en demeure pas moins que l'évaluation a toujours été la pierre d'achoppement de l'innovation, le prétexte par excellence pour demeurer conservateur et l'élément incohérent qui venait assombrir le tableau des réformes proposées. Nous sommes d'accord pour apporter des adaptations aux tâches, pour utiliser des dispositifs de différenciation et pour alléger des contenus. Mais, en bout de ligne, tous les élèves doivent passer le même examen, en même temps, pour être promus.

Cette fois-ci, la marche est plus haute, puisque nous devons faire le deuil des degrés pour apprendre à travailler avec les cycles d'apprentissage. Laissera-t-on vraiment le temps aux élèves de construire leurs savoirs ou allons-nous les talonner encore avec des tests, des examens ou des contrôles ? Sera-t-on tenté d'intervenir de l'extérieur dans le déroulement du cycle ? Permettra-t-on vraiment aux pédagogues de gérer l'évaluation formative échelonnée tout au long du cycle ? Fera-t-on confiance au professionnalisme des enseignants, cette fois-ci ? Qu'arrivera-t-il à la fin du cycle ? Allons-nous changer de paradigme d'apprentissage et d'évaluation ?

Orchestrer les dispositifs de différenciation

Nous avons devant nous des élèves qui présentent des besoins différents ainsi que des dispositifs de différenciation qui se prêtent à diverses utilisations. Un peu comme un chef d'orchestre qui doit gérer de façon harmonieuse le potentiel de ses différents musiciens, nous devons mettre sur pied une organisation de classe capable de soutenir la modification des structures selon les contenus, processus ou produits.

L'organisation de la classe est prépondérante pour la différenciation des apprentissages, car elle est un peu l'infrastructure qui supporte tout le vécu de la classe. Prétendre différencier sans se préoccuper de cette dimension, c'est tout simplement planer dans les nuages. C'est par l'organisation de la classe que l'enseignant est capable de mobiliser et d'utiliser des dispositifs de différenciation qui lui permettent de tenir compte des rythmes, des styles et des acquis des élèves.

Même si la différenciation nécessite, dans un premier temps, la modification des structures traditionnelles (axées sur les ressemblances), nous ne pouvons réduire la différenciation à cette seule adaptation. Différencier, c'est beaucoup plus que cela. J'ai vu très souvent des enseignants rompre avec le grand groupe pour implanter un fonctionnement par ateliers qui se limitait à différencier sur le plan de l'ordre chronologique de l'exécution des tâches proposées. Il est illusoire de penser différencier alors que l'on joue simplement avec les structures.

La compétence qui consiste à inventer une organisation de classe ouverte à la gestion des différences se manifeste, bien sûr, par des pratiques qui s'échelonnent au fil des jours, des semaines, des mois et des années. Mais dans le cas présent, nous devons admettre qu'en matière de cycles et de différenciation, nous n'avons pas de modèle, puisque nous sommes dans un changement de paradigme. J'ai côtoyé de très près les enseignants sur le terrain et je suis en mesure d'affirmer que pour inciter des enseignants à de nouvelles pratiques, les cadres théoriques ne sont pas suffisants, si rigoureux et novateurs soient-ils. L'actualisation d'une philosophie, l'application de principes et l'appropriation d'un modèle passent non seulement par une démarche réflexive, mais aussi par un accompagnement pédagogique sur le terrain. La très grande majorité des enseignants visités ont déploré cette difficulté d'être soutenus dans les classes, ce qui occasionne beaucoup de pertes d'énergie, de temps et de motivation. Certes, il est possible d'avancer quand même, mais à quel prix?

Voilà pourquoi, j'ai décidé d'intégrer à ce chapitre différents scénarios pour différencier en classe. Je les présente comme des exemples, comme une banque d'idées pouvant démystifier un peu le défi des cycles et de la différenciation, et donner le goût aux praticiens de s'engager dans un processus d'expérimentation. Ces modèles peuvent être perçus comme des recettes miraculeuses: j'en prends le risque tout en faisant confiance à la capacité de la très grande majorité des enseignants de comprendre qu'il faut toujours adapter des propositions de travail ou d'évolution à son tempérament pédagogique et aux besoins spécifiques de ses élèves. Aucun outil organisationnel ne peut s'appliquer tel quel, puisqu'il demande à être intégré de façon cohérente au panorama de la classe tout en étant raffiné, remodelé et parfois même recréé.

Les scénarios de différenciation sont placés par ordre de complexité de gestion, compte tenu du fait que l'enseignant en est à ses premières armes en matière de modification de structures pour différencier. Je rappelle également que différencier ne veut pas dire individualiser ni multiplier les relations duales. Différencier se situe donc à mi-chemin entre un enseignement magistral inefficace et un enseignement individualisé impraticable. À chacun, donc, de relever ce défi de la différenciation par l'organisation de sa classe et par la modification de ses structures. Cette première étape ouvre la porte à la différenciation des contenus, des processus et des productions...

Des scénarios de différenciation

■ SCÉNARIO 1: LES TÂCHES PARALLÈLES

Description du contexte

Le menu du cours ou de la journée est fermé: les élèves, assis à leur pupitre, sont sous la supervision de l'enseignant; ils n'ont aucun choix de travaux à faire et tous les élèves accomplissent la même tâche en même temps. Nous gérons alors les ressemblances.

La différenciation se pointe le bout du nez: en plus de proposer une tâche initiale (tâche moyenne), l'enseignant a planifié deux adaptations possibles, qui se présentent sous la forme d'un défi supplémentaire constituant une tâche enrichie en lien avec la tâche initiale et d'une tâche allégée en ce qui a trait à la longueur ou à la complexité.

Critique

C'est un début : pour le moment, aucune structure de la classe n'est modifiée. Par contre, il y a eu différenciation sur le plan du contenu.

■ SCÉNARIO 2 : LE MENU OUVERT ET LA CLINIQUE DE REMÉDIATION

Description du contexte

Le menu du cours ou de la journée est ouvert pour un laps de temps. Pour débuter, il peut s'agir de trente minutes, par exemple.

Volume 2
p. 349

Des outils pour gérer le temps : le menu ouvert

L'enseignant a convoqué huit élèves pour une clinique obligatoire de remédiation sur la correction et l'amélioration d'une production écrite.

Pendant ce temps, les élèves non concernés par cette clinique travaillent à leur pupitre à l'aide de deux consignes inscrites dans chacun des coins du tableau, comme l'illustre la figure 11.1.

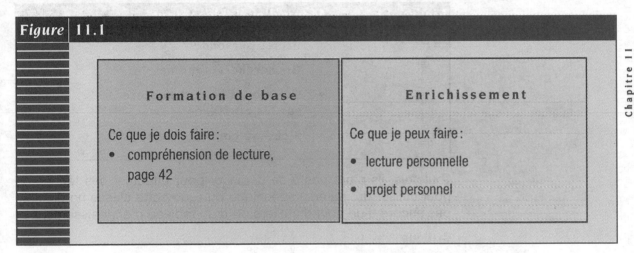

Figure 11.1

Formation de base	Enrichissement
Ce que je dois faire : • compréhension de lecture, page 42	Ce que je peux faire : • lecture personnelle • projet personnel

Critique

Dans ce cas, il y a modification de la structure habituelle, car l'enseignant fait éclater le grand groupe pour animer un sous-groupe axé sur les besoins. De plus, il commence à accepter que les élèves travaillent simultanément sur des tâches différentes. Les élèves voient apparaître la possibilité d'un choix de tâches ; probablement que le mois suivant, les deux consignes seront remplacées par un plan de travail et par un tableau d'enrichissement. Espérons-le...

■ SCÉNARIO 3 : MENU OUVERT ET PLAN DE TRAVAIL COLLECTIF

Description du contexte

Le menu du cours ou de la journée est encore ouvert pour trente minutes, mais à raison de deux fois par semaine.

L'enseignant travaille sur les stratégies de lecture avec dix élèves à risque formant un sous-groupe axé sur les besoins.

Volume 2
p. 351

Le plan de travail collectif hebdomadaire

Les autres élèves se réfèrent à un plan de travail collectif et ils cheminent, chacun à leur rythme, à partir d'une programmation de travaux prédéfinis pour une semaine ou pour un cycle de six ou neuf jours.

Des dyades de dépannage sont permises.

Quand les élèves ont terminé ce qu'ils ont entrepris ou encore qu'ils se heurtent à une difficulté majeure, ils peuvent s'orienter vers un menu d'enrichissement noté au tableau, comme l'illustre la figure ci-dessous.

Figure	11.2	Menu d'enrichissement

- **Projet personnel**
- **Recherche autonome**
- **Création d'un mot-mystère sur les crustacés**
- **Fiche au coin-lecture**

Toutefois, ils n'ont pas à se déplacer pour effectuer ces tâches ou pour utiliser du matériel spécifique puisque cette classe ne dispose pas encore d'un coin d'ateliers ou d'un tableau d'enrichissement.

Critique

L'ajout d'un plan de travail collectif destiné à l'ensemble de la classe incite l'enseignant à ouvrir le menu plus souvent, ce qui lui permet de laisser les élèves exercer leur autonomie dans la réalisation de leurs travaux, et de s'occuper de façon plus soutenue des élèves à risque. Quant aux élèves, ils ont la possibilité de travailler plus (selon leur rythme), de réaliser plus de travail que d'autres élèves (s'ils le désirent), et de coopérer par l'entremise de dyades d'entraide.

Même si le plan de travail présente certains avantages pour la responsabilisation des élèves, il n'est pas nécessairement un dispositif de différenciation – surtout si, à la fin de la semaine, tous les élèves doivent avoir abattu la totalité des travaux qui y figuraient. Géré de cette manière, le plan de travail crée des écarts énormes entre les élèves qui ont de la facilité et ceux qui sont en difficulté. Pour certains élèves, la somme de travaux à faire est imposante ; la masse de travaux est par ailleurs lourde à corriger pour l'enseignant.

■ SCÉNARIO 4 : PLAN DE TRAVAIL, TABLEAU D'ENRICHISSEMENT ET ATELIERS DE REMÉDIATION

Description du contexte

Le menu est ouvert au moins une fois par jour.

Pendant cette période, les élèves se réfèrent toujours au plan de travail affiché dans la classe.

Ils ont maintenant accès à des formules de correction, telles l'auto-correction, la correction par un élève expert ou la correction en dyades d'entraide.

Un tableau d'enrichissement non thématique et fixe dans le temps est également à la disposition des élèves à l'arrière de la classe.

De plus, l'enseignant et l'orthopédagogue ont prévu trois ateliers de remédiation à l'intention des élèves éprouvant des difficultés avec la démarche de résolution de problèmes. Ces trois ateliers sont offerts à neuf élèves qui apprennent beaucoup par l'action, la démonstration et la manipulation.

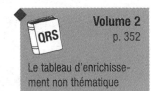

Volume 2
p. 352

Le tableau d'enrichissement non thématique

Critique

Pour entreprendre l'expérimentation d'un tableau d'enrichissement, il est plus facile d'en construire un qui est sans thème, car l'enseignant est moins limité dans le choix du matériel et des activités. Sa durée peut être fixe ou variable dans le temps. Habituellement, les praticiens aiment bien expérimenter un nouveau dispositif tout en conservant la maîtrise de la situation ; c'est pourquoi on pourrait lui réserver une durée de deux à quatre semaines par exemple.

Nous nous retrouvons rapidement avec d'autres problèmes de gestion : à l'échéance, que fait-on des tâches inachevées ? Comment expliquer à certains élèves qu'ils n'iront jamais en enrichissement, puisqu'ils n'ont jamais terminé leurs travaux obligatoires et puisque l'enseignant n'est pas encore prêt à réduire la longueur ou la complexité des tâches et à ouvrir le plan de travail en aménageant des éléments ouverts ou à le remplacer par un tableau de programmation ?

Dans ce scénario, l'aspect des ateliers de remédiation est intéressant, puisqu'il permet à des élèves de consolider et de récupérer autrement que par des explications en sous-groupe. Il procure aussi l'occasion à l'orthopédagogue de participer différemment, lui qui a collaboré à la conception des ateliers avec le titulaire, mais qui n'est pas présent dans la classe au moment de leur réalisation. Enfin, ce scénario démontre le volet polyvalent des ateliers : l'enseignant n'est pas obligé de fonctionner avec plusieurs ateliers en se disant que tous les élèves doivent s'y trouver au même moment.

■ **SCÉNARIO 5 : ATELIERS-ARBRE OU FONCTIONNEMENT PAR SOUS-GROUPES**

Description du contexte

Le menu est ouvert au moment où l'enseignant perçoit la nécessité de différencier par l'organisation d'« ateliers-arbre » pour une période donnée.

Il rompt avec l'enseignement magistral et l'approche collective. Il a l'intention d'avoir recours à quatre sous-groupes de travail pour réguler en fonction de quatre besoins différents. Comme il ne s'agit pas du début d'une séquence d'apprentissage, il peut compter sur les ressources de certains élèves. Il est prévu également que les élèves n'effectueront pas de rotation de ces sous-groupes puisqu'ils ont choisi de ne se consacrer qu'à un besoin particulier à l'intérieur d'un sous-groupe déjà identifié.

Quatre tâches sont donc planifiées en fonction de ces besoins et de l'autogestion de trois sous-groupes sur quatre, étant donné que l'enseignant est présent seulement à l'intérieur d'un sous-groupe. Concrètement, voici ce que cela peut donner comme organisation :

• Atelier 1 animé par l'enseignant, donc présentant des tâches d'un haut degré de complexité.

• Atelier 2 structuré à partir de tâches motivantes, mais de complexité moyenne. Quelques élèves-experts pouvant compter sur l'autonomie des autres participants assurent la réussite de cet atelier.

• Atelier 3 orienté vers du travail individuel, donc nécessitant des tâches de complexité faible.

• Atelier 4 constitué de travail à l'ordinateur, sur des tâches de complexité moyenne et géré par quelques élèves en situation d'aisance.

Critique

Comme trois sous-groupes doivent travailler sans guidance, la coopération entre les élèves est largement sollicitée.

L'enseignant délègue plus aux élèves ; il comprend que ceux-ci peuvent continuer leurs apprentissages même s'il n'est pas là. Il accepte que quatre sous-groupes d'élèves travaillent simultanément sur quatre tâches différentes. Il vient d'apprivoiser la différenciation simultanée.

Pour s'assurer du bon fonctionnement de chacun des sous-groupes, il m'apparaît essentiel de prévoir avec les élèves un outillage-support : procédure de débrouillardise, procédure didactique propre aux tâches proposées, matériel nécessaire, dyades d'entraide, responsable de sous-groupe, gardien de la parole pour apaiser le ton de voix. L'aménagement de la classe n'est pas non plus à négliger, car le sous-groupe faisant du travail individuel a intérêt à être éloigné du sous-groupe autonome et du sous-groupe animé par l'enseignant.

C'est une excellente façon de s'entraîner au fonctionnement par ateliers ou par centres d'apprentissage. Néanmoins, je pense qu'il s'agit d'un fonctionnement par sous-groupes plutôt que par ateliers. Volontairement, j'ai fait allusion à l'atelier-arbre pour baptiser ce scénario parce qu'il y a énormément de confusion entre la rotation d'activités, le fonctionnement par sous-groupes et les ateliers.

Comme nous le lisions au chapitre 7, les ateliers sont des lieux d'apprentissage que l'on planifie et que l'on organise en fonction d'un objectif de développement afin de permettre à un certain nombre d'apprenants de se détacher du grand groupe pour se retrouver en présence d'une tâche mobilisatrice, de matériels diversifiés et de camarades de travail afin de vivre un cheminement responsabilisant et différencié. Nous pourrions donc dire que seul le quatrième sous-groupe avait besoin d'aller travailler dans un lieu d'apprentissage doté de matériel spécifique. Comment peut-on parler d'ateliers quand les élèves travaillent individuellement sur des fiches d'application ou sur des corrections de travaux ? Nous sommes plutôt dans un contexte de rotation d'activités se vivant à l'intérieur de sous-groupes de travail.

■ SCÉNARIO 6 : ATELIERS-CARROUSEL

Description du contexte

Le menu est ouvert au moment où l'enseignant s'aperçoit que les parcours des élèves sont trop différents par rapport au développement d'une compétence donnée. Il décide de recourir à la formule d'ateliers-carrousel, que l'on appelle aussi stations ou postes de travail.

Ce fonctionnement par ateliers permet aux élèves de travailler par rotation puisque chacun des groupes doit réaliser les différentes activités proposées à chacune des stations de travail. Nous pouvons former les sous-groupes à l'aide de différentes techniques : les élèves se choisissent à partir de l'affinité affective ; l'enseignant met à profit une stratégie de répartition dans laquelle joue le hasard ; l'enseignant détermine lui-même la composition des groupes et affiche dans la classe la répartition des élèves (quatre sous-groupes de même effectif).

Habituellement, l'enseignant cible une des stations et y intervient de façon privilégiée. Les autres stations s'autogèrent, avec de l'outillage-support, il va sans dire. Dans cette optique, chaque station de travail est présentée à l'ensemble de la classe. On précise les objectifs d'apprentissage, les tâches, le matériel disponible et l'horaire de fréquentation de chaque atelier. Les élèves sont invités à identifier un défi de comportement et un défi d'apprentissage avant le début des ateliers-carrousel.

Il est bien évident qu'à la fin des ateliers-carrousel, l'enseignant prévoit une période de bilan pour que chaque groupe ait l'occasion de présenter aux autres ses apprentissages, ses réussites et ses difficultés. Une synthèse est dégagée et déjà, la régulation nous amène à concevoir ou à utiliser un autre dispositif de différenciation ultérieurement.

Critique

Comparativement au scénario précédent (fonctionnement par sous-groupes), les ateliers-carrousel revêtent davantage l'aspect d'ateliers, car ils permettent aux élèves d'exercer davantage leur initiative, leur créativité et leur autonomie, étant affectés à des tâches toutes aussi complexes les unes que les autres. Encore faut-il regarder de près l'enjeu des tâches offertes aux élèves. Habituellement, on se sert de cette formule pour manipuler, explorer, démontrer ou construire des réalisations dans un contexte de forte coopération. Ces situations d'apprentissage ne sont pas toujours faciles à gérer dans un contexte de grand groupe, où trente élèves veulent participer en même temps.

Je pense aussi que des pratiques antérieures de menu ouvert avec des scénarios moins exigeants peuvent préparer adéquatement les élèves et l'enseignant à ce genre de fonctionnement.

Nous pouvons adapter les stations de travail à différentes situations :

- Tantôt, les stations de travail sont au service d'une différenciation successive, puisque les quatre stations sont articulées autour d'un même objectif d'apprentissage, qui est traité avec des moyens didactiques différents ou des supports variés. J'ai présenté un exemple détaillé de postes de travail au chapitre 7, qui porte sur l'organisation de la classe, aux pages 217 à 221.

- Tantôt, elles sont au service d'une différenciation simultanée puisque dans chacune des stations de travail, les élèves accomplissent des tâches différentes répondant à différents objectifs de développement qui s'articulent autour de la même étape d'un scénario d'apprentissage (par exemple : stations orientées seulement vers l'exploration).

- Tantôt, elles permettent l'actualisation d'une séquence didactique complète puisqu'à chaque poste se trouve une étape importante, comme l'exploration, l'intégration, l'évaluation et la remédiation. La rotation est plus difficile, car si on l'appliquait, elle ne respecterait pas du tout la progression des apprentissages prévue pour chacune des stations et entre ces dernières également. Il faut donc combiner aux ateliers-carrousel un autre dispositif (comme le projet personnel, le plan de travail ou le tableau de programmation) qui permet de pallier les attentes que pourraient connaître certains élèves par rapport à la fréquentation d'une station non disponible. Il y a donc nécessité d'adaptation avec cette option.

■ SCÉNARIO 7 : TABLEAU DE PROGRAMMATION ET CLASSEUR DE REMÉDIATIONS

Description du contexte

Le menu est ouvert chaque jour pour ce qui est du tableau de programmation tandis que le classeur de remédiations s'intègre à l'organisation de la classe, à raison de deux périodes par semaine coïncidant avec les moments où l'orthopédagogue ou l'enseignant d'appui offre des services de soutien dans la classe. La combinaison de ces deux dispositifs permet de gérer simultanément des tâches obligatoires (formation de base), des tâches semi-obligatoires (consolidation) ainsi que des tâches facultatives (enrichissement).

Le tableau de programmation se veut un outil intégré de gestion du temps, présentant horizontalement des tâches de formation de base et des tâches d'enrichissement aux élèves. Il est à double entrée puisqu'il indique aussi, sur le plan vertical, si les tâches sont exécutées individuellement, en dyades d'entraide, en équipes de quatre ou en grand groupe. Il remplace donc le plan de travail individuel et le tableau d'enrichissement. Au lieu de consulter deux dispositifs de planification, l'élève se réfère à une seule structure organisationnelle.

Normalement, l'enseignant y fait appel au moment d'ouvrir le menu de la journée, à raison de deux ou trois fois par jour. Le tableau de programmation ne peut donc être utilisé seul, parce que chaque élève effectue sa planification au début de chaque journée et il doit laisser des traces écrites de ce qu'il a choisi de faire. Dans le but de suivre la planification de chaque élève, on combine le tableau de programmation à une grille de planification hebdomadaire ou de cycle de six à neuf jours que l'élève remplit tous les matins. Cette planification doit être approuvée par l'enseignant-titulaire.

Quant au classeur de remédiations, il s'agit d'un instrument de consignation des bilans d'apprentissage effectués avec les élèves, à la fin des plans de travail ou des tableaux de programmation, sur lesquels apparaissent les difficultés de parcours de certains élèves. Les élèves doivent évaluer leur performance ou le besoin de soutien éprouvé lors de l'accomplissement des tâches obligatoires. Il est donc le lien entre les évaluations du travail accompli, la liste des compétences à développer et les formes de remédiation disponibles. Il est la mémoire collective des interventions nécessaires en consolidation et en remédiation.

Donc, le classeur de remédiations présente toujours un décalage d'une semaine sur le vécu de la classe, puisqu'il est la continuité des tâches obligatoires de la semaine précédente qui n'ont pu être accomplies ou qui l'ont été avec difficulté par certains élèves.

Au moment où on l'utilise (deux ou trois périodes par semaine, par exemple), les élèves en situation d'aisance travaillent avec le tableau de programmation. Les élèves éprouvant des difficultés sont pris en charge par l'enseignant ou par l'orthopédagogue, afin de vivre des tâches adaptées, personnalisées ; nous parlons alors de tâches semi-obligatoires (obligatoires pour certains élèves seulement).

Critique

Pour utiliser un tableau de programmation, les élèves et l'enseignant doivent avoir expérimenté d'autres scénarios moins ouverts afin de se sentir en sécurité et de ne pas avoir peur de perdre la maîtrise de la situation.

Le tableau de programmation ne fait pas mention des tâches semi-obligatoires (de consolidation et de récupération). Par conséquent, l'enseignant a besoin d'un instrument de consignation des résultats et d'un instrument de gestion des formes de soutien qu'il prépare pour certains élèves. C'est toujours cette partie semi-obligatoire qui est plus complexe à suivre de près, car elle est ouverte de façon maximale aux différences. Nous sommes rendus, à ce moment-ci, à la deuxième phase de la différenciation ; la première ayant été vécue à l'aide du tableau de programmation.

Par ailleurs, le classeur de remédiations est un dispositif qui peut se transposer aisément dans une formule de décloisonnement d'échange de groupes et de compétences. C'est toujours cette peur de ne plus savoir où sont rendus les élèves sur le plan de la progression des apprentissages qui fait hésiter les titulaires intéressés par la différenciation à l'externe.

■ SCÉNARIO 8 : PLAN DE TRAVAIL À ÉLÉMENTS OUVERTS ET TABLEAU D'ENRICHISSEMENT ROULANT

Description du contexte

Le menu du jour est ouvert quotidiennement et, à cette occasion, les élèves sont en situation d'apprentissage par l'entremise de leur plan de travail à éléments ouverts. Celui-ci est une application exemplaire de la différenciation puisqu'il spécifie ce que tous doivent apprendre, ce que la plupart apprendront et ce que certains apprendront. Très souvent, il est appelé « contrat de travail » et il est différent du contrat d'apprentissage négocié avec certains élèves pour leur assurer un cheminement plus personnalisé.

Il contient donc quelques tâches obligatoires (ce que tous apprendront) que tous les élèves doivent faire, avec possibilité de différenciation en ce qui concerne la longueur ou la complexité.

Il renferme aussi des tâches présentant des éléments ouverts (ce que la plupart apprendront) permettant de différencier. La figure 11.3, à la page suivante, propose un exemple commenté.

Figure 11.3	Exemple de plan de travail à éléments ouverts

- **Fiches de compréhension de lecture :** _____
  (est indiqué sur chaque plan de travail)

- **Numéro de la fiche :** _____
  (peut être différent sur les plans de travail de certains élèves)

- **Attentes :** _____
  (peut être différent sur les plans de travail de certains élèves)

- **Brevet sur les homophones :** _____
  (est indiqué sur chaque plan de travail)

- **Homophone choisi :** _____
  (peut être différent sur les plans de travail de certains élèves)

- **Mathématique : travaux vécus en équipe coopérative sur les mesures de longueur, page 56, numéros 1 à 20.**

- **Numéros obligatoires :** _____
  (possibilité de différencier les exigences)

- **Proposition personnelle : Développer la rapidité en lecture (fiches-support 8 et 9, élèves en difficulté)**

- **Proposition personnelle : Élaborer un brevet sur la croissance d'une plante (élèves qui ont de la facilité)**

Nous sommes donc en présence de tâches obligatoires et semi-obligatoires. Il serait possible d'inclure des tâches facultatives (ce que certains apprendront) en intégrant une rubrique appelée « Proposition personnelle », qui s'adresse parfois à des élèves qui ont de la facilité, parfois à des élèves en difficulté.

Nous avons aussi l'option d'orienter les élèves vers un tableau d'enrichissement mobile dans le temps pour faire l'encadrement des tâches facultatives, étant donné qu'elles se situent dans une autre catégorie. Cette fois-ci, nous avons choisi de faire disparaître l'échéancier fixe, car il est moins respectueux des différences de rythmes que l'échéancier mobile dans le temps, toujours en mouvement, jamais orienté vers une étape finale.

Critique

Le passage d'un plan de travail traditionnel à un plan de travail à éléments ouverts est une étape importante dans l'appropriation de la différenciation. C'est passer d'une différenciation de l'ordre de l'exécution des tâches à une différenciation des contenus, des processus et, parfois, des productions.

Ce dispositif à éléments ouverts ou contrat de travail se transpose facilement dans une formule de décloisonnement des groupes, pourvu que chacun des titulaires affiche, au même moment, une période de travail consacrée à ce dispositif dans le menu de la journée. Dans ce contexte, il peut y avoir échange de groupes en fonction des paliers de planification. Des sous-groupes d'élèves peuvent être formés à partir des similitudes de besoins et de leurs tâches.

L'arrivée d'un tableau d'enrichissement mobile dans le temps prépare l'enseignant et les élèves à une planification plus souple et à une régulation de plus en plus intégrée au cheminement de chacun des élèves.

Exemple : quand nous utilisons un tableau d'enrichissement fixe dans le temps, nous avons l'obligation de préciser aux élèves que : « Ce tableau sera d'une durée d'un mois. Par la suite, il sera remplacé par un nouveau tableau. » Par contre, quand nous nous servons d'un tableau d'enrichissement mobile dans le temps, nous ne donnons jamais de date d'échéance aux élèves. Au fil du temps, nous régulons et nous faisons disparaître des activités impopulaires et des activités complétées par plusieurs élèves, alors que nous faisons apparaître des activités plus signifiantes. Nous y ajoutons donc au fur et à mesure de nouvelles activités pour entretenir la motivation des élèves. Ceux-ci ont en outre la possibilité de nous faire des suggestions d'idées ou des propositions de tâches qu'ils conçoivent eux-mêmes. Autrement dit, nous n'épuisons jamais ce tableau au complet comme nous le faisons pour un tableau fixe dans le temps.

■ SCÉNARIO 9 : ATELIERS-ORGANIGRAMME ET TABLEAU D'ENRICHISSEMENT THÉMATIQUE

Description du contexte

Le menu est ouvert à une période prédéterminée par l'enseignant afin de permettre aux élèves d'effectuer différentes tâches rattachées à un projet particulier. Ces tâches sont affichées à l'intérieur d'un organigramme qui situe les élèves dans l'utilisation optimale des ressources à leur disposition. Ce schéma dynamique constitué d'un réseau de flèches guide les élèves dans les diverses phases de la réalisation de leur projet.

- Différents des ateliers de remédiation, qui s'adressent à un sous-groupe précis d'élèves ;
- différents des ateliers-arbre, où tous les élèves ont régulé et fait un seul choix de tâche et d'atelier ;
- différents des ateliers-carrousel, où tous les élèves traversent le parcours des ateliers par un système de rotation ;
- les ateliers-organigramme, appelés aussi ateliers-projet, présentent un double défi de gestion pour l'enseignant, celui de maîtriser la gestion d'un projet et celle des ateliers.

Par contre, les ateliers-organigramme sont gages de bénéfices importants puisqu'ils permettent la réalisation de projets ambitieux sans bouleverser tout le panorama de la classe. Ils peuvent pallier l'insuffisance de matériel didactique, de manipulation ou d'informatique. Les élèves sont très engagés dans cette forme de gestion et leurs habiletés mentales supérieures sont très sollicitées grâce à l'ouverture des tâches. Comme nous sommes dans un contexte de projet, la signifiance est sûrement au rendez-vous. La motivation des élèves ne s'en porte que mieux et l'encadrement des élèves est plus facile à faire.

Jumelés à un tableau d'enrichissement thématique, ou encore aux projets personnels, les ateliers-organigramme constituent un dispositif solide pour gérer les rythmes et les styles d'apprentissage. En effet, ce dispositif permet à l'enseignant de remédier à une part d'imprévu, normale dans le déroulement de tout projet. L'enseignant est plus en mesure de conserver une certaine maîtrise de la situation quand des élèves sont en attente de disponibilité d'espace ou de matériel pour réaliser des activités (traitement de texte, banque de livres de référence, accès à Internet, vidéocassette, etc.).

Critique

Ce scénario ouvre la porte à une utilisation courante des projets susceptibles de se décortiquer en sous-projets d'équipes ou d'individus. Il présuppose que les élèves ont déjà travaillé de façon autonome, utilisé les pairs comme ressources et géré leur temps à l'aide d'un dispositif prévu à cette fin. Dans le cas présent, la gestion des tâches à l'aide d'un organigramme affiché représente le seul aspect nouveau pour les élèves.

Dans ce contexte d'apprentissage, l'enseignant devient réellement un guide, un animateur, un médiateur. Il est en situation d'accompagnement des élèves dans la construction de leur savoir.

Quant au tableau d'enrichissement thématique, il est une suite logique des choses puisque les élèves sont déjà plongés dans la réalisation d'un projet collectif de nature obligatoire. Des dimensions de différenciation sont prévues à l'intérieur de ce tableau puisque les élèves peuvent prendre des décisions en ce qui concerne la longueur, la complexité, les sources d'informations et les outils de communication. Il est normal qu'ils y voient par la suite des prolongements dans le choix des tâches facultatives.

Comme ce modèle paraît particulièrement intéressant, voici une figure illustrant des ateliers-organigramme et une autre présentant un tableau d'enrichissement, qui pourraient être planifiés à partir du sujet d'intérêt suivant : « Les cétacés ou les mammifères marins » (voir référentiel 35, page suivante).

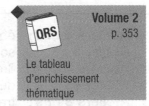

Volume 2
p. 353

Le tableau d'enrichissement thématique

EXEMPLE D'ATELIERS-ORGANIGRAMME
(ATELIERS-PROJET)
Projet sur les mammifères marins

Atelier 1
Tempête d'idées et
organisation en réseaux

Atelier 2
Élaboration d'un plan
de recherche

Atelier 3
Validation du plan de recherche auprès de l'enseignant

Atelier 4
Accès à des livres
documentaires et au
salon de lecture

Atelier 5
Accès à des informations
sur Internet à l'atelier
d'informatique

Atelier 6
Accès à l'audition d'une
vidéo sur le projet au
coin d'expression

Atelier 7
Collecte et sélection d'informations

Atelier 8
Consignation par
traitement de texte

Atelier 9A
Choix de l'outil d'expression

Atelier 9B
Préparation
de la communication

Ateliers 1 et 2: équipes de 4 élèves
Atelier 3: sous-groupes de 1 à 8 élèves
Ateliers 4, 5, 6: 3 équipes de 4 élèves
Atelier 7: duos d'entraide
Ateliers 8 et 9: travail individuel

EXEMPLE D'ENRICHISSEMENT THÉMATIQUE

- Maquette sur la mer et les divers membres de la famille des cétacés.

- Lettre au responsable des excursions guidées aux baleines sur le Saint-Laurent.

- Création d'un mot-mystère à partir du vocabulaire rattaché à la grande famille des cétacés.

- Conte à construire sur le gentil dauphin.

- Tableau comparatif entre six mammifères marins.

- Peinture représentative des phoques profitant d'un bain de soleil sur les rochers à fleur d'eau du parc du Bic.

SCÉNARIO 10 : LES CENTRES D'APPRENTISSAGE ET LES CONTRATS D'APPRENTISSAGE

Description du contexte

Le scénario 10 ferme la marche des dispositifs retenus. Si je termine avec eux, c'est qu'ils offrent de grandes possibilités de différenciation et que leur utilisation élimine beaucoup de moments réservés aux exposés magistraux.

Les centres d'apprentissage sont des lieux organisés de façon à permettre la réalisation autonome d'activités d'apprentissage. Considérés un peu comme des ateliers à plusieurs dimensions, ils permettent aux élèves de faire, dans un même atelier, plusieurs tâches rattachées à des objectifs différents, soumises à des exigences différentes et avec du matériel différent. Ils sont en quelque sorte une illustration de la différenciation de la différenciation.

Les possibilités d'adaptation sont grandes : les centres d'apprentissage sont tantôt orientés vers des disciplines, tantôt orientés vers un projet interdisciplinaire ou transdisciplinaire, tantôt orientés vers une étape d'un scénario d'apprentissage ou d'une séquence didactique, tantôt orientés vers un scénario d'apprentissage au complet ou un scénario d'une séquence didactique.

Volume 2
p. 286 à 298

Outil 6.6 Une nouvelle piste à explorer : les centres d'apprentissage

Au chapitre 7, où il était question de l'organisation de la classe, nous avons approfondi le sujet aux pages 192 à 208.

Les contrats d'apprentissage sont tout d'abord des engagements réciproques entre un élève et un enseignant, entre un groupe d'élèves et un enseignant, sur la base d'exigences mutuelles. Un contrat est en quelque sorte la pièce témoin de cet engagement réciproque, de la signature des deux partenaires, de l'échéance du contrat, de la recherche de points d'appui, de la définition d'objectifs, du rappel des choix faits et du cadre d'évaluation retenu. Nous les utilisons quand plusieurs autres dispositifs ont été exploités en vain ; ils constituent en quelque sorte un genre de programme individuel. Leur durée est relative (deux heures, trois jours, une semaine, deux mois, etc.).

Comme ils représentent des cheminements personnalisés, ils doivent être conjugués à d'autres structures et utilisés de manière temporaire plutôt que permanente ; en effet, les élèves touchés par ce dispositif vivent un peu en retrait du groupe et, à la longue, une certaine solitude peut se manifester chez eux. Utilisés dans un contexte collectif pour chacun des apprenants, sur de longues périodes, ils pourraient s'apparenter à un enseignement individualisé ou modulaire. Pour être honnête, j'avoue qu'il s'agit du modèle de planification et de suivi le plus exigeant qui ne saurait, à lui seul, développer l'ensemble des compétences de notre curriculum.

Le duo centres d'apprentissage et contrats d'apprentissage peut être fructueux. Pendant que la plupart des élèves travaillent dans les centres d'apprentissage de façon autonome, l'enseignant consacre du temps à chacun des élèves engagés dans une formule de contrat d'apprentissage. Pour en connaître davantage sur leur élaboration, consulter le chapitre 7, aux pages 259 à 261.

Critique

La pédagogie de l'autonomie est quelque chose qui se vit et qui se cultive au fil des jours par des mises en situation significatives. Pour en arriver à fonctionner par centres d'apprentissage autogérés, il faut avoir fait beaucoup d'autres petits pas auparavant. Toutefois, il est possible d'intégrer un seul centre d'apprentissage à son organisation de classe ; nul besoin de placer tous les élèves dans divers centres d'apprentissage. *Exemples :* nous pouvons, à un moment de l'année, ressentir le besoin de créer un centre d'enrichissement à l'intention des élèves qui ont de la facilité, surtout s'ils représentent une fraction du groupe assez importante. Nous pouvons aussi décider de mettre sur pied un centre de remédiation en lecture alimentant les élèves en difficulté d'une classe ou de quelques classes qui décloisonnent parfois les groupes.

Les contrats d'apprentissage ne doivent pas servir qu'à assurer la progression des élèves en matière de comportements ; ils constituent une formule gagnante pour encadrer un cheminement cognitif particulier, à la condition que les parties concernées s'engagent mutuellement au lieu de ne viser que l'apprenant, comme c'est souvent le cas. La rigueur déployée pour articuler le contrat de même que la constance manifestée dans son suivi sont des facteurs affectant l'efficacité et la rentabilité de ce dispositif de différenciation.

Pour prendre du recul par rapport à la construction et à l'expérimentation des dispositifs de différenciation, il peut être stratégique de faire une rétrospective de ceux qui ont défilé sous nos yeux dans cette fin de chapitre. J'attire votre attention sur le fait que les duos organisationnels présentés peuvent être agencés autrement, selon nos intentions et nos besoins en fait de différenciation, notre tempérament pédagogique et les profils d'apprentissage de nos élèves. De même, l'ordre de complexité de cette présentation des structures organisationnelles est modifiable étant donné que les rythmes, les acquis et les habiletés organisationnelles des pédagogues ne sont pas exempts de différences eux aussi.

Enfin, il est intéressant d'imaginer que nous pourrons réinvestir ces différents dispositifs dans le chapitre suivant, axé sur la différenciation à l'échelle d'un cycle par le décloisonnement des classes, par de nouveaux regroupements et par le partage des compétences professionnelles des divers intervenants. De la différenciation à l'interne, nous passerons bientôt à la différenciation à l'externe.

Après avoir travaillé longuement sur les dispositifs permettant de différencier à l'interne, après avoir réfléchi sur les applications et sur les enjeux du partenariat et de la collégialité, nous sommes conscients que l'univers des cycles et de la différenciation ne peut être condensé ou comprimé à l'intérieur des murs d'une seule classe. Si c'était le cas, nous manquerions rapidement d'oxygène et de vitalité pour relever le défi de les actualiser au quotidien. Plus que jamais, nous savons que les portes doivent s'ouvrir, que les mains et les esprits doivent s'unir et que les murs de la classe doivent se décloisonner fréquemment. Ce sera la prochaine sortie routière que nous prendrons sur le chemin de la différenciation.

Pour enrichir ses connaissances

- Si vous voulez approfondir la thématique des travaux personnels, consultez le livre de Georgette Goupil, *Communications et relations entre l'école et la famille*. Le chapitre 5 (pages 91 à 114) y est consacré exclusivement.

- Pour intégrer davantage les technologies de l'information et des communications dans le volet enrichissement en classe, explorez les quinze activités pédagogiques de l'ouvrage de Claire Isabelle, *Regard critique et pédagogique sur les technologies de l'information et de la communication.* Il s'agit de défis autogérables en classe par des élèves très motivés et possédant des compétences de base au regard de l'ordinateur et de ses périphériques.

- Pour alimenter des élèves particulièrement intéressés par la lecture sous toutes ses formes, inspirez-vous de certaines activités rattachées à la littérature jeunesse dans l'enseignement. *Histoire de lire,* de Danièle Courchesne, en est une bonne source.

- Le classeur de remédiations est expérimenté à la Maison des Trois Espaces à Saint-Fons. L'ouvrage *Apprendre ensemble. Apprendre en cycles*, rédigé par une équipe d'enseignants de cette école en témoigne. Les pages 136 à 148 fournissent plus de détails sur ce dispositif conçu pour aider à gérer les parcours d'apprentissage des élèves à risque.

Pour prolonger les apprentissages

- Analysez le contenu des activités d'enrichissement offertes actuellement aux élèves de votre classe à l'aide des critères proposés aux pages 457 et 458 de ce chapitre. Que constatez-vous ? Que pouvez-vous améliorer ? Que comptez-vous faire ?

- Quand arrive le temps de différencier des stratégies d'appui gagnantes pour accompagner des élèves à risque en lecture, en écriture et en mathématique, on aime bien s'inspirer parfois du vécu des autres. Deux ouvrages peuvent vous aider : *Enseigner aux élèves à risque et en difficulté au primaire,* de Lise Saint-Laurent, et *Au pays des gitans,* de Martine Leclerc.

- Il vous arrive sûrement de décloisonner au sein de votre classe pour faire éclater le grand groupe afin de différencier les apprentissages. Vous modifiez les structures et, par la suite, vous différenciez les contenus, les processus et les productions. À la lumière des scénarios de différenciation à l'interne présentés dans le présent chapitre, faites un bilan de vos pratiques habituelles. Quels scénarios avez-vous déjà utilisés ? Quel est celui que vous aimeriez expérimenter dans l'immédiat ? Est-ce que vous en appréhendez certains ? Lesquels ? Pourquoi ? Parlez-en avec vos collègues de cycle.

- Parmi les trois grandes formules d'organisation possibles pour travailler par cycles (le *looping,* la classe horizontale, la classe verticale), quel est le modèle qui vous apparaît le plus approprié au profil des élèves que vous accueillerez l'an prochain ? Élaborez cinq arguments en faveur de ce dernier et partagez-les avec votre équipe-cycle ou votre directeur d'école.

CHAPITRE 12

Différencier par le décloisonnement des groupes

Quand les murs
de la classe s'écroulent

La différenciation ne se réduit pas aux cycles d'apprentissage. Nous pouvons, en effet, différencier dans une structure scolaire qui ne fonctionne pas par cycles d'apprentissage. Toutefois, les cycles offrent plus de souplesse et de possibilités pour construire des dispositifs efficaces pour différencier.

Comme les cycles permettent justement de faire coexister le travail en groupes de base et le travail dans d'autres compositions stables ou provisoires, l'enseignant peut envisager différents champs d'application de la différenciation :

- *Vais-je différencier dans ma classe ?*

- *Vais-je différencier avec une classe de mon cycle ? avec une classe d'un autre cycle ?*

- *Vais-je différencier à l'échelle de mon cycle par la réorganisation des classes ?*

- *Vais-je différencier à l'échelle de mon établissement par la structuration de sous-ensembles de classes ?*

Autant de propositions pour répondre à autant de besoins qui peuvent se présenter à nous au fil des jours, des semaines, des mois et des années... Nous sommes non seulement envahis par la différenciation ; nous sommes acculés au pied du mur pour gérer la différenciation de la différenciation.

 ## D'hier à aujourd'hui

Depuis plusieurs décennies, les élèves de l'école primaire rejoignent leur enseignant dans leur classe afin de poursuivre leur travail scolaire, déterminé par un programme d'études réparti par degrés. Quelques enseignants plus avant-gardistes ou novateurs tentent occasionnellement certaines expériences de décloisonnement ou de jumelage avec une autre classe de leur école. Échanges de lecture entre filleuls de la première année du premier cycle et parrains et marraines de la dernière année du troisième cycle, dyades d'entraide sous forme de tutorat au laboratoire d'informatique, sortie éducative ou culturelle mettant en relation les élèves plus jeunes de l'école avec les plus âgés ou pièce de théâtre mobilisant tous les élèves d'une petite école rurale : peu importe la formule privilégiée, on découvre rapidement les nombreux bienfaits qu'il y a à sortir de sa classe pour échanger des compétences.

Mais voilà qu'avec l'arrivée des nouveaux programmes de formation structurés par compétences et par cycles, cette manière traditionnelle de classer les élèves et de répartir les charges de travail des enseignants est sérieusement remise en question. Heureusement, en même temps que de nombreuses interrogations surgissent, de nombreux scénarios se dessinent. Comment va-t-on gérer toute cette marge de manœuvre qui est accordée aux écoles et aux cycles ?

En effet, malgré le caractère obligatoire d'une organisation par cycles, le système scolaire n'impose pas pour autant une organisation du travail aux équipes-cycles. Ce sont elles qui doivent concevoir et faire évoluer cette organisation en fonction des réalités du milieu : le nombre d'élèves par cycle, la composition de l'équipe, les compétences de ses membres, la stabilité du personnel enseignant, l'histoire de l'école, la couleur du quartier, etc.

Toutefois, comme toute autonomie s'accompagne d'imputabilité, toutes les équipes doivent être capables de rendre compte de leur choix organisationnel respectif aux parents, à la direction de l'école, aux conseils d'établissement et à la direction générale des commissions scolaires. Tout en expliquant le fonctionnement des équipes-cycles, tout en étayant les choix faits par des arguments de taille, il faut être capable de démontrer que celui qui est privilégié satisfait également les principes généraux que sous-tend un fonctionnement par cycles.

Des principes éclairants pour guider nos décloisonnements

Le fait de se référer à des *principes d'organisation* peut nous permettre d'être à la fois créatifs dans l'élaboration de nos structures et confiants dans notre expérimentation. En voici quelques-uns pour encadrer l'équipe-cycle (Groupe de pilotage de la rénovation, 1999) :

1 Instaurer des groupes-classes de base et assigner un enseignant-titulaire à chacun.

2 Axer la coopération entre enseignants sur les apprentissages fondamentaux (savoirs essentiels, objectifs-noyaux, socle de compétences) plus que sur des outils ou des techniques.

3 Maintenir une planification flexible (semestrielle ou annuelle).

4 Aller vers une nouvelle répartition du temps hebdomadaire et annuel, c'est-à-dire repenser l'architecture et la gestion de la grille-matières et de la grille-horaire.

5 Prévoir des espaces-temps d'apprentissage moins serrés de part et d'autre des périodes plus intensives.

6 Donner la priorité à la cohérence du fonctionnement de l'équipe et aux besoins des élèves plutôt qu'à ceux des intervenants, notamment quant aux horaires.

7 Être en mesure de faire connaître l'organisation et le fonctionnement des équipes aux parents ou à toute personne externe.

8 Se donner des critères pour évaluer la pertinence de son modèle de fonctionnement, pour le comparer avec d'autres et pour le faire évoluer.

Voici d'autres *principes* pour encadrer le processus de *différenciation* et de *décloisonnement* :

9 Trouver un juste équilibre entre le travail d'équipe et le travail personnel pour ce qui est de la conception et de l'animation des activités d'apprentissage.

10 Compléter la planification des activités par des dispositifs de régulation.

11 Adapter la taille des regroupements d'élèves à la nature des activités pédagogiques.

12 Utiliser judicieusement des groupes monoâges et des groupes multiâges.

13 Viser sans cesse l'optimisation des situations, donc leur différenciation.

14 Penser à un dispositif cohérent de suivi et d'évaluation des progressions de chacun des élèves sur l'ensemble du cycle.

15 Fonctionner avec une formule qui répartit les élèves en groupes ouverts plutôt que vouloir guider à tout prix l'essentiel des apprentissages dans des groupes fermés comme nous sommes habitués de le faire.

Après avoir exploré un ensemble de principes d'organisation, de différenciation et de décloisonnement, nous prendrons le temps d'approfondir un certain nombre d'entre eux :

• le rôle du groupe de base dans une organisation par cycles ;

• la description des compétences essentielles pour travailler en cycles ;

• l'importance que joue la gestion de classe dans une organisation par cycles ;

• la nécessité de s'intéresser aussi à la gestion interclasses.

Nous cernerons par la suite les domaines de l'organisation par cycles pour lesquels les enseignants auront un réel besoin d'être soutenus et accompagnés. Puis, onze scénarios de décloisonnement pour différencier à l'extérieur de la classe seront proposés. Enfin, pour terminer, nous suggérerons des conditions gagnantes à mettre en place pour que les cycles et la différenciation s'incarnent vraiment dans les classes. Voilà le ton que prendra ce chapitre !

 Pourquoi un groupe de base ?

Le groupe de base m'apparaît d'abord comme le lieu privilégié pour permettre aux élèves d'apprivoiser l'école, pour connaître leurs intérêts, pour cibler leurs profils, pour cerner leurs besoins et pour se familiariser avec les principes de coopération et de socialisation. En outre, c'est le lieu de rencontre par excellence pour s'initier à la démarche de projet, pour réaliser des apprentissages étalés sur une certaine durée ou limités à des entraînements ou à des constructions sporadiques et pour créer une vraie communauté d'apprentissage. Des élèves chercheurs et constructeurs de savoirs se forment des ancrages communs en vivant à l'intérieur de cette structure de base. C'est également au sein de cette famille scolaire, dans un climat de stabilité et de sécurité affective, que se structure, en tout premier lieu, l'identité personnelle et collective des élèves.

L'enseignant-titulaire demeure toujours le répondant officiel de ses élèves, celui qui peut le mieux rendre compte de la progression de chacun. Cela ne veut pas dire qu'il en a la responsabilité exclusive ; au contraire, il peut faire éclater au moment opportun son groupe de base pour partager cette responsabilité avec d'autres collègues. Ce qui peut varier, c'est la part du programme assumée avec chaque groupe de base, où l'enseignant a à naviguer entre deux écueils :

- gérer l'essentiel des apprentissages des élèves, se limitant à quelques décloisonnements orientés vers des savoirs accessoires ou des disciplines complémentaires ;

- ne faire que de l'organisation et de la socialisation, reléguant ainsi l'ensemble des apprentissages disciplinaires à d'autres types de regroupements.

Il appartient donc à chaque équipe-cycle de trouver un équilibre optimal entre ces deux pôles de travail. Le temps passé en groupes de base dépend sans doute de l'âge des élèves, du degré d'apprivoisement des enseignants et de leur aisance face au décloisonnement, des croyances qui habitent chacun d'eux et des modèles pédagogiques en vigueur, de la conception du suivi et de la socialisation qui a cours dans l'équipe, de l'époque de l'année ainsi que de la part des apprentissages réservée à d'autres types de groupes.

Pour donner un ordre de grandeur, le Groupe de pilotage de Genève (Suisse) proposait à ses écoles en réforme que le temps dévolu au groupe de base se situe en moyenne entre un quart (minimum) et trois quarts (maximum) du temps de travail des élèves à l'école. Bien sûr, la proportion peut varier de semaine en semaine ou au fil de l'année, dans un sens ou dans l'autre, ajoute-t-il.

Il ne s'agit pas d'adopter une logique unique pour l'ensemble du programme de formation, mais plutôt de réfléchir et de décider, en temps et lieu, en fonction des disciplines ou des familles de savoirs essentiels ou d'objectifs-noyaux. La question ultime consistera à nous demander continuellement, pour chaque contexte d'apprentissage, si le cadre privilégié pour le développement optimal d'une compétence ciblée sera les groupes de base ou d'autres sortes de regroupements. Autrement dit, dans telle situation donnée, quel est le terrain qui nous apparaît le plus fertile en vue de la croissance des apprentissages ? Quelle est la modalité qui permet le mieux de prendre en considération les différences entre les élèves.

Une organisation par cycles n'implique pas une spécialisation disciplinaire des enseignants comme au secondaire. Au contraire, la polyvalence prévaut plus que jamais lors du décloisonnement et des échanges de compétences. Des enseignants généralistes demeurent les piliers de ce genre de fonctionnement; ils doivent inventorier des situations mobilisatrices afin de négocier avec les enseignants spécialistes leur contribution optimale à l'enseignement et aux apprentissages dans une perspective d'équipe-cycle.

Étant donné qu'il n'y a pas qu'une seule bonne manière de s'organiser et de coopérer, qu'il convient de trouver des modalités raisonnables pour commencer et qu'il est de bonne guerre d'envisager une progression continue de l'équipe-cycle au fil des ans, il est sage de démarrer en pensant que l'organisation parfaite n'existe pas et que son évolution se fera par étapes, au fil du temps. L'important, c'est de construire ensemble un premier modèle de fonctionnement pas trop complexe, pas trop figé ni trop hermétique, qui permettra une adaptation d'une année scolaire à l'autre et des ajustements en cours d'année.

C'est dans l'action réfléchie que nos modèles évolueront et que nos équipes développeront leurs compétences à travailler en collégialité.

 ### Des compétences à développer pour travailler en cycles

Le travail en cycles d'apprentissage dans un esprit de solidarité est très différent du travail en fonction de degrés dans un monde égocentrique et solitaire. Le passage d'un paradigme à l'autre se fera d'autant plus facilement que les pratiques habituelles seront remplacées par des pratiques davantage empreintes d'ouverture, de responsabilisation et de différenciation.

Dans la documentation traitant des cycles d'apprentissage et du fonctionnement par équipes-cycles reviennent toujours les deux piliers suivants :

• « Il est souhaitable qu'un cycle d'apprentissage soit confié à une équipe pédagogique stable, qui en soit collectivement responsable durant tout le cycle.

• « Il est souhaitable également qu'à l'intérieur de ce cycle, les enseignants s'organisent librement et diversement. Le système peut bien leur proposer des balises intermédiaires, des modèles d'organisation du travail et de groupements d'élèves, des outils de différenciation et d'évaluation, il n'en demeure pas moins que la quête d'un fonctionnement efficace en cycles est un long voyage à considérer un peu comme un processus négocié d'innovation qui s'étale sur plusieurs années ». (Philippe Perrenoud)

En conséquence, il est opportun de prendre du temps pour réfléchir aux compétences génératrices de réussites chez les enseignants désireux d'actualiser les cycles et la différenciation, mais aussi avides de développer un travail d'équipe efficace et satisfaisant.

Nous considérerons donc quatre sortes de compétences : personnelles, intellectuelles, pédagogiques et de management.

Des compétences personnelles

J'ai fait allusion à certaines de ces compétences tout au long de ce guide. Je me permets ici de faire un léger rappel et d'insister sur quelques-unes qui n'ont pas déjà été mises en évidence.

Des compétences humaines – comme celles de communiquer de façon authentique, de gérer ses émotions, de régler des problèmes ou des conflits sans faire de perdant et de collaborer – sont des composantes d'un travail coopératif de qualité. Pour s'entraider et pour coopérer, le bon vouloir et la motivation à se rassembler ne sont pas les deux seuls ingrédients nécessaires. Toutes les attitudes fondamentales d'ouverture aux autres, d'écoute et de sensibilité à l'entourage, de tolérance et de respect de la différence contribuent à la création d'une communauté d'apprentissage. Ce cheminement n'est jamais terminé : au contraire, il est toujours en construction et en évolution. Un climat de travail, c'est souvent très fragile... mais si long à construire !

À l'intérieur d'un scénario d'accompagnement en vue de l'expérimentation des cycles, il y a donc lieu de prévoir des interventions dans ces domaines. Mieux vaut envisager le problème de front que de faire semblant qu'il n'y a aucun nuage à l'horizon. Avoir recours à du soutien à cet effet n'est ni banal ni anormal. Il est même sain pour une équipe d'avoir à se réajuster en cours de route, puisque nous en sommes au b-a ba de l'apprentissage de la communication et de la coopération.

Mettre en valeur ses compétences personnelles et en faire cadeau à des collègues et à des élèves est une richesse insoupçonnée qui vaut bien des activités arides vécues autour d'un cahier d'exercices ou d'un manuel scolaire. Vous pouvez consulter, aux pages 411 à 416 du chapitre 10, un questionnaire permettant d'inventorier les ressources personnelles disponibles au sein d'une équipe-cycle et un tableau descriptif des différents types de personnalités qui composent et nourrissent une équipe de travail.

Des compétences intellectuelles

Parmi les compétences intellectuelles sollicitées fréquemment dans la gestion autonome d'une équipe-cycle, la capacité à prendre des décisions professionnelles et la créativité figurent au premier plan.

« Même si l'ombre est toujours sous la loupe, il faut avoir le courage de décider. »

(Auteur inconnu)

■ LA PRISE DE DÉCISION

Ce processus décisionnel – lui-même alimenté par d'autres habiletés comme la pensée créative, la divergence, l'analyse, l'évaluation, la convergence – représente une facette négligée par plusieurs enseignants depuis un certain nombre d'années. N'a-t-on pas décidé beaucoup de choses à leur place ? N'a-t-on pas mis en veilleuse leur leadership et leur pouvoir décisionnel ?

Une prise de décision satisfaisante pour les parties en cause est viable pourvu qu'elle soit accompagnée d'une négociation franche, d'une attitude de compromis et de la sagesse nécessaire aux véritables consensus. Autrement, nous ne pouvons pas parler de véritable partenariat. À ces attitudes qui constituent les assises d'un travail d'équipe authentique, je dois ajouter la capacité à prendre des risques et à maintenir des positions ainsi que la persévérance dans des cheminements qui ne sont pas toujours rassurants et confortables. Ces divers malaises vécus en période de changements et d'innovations peuvent être amoindris ou adoucis par la présence et la force d'un leadership confiant.

Comme la prise de décision est rattachée à l'évolution d'un métier vers une professionnalisation plus grande, le référentiel 36 de la page suivante propose des exemples de domaines où les enseignants d'un cycle auront à s'imposer et à s'investir.

■ LA CRÉATIVITÉ

Il y a matière à exercer sa créativité et son goût du risque, j'en conviens aisément… Il faut prendre des décisions, mais dans un contexte de créativité, en s'ouvrant à toutes les possibilités. À la capacité de prendre des décisions se jumelle donc celle d'exercer sa créativité. Oui, prendre des décisions, mais pas n'importe lesquelles. N'est-il pas évident que la construction de nouveaux modèles organisationnels doit mobiliser nécessairement toutes les intelligences des enseignants en vue de solutions inédites ?

Comme la créativité a été utilisée assez discrètement au cours des deux dernières décennies dans les écoles du Québec, je tiens à la mettre en valeur : elle est si précieuse pour les enseignants en quête d'issues satisfaisantes pour les élèves et pour eux. Un apport théorique et une tempête d'idées sur la vie d'un cycle marqueront ce moment de réflexion.

D'après Denis Bourget (1985), « le talent de créativité consiste à produire le plus de possibilités de solutions, de moyens nouveaux d'exprimer des idées. L'utilisation des habiletés de fluidité, de flexibilité et d'originalité permet le développement du talent de créativité. »

DES DÉCISIONS À PRENDRE... EN ÉQUIPE

- La façon de répartir les élèves parmi les groupes de base.

- La possibilité de travailler avec des groupes monoâges et multiâges.

- Le choix et l'utilisation du matériel didactique avec les élèves d'un cycle.

- Les moments où il y aura différenciation par le décloisonnement des groupes.

- Les critères qui sous-tendront la constitution des divers regroupements.

- Les arguments retenus pour faire la promotion du modèle organisationnel de cycle auprès des parents.

- L'identification de stratégies pour informer les parents sur ce projet de cycle et pour les y engager véritablement.

- La conception et l'évolution de dispositifs organisationnels pour différencier à l'externe.

- La définition du scénario d'intervention de l'orthopédagogue ou de l'enseignant d'appui auprès des élèves à risque appartenant au cycle.

- Le choix des modèles pédagogiques qui supporteront la planification des situations d'apprentissage et d'évaluation à l'intention des élèves.

- La construction d'outils d'évaluation et de consignation pour suivre la progression des élèves dans leurs apprentissages tout au long du cycle.

- Les stratégies de «transmission des pouvoirs» en vue du départ des élèves à la fin d'une année ou d'un cycle.

- Les critères d'évaluation pour étayer et éclairer les décisions à prendre à propos d'élèves ayant besoin d'un temps additionnel pour compléter un itinéraire de cycle.

- La création de mécanismes assurant une transition harmonieuse aux élèves qui quittent l'enseignement primaire pour accéder au secondaire.

- L'information à fournir aux parents en matière d'accompagnement pédagogique apporté dans le parcours des apprentissages de leur enfant.

- Les composantes d'un scénario de formation continue qui alimente et soutient une équipe de praticiens en train de délaisser le paradigme des degrés pour emprunter celui des cycles ; etc.

Différencier par le décloisonnement des groupes

FLUIDITÉ : facilité de penser permettant au cerveau de générer une grande quantité d'idées.

FLEXIBILITÉ : capacité à produire et à classer une variété d'idées selon plusieurs catégories.

ORIGINALITÉ : capacité à produire des idées inusitées ou ingénieuses, des solutions inhabituelles.

La **fluidité** est présente lorsqu'il y a *génération quantitative d'idées*, production de plusieurs idées, questions, solutions, réponses ou conséquences appropriées.

La **flexibilité** se rattache à la *production diversifiée d'idées* ou de plusieurs approches de significations, d'interprétations, de stratégies, de principes ou d'utilisations.

Quant à l'**originalité,** elle se traduit par une *génération qualitative et ingénieuse d'idées*, de questions, de catégories, de réponses sous des formes inhabituelles ou inusitées.

Donc, pour qu'une solution soit créatrice de façon optimale, il faut qu'elle soit *fluide, flexible* et *originale*. De plus, cette créativité peut s'exercer dans la recherche de faits ou d'idées, dans la définition d'un problème, dans la recherche de solutions et dans leur implantation.

Voici deux figures illustrant l'emploi des talents que sont la prise de décision et la créativité en vue de la résolution de problème.

Maintenant, je fais place à un exercice de remue-méninges portant sur des questions qui sollicitent la créativité des membres d'une équipe-cycle (voir référentiel 37, page suivante).

Voilà de merveilleux prétextes pour s'asseoir autour d'une table, apprivoiser le travail en équipe-cycle et se donner une formation continue tout en acquérant des habiletés professionnelles qui consistent à créer et à prendre des décisions.

LA CRÉATIVITÉ

1. Comment allons-nous gérer l'accueil des élèves appartenant à un même cycle ?

2. Comment allons-nous concilier les deux volets « groupe de base » et « équipe-cycle » lors de nos soirées d'information aux parents tenues en septembre ?

3. Comment allons-nous rajeunir notre façon habituelle de gérer les travaux à la maison ?

4. Comment allons-nous transformer nos périodes de contrôle du vendredi pour rendre les élèves plus actifs dans leur apprentissage ?

5. Comment allons-nous varier nos formes de correction afin de délaisser celle qui se vit dans une relation duale entre élève et enseignant, monopolisant ainsi ce dernier et l'empêchant d'être disponible pour soutenir des élèves en difficulté ?

6. Comment allons-nous alimenter des élèves qui ont de la facilité et qui ne demandent qu'à aller plus loin dans la construction de leurs savoirs ?

7. Comment allons-nous proposer des mesures d'aide et de soutien plus variées, plus originales et plus stimulantes à l'égard des élèves à risque ?

8. Comment allons-nous diminuer les périodes d'explications en grand groupe, parfois génératrices de pertes de temps et d'énergies, sans parler des problèmes d'indiscipline et de démotivation qu'elles suscitent ? Par quoi allons-nous les remplacer ? À quelle fréquence ?

9. Comment allons-nous intervenir auprès des élèves afin de les éduquer progressivement à l'autodiscipline ?

10. Comment allons-nous nous concerter pour construire un outillage cognitif à la fois significatif, continu et cohérent avec des élèves appartenant à un même cycle ?

11. Quand allons-nous décloisonner ? Quels dispositifs de différenciation allons-nous utiliser ?

12. Quels instruments de consignation nous permettront de suivre les progrès de chacun de nos élèves quand nous plongerons dans la formation de sous-groupes d'élèves et l'échange de nos compétences ?

13. Comment allons-nous diminuer la fréquence des examens écrits afin de vivre l'évaluation de manière plus authentique ?

14. Comment allons-nous éliminer les contraintes qui se présenteront sur notre route en direction des cycles et de la différenciation ?

15. Comment allons-nous aborder le projet d'équipe-cycle afin de nous donner des points d'ancrage ou d'appui nécessaires pour entreprendre notre voyage au pays des différences ? Etc.

■ DES DOMAINES DE CONSENSUS

Puisque nous parlons de prise de décision, de négociation, de compromis et de consensus, il m'apparaît opportun de cibler quelques points où nous avons intérêt à établir des consensus d'équipe de travail avant de faire éclater les groupes de base :

- Nos éléments de convergence en matière de discipline.

- Notre perception et nos interventions en matière de motivation scolaire.

- Nos valeurs et nos croyances communes à propos de l'éducation et de l'apprentissage.

- Notre cadre de travail en ce qui concerne le développement des compétences d'ordre méthodologique.

- Notre conception de l'approche par projets ou par modules, situations-problèmes, situations ouvertes.

- Notre cadre d'organisation du portfolio ou du dossier d'apprentissage : rôle, contenu, critères de sélection, fiche de justification.

- Notre définition de la différenciation et des cycles.

- Notre ligne directrice concernant le travail des élèves à la maison.

- Notre vision de l'engagement des parents en classe.

- Notre cadre de fonctionnement au sein de l'équipe-cycle : rôles et responsabilités de chacun en vue d'un partage harmonieux des tâches. Quels sont les domaines qui relèvent de l'équipe au complet ? Qu'est-ce qui peut être confié à quelques personnes seulement ? Quelles tâches doivent être exécutées individuellement, par chacun des enseignants ?

La définition d'un cadre de partenariat ou de collégialité s'avère une mesure efficace pour éviter ou pour réduire l'ampleur des conflits, des malaises, des tensions ou des difficultés de fonctionnement, qui conduisent parfois à des « divorces » d'équipes ou à la mise à l'écart de certains membres.

Forts de nos compétences personnelles et intellectuelles, nous exercerons nos compétences pédagogiques avec plus d'aisance et de confiance.

Des compétences pédagogiques

Les compétences pédagogiques nécessaires à la gestion d'un cycle et du décloisonnement des groupes ne sont pas si différentes de celles que nous utilisons lorsque nous gérons les apprentissages d'un groupe de base. Toutefois, le regard au pluriel que nous devons porter sur la gestion des cycles et de la différenciation place la diversité et l'ouverture au centre de toutes les interventions à poser, qu'il s'agisse de planification, d'organisation, d'animation ou d'évaluation. Vraiment, il n'y a plus seulement une avenue, mais plusieurs que nous devons soupeser pour chacun des contextes d'apprentissage qui se présentent à nous.

■ DES COMPÉTENCES À ÉCHANGER

Le leadership pédagogique s'exerce autour de divers axes de travail, mais aussi dans un contexte de différenciation et de collégialité. Nous avons maintenant davantage d'occasions de partager nos compétences pédagogiques et nous pouvons compter de plus en plus sur des ressources disponibles à l'intérieur de notre cycle ou de notre école. Jetons un coup d'œil sur cet éventail de compétences pédagogiques que nous pouvons échanger.

- Qui peut nous alimenter ou nous soutenir sur le plan des différentes approches éducatives : en apprentissage coopératif ? en enseignement stratégique ? en gestion mentale ? en gestion de classe participative ? en enseignement par médiation ? dans l'approche par projets ? dans l'utilisation des technologies de l'information et des communications ? dans l'exploitation des intelligences multiples ?

- Qui a développé des ressources ou offre des modèles pour une école plus culturelle ?

- Qui possède le plus de données et d'expérience en planification en vue de l'approche par projets ? par modules d'apprentissage ? par situations-problèmes ? par situations ouvertes ?

- Qui utilise déjà des modèles organisationnels comme les ateliers ? les centres d'apprentissage ? les sous-groupes de travail ?

- Qui expérimente présentement le plan de travail à éléments ouverts ? le tableau de programmation ? le tableau d'enrichissement ? le contrat de travail ? le contrat d'apprentissage ?

- Qui travaille dans un aménagement de classe ouvert à la gestion des différences ?

- Qui est habile à varier ses stratégies d'animation lors des mises en situation ? Sur le plan de la métacognition ?

- Qui a conçu un plan d'expérimentation avec ses élèves en regard du développement des compétences d'ordre méthodologique, d'ordre intellectuel ? De la communication ?

- Qui se sert déjà du journal de bord et des feuilles de route pour consigner des informations ?

- Qui exploite différents outils de collecte et d'interprétation de données comme les grilles d'observation ? les échelles descriptives ? les rapports anecdotiques ? les entretiens méthodologiques avec l'élève ?

- Qui est à l'aise avec le portfolio et la conférence dirigée par l'élève ? Etc.

C'est ainsi que le réseau d'entraide d'une équipe se construit et s'agrandit, sans même que l'on s'en aperçoive parfois, sans même que l'on fournisse d'efforts supplémentaires. Puis, un bon jour, nous constatons que nous ne sommes plus seuls pour accompagner les 80 élèves qui nous ont été confiés en début de cycle : l'équipe est là.

Des compétences en management

Depuis une quinzaine d'années au Québec, nous nous sommes intéressés au concept de la gestion de la classe. Nous avons commencé d'abord à reconnaître le concept avant de saisir toute son importance en tant que facteur facilitant l'apprentissage.

Peu importe les cadres de référence choisis en matière de gestion de la classe pour analyser sa pratique de tous les jours ou pour se donner un plan de formation (initiale ou continue), cette dimension professionnelle de l'acte d'enseigner porte en elle les finalités suivantes :

- introduire en classe les conditions optimales pour créer un climat propice à l'apprentissage ;
- amener les élèves à prendre en charge leurs apprentissages ;
- intervenir de façon à ce que les apprenants demeurent toujours en contact avec l'apprentissage ;
- et finalement, permettre à chacun des élèves de réaliser des apprentissages significatifs, durables et transférables, et ce, dans un contexte responsabilisant et différencié.

Le concept de gestion de classe a été accueilli aussi bien par les divers milieux scolaires en quête d'amélioration continue que par les milieux universitaires, en mal de pistes nouvelles pour parfaire la formation initiale et pour répondre davantage aux besoins des milieux scolaires.

Autrement dit, « nous pouvons considérer la gestion de la classe comme un préalable fonctionnel, une condition nécessaire, une trame qui sous-tend et rend possibles les situations d'enseignement-apprentissage et permet qu'elles se succèdent avec une certaine continuité, sans pertes de temps, en ménageant des progressions raisonnables dans les apprentissages. Chacun sait qu'il faut mettre en place une programmation, une grille-horaire, des méthodologies, des moyens d'enseignement pour que la rencontre didactique se produise. Pour que ce soit possible, il faut bien qu'il existe un groupe stable, des lieux et des temps où maîtres et élèves se retrouvent pour travailler les savoirs sans avoir à chaque fois à réinventer l'école, des règles et des contrats sans lesquels le marchandage ou le désordre seraient permanents. » (Philippe Perrenoud, 2000)

Une gestion de classe en évolution : ma vision des choses

- Comme j'agissais à titre de consultante en éducation, au moment où nous avons commencé à nommer le concept de gestion de classe au Québec ;

- comme j'ai tenté, en tant que praticienne, de créer un cadre théorique qui s'articulait autour des quatre composantes que sont le climat, le contenu, la gestion des apprentissages et l'organisation de la classe ;

- comme j'ai été une pionnière dans ce domaine en incitant de nombreux enseignants à revoir leurs pratiques de gestion de classe et en planifiant des scénarios d'accompagnement pédagogique avec eux ;

- comme j'ai pris le risque, en publiant des volumes sur la gestion de classe participative, de donner des exemples de dispositifs pédagogiques et organisationnels afin de démontrer à des enseignants qu'il était possible de changer leur « comment faire » afin de le centrer davantage sur la participation et sur la responsabilisation des élèves ;

- comme j'ai sensibilisé, depuis 15 ans, les enseignants à la nécessité de gérer les différences qui existent chez leurs élèves, les préparant ainsi à accueillir la gestion des cycles et de la différenciation ;

- comme j'ai fait l'effort de faire évoluer mon concept au fil des ans, malgré des critiques peu constructives parfois, démontrant ainsi aux enseignants que l'essentiel était d'être en apprentissage, en évolution, et que les erreurs de parcours faisaient partie du processus d'apprentissage ;

- comme j'ai donné le goût à certains enseignants de livrer à leurs collègues, par écrit, les merveilleux projets qu'ils vivaient avec leurs élèves dans la solitude de leur classe ;

- comme j'ai toujours été profondément enracinée dans le sol des classes et des écoles, comprenant ainsi les besoins et les attentes que les enseignants pouvaient entretenir à l'égard de ceux et celles qui étaient mandatés pour les accompagner dans le développement de leurs compétences en management...

Pour toutes ces raisons, je me réserve le droit de décrire l'évolution de la gestion de classe dont j'ai été témoin au fil du temps, dans les classes du Québec, dans celles des autres provinces du Canada où l'on retrouve des écoles francophones ainsi que dans celles des cantons de Fribourg et du Valais, en Suisse.

Premièrement, j'ai vu des enseignants qui acceptaient de se questionner sur les attitudes et les relations qui caractérisaient leur vécu avec les élèves. L'accueil des élèves, le partage des états d'âme et des intérêts, la formulation de procédures, de règles de vie et de mécanismes d'application, l'introduction du conseil de coopération en classe, la découverte des allégories, la définition d'un contrat négocié et l'auto-évaluation des comportements, la démarche de résolution de conflits ainsi que la construction de la motivation scolaire ont été des cibles de réflexion, d'expérimentation et d'amélioration continue.

C'étaient les premiers pas vers la création d'un climat propice à l'apprentissage.

Et dans une perspective de cycle, c'est encore vrai...

En deuxième lieu, j'ai été ravie que des enseignants désirent revoir leur organisation de classe parce qu'ils étaient conscients que les structures existantes n'étaient pas du tout au service de l'engagement des élèves et de leur responsabilisation. C'est ainsi qu'ils ont voulu se pencher sur la gestion des groupes de travail, la gestion du temps et la gestion de l'espace. Ces enseignants voulaient vraiment faire autrement, mais ils ne savaient pas comment s'y prendre. Nous pourrions interpréter ces faits en concluant qu'ils étaient à la recherche de recettes miraculeuses, comme certains se plaisent à roucouler dans les coulisses du métier, mais que faisons-nous du modelage et de la pratique guidée quand arrive le temps de présenter et de perfectionner des outils de gestion complètement inconnus ? Ces stratégies d'accompagnement de l'apprentissage sont-elles valables uniquement pour des données cognitives ?

Les dyades d'entraide, les équipes de travail, les rôles à l'intérieur de ces dernières, le menu du jour, le plan de travail, la formule d'auto-correction, le menu d'enrichissement, les îlots de travail, l'intégration de l'ordinateur en classe, les espaces de rassemblement pour des cliniques obligatoires, le coin d'exploration et de manipulation, les tableaux de responsabilités, l'utilisation des ateliers par rotation ou étalés dans le temps, selon un ordre chronologique différent, ont contribué à projeter des enseignants dans l'action, même si la démarche de réflexion était un peu boîteuse au point de départ. Avec le temps, ils ont compris l'importance de la rigueur de la démarche réflexive et ils y sont revenus.

C'étaient les premiers pas vers une organisation de classe susceptible de favoriser la participation et la responsabilisation des élèves en les plongeant dans l'action.

Et dans une perspective de cycle, c'est encore vrai...

Comme troisième cible d'observation, j'ai perçu des craintes, des peurs et des insécurités d'enseignants à l'égard de leurs relations avec des parents. Les enseignants sentaient qu'ils tournaient en rond dans ce domaine, que les parents désiraient que l'on fasse autrement pour les soirées d'information, pour les remises de bulletins et pour la gestion des devoirs et des leçons. «Nous savons qu'il faut procéder différemment, mais comment allons-nous amorcer ce virage ? », disaient-ils. Alors, des soirées d'information ont été remodelées pour faire davantage de place aux parents, des remises de bulletins ont été repensées pour donner un rôle plus actif aux élèves et la gestion des travaux à domicile a été orientée vers des échéanciers, de la continuité dans les apprentissages et des possibilités de travaux personnels.

C'étaient les premiers pas vers un partenariat avec les parents dans l'accompagnement pédagogique de leur enfant.

Et dans une perspective de cycle, c'est encore vrai...

Quatrièmement, j'ai reçu de nombreuses interrogations sur la responsabilisation des élèves quant à leurs apprentissages. Après avoir tenté de faire en sorte que les élèves répondent de leurs comportements, il était logique de penser les responsabiliser vis-à-vis de leurs apprentissages aussi. Différentes tentatives ont été faites, comme verbaliser l'objectif qui se cache derrière la tâche d'apprentissage, écrire le menu du cours ou de la journée, sensibiliser les élèves aux différents styles d'apprentissage, accorder plus d'importance à l'objectivation, accompagner les élèves dans l'acquisition des démarches et des stratégies d'apprentissage ou leur permettre de s'autoévaluer ou d'évaluer ce qu'ils viennent d'apprendre ou de faire. Tous ces gestes ont contribué à établir un début de partenariat avec les apprenants, les rendant plus actifs dans la construction de leurs savoirs.

C'étaient les premiers pas vers une gestion des apprentissages où l'on fait les choses avec les élèves plutôt que de les faire à leur place.

Et dans une perspective de cycle, c'est encore vrai...

Comme cinquième point, des enseignants sont revenus à la charge pour travailler sur une organisation de la classe, qui avait progressé quant à l'ouverture aux apprenants, mais qui demeurait très axée sur la gestion des ressemblances. Le « tout le monde fait la même chose en même temps » devenait de plus en plus lourd sur les épaules des enseignants. « Il doit bien y avoir un moyen d'ouvrir davantage les structures pour faire éclater le groupe sans pour autant sombrer dans la perte de contrôle ou dans l'activisme », me répétaient-ils. C'est ainsi que les menus se sont ouverts, que les tableaux d'enrichissement ou de programmation sont apparus ou se sont raffinés, que le fonctionnement par sous-groupes s'est imposé de plus en plus, que des cliniques facultatives et des ateliers de consolidation ou de récupération ont été offerts à des élèves à risque, que des ateliers se sont ouverts à la différenciation par la planification de dimensions obligatoires, semi-obligatoires et facultatives, que des centres d'apprentissage sont venus prendre leur place dans la classe, que des aménagements de classes se sont transformés pour évoluer – non seulement au fil du temps, mais bien au fil de la pédagogie, qui se voulait de plus en plus différenciée.

C'étaient les premiers pas vers une organisation de classe ouverte à la différenciation à l'interne.

Et dans une perspective de cycle, c'est encore vrai...

Finalement, comme les praticiens avaient satisfait leurs besoins élémentaires de survie sur les plans du climat et de l'organisation, ils avaient l'esprit tranquille pour passer au raffinement de leur acte d'enseignement. Comme sixième priorité, ils ont commencé à s'intéresser à l'enseignement stratégique, à l'apprentissage coopératif, à l'approche par projets, à l'enseignement par médiation, à la gestion mentale et à la théorie des intelligences multiples. C'est bien beau de maintenir un bon climat et une organisation de classe dynamique, encore faut-il que les élèves réalisent des apprentissages significatifs, durables et transférables. «Oui, nous avons un contenu à passer, mais nous ne pouvons pas le passer n'importe comment», constataient-ils. C'est alors que l'activation des connaissances antérieures s'est glissée tout doucement au premier temps de l'apprentissage, de même que la nécessité d'initier les élèves à l'organisation de ces connaissances en schémas organisateurs ou en réseaux sémantiques. L'enseignement des «pourquoi» et des «quand» est venu rejoindre les «quoi» et les «comment», qui avaient déjà construit leur nid depuis longtemps parmi la liste des interventions pédagogiques. Des liens se faisaient de plus en plus, des approches plus globales étaient apprivoisées également et on recourait de plus en plus à des stratégies pertinentes pour préparer les élèves au transfert. Voilà que l'on découvrait qu'il ne suffit pas de maîtriser un contenu pour le transmettre. Les supports que nous utilisons pour le transmettre sont tout aussi importants que les données initiales que peut posséder un expert en la matière.

C'étaient les premiers pas vers le changement de paradigme : du paradigme de l'enseignement transmis par un adulte à des élèves qui écoutent, on passait à un paradigme de l'apprentissage construit par des élèves actifs accompagnés d'un enseignant pédagogue.

Et dans une perspective de cycle, c'est encore vrai...

Finalement, la septième cible de changement est en lien direct avec la gestion des cycles et de la différenciation. Même si les enseignants ont franchi tous ces petits pas qui ont débouché sur des changements majeurs en éducation depuis une quinzaine d'années, la réalité des différences, qui ne cesse de s'accroître, leur pose toujours problème. «Même si nous connaissons tous les dispositifs de différenciation, comment trouver le temps et les énergies pour planifier, pour orchestrer et pour gérer tout cela ?» argumentent-ils. La gestion du temps revient continuellement dans les préoccupations des enseignants lors des rencontres de formation, au moment de l'inventaire des besoins et des attentes des participants. La route est longue et pénible pour un enseignant qui doit tout construire, planifier et évaluer pour sa classe quand il est l'unique ressource et que les besoins sont si grands. Et si nous pouvions bénéficier des possibilités et des richesses que peuvent nous offrir les élèves, les parents et les collègues de travail? Tout un changement de mentalité et de culture!

Nous en sommes là présentement puisque nous devons admettre que le défi que représente la différenciation est trop grand pour une seule personne et peu réaliste dans le seul contexte de la classe. Nous sommes rendus au terminus de la différenciation à l'interne; nous devons donc emprunter la correspondance vers la différenciation à l'externe par le décloisonnement des groupes, par la constitution de nouveaux regroupements et par l'échange des compétences. Après avoir travaillé considérablement à améliorer notre gestion de classe, nous faisons face à une nouvelle dimension, celle de la gestion interclasses.

De la gestion de classe à la gestion interclasses

La gestion de la classe sera toujours un domaine de formation où nous devrons intervenir, que ce soit pour aider de nouveaux enseignants à assumer la prise en charge d'une classe, pour offrir de nouvelles stratégies de gestion à un enseignant aux prises avec un groupe identifié comme étant plus difficile ou pour guider un praticien désireux de différencier davantage dans sa classe.

Le fait que ce soit d'abord à partir de la maîtrise de leur propre classe que des enseignants développeront la maîtrise d'espaces-temps plus vastes renforce l'importance de l'accompagnement et de l'intervention sur ce plan. De plus, le fait que la différenciation des apprentissages puisse se vivre aussi bien à l'intérieur du groupe de base qu'à l'extérieur nous démontre également l'importance de créer avec les enseignants de nombreux dispositifs de différenciation qu'ils pourront varier selon leurs besoins ou selon les besoins des élèves. **Enfin, il ne suffit pas de décloisonner des groupes et d'échanger des élèves pour affirmer qu'il y a véritablement de la différenciation. Ce qui est vécu à l'intérieur de chacun de ces regroupements témoigne vraiment s'il y a différenciation ou simplement exploration des diverses structures à travers un branle-bas d'élèves circulant d'une classe à l'autre. À quoi sert de décloisonner si, par la suite, les élèves se retrouvent très souvent en présence de cours magistraux et de fiches de travail à remplir?**

Au Québec, nous avons vécu l'expérience des écoles à aires ouvertes, où justement les décloisonnements physiques étaient censés apporter de nouveaux regroupements d'élèves, de nouvelles façons de travailler et d'apprendre, ainsi que de nouvelles responsabilités partagées entre les enseignants appartenant à une même aire de travail. À quelques exceptions près, ce ne fut pas le cas, car nous avions changé simplement des structures, sans remettre en question les pratiques, sans articuler de nouveaux cadres d'intervention et surtout sans préciser les finalités d'un tel changement. Nous avons vu alors des enseignants conserver le statu quo pour ce qui est de la gestion de leur classe, subissant ainsi les inconvénients des classes à aires ouvertes sans tirer profit des avantages de ces dernières.

Il aurait pu être profitable d'installer des dispositifs communs comme un centre d'apprentissage en lecture, un tableau d'enrichissement, une table pour les projets personnels, un coin d'exploration et de manipulation, une aire d'autocorrection, etc. La période des ateliers propre à chacune des quatre classes aurait pu être ouverte avantageusement aux différents groupes par le décloisonnement et par la mise à contribution des interventions communes de chacun des enseignants. *Exemples :* un enseignant aurait pu accompagner un groupe d'élèves dans des ateliers de formation de base tandis que deux autres auraient travaillé en ateliers de remédiation. Pendant ce temps, un dernier enseignant aurait orienté des élèves qui ont de la facilité vers des tâches plus complexes. Lors de périodes de consolidation ou de révision d'apprentissages, des sous-groupes axés sur les besoins constitués préalablement auraient été confiés aux enseignants concernés par l'éclatement des groupes, apportant ainsi une réponse à différents besoins par l'utilisation de structures différenciées. Peut-être que dans de telles conditions, nous n'aurions pas reconstruit les murs des classes à aires ouvertes, peu importe que ce soit de façon temporaire ou définitive. Il ne faudrait surtout pas retomber dans ce piège au moment où nous nous apprêtons à plonger dans la gestion des cycles par la différenciation à l'externe.

Même si la classe demeure le port d'attache (l'unité de base), ses frontières deviennent perméables quand les titulaires des classes du cycle composent d'autres groupes axés sur les besoins, les niveaux, les projets, les intérêts ou basés sur le genre d'élèves ou sur des stratégies d'intervention. Comme on peut le constater, les groupements sont tantôt homogènes, tantôt hétérogènes, selon les critères qui ont été retenus.

« Ces décloisonnements obligent à considérer un niveau de gestion "interclasses", qui n'est pas pas celui de l'établissement, encore moins de l'organisation scolaire dans son ensemble, puisque des classes et leurs titulaires fonctionnent en réseau et mettent en commun une partie du temps de travail. Ces décloisonnements ne sont pas nécessairement liés à un projet d'établissement, ni même à la constitution d'une équipe pédagogique stable. Ils s'établissent dans la sphère d'autonomie professionnelle des enseignants, et ne sont ni vraiment clandestins ni vraiment officiels. C'est un niveau émergent du travail et du curriculum, que l'administration tolère ou encourage, selon les systèmes. » (Philippe Perrenoud, 2000)

Une organisation de travail en cycles

Si les enseignants ont dû être soutenus dans la maîtrise d'une gestion de classe efficace, ils devront l'être tout autant dans la maîtrise d'une culture collégiale permettant d'organiser le travail en cycles. Nous devrons les accompagner davantage, car ils évoluent avec un modèle qu'ils doivent inventer au gré des besoins. Que ce soit au début de leur démarche ou en cours de route, ils doivent s'établir un cadre de travail, clarifier des concepts entre eux, se donner des définitions stables et partagées, trouver des mots nouveaux pour désigner ces concepts avec lesquels ils auront à travailler. Tout cela n'est pas toujours facile. Toutefois, plusieurs principes ou dispositifs de gestion de classe peuvent être transposés ou adaptés à un fonctionnement par cycles. Ainsi, il y a des balises à se donner au regard du programme de formation, des tâches d'apprentissage à planifier, un horaire à répartir, des groupes de travail à structurer, des aménagements de locaux à prévoir, des outils de pilotage à choisir pour évaluer et consigner les apprentissages, des lieux de parole à animer, des tâches à faire entre enseignants d'un même cycle, ainsi que des dispositifs de différenciation à concevoir et à faire évoluer.

> « Qu'est-ce qu'une différence ? Une force, une faiblesse, une richesse, un problème à résoudre ? »
>
> (Auteur inconnu)

Des balises à donner

Comme le cycle est géré par une équipe d'enseignants au lieu d'un seul individu, ceux-ci sont obligés de se familiariser rapidement avec leurs programmes d'études et avec les savoirs essentiels qu'ils contiennent. Des familles de compétences (transversales et disciplinaires), des regroupements de savoirs essentiels, des domaines généraux de formation et des attentes de fin de cycle ainsi que des repères culturels sont les balises essentielles qui représentent ce avec quoi il faut composer tout au long du cycle, peu importe comment nous comptons le faire. Comment peut-on espérer décloisonner et différencier à partir de micro-objectifs enfermés dans des tiroirs compartimentés ? Pour gérer des cycles, nous avons besoin de vision, de perspective, d'initiative et de continuité afin de ne jamais perdre de vue les acquis fondamentaux que chaque élève doit posséder à la fin de son cycle.

Des tâches à planifier

Ces mêmes savoirs essentiels nous guident dans l'élaboration des tâches d'apprentissage, qui sont réalisées parfois dans le cadre d'un projet, d'un module d'apprentissage, d'une situation-problème ou d'une situation ouverte. Différencier les situations d'apprentissage suppose donc qu'on ne s'enferme pas dans une seule logique de planification, mais plutôt qu'on alterne les modèles, compte tenu des disciplines, des styles d'apprentissage des élèves, de la difficulté à greffer certains objectifs à une structure plus ouverte, des styles d'enseignement et des rythmes d'expérimentation des pédagogues.

Du *temps à gérer*

Le deuil d'une grille-horaire stable pour une année est un premier pas vers le décloisonnement. Nous allons voir comment l'horaire peut devenir une structure mobile et gérée de différentes façons. Halina Przesmycki (1991, p. 153-155) nous indique cinq types d'horaires de base.

« La structuration du temps est une des conditions nécessaires à la réussite optimale d'une séquence de pédagogie différenciée. La durée des séquences peut être aménagée différemment, car ces divers horaires (horaire centré, horaire varié, horaire globalisé, horaire mobile, horaire souple) permettent d'organiser des structures plus nuancées en fonction d'objectifs plus ponctuels. »

■ HORAIRE CENTRÉ

« L'apprentissage s'effectue en continuité, dans la même discipline, sur trois ou quatre heures consécutives, sans interruption ou sans alternance avec une autre discipline. Cette structure peut se planifier en regard de cours habituels que nous pourrions décider de privilégier ainsi par alternance, chaque discipline y retrouvant son compte de minutes ou d'heures en bout de ligne. »

Exemple : après consensus avec ses collègues, l'ebseignant de français pourrait décider de prendre les trois heures de l'avant-midi pour réaliser avec les élèves des travaux dans le cadre d'une correspondance scolaire au lieu d'intercaler l'heure de français entre la période d'histoire et de mathématique, sans avoir la possibilité de terminer les tâches commencées. Bien sûr, il faudrait avoir la souplesse nécessaire, à un autre moment, pour placer les deux autres disciplines (histoire et mathématique) en situation privilégiée par rapport au temps.

Figure 12.1	Horaire centré		
Emploi du temps habituel		**Horaire centré**	**Emploi du temps souple**
8 h à 9 h Histoire			8 h à 11 h Français
9 h à 10 h Français			
10 h à 11 h Mathématique			

■ HORAIRE VARIÉ

L'apprentissage s'effectue dans la même discipline selon un horaire faisant alterner, sur deux semaines ou plus, des périodes courtes pour un travail intense nécessitant une attention soutenue avec des périodes longues pour l'approfondissement et la maturation des apprentissages.

Exemple : pour l'apprentissage de l'anglais, langue seconde, nous pouvons décider de répartir différemment les trois heures qui nous sont allouées chaque semaine. Cette flexibilité s'avère possible quand le spécialiste de cette discipline dessert seulement une école.

Pour la semaine un, nous travaillons avec les élèves durant deux heures pour explorer du nouveau vocabulaire, l'intégrer à un sketch et présenter ce dernier à la classe, par exemple.

Par contre, les deux autres cours de la semaine seraient de trente minutes seulement et serviraient à remédier aux faiblesses décelées dans les dialogues de la saynète (faiblesses sur le plan des structures de phrases, de la prononciation des mots ou de la pauvreté du vocabulaire utilisé).

Quant à la semaine deux, elle pourrait s'étaler sur quatre périodes d'enseignement (deux périodes d'une heure et deux périodes de trente minutes). Cette répartition est différente de celle de la semaine un étant donné que nous ne travaillons pas sur un projet de communication verbale dont le déroulement au complet nécessite un certain temps.

- Première heure : notions de grammaire en lien avec les faiblesses dans les structures de phrases, incluant explications et applications.

- Deuxième heure : exploration et consolidation de vocabulaire, avec pratique en dyades d'entraide.

- Première demi-heure : jeux faisant appel aux structures de phrases étudiées.

- Deuxième demi-heure : pratique de conversation en équipes de quatre dans le but d'intégrer les apprentissages liés aux structures de phrases et au vocabulaire nouveau travaillé en classe.

Figure	12.2	Horaire varié		
	Anglais, langue seconde			
Horaire varié pour :	Cours 1	Cours 2	Cours 3	
Semaine 1	2 heures	$1/2$ heure	$1/2$ heure	
	Cours 1	Cours 2	Cours 3	Cours 4
Semaine 2	1 heure	1 heure	$1/2$ heure	$1/2$ heure

■ HORAIRE GLOBALISÉ

Sur un laps de temps assez long, un semestre par exemple, des périodes hebdomadaires d'une heure sont globalisées sous forme de modules où un programme complémentaire, parfois optionnel, peut être traité.

Exemple : l'horaire globalisé a été utilisé dans certaines écoles secondaires qui désiraient que les élèves se concentrent davantage sur une discipline pendant une période de cinq mois, quitte à faire la même chose avec une autre discipline pour les cinq autres mois. Nous avons eu recours à cette gestion d'horaire surtout pour des disciplines qui comptaient peu d'heures de cours sur la grille-horaire d'une semaine ou d'un cycle de quelques jours. L'histoire et l'éducation à la citoyenneté, la géographie, la science et technologie, les arts ont été offerts aux élèves dans un cadre semestriel afin de lutter contre l'éparpillement des intérêts, la baisse de la motivation des élèves et le «syndrome des petites matières».

L'horaire globalisé devient un support intéressant pour des stages à différentes dominances organisés à l'intention des élèves d'un même cycle. Comme le font des adultes pour l'apprentissage d'une langue ou le développement intensif d'une compétence professionnelle, les élèves vivent un moment fort et dense pendant un stage, qui dure une semaine, parfois deux. *Exemples :* stage sur la bande dessinée, stage sur les mesures, stage sur la poésie, stage sur la science et la technologie, etc.

Figure 12.3	Horaire globalisé	
Horaire globalisé	**Groupe secondaire 2**	**Groupe secondaire 1**
5 premiers mois de l'année	Histoire et éducation à la citoyenneté	Science et technologie
5 derniers mois de l'année	Géographie	Arts

■ HORAIRE MOBILE

Les apprentissages s'effectuent dans plusieurs disciplines à la fois en une seule séance de trois à quatre heures que les enseignants concernés animent.

Exemple : cette forme d'horaire ouvre la porte à la pluridisciplinarité, puisque trois enseignants, par exemple, animent respectivement leurs disciplines (français, arts plastiques, histoire) à l'intérieur d'un cadre d'apprentissage assurant la présence de liens entre chacune des disciplines. C'est le début d'un décloisonnement entre des disciplines et, par la même occasion, d'une planification par une équipe d'enseignants. Même si les élèves vivent trois heures consécutives d'enseignement dans trois disciplines différentes, avec des ressources différentes, ils sentent qu'il y a continuité et cohérence dans les apprentissages qu'ils font. Dans certaines écoles secondaires, c'est de cette façon que l'on a réussi à introduire des programmes d'études à vocation spéciale, comme en arts, en sciences, en sports ou en langues.

Figure	12.4	Horaire mobile

Horaire mobile

8 h à 9 h	Français
9 h à 10 h	Arts plastiques
10 h à 11 h	Histoire

} Approche pluridisciplinaire avec un projet commun

■ HORAIRE SOUPLE

Les apprentissages s'effectuent simultanément ou par alternance dans deux disciplines en une seule séance de deux à quatre heures, selon la tâche à réaliser. Les deux enseignants concernés enseignent aux mêmes classes et gèrent globalement le temps alloué en alternant la durée des cours et le travail auprès des groupes d'élèves afin de disposer d'une séquence d'apprentissage plus longue ou plus courte que celle prescrite à la grille-horaire. Au cours de cette séquence, ils travaillent sur un objectif interdisciplinaire déterminé en concertation dans le cadre d'un projet de différenciation des apprentissages.

Exemple : deux enseignants, l'un de mathématique et l'autre de sciences, décident de faire appel à un horaire souple pour trois semaines afin de développer en partenariat la compétence de leurs élèves en résolution de problème à caractère scientifique et mathématique.

Ils conviennent de répartir les deux heures d'enseignement allouées de trois façons différentes :

- Pour la semaine un, une heure pour chaque groupe en alternance ;

- pour la semaine deux, deux heures continues avec le même groupe d'élèves ;

- pour la semaine trois, deux heures continues avec le groupe d'élèves qui n'a pas été rencontré lors de la semaine deux.

Ce mode organisationnel ouvre la porte au décloisonnement de l'horaire, au travail collégial entre des enseignants ainsi qu'à la différenciation des apprentissages chez les élèves.

Horaire souple	Semaine 1		Semaine 2		Semaine 3	
8 h à 9 h	Mathématique	Science	Mathématique	Science	Science	Mathématique
9 h à 10 h	Science	Mathématique	Mathématique	Science	Science	Mathématique
	Sec. 1A	Sec. 1B	Sec. 1A	Sec. 1B	Sec. 1A	Sec. 1B

Figure 12.5 — *Horaire souple*

Nous savons que les enseignants du primaire disposent d'un horaire qui est facilement modifiable. Si j'ai pris la peine de m'étendre sur ce sujet, c'était pour démontrer qu'au secondaire, pour innover et pour différencier, les enseignements et les cadres scolaires n'ont pas le choix de remettre en question les structures actuelles et les habitudes de vie. Souvent, le prétexte des structures fermées et compartimentées nous sert bien puisqu'il nous permet de démontrer qu'il est impossible de faire autrement. Contrairement à la croyance qui circule parfois dans nos écoles, j'affirme que nous avons du pouvoir sur les structures existantes. Il s'agit de les questionner et de les remplacer par des organisations plus souples, plus ouvertes, donc probablement plus efficaces, en autant que nous travaillons en fonction des mêmes finalités.

Des groupements d'élèves à gérer

Comme nous avons à identifier et à gérer des espaces-temps de formation présentant un caractère diversifié et souvent éphémère, nous sommes obligés de développer notre compétence à former et à encadrer divers groupes de travail, débordant ainsi les frontières de nos groupes de base.

J'ai déjà abordé la formation et la gestion des sous-groupes de travail aux pages 232 à 240 du chapitre 7, qui traite de l'organisation de la classe. Quelles dimensions a-t-on intérêt ici à consolider ?

- Probablement rappeler que les regroupements doivent être formés à la suite des régulations, c'est-à-dire qu'il ne saurait être question de procéder à la formation de sous-groupes avant même de cibler les besoins des apprenants, de dresser l'inventaire des ressources dont nous disposons et d'élaborer des propositions pédagogiques ; on gérerait ainsi des cellules de travail que l'on pourrait qualifier de statiques et d'hermétiques. L'aspect mobile des sous-groupes de travail (non permanents et fonctionnant sous le principe des vases communicants) est le premier facteur de cohérence à respecter.

- En second lieu, pour consolider notre compétence à gérer les divers groupes d'apprentissage, on doit se souvenir que les critères de formation de groupes peuvent être nombreux, variés et changeants, puisque nous privilégions des sous-groupes éphémères au service d'une différenciation basée sur l'évolution pédagogique de chacun des apprenants. Le tableau de Meirieu illustrant le processus de décloisonnement à l'intérieur d'un cycle d'apprentissage (page 96, référentiel 6) nous ramène obligatoirement à une démarche constructiviste par opposition à une démarche mécanique ou artificielle. Au cours d'un mois, d'une année ou d'un cycle, nous avons à recourir à divers critères de regroupement, donc à gérer des sous-groupes de travail de différentes natures. Nous ne pouvons pas nous enfermer dans la stabilité d'un seul type de regroupement, pas plus que nous ne pouvons prévoir des mois à l'avance de quelles formes d'encadrement les élèves auront le plus besoin à différents moments de leurs parcours.

- Nous savons tous que plusieurs modes de regroupements existent; encore faut-il savoir privilégier le meilleur mode au bon moment. À la lumière des expérimentations faites dans les écoles genevoises en réforme, voici quelques suggestions de travail :

  – Favoriser les groupes hétérogènes sur le plan du développement des compétences disciplinaires et les groupes multiâges pour des situations larges, liées aux savoirs essentiels ou aux objectifs-noyaux, ou encore aux compétences transversales. Ces groupes à écart plus large conviennent tout à fait aux périodes de recherche, d'exploration, de découverte et de sensibilisation. Quant aux groupes hétérogènes à écarts plus restreints, ils servent avantageusement des activités de structuration et de consolidation des savoirs, et stimulent des zones de développement à peu près identiques.

  – Recourir à des groupes homogènes pour des activités de structuration, d'enrichissement ou d'intégration, en veillant à ne pas stigmatiser les élèves en difficulté. Ces groupes axés sur les besoins ne doivent pas être gérés de façon rigide et durable.

Tout comme à l'intérieur d'un groupe de base, il faut apporter une attention particulière à la sélection des élèves sur la base de la maturité de leur comportement et de leur degré d'engagement au travail afin d'éviter que plusieurs élèves agités, passifs ou hyperactifs se retrouvent dans un même groupe. Ici encore, il faut savoir composer et jongler avec les différences à la recherche du meilleur.

Tous ces processus de décloisonnements et de regroupements sont susceptibles de susciter des appréhensions et des insécurités chez les élèves et les parents. En tant que professionnels, il faut savoir expliquer et justifier le bien-fondé de ces modes de fonctionnement ainsi que les avantages d'ordre pédagogique qui y sont rattachés. Autrement, nous serons vite ramenés à l'ordre et priés de regagner au plus vite nos locaux respectifs, car ces modèles de différenciation peuvent apparaître aux yeux des profanes comme de simples brouhahas de déplacements et d'activités.

À l'utilisation par alternance des groupes hétérogènes et homogènes traitée précédemment, j'ajoute une dimension organisationnelle : la diversité des groupes de travail à l'interne. Pendant que nous sommes responsables d'un regroupement d'élèves pour une période donnée, qu'allons-nous utiliser comme structures de travail : le grand groupe ? des équipes coopératives ? des équipes de travail ? des dyades de dépannage ? du tutorat ? du monitorat ? du travail individuel ? Allons-nous combiner certaines de ces structures ? Lesquelles ?

Des aménagements de lieux à prévoir

Une fois en contrôle de la gestion du temps et des groupes de travail, nous pouvons nous attarder à l'aménagement physique :

- en identifiant les lieux disponibles dans l'école ;

- en évaluant la richesse de chaque environnement ;

- en faisant de sa classe un milieu ouvert à la participation des élèves et à la différenciation des apprentissages.

Selon les écoles, les locaux peuvent être tantôt nombreux, tantôt restreints, tantôt stimulants, tantôt ennuyeux. Quoi qu'il en soit, nous devons prendre le temps d'en faire une liste concertée avant de déterminer nos dispositifs de différenciation, car la quantité et la qualité des locaux disponibles a parfois une influence sur le choix des modalités d'intervention.

- Il est sûr que chacune des salles de classe au service d'un cycle s'avère un premier espace de travail que nous pouvons utiliser. Le réaménagement de ces espaces a très souvent besoin d'être ajusté en fonction des dispositifs de différenciation que nous comptons utiliser. Voilà un domaine délicat qu'il faudra discuter entre collègues d'un même cycle avant de s'aventurer dans le remodelage des panoramas de classe. Ne s'agit-il pas de l'espace vital et affectif même de chaque enseignant ? La délimitation des zones d'aménagement négociables et non négociables constitue un premier objet de consensus pour une équipe-cycle. *Exemple :* quand je prête mon local-classe, dont l'aire de travail est plus grande que les autres locaux, à un collègue qui intervient auprès d'un regroupement d'élèves plus nombreux, je ne veux pas que mon centre d'enrichissement soit déplacé. Par contre, je suis favorable à l'idée qu'on bouge les pupitres, l'aire de correction de même que le centre d'exploration et de manipulation. Quand les règles du jeu sont précisées préalablement, les discordes ou les conflits se font plus rares.

- Les centres de documentation ou les bibliothèques des écoles peuvent être des lieux privilégiés pour certains types de regroupements. Il en est de même pour les locaux abritant les laboratoires d'informatique. L'utilisation des plages disponibles suppose toutefois une planification et une préparation entourant la réservation de ces lieux de travail. Des exigences disciplinaires, des modalités de travail et des procédures de rangement après utilisation de ces locaux contribuent à entretenir un climat coopératif et des relations saines et collégiales dans l'école.

- Parfois, des salles à vocation spéciale ou de petits locaux peu fréquentés offrent des possibilités intéressantes dont on ne devrait pas se priver. Ces lieux qui font partie de l'établissement scolaire contribuent à extensionner les espaces vitaux dont nous avons besoin lorsque nous différencions. Ils sont d'autant plus nécessaires si des parents, des enseignants spécialistes ou des orthopédagogues se joignent à nous pour enrichir notre environnement éducatif. Dans ces contextes d'utilisation conjointe, les élèves tirent profit d'un accompagnement fait par un adulte qui a participé à la planification et à l'organisation d'un travail précis s'insérant dans un cadre coopératif de différenciation. Sinon, le risque qu'il ne s'y tienne que des activités simplement divertissantes nous guette encore une fois.

- La fréquentation des lieux extérieurs à l'établissement ouvre la porte à la tenue d'activités éducatives communes à quelques classes ou à quelques sous-groupes d'élèves. Des sorties culturelles ou des activités sportives constituent très souvent des moyens d'enseignement riches et des mobiles d'apprentissage intéressants. La section « Repères culturels des diverses disciplines » dans le programme de formation peut fournir de nombreuses idées à ce sujet. Encore là, l'improvisation ne saurait nous mener loin. Non seulement tous les adultes responsables de telles activités doivent être imprégnés des intentions pédagogiques rattachées à ce vécu parascolaire, mais nous devons informer les élèves de la signification des expériences que nous leur proposons. Combien de fois avons-nous vu des parents projetés dans un tourbillon d'activités par les enseignants sans avoir reçu aucune information, aucune préparation, sans cadre d'intervention et sans modalités de fonctionnement ? Il est facile par la suite de les blâmer et de décrier leur incompétence, leur passivité ou leur maladresse alors que nous les avons placés dans des expériences de tourisme pédagogique. La rigueur est donc de mise dans la planification, l'organisation et l'évaluation de tout ce que nous mettons en branle avec les élèves et les parents. Notre crédibilité professionnelle ne s'en portera que mieux !

- Les organismes locaux sont ouverts à l'idée de collaborer avec les écoles, soit en organisant eux-mêmes des activités éducatives à l'intention des élèves, soit en prêtant du matériel pédagogique ou artistique, soit en offrant leurs locaux. L'école doit sortir de son cocon pour s'ouvrir au milieu et à la collectivité. C'est aux établissements scolaires que revient la responsabilité d'aller vers ces organismes afin de voir avec eux comment ils peuvent contribuer à l'enrichissement de notre environnement éducatif.

Exemple : l'accès à la bibliothèque municipale offert aux élèves et aux enseignants, l'ouverture de périodes d'accès à la piscine publique, le prêt de microscopes à une classe et l'utilisation de la salle de spectacle pour présenter aux parents la célébration des apprentissages d'un cycle ou d'une année scolaire, voilà des signes révélateurs d'un partenariat entre l'école et la collectivité locale.

• Nous pouvons même désigner le domicile de l'élève comme étant un lieu de travail différencié, pourvu que la tâche à compléter à la maison appartienne à une séquence ou à un scénario d'apprentissage. Un enseignant peut proposer à ses élèves de commencer une séquence de différenciation au laboratoire d'informatique, de la continuer en classe à l'intérieur d'un processus de différenciation simultanée et de la poursuivre à la maison dans le cadre d'un travail personnel. Comme dans un fonctionnement par ateliers, des petits groupes d'élèves peuvent se retrouver dans des résidences personnelles en compagnie de parents qui les initient à la création de vitraux, de poterie, d'émaux sur cuivre ou de peinture sur batik, etc. Voilà un autre exemple de partenariat qui débouche sur des expériences de différenciation !

Des apprentissages à garantir

Lorsque nous assumons la différenciation à l'externe, nous nous retrouvons avec la responsabilité de suivre la progression des apprentissages d'un plus grand nombre d'élèves, étant donné l'échange de clientèle d'élèves qui s'opère lors des décloisonnements. Une sorte de mémoire collective doit se manifester si nous désirons gérer les apprentissages de manière optimale, de même qu'évaluer et réguler constamment les apprentissages et les actions éducatives afin de pouvoir différencier. Histoire de simplifier cette tâche, les savoirs en gestion des apprentissages doivent être partagés par les membres de l'équipe-cycle afin de les enrichir, de les formaliser et de les soutenir dans leur utilisation par des procédures communes.

Des outils pour évaluer et pour consigner sont requis afin de laisser des traces des apprentissages réalisés par les élèves. Comme ces outils ont été longuement présentés au chapitre 9, qui porte sur l'évaluation authentique, je me contenterai de rappeler brièvement leur existence. Le journal de bord de l'enseignant avec ses feuilles de route, le carnet de bord ou d'apprentissage de l'élève et le cahier de stage de l'élève sont des dispositifs assurant les liens, la continuité et le transfert entre les décloisonnements de classes et les regroupements d'élèves. Pour que le fil conducteur de l'apprentissage soit toujours présent dans les interventions que nous faisons différemment, il nous faut des outils de liaison susceptibles de nous aider à construire une mémoire collective de cycle. Les passeports pédagogiques de fin de cycle, les portfolios d'élèves, les arbres personnels de connaissances sont aussi des points de repère à utiliser, tout comme le journal de bord du cycle, qui figure parmi les dispositifs en devenir.

Des lieux de parole à animer

La gestion interclasses amène un nouveau défi : celui d'installer des lieux de parole communs à l'intention des élèves appartenant à un même cycle. Ces lieux ont pour but de favoriser une communication authentique rendant possible la régulation des apprentissages au moyen de situations d'échange, de discussion, d'interaction, de confrontation et de décision. En plus des « Quoi de neuf ? » du matin et des « Informations du lundi », les conseils de classe, les comités de cycles et les conseils d'école sont des lieux où des élèves peuvent faire valoir leurs positions, apporter des suggestions intéressantes ou encore fournir des éclairages judicieux sur le fonctionnement du travail en cycle en identifiant les malaises, les difficultés, les réussites et les moments harmonieux. Les enseignants doivent croire à l'importance de cette gestion des lieux de parole, car ils ont à y consacrer du temps : ils ont à en faire l'animation ou à appuyer les élèves dans ce sens et à réguler à partir des différents sons de cloche que leur fournissent les jeunes. Après tout, n'est-ce pas pour eux que nous posons tous ces gestes de planification, d'organisation et d'évaluation ? Comment savoir si tout cela est rentable, si nous ignorons complètement leur droit de réplique ?

Des tâches communes à répartir

Travailler en cycles n'a pas du tout la même consonance que travailler individuellement. Travailler en cycles ne veut pas dire qu'il faille œuvrer constamment ensemble. Travailler en cycles suppose que l'on délaisse progressivement le travail en solitaire. Travailler en cycles oblige à répartir entre nous le travail à faire. Travailler en cycles se traduit parfois par la planification et la production obligatoire pour tous les membres de l'équipe, parfois par la conception de tâches ou de structures organisationnelles confiée à un sous-groupe, parfois par la recherche de documentation ou de références sur un futur projet collectif confiée à quelques personnes ou encore par la délégation de responsabilités personnelles ayant pour but de réalimenter l'équipe ultérieurement. Tout comme les élèves, nous avons à travailler en équipes, en petits groupes de travail, en dyades d'entraide et en solo. Nous avons aussi à produire des tâches obligatoires, semi-obligatoires et facultatives.

C'est vraiment avec l'expérience que nous pouvons dépister rapidement la formule de travail la plus rentable pour la tâche qui nous attend. Le jour où nous sommes capables de reconnaître que l'équipe est plus efficace que l'individu dans telle situation donnée et que l'individu est plus efficace que l'équipe dans telle autre situation, nous sommes rendus à la gestion coopérative d'un cycle et une culture de la coopération habite nos cœurs et nos têtes tout en teintant nos propos et nos actions.

Une chose est sûre toutefois : aucune équipe ne pourra survivre à la présence d'individus parasites, de visions pessimistes et destructrices ou de comportements dictateurs ou autosuffisants. Chacun doit apporter sa contribution à l'équipe avec ce qu'il est, ce qu'il croit, ce qu'il a, avec la conscience de ses limites et de ses faiblesses.

Maintenant que nous avons examiné les paramètres de l'organisation du travail en cycles, nous pouvons plonger dans l'action en observant de plus près des expérimentations de décloisonnement à l'externe tenues dans différents milieux de l'éducation.

Des scénarios pour décloisonner à l'externe

« Les gens qui n'ont pas de projet sont un peu des amnésiques du futur. »

(Auteur inconnu)

Chaque scénario de décloisonnement étant porteur de différents facteurs de complexité, je vais les présenter tout naturellement, sans arrimage et sans emballage, ne recherchant ni un ordre croissant de difficulté d'expérimentation ni un ordre chronologique de préalables à la gestion des décloisonnements. Je présente donc ces exemples comme un témoignage de mes visites de classes, comme une randonnée au pays des cycles et comme un appât irrésistible pour promouvoir la différenciation à l'externe. Place à la pratique de la différenciation dans la collégialité !

Scénario 1

Recours à la pratique de *groupes homogènes* en mathématique formés à partir de deux classes d'un même cycle *au début d'une séquence didactique*.

Les élèves des deux classes concernées sont répartis en trois sous-groupes axés sur les besoins qui sont animés respectivement par les deux titulaires et par l'orthopédagogue de l'école. Ce projet de décloisonnement s'étale sur trois périodes d'une heure pendant la même semaine. Ce mode de regroupement a été privilégié pour atténuer des écarts trop grands qui se sont manifestés dès le début d'une séquence didactique.

Pendant ces trois périodes d'accompagnement, chaque enseignant intervient à propos des savoirs essentiels rattachés à la géométrie. Il y a retour sur des connaissances et des stratégies vues antérieurement pour un premier sous-groupe, consolidation des acquis et prolongement des apprentissages pour un second groupe, réinvestissement dans une tâche plus complexe pour le dernier groupe. Ces élèves sont donc orientés vers de l'enrichissement personnel plus que vers une augmentation de leur vitesse de croisière en géométrie par rapport aux deux autres sous-groupes.

Scénario 2

Utilisation de *groupes homogènes* en lecture expressive dans un contexte de *remédiation différenciée*.

À partir de trois groupes de base appartenant à un même cycle, les élèves ont été évalués par un test diagnostique quant à leur performance en lecture expressive. Puis, ils sont répartis en groupes axés sur les besoins qui sont animés respectivement par les trois titulaires. Cette intervention est étalée sur deux périodes de 45 minutes, pour une durée de deux semaines. Les trois groupes travaillent exactement sur les mêmes textes de lecture expressive à partir des critères suivants :

- Intonation à créer à partir de l'indication donnée par le verbe déclaratif et le sens de la phrase.

- Articulation des mots favorisée par une bonne respiration.

- Intensité du ton déterminé par le volume de la voix.

- Débit utilisé pour une lecture lente et calme.

- Respiration obligatoire permettant de faire des pauses et de regarder son public.

- Rythme de lecture équilibré par le regroupement des mots selon le sens. La ponctuation, les barres de rythme et l'accent tonique sont des points de repère.

- La mimique et la gestuelle du corps du lecteur.

- La relation avec les auditeurs par le balayage du regard et le contact avec les yeux.

Il y a donc différenciation quant à l'application des critères puisque certains élèves polissent une lecture intégrale, que d'autres sont au stade d'ajouter de l'expression et de l'intensité à leur lecture, tandis qu'un certain nombre d'entre eux aspirent à lire des bulletins de nouvelles ou à transposer en théâtre ce qu'ils viennent de lire. Encore là, nous faisons le choix d'enrichir les acquis de ces élèves en maintenant des objectifs communs d'apprentissage plutôt que de plonger dans le secteur complémentaire de la compréhension de la lecture par l'enseignement et par l'utilisation de stratégies adéquates[1].

Scénario 3

Décloisonnement entre quatre classes d'un même cycle pour de la *formation de base* sur une meilleure appropriation de stratégies en fonction de son *style d'apprentissage*.

Trois groupes d'élèves ont été formés en fonction de leurs styles d'apprentissage : les visuels, les auditifs, les kinesthésiques. Les cibles d'apprentissage sont les mêmes pour les trois groupes :

---

1. Inspiré d'une classe en rénovation du canton de Genève, Suisse.

analyser une tâche à accomplir en sciences, analyser la démarche de l'expérience proposée, s'engager dans la démarche, accomplir la tâche demandée et tirer des conclusions par la suite. Ces sous-groupes de démarches sont soutenus par trois enseignants qui ont recours à des stratégies d'intervention différentes pendant une période de trois heures. Un enseignant joue le rôle d'observateur pour cibler des besoins plus spécifiques de support, qui seront traités par lui et par l'orthopédagogue lors d'une prochaine séance de différenciation. Exemples de stratégies utilisées (Meirieu, 1992, p. 88):

- L'appui verbal: l'individu doit commenter verbalement une explication ou une démonstration avant de pouvoir passer à l'écriture.

- L'appui écrit: l'individu doit écrire avant de verbaliser, avant d'expliquer à autrui; l'écriture aide à structurer sa pensée.

- La stratégie visuelle: l'individu appréhende les objets par les représentations visuelles qu'il s'en donne.

- La stratégie auditive: l'individu appréhende les objets par les représentations auditives qu'il s'en fait.

- La stratégie de contact: l'individu va directement à l'objet, le palpe, le démonte, se l'approprie par une manipulation.

- La stratégie de représentation: l'individu va à l'objet par le signe abstrait qui le représente ou en donne une image symbolique: il se dispense de la manipulation lui-même.

Un horaire centré (s'effectue en continuité sur deux ou trois périodes) est privilégié, question de permettre aux élèves de vivre la démarche en entier, sans interruption. Par la suite, les groupes sont dissous puisqu'il s'agit d'un projet d'apprentissage à court terme. Rien n'empêche les enseignants de réutiliser la porte d'entrée «style d'apprentissage» pour mobiliser les groupes autour d'un autre projet d'apprentissage.

Scénario 4

Décloisonnement entre quatre classes appartenant à un même cycle pour un *retour sur les démarches d'apprentissage* utilisées par les élèves pour *construire une carte sémantique* en prévision d'une synthèse d'un chapitre en histoire.

Nous nous retrouvons avec deux sous-groupes hétérogènes d'élèves sous la supervision d'une dyade d'enseignants qui intervient en *team teaching*, dans une perspective de regroupements basés sur les approches. Ceux-ci ont l'intention d'avoir recours à la différenciation successive et de former des équipes de travail hétérogènes qui interagiront autour des deux façons de traiter l'information: de façon simultanée ou séquentielle. Ils comptent également appliquer les approches suivantes dans leurs interventions (Meirieu, 1992, p. 89):

- L'approche segmentée, où l'individu appréhende chaque élément séparément, souvent de manière discontinue, et effectue des regroupements pour construire un ensemble de combinaisons.

- L'approche globale, où l'individu comprend d'abord une structure pour y situer par la suite des cas particuliers; le plus souvent, cette structure est appréhendée de façon approximative, et doit ensuite être affinée en y introduisant systématiquement chaque élément.

- La compréhension par la signification, où l'individu s'attache à un élément ou à un problème parmi d'autres dont il tente de comprendre le sens ou de percevoir les principes d'organisation. Il procède ensuite par extension aux autres éléments.

- La compréhension par la confontation, où l'individu examine plusieurs éléments et tire de leurs confrontations successives des hypothèses de plus en plus affinées sur le principe qui les régit ou sur le concept qui permet de les comprendre.

- L'appui sur les oppositions, où l'individu tend à s'approprier les notions en accentuant leurs traits distinctifs; il ne définit bien une idée qu'en imaginant son contraire; il aime bien les listes d'oppositions par paires.

- L'appui sur les liaisons, où l'individu est sensible aux situations intermédiaires dès qu'on lui propose une distinction; il tend à nuancer, à transformer le tout ou rien en une gradation.

Scénario 5

Mise en place d'un *contrat de travail personnel* avec les élèves de *trois classes du cycle deux* pour une durée de trois jours[2].

Les enseignants planifient ensemble les tâches qui sont offertes sur le contrat de travail, que nous pouvons appeler également un plan de travail à éléments ouverts. Ce contrat contient deux volets : « Je dois faire » (deux tâches obligatoires) et « Je choisis de faire » (au moins trois tâches). Dans chacun des groupes de base, le contrat est démarré chaque lundi matin par la présentation des tâches. La planification personnelle par chaque élève est assurée immédiatement après; par la suite, elle est validée par chaque titulaire de classe. Vous pouvez visualiser le fonctionnement de ce contrat de travail à l'aide du référentiel 38 de la page 542.

Aux périodes communes d'exécution du contrat, c'est-à-dire les mardi, mercredi et jeudi, il y a décloisonnement des groupes et échange des ressources. Les élèves changent de classe selon les activités choisies et selon les aménagements de classe offerts. *Exemple :* cette semaine, l'atelier de sciences sur l'eau a lieu dans la classe de Justin, tandis que le centre d'informatique sur le traitement

---

2. Adaptation du fonctionnement d'un cycle à une école Freinet de Liège, en Belgique.

de texte est animé par Amélie. Pendant ce temps, Florence démarre avec les élèves la démarche de recherche sur les crustacés.

Chaque vendredi, au sein de chaque groupe de base, l'accomplissement du contrat de travail est évalué en fonction de l'implication des élèves, par une objectivation et une autoévaluation fondée sur les trois critères suivants :

- Quelle quantité de travail ai-je accompli ? Ai-je satisfait aux exigences des travaux obligatoires ? Sinon, pourquoi ?

- Quels apprentissages ai-je faits à partir des objectifs ? Sur quels points ai-je encore des difficultés ? Pour quels défis d'apprentissage ai-je besoin de soutien ?

- Comment me suis-je comporté durant mes périodes d'exécution du contrat de travail ? A-t-on eu besoin de me rappeler à l'ordre ? Ai-je fait preuve d'autonomie et de débrouillardise ?

Puis, une synthèse du travail de la semaine est faite à l'aide d'un bilan collectif des apprentissages. Des besoins de remédiation sont alors décelés et des formules d'aide et de soutien sont annoncées pour la prochaine semaine. Des plages sont prévues à cette fin chaque semaine à l'intérieur du contrat de travail. Ces plages de remédiation auront lieu tantôt à l'intérieur du groupe de base, tantôt par le décloisonnement des groupes.

Chaque élève possède un cahier de liaison entre l'école et la famille où sont consignées les planifications et les évaluations de contrats ainsi que les grilles illustrant l'avancement des élèves en lien avec les attentes de fin de cycle.

Scénario 6

Ouverture des menus des groupes de base, *décloisonnement simultané* des groupes d'un cycle et gestion de *périodes d'ateliers* de façon collégiale.

Ce scénario de décloisonnement comporte un certain nombre d'avantages autant pour les élèves que pour les enseignants. Ici, nous voulons faire ressortir les gains que les pédagogues impliqués dans cette forme de différenciation peuvent en retirer. Dans le cas présent, nous sommes une équipe d'enseignants pour planifier et gérer ces dispositifs de différenciation ; l'aménagement des ateliers s'étale dans quelques locaux, ce qui évite de surcharger l'espace vital nécessaire pour les autres activités ; le fait de partager et d'échanger du matériel pédagogique et didactique apte à nourrir les ateliers enrichit et multiplie les ressources éducatives à la disposition des élèves ; chaque enseignant peut être davantage présent dans les ateliers de sa classe, car les ateliers sont répartis dans trois ou quatre classes, par exemple. Certes, le nombre d'élèves par atelier est majoré, puisque nous avons prévu l'espace nécessaire pour le faire. Donc, dans chacune des classes, nous trouvons une variété d'ateliers moins grande, mais un contingent d'élèves plus élevé.

Exemple : dans cette forme d'organisation, il est possible de jongler avec les vocations des ateliers.

- Classe numéro un : ateliers de formation de base ;
- Classe numéro deux : ateliers de consolidation et de remédiation ;
- Classe numéro trois : ateliers d'intégration et d'enrichissement ;
- Classe numéro quatre : ateliers de transferts, de tâches créatrices, de projets personnels[3].

Scénario 7

Décloisonnement des groupes d'élèves en prévision d'une *période conjointe de centres d'apprentissage.* Cette période de décloisonnement correspond à une plage commune figurant sur les horaires de quelques classes. Comme les centres d'apprentissage sont des dispositifs plus ouverts à la différenciation que les ateliers, nous pouvons réduire le nombre de stations de travail, ce qui donne de l'espace pour faire autre chose. Rappelons-nous que des élèves ayant des besoins différents peuvent fréquenter le même centre. Pour ce faire, des critères de regroupement plus novateurs, comme les intérêts, les formes d'intelligence et même les sexes favorisent des regroupements d'élèves inhabituels, procurant ainsi à des élèves des occasions nouvelles d'être rejoints dans leur essence et dans leur identité. Tout en maintenant nos écoles mixtes, nous allons devoir nous pencher sur les intérêts, sur les styles d'apprentissage et sur les façons de travailler des garçons, qui font partie de notre population scolaire. Des centres d'apprentissage en robotique et en électricité, des recherches sur les planètes et sur les jeux olympiques, des bandes dessinées et des récits d'aventures sont des pistes pour des « acheteurs » plus difficiles à convaincre et à mobiliser.

Scénario 8

Préparation et organisation d'un *stage de quatre demi-journées* échelonnées sur une semaine. Dans le cas présent, ce stage porte sur les mesures et est géré par une équipe-cycle à l'intention de cent élèves appartenant à quatre groupes de base du cycle trois[4].

Le stage d'apprentissage est une situation forte, dense, différente du fonctionnement de tous les jours, qui permet à des élèves et à des enseignants de se concentrer de manière intensive sur certaines compétences disciplinaires ou transversales pendant une période d'une semaine ou deux. En plaçant les élèves et les enseignants en

---

3. D'après trois classes de la Maison des Trois Espaces, située à Saint-Fons, dans la banlieue de Lyon (France).
4. D'après les expérimentations de la Maison des Trois Espaces.

542

EXEMPLE DE PLAN DE LA SEMAINE
À PARTIR D'UN CONTRAT DE TRAVAIL

Lundi	Mardi	Mercredi	Jeudi	Vendredi
Accueil Présentation du contrat et planification personnelle	Gymnastique	Accueil et contrat*	Accueil et contrat*	Accueil et présentation de réalisations
Remédiation dans la classe	Contrat*	Contrat*	Contrat*	Évaluation du contrat et propositions d'aide
Remédiation à l'externe	Contrat*	Morale et religion	Contrat*	Remédiation dans la classe
Conseil de classe	Contrat*	Fiches individualisées de consolidation et brevets d'apprentissage	Contrat*	Textes libres et brevets d'apprentissage
Remédiation à l'externe	Fiches individualisées et brevets d'apprentissage		Projets de cycle*	Écriture Projets de cycle*
Portfolio et pro-jets personnels	Écriture Projets de cycle*		Projets de cycle*	Piscine

Explications:

Chaque groupe d'élèves possède son plan de la semaine : un pour les cinq ans, un autre pour les six ans et un autre pour les sept ans.

Les périodes de décloisonnement sont indiquées par le symbole * (Regroupements différents pour les projets de cycle et pour l'exécution de contrats).

Source: Inspiré d'une École Freinet, Liège, Belgique.

immersion dans un domaine quelconque, le stage présente les avantages suivants :

- Il permet de compléter une progression dans un cursus d'apprentissage ;
- Il suscite une motivation importante puisque le stage permet aux élèves de s'impliquer fortement dans un autre contexte d'apprentissage ;
- Il favorise la mobilisation de plusieurs ressources inhérentes à différentes compétences ;
- Il facilite les réalisations finales et immédiates de tâches ou de projets, procurant aux élèves une satisfaction et une gratification plus grandes que lorsque ces réalisations sont différées dans le temps ;
- Il crée une rupture avec la routine de classe, si bien organisée soit-elle, en offrant un autre modèle d'organisation souvent porteur d'énergies et d'élans nouveaux ;
- Il met à profit les ressources des autres intervenants de l'école.

La préparation et l'organisation de ces stages se font en réunion de cycle. La plupart du temps, ces stages sont conçus et planifiés en fonction des priorités du projet d'établissement. Chaque stage prend appui sur les bilans du stage précédent. Chaque enseignant est responsable, pour toute la durée du stage, d'une activité sur les « mesures » tenues dans sa classe, ce qui évite le transport difficile de beaucoup de matériel. Donc, les élèves se déplacent et changent de classe chaque jour, de neuf heures à midi. Chaque élève a un cahier personnel de stage.

Les quatre enseignants travaillent tous dans le même esprit, à développer les mêmes habiletés, les mêmes techniques chez les élèves : expérimenter, manipuler à l'aide d'outils plus ou moins complexes, connus ou nouveaux, trier, organiser, comparer, mesurer à partir d'outils donnés, estimer, formuler verbalement ou par écrit une démarche, argumenter, effectuer des calculs simples, suivre des consignes, appliquer une méthode enseignée et utiliser des outils méthodologiques connus.

Ces capacités sont transdisciplinaires et les démarches communes suivies par les élèves sont tout aussi importantes que les contenus, dans chaque domaine des mesures. Voici donc l'itinéraire parcouru par un élève à travers ce stage sur les mesures :

- Lundi : Mesures de masse avec l'enseignant Éric ;
- Mardi : Mesures de capacité avec l'enseignant Jacques ;
- Jeudi : Mesures de temps avec l'enseignante Josiane ;
- Vendredi : Mesures de longueur avec l'enseignante Annie.

Chaque stage est d'une durée de trois heures et a lieu en avant-midi. À l'intérieur de chacun des locaux, les élèves retrouvent un fichier pour la présentation de chaque stage, une fiche quotidienne de l'emploi du temps ainsi que les fichiers de travail et d'expérimentation conçus pour chacun des domaines de la mesure. Une banque d'outils de représentation est suggérée aux élèves : tableaux à double entrée, tableaux de relevés, histogrammes, diagrammes, graphiques, courbes, cibles, arbres, coloriages, encadrements, dessins codés, schémas, etc.

Les représentations et démarches des élèves, suivies d'une mise en commun au sein de chaque regroupement, à la fin de chaque matinée, constituent la principale évaluation de ces stages sur les mesures. À l'occasion du bilan collectif de la journée, tenu dans chaque groupe de base, chaque élève a la possibilité de faire allusion au stage vécu ce jour-là, s'il le désire, ou de se préparer mentalement au stage prévu pour le lendemain. Un bilan de fin de stage fait à l'échelle du regroupement-cycle permet aux élèves concernés par ce projet de constater ce qu'ils ont appris, ce qu'ils aimeraient apprendre ou faire lors d'un autre stage en géométrie, ce qu'ils ont le goût de proposer comme futur thème ou domaine de stage, en mathématique ou dans une autre discipline, ce qui n'a pas bien fonctionné, ce que l'on pourrait améliorer, etc.[5]

Scénario 9

Projet de décloisonnement pour *travailler verticalement sur un projet commun* à partir de trois *groupes multiâges* qui proviennent de trois groupes de base où l'on retrouve des enfants de six à neuf ans. Nous nous retrouvons donc avec des groupes hétérogènes travaillant au projet de sciences suivant : « Que pourrait-on faire pour faire connaître notre village à des gens qui ne le connaissent pas ? » Ces élèves ont pris l'engagement de travailler à raison de deux heures par semaine, pendant un mois. Après cette période, il y a possibilité de poursuivre les apprentissages liés au même projet et avec les mêmes groupes de travail. Il y a aussi la possibilité de plonger dans un nouveau projet avec propositions de nouvelles activités qui donneront naissance à de nouveaux profils de groupes.

Voici une liste d'activités possibles élaborée par un des groupes reconstitués que j'ai observé au travail :

1 Dire chacun où l'on habite.

2 Dessiner l'endroit où l'on habite.

3 Visiter notre village.

4 Lors de la visite, indiquer à nos camarades où l'on habite.

---

5. Inspiré des expérimentations de la Maison des Trois Espaces, située à Saint-Fons, en banlieue de Lyon (France).

5 Faire visiter le village à des non-résidents.

6 Tracer le plan du village et en faire une immense carte de localisation.

7 Montrer où se situe notre coin de pays sur la carte de la Belgique.

8 Créer des panneaux indicateurs.

9 Indiquer non seulement nos résidences, mais aussi notre école, notre église, notre cimetière et les différents commerces de notre village, etc.

10 Reproduire notre carte géante en plus petit format pour en faire une carte muette où chaque élève aura le défi d'identifier dix endroits différents.

Les activités 2, 3, 6, 8, 9 et 10 ont été retenues par ce groupe reconstitué. Au moment de ma visite, les élèves travaillaient sur l'intégration des activités 6, 8, 9 et 10, car ils devaient replacer les symboles sur la carte, individuellement d'abord, puis en équipe de quatre et vérifier les hypothèses de localisation. Par la suite, les apprenants régulent : de là l'avantage d'avoir des élèves plus âgés dans le groupe reconstitué et dans chaque équipe, puisqu'ils aident les plus jeunes à se structurer dans l'espace.

Une équipe d'élèves a proposé au groupe reconstitué d'aller plus loin dans la localisation en créant une légende explicative en lien avec les pictogrammes existants et les noms des emplacements ciblés.

À la fin du projet, les trois groupes reconstitués se présentent mutuellement leurs découvertes, leurs difficultés et leurs pistes nouvelles pour continuer d'explorer leur environnement[6].

Scénario 10

Modules de remédiation en français, dans un cadre de *décloisonnement*, à l'intention d'élèves d'un *même cycle* ou de *cycles différents*.

Les élèves travaillent sur ces modules quatre fois par semaine, pour une durée de deux heures chaque fois, par exemple. Chaque enseignant concerné accueille des élèves présentant des besoins de support et d'appui assez rapprochés, peu importe leur âge ou leur niveau d'apprentissage. Ainsi, dans le cadre des modules, des élèves de divers âges et de différents niveaux éprouvant des difficultés à structurer des paragraphes et des textes ont l'occasion d'approfondir cette dimension avec un enseignant pendant trois semaines, par exemple. D'autres élèves se retrouvent dans un contexte de modules pour parfaire leur compréhension de lecture en

_____

6. D'après les expérimentations de trois classes d'une école de la région de Huy, en Belgique.

travaillant sur des tâches complexes dans ce domaine afin de s'approprier un répertoire de stratégies d'apprentissage.

Comme j'ai déjà fait allusion à ce modèle de planification au chapitre 6, aux pages 153 à 167, je vais cette fois-ci m'intéresser à l'aspect organisationnel des modules puisqu'ils s'inscrivent vraiment dans une optique de différenciation par le décloisonnement.

Chaque module construit représente un certain nombre de séances d'une demi-journée, réparties habituellement sur trois semaines. Le référentiel 39 de la page suivante illustre les espaces-temps qui sont réservés à l'utilisation de ce dispositif de différenciation. Les séances de modules peuvent être compactes (tenues plusieurs jours de suite) ou être entrecoupées par des activités en groupes de base. Chaque série de modules propose une dizaine de sous-modules (chacun étant animé par un enseignant). Un module portant sur la structure de la langue écrite pourrait être orienté sur la reconnaissance et l'utilisation de plusieurs types et formes de la phase, ainsi que sur l'exploration et l'utilisation de la structure des textes. Les modules peuvent être offerts en double ou en triple lors d'une même série si les besoins sont grands, tout comme ils peuvent être reproduits au gré des besoins, ce qui veut dire qu'un même module peut apparaître cinq fois au cours des deux années du cycle. Par contre, un autre module peut n'être animé qu'une seule fois durant le cycle, faute de besoin. Les modules sont organisés de façon disciplinaire ou interdisciplinaire pour permettre une individualisation encore plus grande des parcours. Entre chaque série de modules, deux ou trois semaines ou plus sont réservées au groupe de base pour que les élèves puissent se consacrer à des projets collectifs au sein de leur groupe d'appartenance ou pour permettre aux enseignants de préparer et de planifier la prochaine série de modules.

Habituellement, l'école est alors organisée en groupes de base et en modules. Chaque enseignant est coresponsable de la gestion des parcours de formation de la totalité des élèves du cycle. Il est responsable de la gestion d'un groupe de base, qu'il accompagne normalement pendant tout le cycle. Les autres enseignants du cycle et lui-même assument et gèrent en collégialité la composition de l'ensemble des groupes de base et la répartition des élèves dans les modules. En passant, ce ne sont pas les élèves qui décident des choix des modules pour eux-mêmes. Même s'ils sont placés fréquemment en situation de conscientisation et de régulation, les enseignants du cycle se réservent le droit d'affecter chacun au meilleur endroit pour lui, selon la perception et l'évaluation de l'enseignant. Dans la vie de tous les jours, l'enseignant-titulaire anime tantôt son groupe de base, tantôt un module qui accueille des élèves provenant de plusieurs groupes de base[7].

7. D'après Étiennette VELLAS, texte présenté au symposium sur l'organisation de la classe, Rencontre REF, Toulouse, France, 1998.

EXEMPLE D'ORGANISATION EN MODULES

Horaire	Lundi	Mardi	Jeudi	Vendredi
8 h à 11 h 45	• Groupe de base • Accueil • Quoi de neuf? • Informations du lundi • Projets / plan de travail / ateliers	• Groupe de base • Accueil • Quoi de neuf? • Projets / plan de travail / ateliers • Conseil d'école	• Groupe de base • Accueil • Quoi de neuf? • Projets / plan de travail / ateliers	• Groupe de base • Accueil • Quoi de neuf? • Projets / plan de travail / ateliers • Conseil de classe
11 h 45 à 13 h 30	Pause du midi	Pause du midi	Pause du midi	Pause du midi
13 h 30 à 14 h	Accueil	Accueil	Accueil	Accueil
14 h à 16 h	Modules*	Modules*	Modules*	Modules*
16 h	Rencontres individuelles avec les parents	Réunion de l'équipe-cycle	Réunion de l'équipe pédagogique de l'école	

Remarque : Le symbole * nous aide à voir le déroulement parallèle du travail en groupes de base et en groupes reconstitués, lors de périodes réservées aux modules d'apprentissage.

Source : Inspiré d'Étiennette VELLAS, Genève.

Chapitre 12

547

Scénario 11

Utilisation de modules pour une différenciation à l'intérieur ou à l'extérieur de la classe, dans un contexte de formation de base. Comme les modules sont des structures ouvertes, nous pouvons les exploiter différemment. Au chapitre 6, qui porte sur la planification, je les ai présentés sous un autre jour, soit dans un contexte de formation de base par décloisonnement à l'intérieur d'un groupe multiâges. Il s'agissait d'élèves de huit et neuf ans qui travaillaient selon une approche interdiciplinaire et transdisciplinaire pour développer leurs compétences tout au long de leur cycle de deux ans. C'était leur façon à eux de bâtir leurs apprentissages chaque jour, tout comme d'autres pédagogues ont fait le choix de placer leurs élèves en contexte de projets collectifs ou de situations-problèmes[8]. Les modules sont au service de la différenciation autant les étapes de formation de base que de remédiation.

Maintenant que notre excursion au pays de la différenciation par le décloisonnement s'achève, il ne me reste qu'à vous demander de quelle façon vous comptez vous engager sur cette route. Les choix sont multiples, les outils sont nombreux et les compétences sont grandes, à mon avis. À chacun de faire un premier pas... C'est du moins ce que nous serons amenés à faire à l'aide du chapitre 13. Avant de plonger dans l'action, donnons-nous des conditions gagnantes pour assurer la réussite de la gestion des cycles et de la différenciation.

Pour terminer ce tour d'horizon des cycles et de la différenciation, je trouve sage de partager avec vous certains mots de passe qui contribueront à ouvrir les portes de l'innovation et de l'expérimentation (voir le référentiel 40 de la page suivante).

« Réaliser, c'est s'astreindre à une solution imparfaite. »
(Général Estienne, 1860-1936)

---

8. Inspiré d'une classe de Lutry, dans le canton de Vaud, Suisse.

DES CONDITIONS GAGNANTES POUR INNOVER

1. Avant d'imposer une cible de changement, de recommander fortement un modèle de répartition des élèves, de suggérer avec insistance des dispositifs de différenciation, efforçons-nous de prendre en considération les pratiques, les besoins, les intérêts, les rêves et les problèmes des enseignants afin de partir vraiment de là où ils se trouvent actuellement pour aller plus loin. Nous avons alors de fortes chances de susciter chez eux des attitudes ouvertes au changement visé.

   Partons ensemble avec nos rêves !

2. Avant d'obliger les enseignants à réinventer la roue dans la solitude de leur sanctuaire et avant de leur soumettre des solutions inédites, assurons-nous de prendre le temps de regarder avec eux ce qui existe déjà, de façon à les mobiliser autour de leur vécu, autour de solutions existantes.

   Partons ensemble avec nos propres solutions !

3. Avant de dégager des priorités d'action, avant d'imposer un modèle uniforme ou des résultats similaires, avant d'enfermer les enseignants dans un moule unique, ayons la sagesse de définir le champ de l'innovation de façon aussi large que possible.

   Partons ensemble avec notre ouverture !

4. Avant de propulser les praticiens dans l'univers des différences, avant de les lancer en orbite dans l'espace des cycles, ayons la patience de créer un contexte de travail ouvert à la prise de risques et à l'expérimentation.

   Partons ensemble avec notre leadership
   et notre goût du risque !

5. Avant de nous agiter dans tous les sens, avant de décloisonner à gauche et à droite, avant de faire éclater les groupes de base, ayons le souci de la rigueur et de la méthode. Élaborons ensemble des cadres de référence pour éclairer nos pas, pour analyser nos pratiques et pour réguler rapidement nos actions.

   Partons ensemble avec notre rigueur !

6. Avant d'exiger des performances de haute qualité, avant de soumettre les enseignants à des pratiques sophistiquées, avant de les gaver d'exigences irréalistes ou trop simplistes, assumons notre rôle de gestionnaires pégagogiques en endossant les expérimentations de notre personnel. Rassurons-les en répétant continuellement que les moments de pratique sont nécessairement accompagnés de prise de risques et que le droit à l'erreur est un privilège dont ils bénéficient également tout comme leurs élèves.

   Partons ensemble avec notre droit à l'erreur !

Chapitre 12

549

7. Avant de rêver d'expériences parfaites, avant de vouloir porter des jugements prématurés sur des bouts de chemin inachevés, avant de nous lancer dans le tourbillon de la précipitation, prenons le temps de respirer à pleins poumons pour oxygéner les expériences qui se vivent sur nos terrains. Des moments d'objectivation et de régulation sauront réanimer le feu sacré qui enflamme nos expérimentations.

Partons ensemble avec l'oxygène de nos prises de conscience !

8. Avant de déplorer le manque de collaboration de nos enseignants, avant de baisser les bras devant des titulaires de classes qui aiment bien vivre en solitaires, avant de nous enfermer dans une organisation repliée sur elle-même, créons des réseaux d'entraide et de coopération entre les personnes déjà engagées sur la route de l'expérimentation. Offrons aux enseignants de s'associer à des groupes d'analyse de pratiques pédagogiques, à des équipes de résolution de problème, à des groupes d'entraide, à des dyades d'intervision et à des équipes d'enseignants-ressources.

Partons ensemble avec notre solidarité !

9. Avant de déclarer que les changements sont lents à venir, avant de décréter trop vite que les enseignants ne veulent pas innover, avant de déplorer que les cycles et la différenciation font partie d'un monde imaginaire, regardons autour de nous pour juger si nous avons tous les ingrédients nécessaires pour bouger et avancer. Avons-nous prévu les conditions matérielles rendant opérationnel ce qui a été ciblé et planifié ? Le budget, le temps, la variété des formes de travail, la formation de base, l'appui et le soutien en cours de route contribuent à garder le bon moral des troupes.

Partons ensemble avec nos équipements de base !

10. Avant de nous engager dans un ouragan de formations, avant de proclamer bien fort que nous sommes seuls dans nos écoles pour innover, avant de nous complaire dans des lamentations faisant état du manque de ressources humaines pour nous accompagner, regardons autour de nous pour voir si le capital humain n'est pas en train de se gaspiller. Les compétences des personnes des divers milieux doivent être inventoriées, valorisées et utilisées de façon optimale afin de donner naissance à des équipes d'entraide, à des groupes de support à l'insertion professionnelle ou à des mentors issus du milieu.

Partons ensemble avec notre professionnalisme !

En parcourant ce guide, nous avons vécu différents moments de lecture et de voyage aussi…

Nous avons emprunté la route des différences.

Nous avons apprivoisé le changement et l'innovation.

Nous avons exploré les facettes de la mutation de notre métier.

Nous nous sommes donné des points de repère en matière de différenciation.

Nous avons même écouté l'horloge pédagogique, qui sonnait les heures de la différenciation.

Nous avons enrichi notre coffre à outils d'une boussole pour planifier, d'un casse-tête pour organiser, d'une carte routière pour accompagner les apprenants et d'une loupe pour mieux interpréter les données de l'évaluation.

Forts de notre nouvel équipement, nous avons fait la rencontre des cycles d'apprentissage.

Nous avons franchi une première halte routière en différenciant à l'intérieur de nos groupes de base.

Nous nous sommes munis d'une correspondance de voyage pour aller plus loin en décloisonnant à l'externe.

Nous voici maintenant prêts à planifier le merveilleux itinéraire que nous désirons entreprendre avec nos élèves afin de les conduire à la destination des cycles et de la *réussite*.

Pour enrichir ses connaissances

- Si vous désirez approfondir davantage les nuances existant entre différents types d'horaire, consultez les pages 153 et 154 du livre *Pédagogie différenciée*, d'Halina Przesmycki.

- Pour en savoir plus long sur la planification et le déroulement des stages d'apprentissage vécus au sein d'un cycle, référez-vous à l'ouvrage de la Maison des Trois Espaces, qui a recours à ce dispositif assez fréquemment.

- Le volume *Cultiver la collaboration*, de Jim Howden et de Marguerite Kopiec, fournit des pistes intéressantes pour développer la collégialité au sein d'une équipe-cycle. Utilisez la table des matières pour sélectionner les chapitres les plus pertinents à lire. Faites-en part à vos collègues.

- Monica Gather-Thurler a rédigé un article intéressant intitulé « Coopérer dans les équipes-cycles ». Consultez les pages 27 à 30 de *Vie pédagogique* de février / mars 2000 afin de recueillir des données susceptibles d'améliorer le fonctionnement de votre équipe collégiale.

Pour prolonger les apprentissages

- À l'aide des exemples de domaines où les enseignants d'un cycle ont intérêt à s'investir pour prendre leur place dans une école et pour jouer véritablement leur rôle de professionnels de l'éducation (page 513), proposez aux membres de votre équipe une étape-bilan. Quels sont les gestes qui ont été posés dans ce sens ? Quels sont ceux qui pourraient l'être dans un avenir assez rapproché ? dans un avenir plus lointain ?

- Pour alimenter la phase « Discussion pédagogique » que vous vivez avec votre équipe-cycle, survolez chaque mois les questions de la page 515. Il est fort probable que quelques-unes d'entre elles attireront votre attention et celle de vos collègues.

- Travailler ensemble dans la même direction au sein d'un cycle est un défi de tous les jours. Pour vous aider à le relever, examinez les domaines de consensus suggérés à la page 516. Identifiez ceux qui pourraient renforcer la cohésion de votre équipe professionnelle. Apportez-les comme pistes de travail à la prochaine rencontre.

- Les scénarios de différenciation à l'externe décrits aux pages 536 à 548 vous inspirent-ils des pistes nouvelles pour décloisonner les groupes de base afin de mieux différencier les parcours des élèves ? Quels sont les scénarios que vous jugez réalistes et adaptables à votre réalité de cycle ? Quels sont ceux que vous appréhendez le plus ? Y en a-t-il que vous rejettez complètement ? Pourquoi ? En voyez-vous qui pourraient être adaptés en fonction des besoins des élèves ? Quels sont les scénarios de différenciation que vous auriez le goût de rajouter à cette liste ?

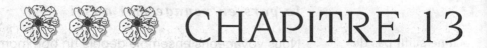

CHAPITRE 13

Mon projet de mobilisation et d'expérimentation

Des gestes à poser

Je pars en voyage moi aussi

Nous voyageons ensemble depuis un bon moment, n'est-ce-pas ? À travers tous ces chapitres, j'ai tenté de vous guider le mieux possible sur la route de la différenciation pour vous amener à la destination des cycles. Maintenant que cet objectif est atteint, je vous offre un dernier geste d'accompagnement : celui de vous aider à planifier votre propre itinéraire de voyage, en compagnie cette fois-ci de vos élèves. Qu'en dites-vous ?

Je vous offre donc des préparatifs répartis sur 12 parcours. Vous n'êtes pas obligé de les suivre en respectant l'ordre chronologique que j'ai utilisé pour les présenter, ni de travailler à partir de la totalité des pistes offertes. À vous de choisir, selon vos acquis en différenciation, vos expériences antérieures, les besoins de vos élèves et les vôtres et enfin, selon les défis que vous désirez relever. Comme vous voyez, il y a place ici à la différenciation puisque chaque enseignant ou chaque équipe-cycle pourra décider de son propre scénario de mobilisation et d'expérimentation.

Je regarde mon savoir-être

■ **PARCOURS 1 : J'ANALYSE MES ATTITUDES À PROPOS DES DIFFÉRENCES QUI EXISTENT CHEZ MES ÉLÈVES PRÉSENTEMENT.**

	Oui	Non
• Je suis capable d'accepter l'hétérogénéité.	☐	☐
• Je suis capable de faire place à la différence.	☐	☐
• Je suis capable de faire droit à la différence.	☐	☐
• Je suis capable de voir les différences.	☐	☐
• Je suis capable de nommer les différences que je vois.	☐	☐
• J'ai le goût d'en tenir compte dans les interventions que je poserai.	☐	☐
• Je désire me mettre en projet pour apprendre à gérer les différences au quotidien.	☐	☐

• Voici les différences dont je désire tenir compte :

_____

_____

■ PARCOURS 2 : J'ANALYSE MES ATTITUDES À PROPOS DU PROCESSUS DE CHANGEMENT-INNOVATION QUE JE M'APPRÊTE À VIVRE POUR MIEUX DIFFÉRENCIER.

- Je sais pourquoi je veux différencier. Je suis capable de nommer un gain que mes élèves et moi en retirerons :

  _____

  _____

  _____

- Je veux tenter de convertir certaines peurs en certitudes. Je les regarde de plus près afin de savoir quelles sont celles qui m'habitent présentement.

  ☐ Peur de ne pas être à la hauteur de la situation.

  ☐ Peur que les élèves n'aient pas les ressources nécessaires pour agir dans un contexte de responsabilisation et de différenciation.

  ☐ Peur que les parents n'approuvent pas et n'acceptent pas une nouvelle réalité pédagogique.

  ☐ Peur des différences elles-mêmes et de leur complexité.

  ☐ Peur de perdre la maîtrise du système.

  ☐ Peur que les élèves n'apprennent pas autant si j'utilise une autre façon de faire.

  ☐ Peur de ne pas couvrir tout ce qui est prescriptif dans le programme de formation de l'école québécoise.

  ☐ Peur du pouvoir et de l'imputabilité rattachée à l'exercice de ce dernier.

  ☐ Peur des conflits avec les collègues.

  ☐ Autres peurs :

  _____

  _____

  _____

- Je choisis de travailler sur la peur suivante :

  _____

  _____

  _____

Suggestion : Je soumets à un collègue de travail une peur qui m'habite et qui n'est pas partagée par ce dernier. Ensemble, nous pouvons répertorier des gestes à poser pour me débarrasser de cette situation limitative. Par la suite, nous recommençons la même démarche en fonction d'une peur de mon collègue.

- Je désire vaincre cette peur en m'appuyant sur les certitudes suivantes :

_____

_____

_____

- Je suis prêt à reconnaître certaines de mes pratiques que je trouve stériles ou insatisfaisantes. Je me sens capable d'en faire le deuil et de consacrer mes énergies et mon temps au développement de pratiques nouvelles.

  ☐ Deuil de routines reposantes.

  ☐ Deuil du modèle magistral et collectif.

  ☐ Deuil du confortable isolement.

  ☐ Deuil de l'échec fatal, peu importe ce que l'on fait.

  ☐ Deuil du contrôle et de l'évaluation.

  ☐ Deuil des pratiques habituelles du métier.

  ☐ Deuil de la recherche du coupable en fonction de l'échec de certains élèves.

  ☐ Deuil du favoritisme pédagogique inspiré par les bons élèves.

- Je choisis de faire le deuil de la pratique suivante :

_____

_____

_____

- Je désire remplacer ce deuil par le développement de la maîtrise suivante :

_____

_____

_____

_____

_____

■ **PARCOURS 3 : J'ANALYSE MES ATTITUDES PROFESSION-NELLES À PROPOS DE MON MÉTIER D'ENSEIGNANT, QUI EST EN PLEINE ÉVOLUTION.**

- Je survole les interventions suggérées pour devenir plus professionnel.

  ☐ Croire davantage en ma profession.

  ☐ Développer mon portfolio professionnel.

  ☐ Investir davantage dans ma formation continue.

  ☐ Lire de plus en plus d'ouvrages à caractère pédagogique.

  ☐ M'informer sur les approches nouvelles en éducation.

  ☐ Me donner un scénario de formation continue.

  ☐ Créer mon passeport de formation continue.

  ☐ Faire preuve d'engagement au sein de mon école en colla-borant de façon très étroite au projet éducatif d'établissement.

  ☐ Participer à des sous-comités de travail.

  ☐ Apprendre à travailler en collégialité avec mon équipe-cycle.

  ☐ Être autonome et critique pour sélectionner de façon rigoureuse le matériel pédagogique dont je dispose.

  ☐ Planifier avec rigueur en fonction de la différenciation.

  ☐ Évaluer autrement, c'est-à-dire en harmonie avec le dévelop-pement des compétences et la gestion des cycles.

  ☐ Développer le partenariat avec les parents.

- Pour devenir davantage un professionnel de l'éducation, voici les gestes que je suis prêt à poser dans l'immédiat :

  _____

  _____

  _____

  _____

- Pour devenir davantage un professionnel de l'éducation, voici les gestes que je suis prêt à poser dans un avenir plus lointain :

  _____

  _____

  _____

  _____

Je remets mon savoir en question

■ **PARCOURS 4 : JE FAIS LE BILAN DE CE QUE JE SAIS SUR LA DIFFÉRENCIATION ET SUR LES CYCLES. JE DÉTERMINE CE QUE JE VEUX CONNAÎTRE DAVANTAGE.**

• Je peux donner une définition personnelle de la différenciation des apprentissages :

_____

_____

_____

• Je suis familier avec toutes les antennes de la différenciation.

☐ La différenciation intuitive.

☐ La différenciation planifiée.

☐ La différenciation successive.

☐ La différenciation simultanée.

☐ La différenciation mécanique.

☐ La différenciation régulatrice.

☐ La différenciation à l'interne (dans mon groupe de base).

☐ La différenciation à l'externe (hors de ma classe).

☐ La différenciation authentique.

• Je connais et distingue les cibles de la différenciation *(quoi différencier ?)*.

☐ Différencier les contenus.

☐ Différencier les processus.

☐ Différencier les productions.

☐ Différencier les structures.

• Je reconnais les temps de l'apprentissage où il est avantageux de différencier *(quand différencier ?)*.

☐ Au début d'un apprentissage.

☐ Pendant l'apprentissage.

☐ Après l'apprentissage.

☐ Parfois, après une évaluation circonscrite.

- Je suis capable de saisir l'essentiel des cycles d'apprentissage. Je définis les cycles d'apprentissage ainsi :

_____

_____

_____

- Je peux verbaliser les raisons expliquant mon adhésion au fonctionnement par cycles :

_____

_____

_____

- Je connais les diverses implications d'ordre pédagogique de l'arrivée des cycles parmi nous. Je les revois en tentant de faire émerger une ou deux implications qui pourraient devenir des priorités de travail pour notre équipe-cycle.

☐ La présence obligatoire de la différenciation dans les apprentissages.

☐ Le non-redoublement des élèves.

☐ La gestion des cycles par des équipes de travail.

☐ La nécessité de développer des instruments de consignation variés et fonctionnels.

☐ La possibilité de recourir à des scénarios différents pour la répartition des élèves à l'échelle d'un cycle.

☐ La création de dispositifs de différenciation à l'intention des groupes de base ou des groupes reconstitués.

☐ La différenciation à l'externe par le décloisonnement des groupes et l'échange d'élèves.

☐ La nécessité de développer des outils de gestion interclasses.

☐ L'urgence d'informer les parents sur les cycles et la différenciation.

☐ Les mesures assurant une transition harmonieuse entre chacun des cycles et entre les ordres d'enseignement également.

☐ Autres implications :

_____

_____

_____

_____

- Voici deux implications que je serais tenté de privilégier à court terme :

  _____

  _____

- Voici deux implications que je serais tenté de privilégier à long terme :

  _____

  _____

- Je me suis déjà penché sur les divers scénarios de répartition des élèves pour implanter une organisation par cycles.

  Oui Non
  ☐   ☐

- Pour l'instant, je crois plutôt aux scénarios suivants :

  ☐ Le *statu quo* : les élèves sont répartis dans des groupes-classes en fonction de l'âge. Ils sont confiés à un enseignant-titulaire pour une année seulement.

  ☐ Le *looping* : l'enseignant garde ses élèves pendant toute la durée du cycle.

  ☐ Le modèle du *team teaching* pour une année seulement.

  ☐ Le modèle du *team teaching* pour tout le cycle.

  ☐ Le groupe multiâges pour une année seulement.

  ☐ Le groupe multiâges pour toute la durée du cycle.

  ☐ La classe verticale où il est possible de décloisonner avec les collègues du cycle.

  ☐ La classe verticale où il est possible de décloisonner avec des classes de différents cycles appartenant au même établissement.

  ☐ Autres hypothèses :

  _____

  _____

  _____

- Pour l'an prochain, je serais tenté de privilégier le ou les scénarios suivants :

  _____

  _____

  _____

  _____

- Je suis capable de donner la priorité à certaines conditions gagnantes pour construire une véritable équipe-cycle.

☐ Découvrir nos richesses personnelles.

☐ Dévoiler nos traits de personnalité.

☐ Reconnaître nos compétences pédagogiques.

☐ Apprivoiser la structure de travail par équipe-cycle.

☐ Apprendre à gérer le temps ensemble.

☐ Se donner des modalités de fonctionnement.

☐ Gérer le cycle ensemble au quotidien.

☐ S'assurer que tous les acteurs du cycle sont sur scène avec nous (orthopédagogue, enseignant du préscolaire et enseignants spécialistes).

☐ Autres conditions gagnantes :

_____

_____

_____

_____

- J'ai ciblé cette nouvelle condition gagnante :

_____

_____

_____

- Finalement, je suis capable de déterminer sur quoi devrait porter mon accompagnement pédagogique en matière de différenciation et de gestion de cycles :

_____

_____

_____

_____

_____

_____

_____

_____

Je développe mon savoir-faire

■ **PARCOURS 5 : J'ENRICHIS MON COFFRE À OUTILS EN Y AJOUTANT LA BOUSSOLE DE LA PLANIFICATION.**

- Je différencie les apprentissages.

  ☐ Par l'approche par projets.

  ☐ Par les modules d'apprentissage.

  ☐ Par les situations-problèmes.

  ☐ Par les situations ouvertes.

  ☐ Autres modèles de planification :

  _____

  _____

  _____

- Je cible un modèle pédagogique que j'ai le goût de développer et je dis pourquoi je veux le faire :

  _____

  _____

  _____

■ **PARCOURS 6 : J'ENRICHIS MON COFFRE À OUTILS EN ASSEMBLANT LE CASSE-TÊTE DE L'ORGANISATION.**

Je différencie mes dispositifs en fonction des structures de travail, de l'organisation du temps, des groupes de travail et de l'espace.

– Les structures de travail :

  ☐ J'utilise les centres d'apprentissage.

  ☐ J'utilise les ateliers d'apprentissage.

  ☐ J'utilise des sous-groupes de travail.

– Les outils pour gérer le temps :

  ☐ J'emploie le plan de travail conventionnel.

  ☐ J'emploie le tableau d'enrichissement.

  ☐ J'emploie le tableau d'ateliers.

  ☐ J'emploie le tableau de programmation.

  ☐ J'emploie le plan de travail à éléments ouverts.

  ☐ J'emploie le contrat d'apprentissage.

  ☐ J'emploie le relevé des centres d'apprentissage.

– Les groupes de travail :

☐ J'ai recours au tutorat.
☐ J'ai recours au monitorat.
☐ J'ai recours à la dyade de dépannage.
☐ J'ai recours au travail d'équipe.
☐ J'ai recours au travail coopératif.

– La gestion de l'espace :

☐ Je délimite des espaces fixes dans la classe.
☐ Je prévois l'ajout d'espaces mobiles.

• Je choisis quelques dispositifs susceptibles de m'aider à mieux différencier les apprentissages de mes élèves :

_____
_____
_____

• J'indique la manière dont je désire travailler avec ces dispositifs :

_____
_____
_____

• J'améliore ce qui existe déjà.   Oui ☐ Non ☐
• Je développe un dispositif nouveau   Oui ☐ Non ☐
• Je planifie l'utilisation de ces dispositifs de façon plus détaillée :

_____
_____
_____

■ PARCOURS 7 : J'ENRICHIS MON COFFRE À OUTILS EN ME PROCURANT UNE CARTE ROUTIÈRE POUR MIEUX ACCOMPAGNER L'APPRENANT.

• Présentement, dans mon animation auprès des élèves, je différencie :

☐ Mes mises en situation.

☐ Mes stratégies d'enseignement.

☐ L'outillage cognitif que je développe avec les élèves.

☐ Les contextes de verbalisation permettant de développer le discours métacognitif.

- Maintenant, je fais le choix de différencier davantage :

_____

_____

Comment ?

_____

_____

_____

■ **PARCOURS 8 : J'ENRICHIS MON COFFRE À OUTILS EN UTILISANT LA LOUPE POUR MIEUX INTERPRÉTER LES DONNÉES D'UNE ÉVALUATION.**

- Je maîtrise bien les étapes de la démarche d'évaluation.

  Oui Non
  ☐   ☐

- J'examine mes pratiques évaluatives afin de vérifier si je différencie mes instruments de collecte d'informations, de consignation de données et de communication d'information aux parents.

  – Mes instruments de collecte d'informations :

    ☐ J'utilise la discussion avec les élèves.

    ☐ J'utilise l'analyse des réponses, des méprises, des produits ou des portfolios.

    ☐ J'utilise l'inventaire d'intérêts, d'opinions ou de travaux.

    ☐ J'utilise la consultation des dispositifs utilisés par les élèves.

    ☐ J'utilise des tâches d'évaluation.

    ☐ J'utilise des échelles de niveaux de compétence.

    ☐ J'utilise d'autres instruments :

    _____

    _____

  – Mes instruments de consignation de données :

    ☐ J'utilise le journal de bord de l'enseignant.

    ☐ J'utilise le dossier anecdotique.

    ☐ J'utilise l'arbre de compétences du groupe-classe.

    ☐ J'utilise le rapport de stage.

    ☐ J'utilise le portfolio de l'élève.

    ☐ J'utilise le passeport pédagogique de fin de cycle.

    ☐ J'utilise d'autres instruments :

    _____

    _____

– Mes outils de communication d'information aux parents :

☐ J'utilise le portfolio de l'élève.

☐ J'utilise le passeport pédagogique de l'élève.

☐ J'utilise un bulletin harmonisé avec le développement des compétences.

☐ J'utilise la présentation par l'élève du bulletin aux parents.

☐ J'utilise la conférence dirigée par l'élève.

☐ J'utilise la rencontre à trois (élève, parents, enseignant).

☐ J'utilise d'autres outils :

_____

_____

_____

• Je me donne comme défi de différencier davantage :

_____

_____

_____

Comment ?

_____

_____

_____

■ **PARCOURS 9 : JE GÈRE LES CYCLES ET LA DIFFÉREN-CIATION DES APPRENTISSAGES À L'INTÉRIEUR DE MON GROUPE DE BASE.**

	Oui	Non
• Je fais le choix d'accompagner mes élèves tout au long du cycle (le *looping*).	☐	☐
• Je suis titulaire d'une classe « horizontale » (élèves de même degré ou du même âge) tout en collaborant avec les autres collègues de mon cycle sans décloisonner pour autant.	☐	☐
• Je gère ma classe de façon « verticale » (élèves de degrés ou d'âges différents) et je décloisonne autant à l'intérieur de mon groupe de base qu'avec les autres groupes de mon cycle.	☐	☐

• Voici mon choix :

_____

_____

566

Pourquoi?

_____

_____

_____

	Oui	Non

- Je différencie les stratégies d'accueil pouvant contribuer à la création d'un climat de classe propice aux apprentissages. ☐ ☐

- Je différencie mes stratégies d'intervention pour développer l'autodiscipline chez mes élèves. ☐ ☐

- Je travaille sur mes structures organisationnelles afin de mieux gérer la différenciation aux moments suivants:
  - pendant les cours magistraux; ☐ ☐
  - lors des périodes d'enrichissement; ☐ ☐
  - lors des périodes de remédiation; ☐ ☐

- Je différencie mes stratégies d'appui et d'accompagnement:
  - pour ce qui est de la guidance des élèves; ☐ ☐
  - pour ce qui est du temps à accorder pour la réalisation d'une tâche; ☐ ☐
  - Pour ce qui est des divers contextes d'utilisation de l'ordinateur en classe. ☐ ☐

Oui Non

- Je différencie mes stratégies d'information afin de mieux informer les parents sur les cycles et la différenciation des apprentissages. ☐ ☐

- Je différencie mes stratégies d'implication auprès des parents afin de développer avec eux un véritable partenariat. ☐ ☐

- Je privilégie le ou les domaines de différenciation suivants pour la prochaine période:

_____

_____

- Je prends connaissance de différents scénarios de différenciation par le décloisonnement à l'intérieur de mon groupe de base. J'indique si je les ai déjà vécus ou non avec mes élèves:

Oui Non

- Scénario 1: Les tâches parallèles ☐ ☐

- Scénario 2: Le menu ouvert et la clinique de remédiation ☐ ☐

	Oui	Non
– Scénario 3 : Le menu ouvert et le plan de travail collectif	☐	☐
– Scénario 4 : Le plan de travail, le tableau d'enrichissement et les ateliers de remédiation	☐	☐
– Scénario 5 : Les ateliers-arbre ou le fonctionnement par sous-groupes	☐	☐
– Scénario 6 : Les ateliers-carrousel (stations de travail)	☐	☐
– Scénario 7 : Le tableau de programmation et le classeur de remédiations	☐	☐
– Scénario 8 : Le plan de travail à éléments ouverts et le tableau d'enrichissement roulant	☐	☐
– Scénario 9 : Les ateliers-organigramme (axés sur le projet) et le tableau d'enrichissement thématique	☐	☐
– Scénario 10 : Les centres d'apprentissage et les contrats d'apprentissage	☐	☐

– Autres scénarios :

_____

_____

• Parmi les scénarios précédents, je désire me familiariser avec :

_____

_____

_____

_____

Pourquoi ?

_____

_____

_____

_____

• Comment vais-je m'y prendre ?

_____

_____

_____

_____

_____

Je fais éclater les murs de ma classe

■ PARCOURS 10 : JE GÈRE LES CYCLES ET LA DIFFÉREN-CIATION DES APPRENTISSAGES À L'EXTÉRIEUR DE MON GROUPE DE BASE.

• J'examine les divers champs de la différenciation et je situe mon expérimentation en fonction de ces derniers.

	Oui	Non
– J'ai déjà différencié de façon intuitive au sein de mon groupe de base.	☐	☐
– Je l'ai fait également de façon planifiée.	☐	☐
– À ce moment-là, j'ai utilisé la différenciation successive.	☐	☐
– Je pense qu'il s'agissait plutôt de différenciation simultanée.	☐	☐
– J'ai même expérimenté la différenciation mécanique, c'est-à-dire que je me suis servi d'un test diagnostique avant de différencier.	☐	☐
– Je me sens à l'aise avec la différenciation régulatrice, que l'on pratique à partir de la situation présente par opposition aux résultats des tests diagnostiques.	☐	☐
– Je me sens capable de différencier à l'externe.	☐	☐

• Je désire entreprendre une démarche de collégialité avec les enseignants de mon cycle. Pour ce faire, je désire leur suggérer de travailler sur les aspects suivants.

	Oui	Non
– Nous faisons l'appréciation de nos compétences intellectuelles nous rendant aptes à prendre des décisions et à exercer notre créativité.	☐	☐

– Voici des domaines où nous choisissons de prendre des décisions pour notre cycle :

_____

_____

_____

– Voici des domaines où nous décidons d'exercer notre créativité au profit de notre cycle :

_____

_____

_____

– Voici des domaines où il serait urgent d'atteindre des consensus pour une meilleure cohésion de notre équipe-cycle :

_____

_____

_____

_____

– Voici un répertoire de compétences pédagogiques que nous pouvons échanger entre nous :

_____

_____

_____

- Nous pouvons élaborer aussi un répertoire de compétences en gestion de classe à partir des composantes suivantes :

☐ Le climat à établir avec les élèves et les parents.

☐ L'éducation à l'autodiscipline.

☐ L'organisation de la classe en matière d'aménagement du temps et de l'espace.

☐ La gestion des groupes de travail.

☐ La responsabilisation des élèves à l'égard de leurs apprentissages.

☐ Les conditions gagnantes pour être un enseignant stratégique.

- Maintenant, nous avons à nous impliquer en tant qu'équipe collégiale dans les secteurs suivants.

☐ L'appropriation des attentes face à la fin du cycle.

☐ La planification de tâches d'apprentissage variées.

☐ Les espaces-temps à gérer.

☐ Les groupements d'élèves à structurer.

☐ Le matériel pédagogique et didactique à privilégier.

☐ Les aménagements des lieux à prévoir.

☐ Les dispositifs à prendre pour témoigner des apprentissages faits.

☐ Les lieux de prise de parole à animer.

☐ Les tâches communes à répartir.

☐ La planification de scénarios de décloisonnement à l'externe.

- Voici des secteurs que nous privilégions pour une période donnée :

_____

_____

_____

_____

_____

- Nous nous situons par rapport aux différents scénarios de décloi-sonnement qui sont énumérés à la page suivante. Nous cochons ceux qui ont déjà été mis en pratique et nous marquons d'un *X* ceux qui pourraient faire l'objet d'expérimentation ultérieurement.

☐ Scénario 1 : Recours à la formation de groupes homogènes dans une discipline à partir de deux ou trois classes au début d'une séquence didactique.

☐ Scénario 2 : Utilisation de groupes homogènes dans une discipline pour offrir aux élèves de la remédiation différenciée.

☐ Scénario 3 : Décloisonnement entre des classes d'un même cycle pour aider les élèves à connaître davantage leur porte d'entrée pour l'apprentissage ainsi que leurs stratégies naturelles.

☐ Scénario 4 : Formation de sous-groupes basés sur les appro-ches pour habiliter les élèves à construire une carte sémantique constituant une synthèse à la fin d'un apprentissage.

☐ Scénario 5 : Établissement d'un contrat de travail personnel avec les élèves de quelques classes pour des plages de tra-vail communes pour une durée de trois jours, par exemple.

☐ Scénario 6 : Ouverture des menus des groupes de base pour gérer des périodes d'ateliers simultanément au sein de classes qui décloisonnent pour ces périodes.

☐ Scénario 7 : Décloisonnement des groupes d'élèves pour une période conjointe de centres d'apprentissage.

☐ Scénario 8 : Organisation d'un stage intensif sur une compé-tence disciplinaire ou sur un savoir essentiel offert aux classes d'un même cycle pendant quatre demi-journées d'une semaine donnée, par exemple.

☐ Scénario 9 : Projet de décloisonnement pour travailler verti-calement avec des groupes multiâges sur un projet partagé.

☐ Scénario 10 : Utilisation de modules de remédiation dans un cadre de décloisonnement à l'intention d'élèves d'un même cycle ou de cycles différents.

☐ Autres propositions de scénarios :

_____

_____

_____

• Voici les scénarios que nous avons déjà expérimentés :

_____

_____

_____

• Voici les scénarios avec lesquels nous désirons nous investir :

_____

_____

_____

Pourquoi ?

_____

_____

_____

• Qu'allons-nous faire pour nous familiariser avec ces scénarios ?

_____

_____

_____

Je me soucie de mon savoir en évolution

■ PARCOURS 11 : JE M'INTÉRESSE À MA FORMATION
CONTINUE ET JE M'Y IMPLIQUE

• À la lumière de mes acquis et de mes projets d'expérimentation,
je détermine ce dont j'ai besoin pour aller plus loin.

– Les connaissances que je devrais acquérir pour mieux gérer
les cycles et la différenciation :

_____

_____

_____

– Les compétences professionnelles que je juge urgent de maîtriser dans cette perspective :

_____

_____

_____

_____

– Les sessions de formation dont j'aurais besoin :

_____

_____

_____

_____

– Les livres sur la pédagogie que je devrais m'acheter :

_____

_____

_____

_____

– Les personnes de mon entourage que je devrais rencontrer :

_____

_____

_____

_____

– Les stages que je pourrais faire dans un autre milieu :

_____

_____

_____

_____

– Les experts de ma commission scolaire qui pourraient le mieux me soutenir :

_____

_____

_____

_____

– Les congrès d'éducation qui m'aideraient à avancer dans la perspective des cycles et de la différenciation :

_____

_____

_____

– Autres pistes de développement :

_____

_____

■ PARCOURS 12 : JE FAIS DES CHOIX POUR ÉVOLUER EN TANT QUE PÉDAGOGUE.

• Je suis capable de définir la formule d'accompagnement péda-gogique que je désire.

	Oui	Non
– J'ai besoin d'un mentor.	☐	☐
– Je démarre mon portfolio professionnel.	☐	☐
– Je crée mon passeport de formation professionnelle.	☐	☐
– Je désire trois suivis individuels par année.	☐	☐
– Je souhaite que notre équipe-cycle reçoive trois suivis de sous-groupes pendant l'année scolaire.	☐	☐
– Je m'associe à un collègue pour que l'on se donne une dyade d'intervision.	☐	☐
– J'aimerais beaucoup faire partie d'un groupe de résolution de problèmes.	☐	☐
– Je rêve de faire partie d'un groupe d'analyse de pratiques pédagogiques.	☐	☐
– Je veux être initié aux chantiers pédagogiques de discussion ou de production.	☐	☐
– Je suis disponible pour partager mes expertises en matière de différenciation et de fonctionnement par cycles avec d'autres enseignants.	☐	☐

– Autres mesures de soutien :

_____

_____

_____

C'est ici que nos chemins se séparent. Je vous laisse retourner en classe pour vaquer à vos occupations quotidiennes. Je sais que vos élèves vous attendent impatiemment.

Avant de vous quitter, laissez-moi vous dire que vous êtes capable de gérer les cycles et la différenciation. Oui, je le sens et j'en suis sûre ! Je sais que vous avez plein d'idées qui fourmillent dans votre tête présentement et que des projets se dessinent déjà dans votre cœur. Prenez le temps de les concevoir si vous voulez qu'ils soient gages d'évolution pour vos élèves et vous.

Quand la gestion des cycles et de la différenciation vous semblera plus lourde à porter, ne subissez pas cette réalité dans la solitude, parlez-en à vos collègues de cycle. Ils sont là pour ça, vous savez. De plus, je désire vous rappeler que je suis tout juste à vos côtés… *Apprivoiser les différences* est une grande part de moi que je vous lègue.

Je vous offre la marguerite de la différenciation en guise de symbole de notre rencontre et de notre voyage commun. Chaque fois que vous désirerez différencier pour mieux gérer les cycles d'apprentissage, vous pourrez l'effeuiller. Vous n'aurez qu'à remplacer les mots de la comptine de votre enfance (« Marie, Marie pas, Fais une sœur ») par les options suivantes : « Pour qui différencier ? Quoi différencier ? Quand différencier ? Comment différencier ? ».

LA MARGUERITE DE LA DIFFÉRENCIATION

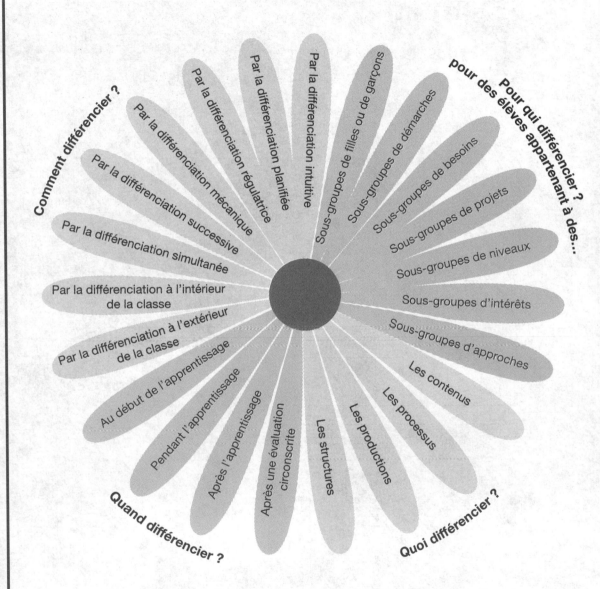

Chapitre 13

575

CONCLUSION
À l'aide! J'ai besoin d'un mentor...

Que peut-on ajouter de plus à la fin d'un ouvrage qui circonscrit l'essentiel des rénovations pédagogiques actuelles? Il serait probablement de bon aloi de rassurer le pédagogue-lecteur – qui envisage avec une légère appréhension la somme d'énergie et de travail qu'il devra fournir – en lui suggérant, tout doucement, quelques pistes pour maximiser son engagement et son efficacité.

Se munir de cartes «atout»

D'abord, il est important pour les enseignants de se rappeler que trois attitudes fondamentales doivent être privilégiées lorsqu'ils désirent innover: la CONFIANCE EN SOI, qui se traduira au quotidien par un leadership confiant; l'humilité requise pour s'accorder le DROIT À L'ERREUR dans l'action; l'OUVERTURE AUX AUTRES qui s'actualisera par le développement du partenariat et de la collégialité avec ceux qui ont à cœur ce projet éducatif de société.

Il est utopique d'aspirer à maîtriser les pratiques nouvelles qui entourent le changement de paradigme de l'apprentissage et de l'enseignement en continuant de penser et d'agir de manière individualiste. Si la confiance en soi et dans les autres est le ressort mystérieux qui met en marche tout ce qu'il y a de force en nous, le recours aux compétences des ressources humaines qui nous entourent est un gage solide de réussite, là où l'on croyait la tâche quasi impossible. Non, nous ne sommes pas seuls sur la route du changement: il y a assurément des mentors qui nous attendent au tournant...

Choisir un mentor

Lorsque nous observons de jeunes enfants tenir fermement dans leurs bras un animal de peluche ou un autre objet fétiche et que nous lisons dans leurs yeux le profond sentiment de confiance et de sécurité que cela leur procure, il ne nous vient pas à l'idée que ces enfants jouent la comédie. Nous sentons que c'est vrai...

Je pense qu'il en est de même lorsqu'un enseignant décide d'être épaulé par un mentor. D'après Renée Houde (1995, page 21), «les mentors ne sont pas des devins même s'ils vous donnent l'impression de vous connaître déjà. Ce ne sont pas des gens non plus que vous avez croisés dans une vie antérieure, mais ils reconnaissent qui vous êtes, parfois sans que vous-même ne le sachiez déjà. Ils croient en vous. Ils vous proposent des défis. Ils vous montrent à faire des choses. Ils vous incitent à vous dépasser. Sans eux, vous ne seriez pas du tout celui ou celle que vous êtes maintenant.

«Attendre d'en savoir assez pour agir en toute lumière, c'est se condamner à l'inaction.»
(Jean Rostand)

«Le mentor, c'est le nounours de la vie adulte»
(Renée Houde)

Conclusion

577

«Ce ne sont pas des gourous. Ce ne sont pas davantage des professeurs. Ils passent dans votre vie, souvent à ces moments décisifs que constituent les périodes de métamorphose, les périodes de transition. Ils entrent dans votre vie et ils y occupent une place importante. Ils font partie de votre vie des semaines... des mois... des années. Ils en ressortent et vous n'êtes plus la même personne. D'une certaine façon, ce sont des PASSEURS, au sens le plus noble du terme.»

Les personnes aptes à assumer le mentorat présentent un profil semblable à celui-ci:

- Elles ont tendance à donner une dimension positive aux événements qui surviennent dans leur vie.

- Elles font confiance au processus de la vie.

- Elles apprennent à composer avec les forces variées qui existent en elles et dans le monde.

- Elles ont soif d'apprendre.

- Elles sont toujours habitées par un projet passionnant qui donne un sens à leur vie.

- Elles ont des valeurs et des convictions qui guident les gestes qu'elles posent.

- Elles ne se présentent habituellement pas comme de grandes expertes.

- Elles savent prendre des risques pour atteindre l'idéal qu'elles se sont fixé.

- Elles font preuve de persévérance dans la conduite des actions qu'elles mènent en lien avec le moteur de leur vie.

- Elles essaient de comprendre ce que vivent les personnes qui les entourent; bref, de les joindre là où elles en sont présentement.

- Elles se soucient de ne pas créer de dépendance chez la personne accompagnée.

- Elles savent reconnaître que le moment est venu de laisser aller leur protégé.

Un véritable mentor présente les caractéristiques suivantes (Houde, 1995, page 88):

- la volonté de partager son savoir;

- l'honnêteté;

- la compétence;

- la volonté de permettre la croissance ou le développement de la personne qu'il accompagne;

- la volonté de donner des rétroactions positives et critiques;

- le fait d'être transparent dans ses propos, dans ses relations et dans ses transactions.

Si vous croyez à l'influence qu'un mentor peut exercer non seulement dans votre vie professionnelle, mais aussi dans votre vie personnelle, commencez à ouvrir l'œil… La bonne personne pour vous aider est peut-être plus près que vous ne le soupçonnez. Il faut également préciser que certains mentors ne se trouvent pas physiquement à nos côtés, tout comme il est possible qu'ils ignorent que nous les avons choisis.

Pour illustrer ces affirmations et faire ressortir toutes les variantes qui peuvent se greffer autour du mentorat, je témoignerai de mon expérience professionnelle.

Évoluer avec son mentor

Au début de ma carrière, vers la fin des années 1960, j'ai admiré l'option pédagogique qu'avait privilégiée Célestin Freinet. Par divers moyens, j'essayais de connaître autant sa philosophie de l'éducation que les dispositifs qu'il utilisait pour rendre l'école plus signifiante pour les enfants. Livres pédagogiques, revues spécialisées, stages d'entraînement aux méthodes actives durant mes vacances d'été, tout cela a contribué à me rapprocher de lui, même si je n'ai jamais eu l'honneur de le rencontrer ni le plaisir de lui révéler toute l'importance qu'il a eue dans ma carrière de jeune enseignante.

Par la suite, j'ai croisé sur ma route deux grands pédagogues: André Paré et Claude Paquette. Ils ont contribué à la confirmation de mes choix pédagogiques et à l'articulation d'une approche centrée sur l'élève. Sans leur charisme et leurs écrits, je ne serais jamais allée aussi loin dans la responsabilisation des élèves au sein de ma classe. J'ai dévoré les trois volumes de l'ouvrage *Créativité et pédagogie ouverte* d'André Paré. Quant à l'ouvrage *Vers une pratique de la pédagogie ouverte* de Claude Paquette, il était presque devenu pour moi une bible. Je feuilletais cet ouvrage sur le coin de mon bureau dès que j'en avais l'occasion ou encore lorsque j'avais un problème de planification et d'organisation. Je n'étais plus seule dans le changement : je pouvais m'identifier à quelqu'un qui m'inspirait et qui m'insufflait confiance.

Comme je souhaitais pousser plus loin ma réflexion, j'ai entrepris des démarches personnelles pour m'approprier et personnaliser des modèles pédagogiques et des structures organisationnelles. Des sessions de ressourcement professionnel au centre de formation de Claude Paquette, à Victoriaville, m'ont servi très souvent de transition harmonieuse entre les vacances estivales et la rentrée scolaire, à la fin d'août. Chaque année, je revenais en classe très motivée puisque mes défis professionnels étaient identifiés et orchestrés en plan de développement annuel. Je savais ce que je voulais développer et expérimenter et mes élèves le savaient aussi.

Mon appétit pédagogique était grand : j'étais incapable de me contenter de perfectionnement sans suivi. Grâce à mes économies personnelles ou à des budgets obtenus auprès de mon syndicat et de mon école, je me suis donné la chance de visiter des classes qui étaient en train de développer des modèles de pédagogie ouverte. De plus, j'ai accepté d'être observée en classe avec mes élèves par une de mes mentors, Micheline Paquette, très engagée elle aussi dans la promotion de la pédagogie ouverte. Pendant deux ans, j'ai bénéficié de trois suivis individuels répartis sur les dix mois de l'année scolaire.

Quand j'ai commencé à m'intéresser aux différences chez les élèves, je me suis spontanément tournée du côté européen, puisqu'à l'époque, cela ne faisait que très peu partie de nos préoccupations éducatives québécoises. J'ai alors pris connaissance des œuvres de Philippe Meirieu et de Philippe Perrenoud : je les lis et relis depuis une quinzaine d'années. D'ailleurs, ces deux chercheurs m'ont accompagnée pendant ce projet d'écriture.

Ah ! J'allais oublier... J'ai aussi eu un mentor qui a guidé mes toutes premières années d'enseignement. Il s'agissait d'une dame, au mitan de la vie, passionnée par l'école et les enfants. Elle me donnait confiance, moi qui n'avait que 17 ans et une seule année de formation à l'école normale lorsque je me retrouvai devant 34 garçons de 3e et 4e année, dans la vieille école du village située juste à côté du cimetière. Je me souviens encore de certains de ses enseignements :

- Les élèves ont besoin d'une maîtresse d'école vivante et dynamique.

- Les élèves en difficulté ont le droit de recevoir des explications tant qu'ils n'ont pas compris. C'est donc notre devoir de faire preuve de patience à leur égard et de répéter plus d'une fois.

- Les élèves performants doivent avoir certaines responsabilités.

- Pour qu'un élève retienne la matière enseignée, il faut solliciter son savoir fréquemment.

- Pour relever avec brio le mandat d'enseigner, il faut accepter de travailler en dehors des heures de présence avec les élèves.

- Il faut enseigner aux élèves plus d'une façon d'additionner, de soustraire, de multiplier ou de diviser.

Ces conseils judicieux, prodigués avec beaucoup de tact et de générosité, provenaient d'une femme de terrain qui n'avait pas encore apprivoisé l'enseignement stratégique, la gestion mentale ou la pédagogie différenciée. Mais ils m'ont été tellement utiles pour guider mes premiers pas...

Je voudrais souligner qu'il n'est pas nécessaire que notre mentor soit reconnu comme un expert en la matière, une célébrité du monde de l'éducation ou un gourou dont on ne saurait se passer. L'élément-clé à rechercher est sûrement la volonté et la disponibilité d'une personne désireuse de cheminer avec nous dans une ambiance de confiance, de respect, d'intégrité et de discrétion professionnelle.

Relever des défis ensemble

Le développement des compétences, l'organisation par cycles et la différenciation des apprentissages sont des défis gigantesques qu'on ne peut relever seul. Voilà pourquoi j'ai décidé de consacrer deux années à réfléchir sur ces concepts, de manière à en proposer une synthèse que je voulais très vulgarisée. J'ose croire que j'ai finalement atteint mon but...

En signant cette conclusion, je sais pertinemment que, bientôt, mon livre ne m'appartiendra plus vraiment. Le temps est donc venu pour moi de lâcher prise : au moment où vous lirez ces lignes, ce volume sera le vôtre. À vous de lui permettre de jouer le rôle pour lequel je l'ai créé...

À ce deuil qu'une auteure doit faire s'ajoute la crainte des réactions du public face à son œuvre. « Comment cet ouvrage sera-t-il perçu ? », me suis-je demandée plus d'une fois. Cette insécurité bien légitime est le lot de tous ceux qui font le choix de partager avec les autres une partie de leur savoir. Je me permets ici de réitérer que cet ouvrage a été conçu principalement à l'intention des enseignants. Il s'agit d'un outil d'accompagnement pour les praticiens qui souhaitent du support, faute de ressources sur le terrain. Il n'a pas la prétention de venir remplacer et supplanter toutes les productions rigoureuses et scientifiques développées par des personnes expertes des commissions scolaires, des universités ou du ministère de l'Éducation.

Comme il contient des référentiels, des tableaux et des outils-support très perfectibles, il peut ouvrir la porte à des chantiers pédagogiques sur le terrain avec les enseignants. Par l'entremise d'*Apprivoiser les différences*, j'accepte donc de jouer un rôle de mentor très discret...

Avancer au fil du quotidien

Même si les objectifs d'innovation et de développement sont ambitieux, il faut les teinter de réalisme pour pouvoir les opérationnaliser. « Il faut avoir le courage des commencements » et « À chaque jour suffit sa peine » sont des phrases-clés qui peuvent nous placer ou nous remettre sur la bonne voie. Si nous acceptons de poser un geste quotidien de différenciation dans notre classe, même si ce n'était que pour un seul élève, cela ferait toute la différence : nous aurions contribué à faire avancer cet élève en fonction de sa propre réussite. En guise de salutation d'usage, je vous laisse sur cette allégorie intitulée *Une étoile à la fois*.

Sur la plage à l'aube, un vieil homme voit un jeune homme qui ramasse des étoiles de mer et les rejette à l'eau.

— Pourquoi cet étrange manège?

— Les étoiles échouées mourront si on les laisse exposées au grand soleil du matin.

— Mais la plage s'étend sur des kilomètres, et il y a des milliers d'étoiles de mer. Je ne vois pas très bien ce que cela change.

Le jeune homme regarde alors celle qu'il tient au creux de sa main, puis la lance dans les vagues.

— Pour celle-ci, en tout cas, ça change tout…

Je vous accompagne à distance.

Jacqueline Caron

À l'aide ! J'ai besoin d'un mentor…

LISTE DES RÉFÉRENTIELS POUR CADRER LES ACTIONS À POSER

Liste des référentiels

LISTE DES OUTILS-SUPPORT
À L'EXPÉRIMENTATION

Liste des outils-support

BIBLIOGRAPHIE

ALTET, Marguerite (1998). *Les pédagogies de l'apprentissage*, 2ᵉ édition, coll. Pédagogues et pédagogies, Paris, PUF.

ARMSTRONG, Thomas (1999). *Les intelligneces multiples dans votre classe*, Montréal, Chenelière/McGraw-Hill.

ARCHAMBAULT, Jean et Lina FORTIN (2001). «Élèves en difficulté ou école en difficulté? Le nouveau rôle des orthopédagogues dans la réforme de l'éducation», *Vie pédagogique*, Montréal, septembre-octobre, p. 9 à 11.

ASTOLFI, Jean-Pierre (1992). *L'école pour apprendre*, coll. Pédagogies, Paris, ESF Éditeur.

ASTOLFI, Jean-Pierre et Florence CASTINCAUD (1992). « Des objectifs à l'aide individualisée », *Cahiers pédagogiques*, 4ᵉ édition, p. 165-166.

AUTHIER, Michel et Pierre LEVY (1999). *Les arbres de connaissances*, Paris, Éditions La Découverte.

BARTH, Britt-Mari (1993). *Le savoir en construction : former à une pédagogie de la compréhension*, Paris, Retz Nathan.

BASSIS, Odette (1998). *Se construire dans le savoir*, Paris, Éditeur ESF.

BOURGET, Denis (1985). *La théorie des talents multiples en pédagogie ouverte*, Victoriaville, Éditions NHP.

BURNS, Robert (1971). « Methods for Individualizing Instruction », *Educational Technology*, 11, p. 55-56.

CAMPBELL, Bruce (1999). *Les intelligences multiples*, Montréal, Chenelière/McGraw-Hill.

CAPRA, Louise et Lucie ARPIN (2001). *L'apprentissage par projets*, Montréal, Chenelière/ McGraw-Hill.

CARON, Jacqueline (1997). *Quand revient septembre*, vol. 1 et 2, Montréal, Chenelière/McGraw-Hill.

CARON, Jacqueline et Ernestine LEPAGE (1985). *Vers un apprentissage authentique de la mathématique*, Coll. Outils pour une pédagogie ouverte, cahier n° 10, Victoriaville, Éditions NHP.

CLERC, Françoise (1997). «Retours sur la pédagogie différenciée », supplément n° 3, *Cahiers pédagogiques*, octobre-novembre, p. 44.

COMMISSION SCOLAIRE DES PREMIÈRES-SEIGNEURIES et SOCIÉTÉ GRICS (2001). *Guide pratique pour l'élaboration d'un bulletin scolaire au primaire. Document de travail dans un contexte d'application graduelle du programme de formation,* Beauport, avril.

Compare and Contrast Frame, Nellie McClung Collegiate, D. S. de Pembina Valley n° 27.

Concept Frame, Nellie McClung Collegiate, D. S. de Pembina Valley n° 27.

COURCHESNE, Danièle (1999). *Histoire de lire*, Montréal, Chenelière/McGraw-Hill.

DE KETELE, J.-M. (1983). *Observer pour éduquer*, Berne, Peter Lang Éditeur.

DE KONINCK, Godelieve (1996). *À quand l'enseignement ? Plaidoyer pour la pédagogie*, Montréal, Les Éditions Logiques.

DE PERETTI, André (1987). *Pour une école plurielle*, Paris, Éditions Larousse.

DE PERETTI, André (1992). « Différencier la pédagogie : des objectifs à l'aide individualisée », *Cahiers pédagogiques*, 4ᵉ édition, Université d'été de Poitiers, p. 54.

DE VECCHI, Gérard (2000). *Dossier pédagogique n° 9 : l'innovation pédagogique en question,* Belgique, mars.

DEMERS, Dominique (1994). *La nouvelle maîtresse d'école,* coll. Jeunesse, Montréal, Québec-Amérique.

DESJARDINS, Richard (2002). *Le portfolio de développement professionnel continu*, Montréal, Chenelière/McGraw-Hill.

DORE, Louise, Nathalie MICHAUD et Libérata MUKARUGAGI (2001). *Engager l'élève dans l'évaluation de ses apprentissages,* Montréal, Chenelière/McGraw-Hill.

Do your Laps, Nellie McClung Collegiate, D.S. de Pembina Valley n° 27.

DU SAUSSOIS, Nicole (1991). *Les activités en ateliers,* Paris, Armand Colin Éditeur.

DUCHESNE, B. et E. HUYGHEBAER (2000). Extrait de «Mon enfant redouble, c'est grave, docteur?», *Dossier pédagogique,* n° 11, mai-juin.

DUKOWSKI, Les *et al.* (1985). *Houghton Mifflin Mathematics 8,* Markham, Houghton Mifflin Canada.

FRANCOEUR, Paul (2001). « Éloge de la différence », *Vie pédagogique,* n° 120, Québec, septembre-octobre, p. 38-39,

FRANCOEUR-BELLAVANCE, Suzanne (1997). *Le travail en projet,* Montréal, Intégra.

GARDNER, Howard (1999). *Les formes de l'intelligence*, Paris, Éditions Retz (Odile Jacob).

GATHER-THURLER, Monica (2000). Citée dans « Dossier : Les cycles d'apprentissage, un chantier ouvert », *Vie pédagogique,* n° 114, février-mars, p. 27-30.

GILLIG, Jean-Marie (1999). *Les pédagogies différenciées,* Bruxelles, de Boeck Université.

GOUPIL, Georgette (1997). *Communications et relations entre l'élève et la famille,* Montréal, Chenelière/McGraw-Hill.

GOUPIL, Georgette (1998a). « Le portfolio : vers une pratique réflexive de l'enseignement », *Vie pédagogique*, n° 107, avril-mai, p. 38-39.

GOUPIL, Georgette (1998b). *Portfolios et dossiers d'apprentissage*, Montréal, Chenelière/McGraw-Hill.

GREGORE, Anthony (1982). Université du Connecticut.

GROUPE DE PILOTAGE DE LA RÉNOVATION (1992), *L'information et la consultation des parents dans les cycles,* Genève, mars.

GROUPE DE PILOTAGE DE LA RÉNOVATION (1999a). *La gestion des groupes, du temps et des espaces dans les cycles d'apprentissage. Document de travail complétant le projet de réforme de l'enseignement primaire,* Genève, Département de l'instruction publique, juin.

GROUPE DE PILOTAGE DE LA RÉNOVATION (1999b), *Vers une réforme de l'enseignement primaire genevois,* Genève, mars.

GROUPE REGAIN (Renée Rivest). *Innovation en management,* Sillery (Québec).

HAGSTEDT, Herbert (1998). *Le Nouvel Éducateur,* n° 101, septembre.

HALL, G.E. et S. HORD (1987). *Change in Schools: Facilitating the Process,* Albany State, University of New York Press.

HOUDE, Renée (1995). *Des mentors pour assurer la relève,* Montréal, Éditions Meridien.

HOERR, Thomas R. (2002). *Intégrer les intelligences multiples dans votre école,* Montréal, Chenelière/McGraw-Hill.

HOWDEN, Jim et Marguerite KOPIEC (2002). *Cultiver la collaboration*, Montréal, Chenelière/McGraw-Hill.

HOWDEN, Jim et Huguette MARTIN (1997). *La coopération au fil des jours*, Montréal, Chenelière/McGraw-Hill.

ISABELLE, Claire (2002). *Regard critique et pédagogique sur les technologies de l'information et de la communication*, Montréal, Chenelière/McGraw-Hill.

KUPPENS, Georges (1992). *Émile ou l'école retrouvée : l'idée pédagogique du Plan d'Iéna*, Belgique, Éditions Erasme.

LABYE, M.M. (1983). *Les ateliers : pratique pédagogique du projet*, Bruxelles, Fernand Nathan (Éditions Labor).

LAWAREE, Jean-Michel (2000). « Vivre l'innovation... entrer dans le processus de changement », *L'innovation pédagogique en question,* FédEFOC, Service Pédagogique, mars.

LECLERC, Martine (2001). *Au pays des gitans : recueil d'outils pour intégrer l'élève en difficulté dans la classe régulière,* Chenelière/McGraw-Hill.

LEGENDRE, Renald (1993), *Dictionnaire actuel de l'Éducation,* Montréal, Guérin Éditeur.

LEGRAND, Louis (1996). *Les différenciations de la pédagogie,* Paris, PUF.

LEGRAND, Louis (1997). *Les pédagogies de l'apprentissage,* Paris, Presses universitaires de France.

LESSARD, Claude (1999). *École sans échelons ou cycles d'apprentissage à l'école primaire : éléments comparatifs,* Montréal, Université de Montréal, 9 décembre.

Lesson Frame, Nellie McClung Collegiate, D.S. de Pembina Valley n° 27.

MAISON DES TROIS ESPACES (1993). *Apprendre ensemble, apprendre en cycles,* coll. Pédagogies, Paris, Éditeur ESF.

MEIRIEU, Philippe (1986). « Différencier la pédagogie », *Cahiers pédagogiques.*

MEIRIEU, Philippe (1991). *Apprendre… oui, mais comment?,* coll. Pédagogies, Paris, Éditeur ESF.

MEIRIEU, Philippe (1992). *L'école, mode d'emploi : des méthodes « actives » à la pédagogie différenciée,* 7e édition, ESF éditeur, Paris.

MEIRIEU, Philippe (1995a). *Différencier, c'est possible et ça peut rapporter gros!,* Lyon 2, Université Lumière.

MEIRIEU, Philippe (1995b). *Enseigner : scénario pour un métier nouveau,* coll. Pédagogies, Paris, Éditeur ESF.

MINISTÈRE DE LA COMMUNAUTÉ FRANÇAISE (1999). *Socles de compétences, enseignement fondamental et premier degré de l'enseignement secondaire,* mai.

MINISTÈRE DE L'ÉDUCATION DE LA COLOMBIE-BRITANNIQUE, (1994). *Rencontres centrées sur l'élève (guide d'évaluation),* Victoria, Bureau des programmes de langue française, février.

MINISTÈRE DE L'ÉDUCATION DE L'ONTARIO (2000). *Modification de la programmation pour l'élève en difficulté en salle de classe,* Institut d'été 2000, palier élémentaire, Regroupement des réseaux et des centres de formation.

MINISTÈRE DE L'ÉDUCATION DU QUÉBEC (2000a). *Cadre de référence en évaluation des apprentissages au préscolaire et au primaire (document de travail),* 6 novembre.

MINISTÈRE DE L'ÉDUCATION DU QUÉBEC (2000b). *Projet de politique d'évaluation des apprentissages, l'évaluation au coeur des apprentissages,* 6 novembre.

MINISTÈRE DE L'ÉDUCATION DU QUÉBEC (2001). *La formation à l'enseignement : les orientations, les compétences professionnelles.*

MINISTÈRE DE L'ÉDUCATION DU QUÉBEC, DFPG (2001). *Programme de formation de l'école québécoise* (version approuvée).

MINISTÈRE DE L'ÉDUCATION DU QUÉBEC (2002). *Échelles des niveaux de compétences, enseignement primaire.*

MORISETTE, Rosée, en collaboration avec Micheline VOYNAUD (2002). *Accompagner la construction des savoirs,* Chenelière/McGraw-Hill.

OUELLET, Lisette (1996). *Quand les enfants s'en mêlent,* Montréal, Chenelière/McGraw-Hill.

PAQUETTE, Claude (1992). *Pédagogie ouverte et interactivité,* vol. 1 et 2, Montréal, Éditions Québec Amérique.

PARÉ, André (1977). *Créativité et pédagogie ouverte,* vol. 1 à 3, Victoriaville, Éditions NHP.

PERRAUDEAU, Michel (1997). *Les cycles et la différenciation pédagogique,* Paris, Armand Collin Éditeur.

PERRENOUD, Olivier (1996). *Y a-t-il un horaire scolaire idéal?,* Genève, Université de Genève.

PERRENOUD, Olivier (2000). *Vers une pratique pédagogique en modules,* Lutry (Suisse), école de Derrière-Corsy.

PERRENOUD, Olivier et Marianne PILLOUD (2000). *Module Zoo,* Lutry (Suisse), école de Derrière-Corsy.

PERRENOUD, Philippe (1995). *La pédagogie à l'école des différences,* coll. Pédagogies, Paris, ESF Éditeur.

PERRENOUD, Philippe (1997). *Pédagogie différenciée : des intentions à l'action,* coll. Pédagogies, Paris, ESF Éditeur.

PERRENOUD, Philippe (1998). « Les cycles d'apprentissage, de nouveaux espaces-temps de formation », *Éducateur,* n° 14, 18 décembre, p. 23 à 29.

PERRENOUD, Philippe (1999a). *Dix nouvelles compétences pour enseigner,* Paris, Éditeur ESF.

PERRENOUD, Philippe (1999b). *Gérer en équipe un cycle d'apprentissage pluriannuel : une folie nécessaire,* Université de Genève, Genève.

PERRENOUD, Philippe (2000a). Cité dans « Dossier : Les cycles d'apprentissage, un chantier ouvert », *Vie pédagogique,* n° 114, février-mars.

PERRENOUD, Philippe (2000b). *De la gestion de classe à l'organisation du travail dans un cycle d'apprentissage,* Genève, Faculté de psychologie et des sciences de l'éducation, Université de Genève.

PERRENOUD, Philippe (2000c). *Trois questions sur l'organisation du travail dans les cycles d'apprentissage pluriannuels,* Université de Genève, Genève, 27 mai.

PERRENOUD, Philippe. *Structurer les cycles d'apprentissage sans réinventer les degrés annuels*, Université de Genève, Genève.

PRZESMYCKI, Halina (1991). *Pédagogie différenciée*, Paris, Hachette Éducation.

QUITTRE, Vincent (1998). *Vers l'autonomie dans les apprentissages par les situations-problèmes,* Huy (Belgique), Haute école mosane d'enseignement supérieur.

REY, Bernard (1998). *Faire la classe à l'école élémentaire*, Paris, Éditeur ESF.

RIGGS (1997), cité dans GOUPIL, Georgette (1998). « Le portfolio : vers une pratique réflexive de l'enseignement », *Vie pédagogique*, avril-mai, p. 38-39.

ROBICHAUD, Doris et Sylvie DOMPIERRE (2000). *Le processus du portfolio et de la conférence dirigée*, Ottawa, Centre franco-ontarien de ressources pédagogiques.

SAINT-LAURENT, Lise (2002). *Enseigner aux élèves à risque et en difficulté au primaire*, Gaëtan Morin éditeur.

SCOTT, Cynthia et Dennis JAFFE (1992). *Maîtriser les changements dans l'entreprise*, Belgique, Presses du Management.

TARDIF, Jacques (1992). *Pour un enseignement stratégique, l'apport de la psychologie cognitive*, Montréal, Éditions Logiques.

TARDIF, Jacques (1999). *Rencontre avec les directions des écoles ciblées*.

TARDIF, Jacques (2000). Cité dans « Dossier : Les cycles d'apprentissage, un chantier ouvert », *Vie pédagogique*, n° 114, février-mars, p. 17-21.

TOMLINSON, Carol Ann (2003). *La classe différenciée: répondre aux besoins de tous les élèves*, Montréal, Chenelière/McGraw-Hill.

VELLAS, Étiennette (1999). *Une gestion du travail scolaire orientée par une conception «auto-socio-constructiviste» de l'apprentissage*, Université de Genève, Genève.

VIAU, Rolland (1994). *La motivation en contexte scolaire*, Montréal, Éditions du Renouveau Pédagogique.

WHEELER (1993). Cité dans GOUPIL, Georgette (1998). « Le portfolio : vers une pratique réflexive de l'enseignement », *Vie pédagogique*, avril-mai, p. 38-39.

WOLF (1991). Cité dans GOUPIL, Georgette (1998). « Le portfolio : vers une pratique réflexive de l'enseignement », *Vie pédagogique*, avril-mai, p. 38-39.

Bibliographie